ZIBIA
GASPARETTO
GRANDES FRASES

CB053574

1

Ame-se. Veja sua beleza,
expresse a luz de sua alma.
Sua casa é você. Cuide
bem dela. Torne-a bonita,
agradável, aconchegante.
Faça isso. Deixe-se ser feliz!

2

As posições sociais são temporárias. Na verdade, o que realmente conta são os valores eternos da alma. Eles é que revelam o nível de cada um.

3

A voz tem poder.
Quando você se lamenta,
puxa a energia negativa
para dentro de você.

4

É inútil fugir dos problemas porque assim você faz com que eles permaneçam.

5

Cada dor, cada luta,
cada sofrimento tem sua
razão de ser na justiça
perfeitíssima de Deus.

6

A vida guarda a
sabedoria do equilíbrio e
nada acontece sem uma
razão justa.

7

A vaidade é o
caminho direto para
a frustração.

8

De uma hora para outra
tudo pode mudar.
A vida é assim.

9

Cada ser é único. E cada um encontra a paz interior na religião que mais se sentir bem em seu espírito.

10

Confie na vida e não
tenha medo de ousar.
As primeiras vitórias vão
motivá-lo a continuar.

11

É a vida que ensina. São as nossas experiências que nos mostram como agir. Errar é comum, mas também um aprendizado.

12

Fomos criados para sermos eternos.
Para desenvolvermos nossos
potenciais como espírito
e aprendermos a cooperar com
a natureza e as forças da criação.

13

Aplaudir as vitórias dos outros é atraí-las para si.

14

Felicidade só é possível
se você valorizar as
coisas simples da vida.

15

Busque a sua alegria,
cuide-se, ponha a sua
luz para fora. Você veio
para brilhar.

16

Conserve a calma, olhe a vida boa que conquistamos, o benefício do progresso no nosso mundo.

17

Esquecer o passado não significa esquecer as pessoas que amamos. No entanto, esquecer coisas desagradáveis, enganos e situações que não podemos modificar é necessário.

18

Há coisas que acontecem
de surpresa em nossa
vida e nos deixam tristes.
Quando a vida tira alguma
coisa de você, ela está lhe
preparando algo melhor.

19

Ciúme é a falta de confiança
em si, é apego, e não amor;
é querer dominar o parceiro.

20

Enfrentar cada desafio
com inteligência é abrir
as portas do progresso.

21

Enfrentar a verdade
pode doer ou frustrar,
mas liberta e fortalece.

22

Desenvolver a
consciência é evoluir e
conquistar a maturidade.

23

Comece o dia bem.
Ligue o rádio, ouça uma
música gostosa, sinta o sol
aquecendo o seu rosto.

24

Disciplinar-se é descobrir
o valor exato das coisas
e não ter nada de mais
nem de menos.

25

Jogue fora o orgulho, que só tem atrapalhado; a inveja, porque você é capaz de fazer igual ou melhor; o ciúme, porque você é tão bom que, se alguém não acreditar nisso, é porque não merece sua amizade. E cultive a alegria.

26

A mudança sempre existe e sempre é para o melhor, embora, às vezes, ela venha de forma dolorosa. A resistência faz que a vida traga um desafio mais forte. Nada fica parado.

27

Amor é renúncia em favor
da felicidade do ser amado.
Antes de dormir, chame
seu anjo da guarda para
protegê-lo e guiá-lo
durante o sono.

28

Fique bem e não absorva os problemas dos outros, inclusive os de seus familiares, pois em vez de ajudar, vai ficar mal também.

29

Antes de recorrer
à oração, limpe a
cabeça dos maus
pensamentos.

30

Ficar na alegria, na paz,
no bem, esquecer das
preocupações, faz
a gente ter saúde.

31

Enquanto você está distante
e longe do seu momento,
abre a porta ao intruso que
invade seu pensamento.

32

Iluminar a inteligência
com conhecimento é uma
das mais elevadas e dignas
aspirações do homem.

33

A ligação com o bem, com
os espíritos de luz, fortalece
a imunidade e é nossa
melhor defesa.

34

É você quem se coloca
onde está. Se não está
satisfeito, mude
de lugar.

35

Faça apenas o que
seu espírito gosta.
Quando não gostar, diga
educadamente 'não'.

36

Às vezes pedimos uma coisa
e a vida dá outra, porque
não era o melhor para nós
naquele momento.

37

Faça um esforço para sair da mágoa. Ela só prejudica sua vida e é a causadora de muitas doenças.

38

As forças positivas da vida é que podem cuidar de tudo aquilo que não depende de nós.

39

Humildade é reconhecer os pontos fracos, tentar ser melhor e não negar as suas qualidades.

40

É você quem escolhe onde quer ficar. Se escolher ficar no negativo, as coisas não vão andar mesmo.

41

Estamos reconhecendo a força da vida. Percebemos que, quando chega a hora, ninguém segura e as coisas vão acontecer, gostando ou não.

42

A inteligência nos ajuda a viver com menos sofrimento. Se apoie em qualquer circunstância. Você nunca erra!

43

Ajudar os outros é bom,
mas faça quando sentir
no coração, e não
por obrigação.

44

Há coisas que não dependem de nós. E é a própria pessoa que tem que procurar melhorar.

45

Embora não se lembre,
os fatos do passado estão
em seu inconsciente
e se refletem em seus
sentimentos no presente.

46

As leis que regem a vida são
santas, são puras, perfeitas.
Sempre que transgredimos
seus ditames, ela nos faz
colher os resultados para nos
ensinar a ter responsabilidade.

47

Deus é amor, proteção,
luz. Ele é a maior
inteligência do universo
e, quando nos criou,
colocou em cada um de
nós o poder da escolha.

48

A mente capta as coisas de fora. A alma tem todos os sensos, como o da intuição. Dê mais atenção ao sentir da alma e menos aos pensamentos.

49

Estamos aqui para experimentar atitudes, emoções, e aprender com a vida.

50

Jogue fora o que de
ruim já aconteceu
e acredite que a vida
lhe dá sempre o melhor.

51

Geralmente, a revolta
e o ódio aparecem
quando esperamos das
pessoas mais do que
elas podem dar.

52

A realidade é a vida espiritual. As outras coisas são passageiras. Só o que o espírito sente é o que conta.

53

Ligue-se com seu espírito
e sinta o que é importante
em sua vida agora. Fale com
Deus sobre seus projetos
de sucesso, peça inspiração
divina. Seja otimista.

54

A tristeza precisa ser combatida. Sempre destrói nossas forças e nunca resolveu nenhum de nossos problemas.

55

Lembre-se: em cada caminho uma luz, em cada porta uma chave, em cada momento uma necessidade. Se não sabe como encontrar o que precisa, fique atento aos sinais que a vida lhe dá e siga em frente.

56

A vida nos oferece tudo
e nos acompanha sempre,
cuidando do nosso
amadurecimento. Oferece
todas as oportunidades,
mas não faz a parte que
nos compete.

57

Na busca da paz,
esqueça as mágoas
e note as qualidades
dos familiares. Traga
à tona o que perceber
de bom neles.

58

A energia do talento é tão forte que ninguém consegue sufocá-la por muito tempo. Ela irrompe soberana e consegue agitar multidões.

59

Lembre-se de que
nós não estamos sozinhos.
Ao nosso lado, há sempre
um espírito de luz
a nos inspirar.

60

Muitos julgam que
são o que não são
e se surpreendem
quando alguém lhes
diz a verdade.

61

A natureza tem tudo de que precisamos para manter a saúde. A doença é fruto da nossa falta de conhecimento, do mau uso que fazemos dos alimentos, dos excessos que cometemos na alimentação e no descontrole de nossa mente.

62

Insegurança e medo revelam falta de fé. Confiar na vida é a chave para vencê-los. Compete a você achar essa chave, que só se mostra para quem tem coragem de buscar a verdade, esteja ela onde estiver.

63

A arte é a maneira mais eficiente para sensibilizar o espírito. A beleza fala da perfeição da vida, os sons tangem as cordas da alma.

64

Mude sua maneira de enxergar a vida. Cuide de seus sentimentos e busque somente o que é bom para você.

65

É bom conviver com os que amamos, mas quando isso não é mais possível, vale a pena tentar ser feliz de outra forma.

66

Expresse os seus sentimentos, não se obrigue a fazer o que não quer para satisfazer os outros.

67

A morte não é o fim.
O corpo morre, mas
o espírito é eterno.

68

Expressar a generosidade
é prazeroso, traz
realização interior.

69

Acredite na vida.
O que você não
pode, Deus pode.

70

Ligue-se no que é positivo. Você tem o poder de escolha.

71

Muitas vezes queremos
coisas que não são para nós.
Vamos ser mais modestos,
descobrir o que é para cada
um de nós.

72

Em qualquer situação
procure observar
e discernir. A solução
pode estar passando
por você.

73

Nada é definitivo no
livro da vida. Nós o
escrevemos todos os dias,
plantando nosso futuro.
Não sabemos nada sobre
as leis da vida.

74

A força de Deus está
dentro de você, mas
é preciso acreditar
nisso para que ela
se manifeste.

75

Cada erro é um aprendizado e a cada desafio enfrentado, ganhamos experiência.

76

Ao acreditar
no positivo, em
coisas boas, você
vence tudo.

77

Cada um age de acordo com o que acredita. Não se deixe influenciar pelo outro, faça as coisas de acordo com o seu coração.

78

Nada acontece por acaso.
As pessoas são unidas
pela vida. Se estão juntas,
é porque uma tem que
aprender com a outra.

79

Não acredite que as pessoas
sejam essencialmente más.
As pessoas também têm
seu lado bom, mas às vezes
não sabem encontrar
o caminho.

80

Falsas crenças assimiladas distorcem a realidade, fazem você agir de maneira equivocada e provocam resultados ruins.

81

Não há duas pessoas
iguais. Cada espírito tem
seu próprio processo
de evolução, reflete
experiências e necessidades
de outras vidas, traz uma
programação diversa da sua.

82

A dor é o remédio que
derruba a muralha das
ilusões. Ensina a valorizar
a vida, a saúde, a paz e as
coisas simples do dia a dia.
Reconheça o bem que possui.
Não espere a dor para acordar.

83

Na natureza, nada morre, apenas se transforma. Todo ser vivo tem alma e ela sobrevive quando o corpo terreno morre. Depois da morte, eles voltam a viver na outra dimensão do universo, onde viviam antes de encarnar aqui.

84

A intuição é a mais perfeita
forma de conhecer a verdade.
Quando você a contraria,
acaba se machucando.
A justiça de Deus é perfeita.
Confie nela e perdoe.
Nenhum de nós é inocente
ou injustiçado. Cedo ou tarde
colhemos o que plantamos.

85

Não há mal em querer melhorar de vida e ter dinheiro. Ele apenas representa valor e, em si, não é bom nem mau. Isso dependerá do uso que fizermos dele.

86

Tudo está certo como Deus fez. Cada coisa, cada ser, cada mundo, cada estado de consciência é manifestação divina. Tudo é Deus em todo o universo. Seu poder atua em tudo, alimentando a vida.

87

A fé é a claridade da certeza. É livre dos preconceitos da religião e une a criatura ao criador sem necessidade de intermediários.

88

Cada pessoa tem um caminho. E o universo trabalha para levar cada um para seu determinado caminho.

89

A vida trabalha sempre em favor da nossa evolução e faz o melhor.

90

Não entre no que não é bom.
É preciso ficar alerta com
o magnetismo que você
emite e que você capta.

91

À medida que nos ligamos ao nosso espírito, desenvolvemos nossa consciência e aprendemos os verdadeiros valores espirituais.

92

Descubra o seu caminho,
o que é para você. Não
adianta querer o que é
do outro porque cada
um tem o seu caminho.

93

Melhor esquecer o passado. Afinal, tudo é temporário. Se aceitar que Deus não erra, deve saber que o melhor momento para nós é o hoje, o agora.

94

Não julgue ninguém.
Lembre-se de que cada
um acredita que sempre
está fazendo o melhor
para si e não tem intenção
de magoar as pessoas.

95

Quem usa a própria força com inteligência anda mais depressa.

96

Liberte-se do que o incomoda. Valorize somente o bem.

97

A prece nos liga com as dimensões de luz e abre espaço para que os espíritos iluminados possam nos envolver e auxiliar.

98

As pessoas não são
aquilo que gostaríamos.
Elas têm seus limites,
seu próprio processo
de evolução.

99

Não dê força para
o noticiário violento.
As coisas estão ruins,
mas não precisamos
entrar nelas. Mantenha
o equilíbrio interior.

100

A indiferença e a frieza
podem ser a forma de
impedir o sofrimento,
de ferir o coração. Uma
maneira de defesa
para evitar a dor.

101

Não há nada melhor
do que a verdade. Ela
é a deusa suprema sem
a qual a evolução não pode
ocorrer. Ela é propulsora do
nosso progresso e de todas
as conquistas.

102

No amor é preciso ousar, falar o que vai ao coração. Não dá para ficar imaginando coisas no comportamento do parceiro sem saber se são verdadeiras, criando barreiras que distanciam um do outro.

103

Cada um tem o direito de escolher. Quem cultiva a maledicência não pode viver em paz, da mesma forma que quem não distribui amizade não pode ser amado.

104

Não dê importância para o que os outros pensam. Cuide de você, melhore seus conhecimentos, aceite as diferenças.

105

A força está em você.
Precisa acreditar que
é capaz. Não se iluda com
as aparências do mundo.

106

Na vida, é preciso acreditar nas coisas boas para que elas se materializem. O poder está dentro de você.

107

Quando mudamos
por dentro, acabamos
mudando as coisas de fora.

108

A verdadeira alegria é aquela que sentimos sem precisar de motivo algum.

109

Ignore pensamentos
negativos e siga
em frente.

110

Acredite na sua
alma e não no que
a cabeça fala.

111

Há muita gente ainda que precisa assumir a responsabilidade sobre a própria vida. Você é uma delas?

112

Confie na vida
e ligue-se com o
Eu Espiritual. Esse
é o segredo da
serenidade e da paz.

113

Na reencarnação está
a chave da maioria dos
problemas mentais,
explicando as fobias e até
os problemas da vida atual.

114

O amor é eterno e o
espírito também. Para
que segurar o passado?
Ele passou, deixe-o
ir embora.

115

A vida é uma aventura.
Portanto, viva, faça
o que lhe dá prazer,
renove-se.

116

Não se deixe envolver pelas coisas dos outros. Temos que aprender a ouvir, mas não dar palpites.

117

Nós somos livres para escolher, mas é a vida que conduz.

118

O amanhã ninguém
sabe. Não vale a pena
atormentar-se com ele.

119

Nós só vamos conseguir
equilíbrio e ficar no bem,
se ficarmos alegres desde
agora. Olhemos o futuro
como uma coisa boa.

120

O amor é uma coisa boa.
Ninguém pode ficar a
vida inteira mudando de
companhia, sem uma
relação estável.

121

Dizer não pode ser
difícil para você,
mas o sim, às vezes,
pode complicar
muito mais.

122

Não adianta fugir dos problemas porque enquanto não os enfrentar eles continuarão em seu caminho.

123

Não coloque regras nem
fantasias na cabeça.
A verdade sempre aparece.
É só pensar, não julgar;
apenas observar e fazer
o que é melhor para você.

124

A vida é isso. Reúne e separa pessoas. Mesmo vivendo juntos uma vida inteira, há sempre a hora da separação, quando cada um deve seguir o seu rumo.

125

Meditemos na bondade
divina, permitindo
a todos nós, apesar dos
erros, recomeçar e refazer
nossos caminhos.

126

O amadurecimento do
espírito e o desenvolvimento
da consciência são
trabalhos individuais
e intransferíveis.

127

A vida trabalha
incessantemente para
a nossa felicidade.

128

Não é o amor que traz
a infelicidade, e sim
a maneira como se ama.

129

As coisas boas que
deseja conquistar estão
ao seu alcance, mas
é você quem precisa
encontrar o caminho.

130

Não podemos mudar ninguém. Não temos esse poder. Isso é uma pretensão e pretensão é querer ser maior do que é.

131

Ao passo que se coloca na posição de assumir seus verdadeiros sentimentos, você permite que seu espírito se expresse.

132

Não podemos acreditar em
tudo o que os outros falam.
Precisamos ouvir o nosso
sentir, o nosso coração.

133

Ninguém é tão sábio que não precise aprender um pouco mais.

134

Fale menos e observe mais. A ansiedade distorce os fatos.

135

Assuma que você é
responsável por tudo
quanto lhe acontece;
saiba que tem o poder de
mudar, de escolher melhor
como dirigir sua vida.

136

Nós precisamos entender que viver neste mundo é utilizar todos os recursos que ele nos oferece para o progresso do nosso espírito e o bem-estar de todos.

137

Não espere nada dos outros, porque, na vida, você só pode contar com você mesmo.

138

A gente só tem o agora.
O amanhã a Deus
pertence!

139

A vida não exige das pessoas o que elas ainda não estão em condições de dar.

140

Nesta vida, o que vale a pena é a gente ficar bem. O que você faz para ficar bem?

141

Ninguém consegue parar
o tempo, as mudanças.
Quer estejamos
conscientes ou não, quer
desejemos ou não.

142

Escolha ficar na alegria
do espírito. Escolha fazer
do seu dia um dia feliz,
aprender algo novo,
pensar no seu bem-estar.

143

Ninguém está só.
Entregue para Deus
o que você não pode
resolver. Ele lhe mostra
os caminhos. Mas isso só
acontece se você estiver
em paz.

144

Envolvidos pelo magnetismo do
mundo material, muitas vezes
não nos lembramos que nosso
estágio aqui é temporário e
deixamos de realizar os projetos
de progresso que viemos buscar.
É hora de acordar!

145

Errar é humano, perdoar
é divino. Como nós ainda
somos pouco divinos
e muito humanos,
continuamos errando
muito e perdoando pouco.

146

Não tenha medo de
olhar de novo para cada
sentimento, cada situação,
cada experiência, pois
sempre encontrará algo
mais a aprender.

147

A vida é amorosa, não abandona ninguém. Por pior que pareça a situação, nós nunca estamos sós.

148

Não é feio dizer 'não', desde que faça educadamente e seja verdadeiro em seu coração.

149

A vida não castiga. Apenas ensina. De acordo com suas atitudes, ela responde com desafios que abrem a consciência e fazem amadurecer. A vida é muito sábia e trabalha sempre para o melhor.

150

Ninguém sofre nada
além da sua necessidade
de aprender. Se você
aprende pela inteligência,
certamente vai se poupar
de muitos sofrimentos.

151

A crítica, a condenação
e a culpa infelicitam
e constrangem as pessoas.
Se você quer amor, precisa
dar amor.

152

Nós todos estamos aqui para aprender. Erros acontecem. E errando vamos aprender cada vez mais.

153

A aflição atrai as dificuldades. Quem fica na aflição não confia em si e na vida, não se dá força.

154

É inútil querer
mais de alguém
que não tem
para dar.

155

Cuidado com as cobranças.
Elas podem revelar o que
você também não faz.

156

Negar sua alegria é cobrir-se com o véu da tristeza, alimentar o desânimo e andar para trás.

157

Nossa alma tem a essência divina dentro de si, sabe tudo, tem tudo, pode fazer tudo. Nós é que ainda não desenvolvemos a consciência para poder vê-la em toda a sua plenitude.

158

A sabedoria da vida vai renovando situações, colocando desafios em nosso caminho, visando ao nosso progresso. Mas só o faz quando já estamos em condições de vencê-lo.

159

Nosso espírito é eterno
e continua vivo depois
da morte. Nunca é demais
repetir. Acredite. Essa
é a verdade da vida.

160

A reencarnação é uma dádiva maravilhosa, uma oportunidade de progresso e de experiências enriquecedoras.

161

A fé quando é sincera é muito poderosa. Não permita que mágoas do passado machuquem seu coração e perturbem sua vida. Perdoe. Liberte-se da dor e deixe o passado ir embora.

162

Nossas atitudes criam um campo magnético que forma nossa aura, atraindo energias afins. Portanto, podemos sentir com clareza as energias das outras pessoas.

163

A vida só traz o desafio quando ela sabe que você pode vencê-lo. A vida não joga para perder.

164

Ninguém sabe o futuro,
mas dá para imaginar.
Quem caminha no escuro
só pode se machucar.

165

O amor verdadeiro
não é dor, é prazer,
bem-estar. O resto são
ilusões e sonhos que
a vida vai destruir.

166

A vida tira algo que não está bom e coloca algo melhor no lugar. É assim que funciona. Ela sempre troca o pior pelo melhor.

167

Como as leis que regem
o destino são imutáveis
porque perfeitas,
a evolução do espírito
se processa lenta
e seguramente.

168

Nosso arbítrio
é completamente livre;
você escolhe livremente
tudo, mas você colherá
o resultado dessas
escolhas.

169

A pessoa quando
planta o mal também
vai colher o resultado
de suas escolhas.

170

O ansioso quer estar lá na frente, mas na verdade está andando para trás.

171

A verdade machuca,
mas sempre é mais
proveitosa do que
a ilusão.

172

O arrependimento
sincero é como uma
vacina evitando a
reincidência no mal.

173

Ninguém é vítima.
Cada um é responsável
pelas suas atitudes e são
elas que determinam os
fatos que a pessoa atrai
em sua vida.

174

Cultivar o pensamento
positivo, mesmo que para
alguns pareça ilusório,
imuniza contra o mal
e mantém a ligação com
a fonte superior da vida.

175

A maldade é
temporária, mas
o bem é eterno.

176

Não tema o amanhã.
Na verdade, você só
tem o agora.

177

De tanto
experimentar uma
situação, a pessoa aprende
a tornar-se imune.

178

Ninguém sabe o que
vai ocorrer logo mais.
Confiar na vida traz paz
e revela sabedoria.

179

Nós não temos como mudar os outros, mas podemos escolher não entrar na maldade deles.

180

Cada um erra por
sua própria cabeça;
ninguém é responsável
pelo erro do outro.

181

Ninguém é de ninguém. As pessoas são livres para escolher o próprio caminho. O amor é espontâneo. Não se pode forçar os sentimentos.

182

O corpo é o espelho
onde se reflete o espírito.
O espírito tem sabedoria,
ele é luz, essência divina.
Deixe seu corpo refletir
essa luz.

183

O erro decepciona, mas
nos ajuda a descobrir
o caminho certo.

184

A confiança na vida
é uma coisa muito
boa, isso dá paz.

185

As pessoas são diferentes
umas das outras. O que
comove uma até as lágrimas
deixa outras indiferentes.
É melhor não julgar e respeitar
as emoções de cada um.

186

Obedecendo à nossa
consciência, estaremos
agindo sempre bem.
Afinal, o que são alguns
poucos anos aqui na Terra
frente à eternidade?

187

O futuro pertence a Deus,
mas quando semeamos o
bem tudo pode acontecer.
Deus pode fazer tudo
quanto nós não podemos.
A fé remove montanhas.

188

A humanidade encontra-se dividida em dois grandes grupos: os que sabem e os que ignoram, ou seja, os que já entenderam e os que estão cegos.

189

Ao dar amor às
pessoas, às coisas e à
vida, expandimos nossa
alma, alimentamos
nosso espírito.

190

O desafio é proporcional
à necessidade. A vida
o manda para a pessoa
mudar, perceber
algumas coisas.

191

O humilde sabe amoldar-se
às condições mais singelas
da vida sem sofrimento
nem humilhação interior.
É preciso ser humilde para
ser realmente grande no
concerto universal.

192

A oração acalma, fortalece, ajuda. A crença na espiritualidade apoia, consola, esclarece. Porém, o que move os fatos em nossa vida e os modifica são as nossas crenças profundas e nossas atitudes.

193

A maior missão do
ser humano é cuidar
de si mesmo.

194

Não tenha medo dos desafios, aprenda a lidar com eles.

195

Nós podemos direcionar a força energética para o bem e criar um mundo melhor que aquele que imaginamos.

196

O maior segredo da vida
é que ela trabalha por
mérito. Quando você faz,
você tem, quando não
faz, não tem.

197

O livre-arbítrio é respeitado, mas por certo tempo. Quando esse tempo se esgota, a vida age, criando desafios que nos obrigam a mudar e nos ensinam a compreender.

198

Cada um é inteiramente responsável pelas suas atitudes e escreve o próprio destino. Pensando assim, não é melhor escolher apenas o bem?

199

O estado natural da
nossa alma é a alegria.
Ela está sempre lá.
A gente que às vezes
não a deixa sair.

200

Nós estamos aqui para resolver os nossos problemas emocionais, abrir nosso entendimento, aprender como a vida funciona.

201

Embora o sol não esteja
à vista em certos momentos,
lembre-se de que, apesar do
que parece, ele continua no
mesmo lugar.

202

O auxílio dos amigos espirituais só vem para quem se ajuda, quem se dispõe a fazer as coisas da melhor forma.

203

O mal é temporário.
Você crê no mal, ele
aparece. Jogue-o fora.
Ele não vale nada.

204

Aprenda a dizer "não" quando for preciso. Para ser aceito, você não precisa concordar com tudo.

205

A qualidade de nossa
energia depende das
crenças que mantemos.
Sentimentos nobres elevam
nosso padrão energético,
enquanto os mesquinhos
nos empurram para baixo.

206

O otimismo, a ética,
o respeito e a ordem,
a confiança em si e na vida
traduzem-se em sucesso
e evitam a captação
das energias ruins que
circulam à nossa volta.

207

É na paz que a gente consegue as coisas boas da vida. Primeiro a gente fica na paz, depois as coisas se desenvolvem e acontecem.

208

O nosso lar é lugar de proteção e conforto. Faça uma oração antes de se deitar, sinta a paz, que seja uma noite tranquila.

209

Deus é a bondade perfeita. Por que nos destinaria à dor? Nosso destino é a beleza, a luz, o amor. Entregue a Deus o que não pode mudar.

210

O poder da escolha é absoluto. Nem Deus vai se envolver quando você escolhe. Quando você escolhe, tem que honrar suas escolhas.

211

Não se deixe levar pela
inquietação do mundo.
A serenidade fortalece
o espírito, melhora a saúde
e faz tudo na sua vida
funcionar melhor.

212

O tempo de cada um
é contado conforme seu
ritmo. Alguns andam
mais depressa, outros
mais devagar, mas no fim
chegam ao mesmo lugar.

213

Nós sabemos que a vida
é generosa e, às vezes, as
coisas acontecem porque
o homem escolheu mal
o seu caminho.

214

Os sonhos podem revelar segredos de nosso mundo interior ou nos levar ao encontro de pessoas de outras dimensões.

215

A paixão é uma ilusão que faz sofrer o tempo todo. Já o amor traz alegria, força, bem-estar.

216

O orgulho é o maior
obstáculo à felicidade.
Ilude, infelicita, destrói...
Cuidado com ele!

217

É chegada a hora de
o homem aprender que
pode evoluir sem sofrer.
A alegria e a felicidade
são o nosso destino, seja
qual for o nosso caminho.

218

Os espíritos de luz tentam abrir nossos olhos, enviando mensagens que nos fazem refletir e acabar com as falsas crenças que nos tornam infelizes.

219

A verdade só é útil
quando chega na
hora certa.

220

O preconceito aparece
porque você não entende
as coisas como elas são.

221

Observe as qualidades de todos, especialmente daqueles que costuma criticar.

222

Ao ligar-se com o seu mundo interior, está sendo uno com Deus. Essa união acalma e fortalece.

223

Para falar com Deus
através da oração, não
é preciso de fórmula
alguma. Deixe que seu
pensamento fale, e Deus,
que tudo vê e tudo sabe,
saberá ouvir e ajudar você.

224

O lugar onde nós vivemos fica impregnado com as nossas energias. Por isso, o ambiente do nosso lar depende só de nós. Para formar um ambiente bom, todos que moram na casa precisam saber disso.

225

Abençoar a vida é abrir
a porta para a luz entrar.

226

O bem de uns pode não ser o de todos.

227

Para se ligar com Deus,
basta a alegria no
coração, a sinceridade
nos propósitos, o respeito
pelas diferenças alheias,
a disposição para fazer
o melhor, enfim,
a permanência no bem.

228

O medo nos paralisa, limita, alimenta ilusões, fazendo-nos sofrer com coisas que nunca acontecerão. Ele é reflexo de situações difíceis vividas em outras vidas, cujas marcas ainda conservamos em nosso inconsciente.

229

O amor nos impulsiona e tudo consegue: força, paciência, coragem, perseverança, porque no fundo, no fundo, todos sabemos que o amor é a maior força de todas as coisas e que no fim, se perseverarmos, sempre será o mais forte e nos ajudará a vencer.

230

Às vezes, o que chamamos de
liberdade é apenas o poder
de fazer o que nos agrada.
E, muitas vezes, é justamente
o que nos agrada nos aprisiona.
A única liberdade verdadeira e
eterna é a do nosso espírito. Essa,
por mais que escravizem nosso
corpo, ninguém pode roubar.

231

A certeza de que o espírito é eterno e de que continuamos vivendo depois da morte do corpo físico conforta e abre nossa mente, fazendo-nos entender melhor os mistérios aparentes que nos rodeiam.

232

Quando você ultrapassa a barreira do medo, quer enxergar a vida como ela é, começa a perceber detalhes e fatos que antes não via. Tem uma visão elevada da vida, fica mais lúcido e confiante no futuro.

233

Diga não à violência,
construa para si uma paz
duradoura que lhe ofereça
momentos de alegria
e prazer. Usufrua da vida,
você merece!

234

O trabalho é uma força positiva. Você se sente útil, bem. O trabalho traz novos conhecimentos, você faz novos amigos.

235

A ajuda dos espíritos
em nossa vida tem se
manifestado de várias
formas, mesmo quando
não percebemos.

236

O que você realmente faz por você? Ou você age de acordo com as 'regras' impostas pela sociedade?

237

O sofrimento cansa. Quando descobrimos que ele não é imprescindível à conquista de nosso progresso, nos deslumbramos e colocamos todo o empenho em viver melhor.

238

Precisamos cuidar muito de nós mesmos. Somos impotentes para entrar no sentimento dos outros e fazer que mudem. Só a vida faz isso.

239

É preciso se ligar à sua alma, sentir os valores do seu espírito, irradiar sua luz. É preciso ser para atrair e ter todo o bem que deseja.

240

O universo é regido por leis divinas que trabalham ativamente para o progresso da humanidade e para manter o equilíbrio da natureza.

241

A conquista da
felicidade é de
responsabilidade
pessoal e intransferível.

242

Os desafios existem porque temos que aprender. São eles que nos fazem caminhar para frente.

243

Capriche no que faz,
trate-se com carinho, seja
positivo. Acredite que
merece o melhor. Se quer
realizar seus projetos,
faça sua parte.

244

Para tornar-se mais
consciente, lúcido
e desenvolver o bom
senso, é preciso ir
além do que as coisas
parecem ser.

245

Cada um tem as próprias experiências dentro do processo de evolução.

246

O mundo tem muitas coisas boas a oferecer para quem tem a ousadia de buscá-las.

247

Aceitar o que não se pode mudar revela sabedoria. Confie na vida. Ela sempre sabe o que é melhor para você.

248

O que importa é a alegria,
a felicidade, o bem-estar.
E isso é você quem tem
que buscar, criar.

249

É com amor que a providência divina nos devolve o resultado das nossas escolhas para que possamos aprender a viver melhor.

250

Quando fazemos coisas
novas, aumentamos os
neurônios do nosso cérebro,
e ele continua cada vez
mais lúcido e melhor.

251

As pessoas constroem
suas fantasias, mas a vida
as destrói facilmente.
Assim vamos selecionando
ideias e aprendendo os
verdadeiros valores
do espírito.

252

Para descobrir como a vida funciona, é preciso experimentar, observar como as coisas acontecem, analisar suas crenças e questioná-las a fim de descobrir até que ponto são verdadeiras.

253

O que você chama
de doença foi cura.
O que você chama
de morte foi vida.

254

Aceitar o que
não tem remédio
é sábio e evita
sofrimento. Reaja.

255

Pessoas que procuram
resolver seus problemas
prejudicando os outros serão
penalizadas pela vida, que
sempre responde de acordo
com a atitude de cada um.
Nós vamos pensar no bem,
pedir ajuda espiritual, porque
só o bem vence o mal.

256

O mais importante é saber aproveitar as oportunidades. Se você observar a vida de uma pessoa que obteve sucesso em todos os aspectos, perceberá que ela nunca perdeu uma boa oportunidade. Nunca teve medo de ousar, de mudar e procurar aprender.

257

Quando você entra na
sua alma, se conecta com
o mundo interior, tem
condições de escutar
o que precisa.

258

Olhar uma situação
com bom humor reduz
metade do problema
e facilita achar a solução
da outra metade.

259

Por mais que os desafios apareçam, são as experiências boas que lhe dão força maior para perceber que a vida vale a pena.

260

A felicidade é conquista que tem diferentes portas, e só a encontra quem descobre sua porta e a própria chave para abri-la.

261

Cultivar sonhos truncados e esperanças mortas é colecionar ilusões daninhas que destroem oportunidades, limitam o progresso, obscurecem a mente, atraem o pior.

262

Quando um pensamento ruim surgir, não lhe dê importância e troque-o por outro bom. Tudo a que você dá importância passa a fazer parte do seu mundo interior.

263

O silêncio sempre fala,
ainda que sem palavras.
A interpretação depende
da cabeça de cada um.

264

Quando nasceu, você trouxe um projeto divino para sua vida e é responsabilidade sua executá-lo.

265

O trabalho é uma
bênção em nossa vida,
nos ajuda a seguir por
um caminho mais útil.

266

Precisamos ter
equilíbrio. Vamos
observar, analisar, deixar
de julgar, de ser radical.

267

Progredir, seja pela
inteligência ou pela dor,
é fatal a todos, mas
a escolha é sua.

268

Cada espírito possui uma vocação e só se sente feliz quando consegue utilizá-la.

269

As leis universalistas
são sábias, perfeitas.
Visam ao equilíbrio do
Universo e ao progresso
do homem. Agem com
amor e sabedoria.

270

Quando você quer mesmo, as forças da vida o ajudam a realizar, seja para que lado for. É melhor analisar muito bem o seu querer.

271

Os animais são muito amorosos e merecem nosso carinho. O amor deles é incondicional.

272

Quando a pessoa é firme no que quer e sabe fazer do jeito certo, a vida dá uma ajudinha.

273

Ajudar é levantar a
pessoa e fazê-la perceber
que ela é capaz. É fazê-la
descobrir seu lado bom,
é motivá-la a buscar
algo melhor.

274

Quando compreendemos o porquê de nossa vida terrena e construímos nosso mundo no espírito, jamais seremos despojados dos bens conquistados.

275

Aprenda a falar o que sente. Quando expressa os sentimentos, você está se valorizando.

276

O universo tem um
tempo certo, e se a
pessoa não muda, vai
aumentando os desafios.

277

A vida é criativa e sábia. Tem por objetivo nos conscientizar de que fomos criados para a alegria, a beleza, a felicidade. Cultivar esses sentimentos é ligar-se ao espiritual e viver melhor.

278

Quem possui sensibilidade
para o belo, sabe transformar
tudo o que toca em beleza,
tem olhos para ver o encanto
e dispor as coisas de tal
forma que torna o ambiente
acolhedor, amigo.

279

A alegria e o otimismo trazem imunidade às doenças. Acredite no melhor, coloque-se em primeiro lugar.

280

Quem acha que tudo se resolve e deixa o barco correr ao sabor dos ventos fortes vai colher tempestades.

281

Aceite as coisas como são.
Não adianta sofrer por algo
que não podemos mudar.
Não pode resolver, entregue
nas mãos de Deus.

282

Preste atenção aos pensamentos que surgem em sua cabeça, porque muitos deles vêm de outras pessoas, não são seus.

283

Os valores eternos do espírito, quando mais cedo forem aprendidos, melhor. É mais importante para um jovem saber lidar com suas emoções, poder discernir, olhar a vida pelo lado mais verdadeiro, do que toda a cultura aprendida no mundo.

284

Carma é o destino que criamos com nossas crenças e vai continuar da mesma forma enquanto não mudarmos nossas atitudes. Teste suas crenças, jogue fora a que for falsa. Tirando a causa, o efeito desaparece. Cedo ou tarde, teremos de arcar com as consequências de nossas ações. A verdade fará sofrer menos.

285

Se você não colocar a sua força e cuidar do seu equilíbrio pessoal, não vai conseguir ficar bem.

286

As energias que você irradia são responsáveis por tudo o que você atrai na sua vida.

287

A vida provoca, cria situações desafiadoras, muitas vezes opostas, a fim de forçar nosso comodismo e empurrar-nos para o amadurecimento.

288

Quem pode conhecer a verdade que se esconde através de vidas passadas e os compromissos que assumimos uns com os outros?

289

Quando a pessoa
experimenta e faz,
acontece. Você precisa
experimentar para saber
o que funciona.

290

Às vezes, quando você quer ajudar o outro, absorve as energias da pessoa e fica mal. Então, antes de qualquer coisa, proteja-se!

291

A vida trabalha para
a harmonia do ser. Ninguém
pode ter saúde física e mental
sem limpar o coração, largar
o passado e perdoar
a ignorância alheia.

292

Quanto mais força você
põe em lutar contra, mais
demonstra sua insegurança.
Quando você acredita em
algo, sabe que é verdade
e não precisa lutar.

293

A ansiedade e a angústia não favorecem o sucesso; pelo contrário, atrapalham a lucidez e a intuição necessárias para o sucesso de qualquer empreendimento.

294

São suas crenças que atraem os fatos e as pessoas à sua volta. Se as coisas não estão como você quer, peça à vida que lhe mostre a verdade. Ela sempre mostra. Fique atento aos sinais.

295

A morte é só uma
mudança de estado;
depois dela passamos a
viver em outra dimensão.

296

Se você não tomar posse de si, cuidar do seu mundo interior, vai ficar sempre mal, com a vida sempre atrapalhada.

297

Pense no bem, seja otimista, aceite o presente de Deus em todos os minutos dentro de você. Ele é seu provedor.

298

Diante da vida cada um é
responsável por si e pelas
suas necessidades. Supri-las
é o primeiro dever.

299

É preciso aceitar as diferenças, entendendo que cada um se manifesta conforme seu nível de evolução e está tentando fazer o melhor tanto quanto você. Cada um só pode dar o que tem.

300

Salvar o mundo não é tarefa nossa. A justiça universal é perfeita e cada um recebe de acordo com o que dá. Liberte-se das cadeias, viva plenamente, torne-se alegre, livre e feliz.

301

Se você sentir no
coração que deve fazer
algo para alguém, faça.
O seu espírito sabe, o seu
coração sente quando é
para ajudar.

302

É preciso ter discernimento, até para fazer o bem e ajudar os outros. Não podemos entrar no problema dos outros e sim ajudá-los.

303

As coisas acontecem
porque têm que acontecer.
Sempre têm um motivo.
A vida faz tudo certo.

304

Quando a sensibilidade abre, você capta energia de tudo. É preciso aprender a lidar com isso.

305

Quando tudo dá errado,
a sabedoria da vida está
sinalizando que é hora de
mudar suas atitudes.

306

Às vezes, a vida age
preparando uma cilada.
Mas depois da tempestade,
a alma sai renovada.

307

Se você reconhecer que tem
o poder de mudar a sua
vida e ligar-se às energias
divinas, conquistará
o equilíbrio.

308

A gente precisa aprender
a cultivar o bem-estar.
Nada é mais importante.
Quando você está bem,
atrai o melhor na vida.

309

A desilusão dói, mas sempre será melhor do que o engano. Para haver felicidade, é preciso que ambos desejem a mesma coisa, ainda que sejam duas pessoas diferentes.

310

Se você se libertar dos pensamentos tristes, se ligar com Deus no coração, pensar só no bem, ele agirá através de você, e sua vida se transformará em felicidade e luz.

311

A vida é um livro em branco. O que vamos escrever nela depende de nossas escolhas, do que queremos fazer.

312

Para você poder fazer o bem, tem que estar muito bem. E você só está bem quando se coloca em primeiro lugar.

313

O tempo cura todas as feridas, mas as cicatrizes precisam de muitas vidas para desaparecer.

314

Só a luz é que esclarece.
É ela que faz com que
vejamos as coisas como
elas realmente são.

315

Quem critica não sabe
o que os outros vão
pensar. Está mostrando
no espelho o que
deseja ocultar.

316

Sempre, em todas as circunstâncias, mantenha a sua paz interior. Não tente fazer mais do que você pode.

317

Sempre que você
atende a uma
solicitação da sua alma,
você está no bem.

318

Quando o universo manda o desafio, é porque você já pode resolvê-lo.

319

Só quem cultiva o discernimento chega perto daquilo que é.

320

Quem cultiva o mal atrai o mal. Essa é uma lei universal.

321

Somos livres para fazer
o que quisermos e para
cuidar de nossa felicidade.
Isso é uma conquista e ela
só depende de nós.

322

Todos os dias fazemos uma escolha. Quanto mais você conhecer como as coisas funcionam, melhor irá escolher para onde ir.

323

Toda união é proveitosa
quando favorece
o progresso.

324

Se você não investir em si mesmo, nem Deus poderá ajudá-lo.

325

Temos o poder de fazer
escolhas, mas a cabeça é
cheia de ilusões, que nos
fazem, às vezes, escolher
de maneira equivocada.

326

Só o amor consegue fazer
com que as coisas caminhem.
A raiva, a implicância e a
indiferença não funcionam,
só trazem problemas.

327

Sem a tristeza, a alegria não seria apreciada, sem a carência, a abundância não terá significado. Os contrastes são necessários para que a verdade apareça.

328

Ter pena não é bondade.
É julgar que a pessoa é
incapaz. É pensar que você é
melhor do que ela. A esmola
pode satisfazer sua vaidade,
mas raramente ajuda.

329

Quando você fala a verdade, sem agredir a pessoa, ela acaba entendendo.

330

Todo exagero revela descontrole. Se quer manter-se equilibrado, seja moderado e firme.

331

Sua estada na Terra tem prazo de validade. Saia do passado e pense que você só tem o presente para programar o futuro. Aproveite para fazer o seu melhor.

332

Todos nós temos muitos amigos que intercedem a nosso favor no plano espiritual. Entretanto, isso não nos garante o equilíbrio. É preciso cada um fazer a sua parte.

333

Tudo muda neste mundo.
A cada minuto, todas as coisas
estão diferentes. É a pulsação
da vida nos ensinando
o caminho da evolução.

334

Só quem já disciplinou
a mente, harmonizou seu
mundo interior, tem condições
de fazer alguma coisa pelos
outros. O resto é ilusão.

335

Valorize a vida, seja feliz,
aproveite o momento
presente e crie situações
de alegria e beleza.
Alimentar a alma torna
a vida melhor.

336

Somos pessoas protegidas pelas forças divinas e Deus é nosso provedor. Ele é a fonte de todos os nossos suprimentos e deseja nos dar o melhor.

337

Sempre que você assume seus verdadeiros sentimentos, permite que seu espírito mostre seu brilho.

338

Tudo na vida, na natureza,
é manifestação de amor
e por isso devemos
aprender a amar para
estar com Deus.

339

Precisamos descobrir a nossa verdade. É a nossa alma que fala através do nosso sentimento.

340

Toda queda representa nova experiência e, ao mesmo tempo, nos torna mais fortes para o futuro.

341

Você nasceu para brilhar.
Seu espírito é forte e lindo.
Exerça todo o seu poder
e avance sem medo. Tudo
vai dar certo.

342

Quer se conhecer melhor? Vá para um lugar sossegado, feche os olhos e imagine que está entrando em seu coração.

343

Você nasceu na Terra
para desenvolver seus
potenciais. Aprender a lidar
com suas emoções. É livre
para escolher, mas terá de
colher os resultados.

344

Sua crença, sua fé, tem o poder de materializar a energia de acordo com aquilo que você acredita. O poder de mudar é todo seu.

345

Tudo na natureza é manifestação do amor; por isso devemos aprender a amar para estar com Deus.

346

Todos somos seres divinos.
Estamos aqui para crescer
e aprender. Nós fomos
criados para a felicidade.

347

Toda proteção é boa
quando não tolhe
a liberdade.

348

Quando o tempo não passa, a felicidade está ausente.

349

Você não precisa de motivo para ser feliz. A energia da alegria e da felicidade está dentro de você, esperando que a encontre.

350

Todas as coisas têm
prazo de validade. Chega
o momento em que
sentimos que acabou.
Então, para que continuar?

351

Viva no presente, cultive alegria e amor, renove as ideias, seja uma pessoa melhor. Dessa forma estará garantindo seu bem-estar.

352

Sua vida é como a mecânica de um carro: a dúvida é o ponto morto, só a certeza do rumo tem a força para fazê-lo avançar.

353

Você é livre para
escolher o que quiser.
O limite é você quem
impõe. Você é dono
de sua vida.

354

Tudo passa e a
gente sempre se
renova. Em todos os
dias da nossa vida
pode nascer um sol.

355

**Só o bem faz bem.
Quem se vinga está
copiando a maldade e
a maldade nunca deve
ser copiada.**

356

Quando ficamos
indignados com algo,
acabamos absorvendo
aquilo e a energia fica no
seu corpo.

357

Quem acredita que
trabalhar seja castigo,
joga fora o prazer
da realização.

358

Todo fracasso traz amadurecimento, nos torna mais conscientes e fortes para o futuro.

359

Temos que aprender
o que nos faz feliz,
reconhecer o que nos
toca o coração.

360

Selecione o que entra na sua cabeça. O que é ruim não é seu. Jogue esse pensamento fora.

361

Quando você faz
tudo o que o outro
quer, você está
apagando sua luz.

362

Sempre, em todas as situações, a verdade é melhor do que a mentira.

363

Seja generoso, próspero, aceite as diferenças, respeite o direito dos outros.

364

Quanto menos
dificuldade você criar,
mais prazerosa e rápida
será sua vitória.

365

Tudo tem a sua hora, e muitas vezes a solução não depende de nós. A vida é sábia e tem seus próprios caminhos. Deixe o tempo correr. Aos poucos, tudo vai se encaminhar para o lugar certo.

Coordenadora editorial: Tânia Lins
Coordenador de comunicação: Marcio Lipari
Capa, projeto gráfico e diagramação: Jaqueline Kir
Preparação e revisão: Equipe Vida & Consciência

1ª edição — 2ª impressão
20.000 exemplares — abril 2017
Tiragem total: 30.000 exemplares

Dados Internacionais de Catalogação na Publicação (CIP)
(Câmara Brasileira do Livro, SP, Brasil)

G232g

Gasparetto, Zibia M. (Zibia Milani), 1926
Grandes frases / Zibia Gasparetto. - 1. ed. - São Paulo : Vida & Consciência, 2017.
376 p. : il. ; 21 cm

ISBN 978-85-7722-538-5

1. Bem-estar. 2. Qualidade de vida. 3. Sucesso. 4. Autorrealização. I. Título.

17-40831 CDD: 650.1
CDU: 65.011.4

Índices para catálogo sistemático:
1. Romances espírita: Espiritismo 133.9

Este livro adota as regras do novo acordo ortográfico (2009).

Editora Vida & Consciência
Rua Agostinho Gomes, 2.312 — São Paulo — SP — Brasil
CEP 04206-001
editora@vidaeconsciencia.com.br
www.vidaeconsciencia.com.br

GRANDES SUCESSOS DE
ZIBIA GASPARETTO

Com 17 milhões de títulos vendidos, a autora tem contribuído para o fortalecimento da literatura espiritualista no mercado editorial e para a popularização da espiritualidade. Conheça os sucessos da escritora.

ROMANCES

pelo espírito Lucius

A verdade de cada um
A vida sabe o que faz
Ela confiou na vida
Entre o amor e a guerra
Esmeralda
Espinhos do tempo
Laços eternos
Nada é por acaso
Ninguém é de ninguém
O advogado de Deus
O amanhã a Deus pertence
O amor venceu
O encontro inesperado
O fio do destino
O poder da escolha
O matuto
O morro das ilusões
Onde está Teresa?
Pelas portas do coração
Quando a vida escolhe
Quando chega a hora
Quando é preciso voltar
Se abrindo pra vida
Sem medo de viver
Só o amor consegue
Somos todos inocentes
Tudo tem seu preço
Tudo valeu a pena
Um amor de verdade
Vencendo o passado

CRÔNICAS

A hora é agora!
Bate-papo com o Além
Contos do dia a dia
Pare de sofrer
Pedaços do cotidiano
O mundo em que eu vivo
O repórter do outro mundo
Voltas que a vida dá
Você sempre ganha!

COLEÇÃO – ZIBIA GASPARETTO NO TEATRO

Esmeralda
Laços eternos
Ninguém é de ninguém
O advogado de Deus
O amor venceu
O matuto

OUTRAS CATEGORIAS

Conversando Contigo!
Eles continuam entre nós vol. 1
Eles continuam entre nós vol. 2
Eu comigo!
Pensamentos vol. 1
Pensamentos vol. 2
Momentos de inspiração
Recados de Zibia Gasparetto
Reflexões diárias
Vá em frente!
Grandes frases

ROMANCES
EDITORA VIDA & CONSCIÊNCIA

Amadeu Ribeiro

A visita da verdade
Juntos na eternidade
O amor não tem limites
O amor nunca diz adeus
Reencontros
Segredos que a vida oculta vol.1
A beleza e seus mistérios vol.2
Amores escondidos vol.3

Ana Cristina Vargas

pelos espíritos Layla e José Antônio

A morte é uma farsa
Em busca de uma nova vida
Em tempos de liberdade
Encontrando a paz
Intensa como o mar
O bispo
O quarto crescente
Sinfonia da alma
Loucuras da alma

André Ariel

Surpresas da vida
Em um mar de emoções
Eu sou assim

Carlos Henrique de Oliveira

Ninguém foge da vida
Tudo é possível

Carlos Torres

A mão amiga

Querido Joseph (pelo espírito Jon)

Eduardo França

A escolha

A força do perdão

Enfim, a felicidade

Vestindo a verdade

Vidas entrelaçadas

Evaldo Ribeiro

Eu creio em mim

O amor abre todas as portas
(pelo espírito Maruna Martins)

Flávio Lopes

A vida em duas cores

Uma outra história de amor

Floriano Serra

A outra face

A grande mudança

Nunca é tarde

O mistério do reencontro

Ninguém tira o que é seu

Gilvanize Balbino

pelos espíritos Ferdinando e Bernard

O símbolo da vida

De volta pra vida (pelo espírito Saul)

Leonardo Rásica

Celeste - no caminho da verdade

Lucimara Gallicia

pelo espírito Moacyr

O que faço de mim?

Sem medo do amanhã

Lúcio Morigi

O cientista de hoje

Marcelo Cezar

pelo espírito Marco Aurélio

A última chance

A vida sempre vence

Coragem para viver

Ela só queria casar...

Medo de amar

Nada é como parece

Nunca estamos sós

O amor é para os fortes

O preço da paz

O próximo passo

O que importa é o amor

Para sempre comigo

Só Deus sabe

Treze almas

Tudo tem um porquê

Um sopro de ternura

Você faz o amanhã

Maura de Albanesi

pelo espírito Joseph

O guardião do Sétimo Portal

Meire Campezzi Marques

pelo espírito Thomas

A felicidade é uma escolha

Cada um é o que é

Mônica de Castro

pelo espírito Leonel

A força do destino
A atriz
Apesar de tudo...
Até que a vida os separe
Com o amor não se brinca
De frente com a verdade
De todo o meu ser
Desejo – Até onde ele pode te levar? (pelos espíritos Daniela e Leonel)
Gêmeas
Giselle – A amante do inquisidor
Greta
Impulsos do coração
Jurema das matas
Lembranças que o vento traz
O preço de ser diferente
Segredos da alma
Sentindo na própria pele
Só por amor
Uma história de ontem
Virando o jogo

Rose Elizabeth Mello

Desafiando o destino
Verdadeiros Laços
Os amores de uma vida
Como esquecer

Sérgio Chimatti

pelo espírito Anele

Apesar de parecer... Ele não está só
Lado a lado
Ecos do passado
Os protegidos
Um amor de quatro patas

ZIBIA GASPARETTO

Eu comigo!

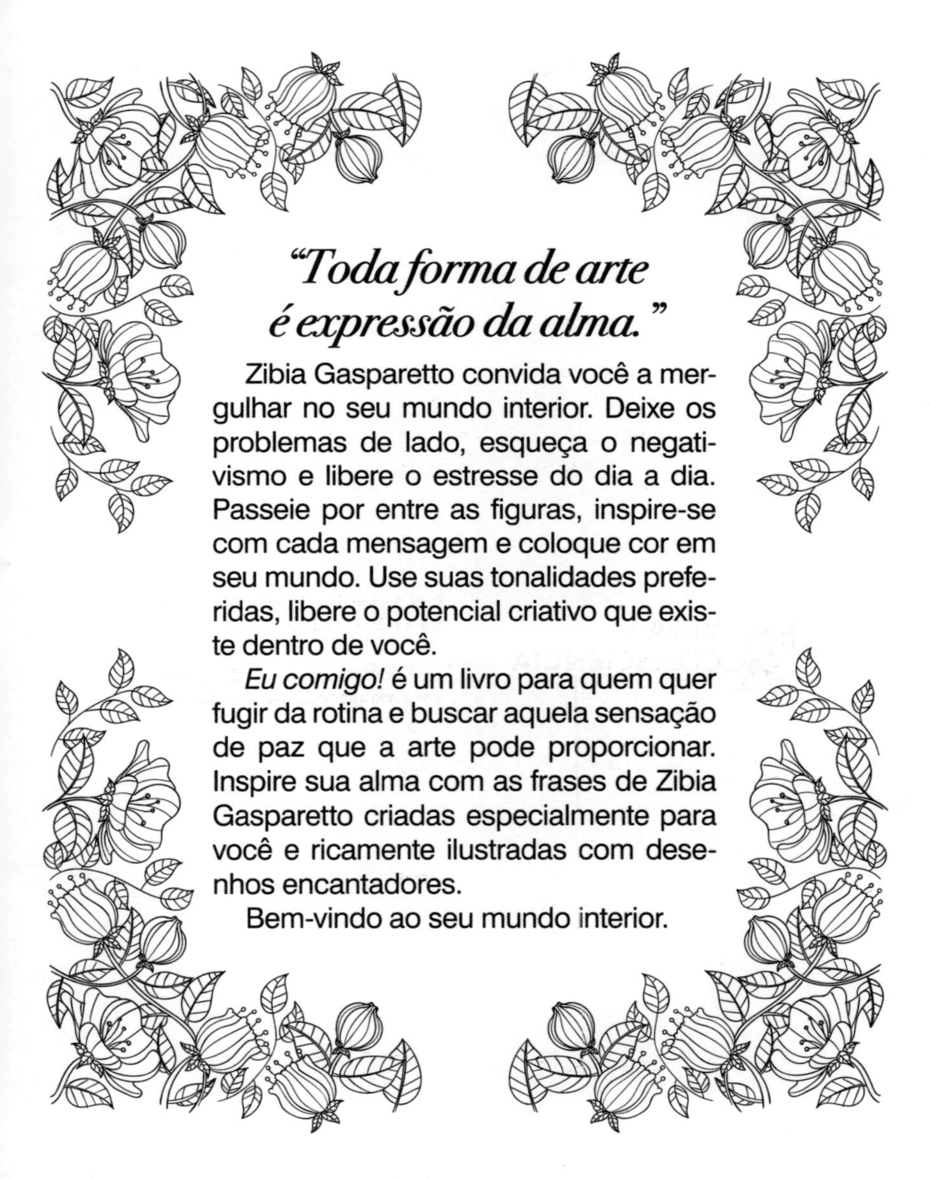

"Toda forma de arte é expressão da alma."

Zibia Gasparetto convida você a mergulhar no seu mundo interior. Deixe os problemas de lado, esqueça o negativismo e libere o estresse do dia a dia. Passeie por entre as figuras, inspire-se com cada mensagem e coloque cor em seu mundo. Use suas tonalidades preferidas, libere o potencial criativo que existe dentro de você.

Eu comigo! é um livro para quem quer fugir da rotina e buscar aquela sensação de paz que a arte pode proporcionar. Inspire sua alma com as frases de Zibia Gasparetto criadas especialmente para você e ricamente ilustradas com desenhos encantadores.

Bem-vindo ao seu mundo interior.

Rua Agostinho Gomes, 2.312 — SP
55 11 3577-3200

contato@vidaeconsciencia.com.br
www.vidaeconsciencia.com.br

50 contos

Luiz Vilela

50 contos

Antologia

São Paulo
2021

Editor
Rodrigo de Faria e Silva

Capa
Valquíria Palma

Imagem da capa (autor)
Sandra Bianchi

Diagramação
Edson Angelo Muniz

Revisão
Autor

Dados internacionais para catalogação (CIP)

Vilela, Luiz;
50 contos - antologia / Luiz Vilela, – São Paulo:
Faria e Silva Editora, 2021.
464 p.
ISBN 9786581275129
1. Literatura Brasileira 2. Conto brasileiro

CDD B869 CDD B869.3

Faria e Silva Editora
Rua Oliveira Dias, 330 - Cj. 31
São Paulo, SP
01433-030
www.fariaesilva.com.br
@fariaesilvaeditora

Em dezembro

Em dezembro, mangas maduras eram vistas da janela — mas, antes disso, já tínhamos comido muita manga verde, com sal, tirado escondido da cozinha.

Verde por fora e branca por dentro, a manga ringia com o canivete — o caroço, branco e mole, atirado fora e descoberto depois:

— Quem comeu manga verde? Vamos, confesse, já.

Nenhum confessava: os dois de castigo.

Mostrei para Neusa a manga amoitada no capim: começava a amarelar. Ela cheirou, apertou contra o rosto, me pediu.

— Eu dou um pedaço.

— Eu quero a manga inteira.

— A manga inteira não; um pedaço.

— A manga inteira.

— Um pedaço.

— A manga inteira ou nada.

— Então nada.

Quando entrei na cozinha, Vovó estava me esperando:

— Pode ir direto para o quarto, já sei de tudo.

Fiquei fechado, de castigo, até a hora da janta.

— Se tornar a comer manga verde, da próxima vez vai é apanhar de vara, viu?

Quem apanhou de vara foi Neusa. Cerquei-a no fundo do quintal com uma vara:

— Você enredou, agora vai pagar.

Ela disse que gritaria. Eu disse que se ela gritasse, apanhava mais ainda. Se não gritasse, apanhava menos. E se suspendesse a roupa, não apanhava nada e eu a deixava ir embora.

— Não.

— Então vai apanhar.

Ela pediu pelo amor de Deus. Perguntei se ela gostava de mim. Ela disse que gostava. Pedi que ela dissesse: "Eu te amo." Ela disse. "Te amo mais que tudo no mundo." Ela disse.

Eu disse que era mentira, que ela gostava é de Marcelo. Então ela disse que era mentira mesmo, que tinha é nojo de mim — e eu desci uma varada nas pernas dela.

Em vez de correr, ela ficou parada, encolhida contra o muro, enquanto eu, de vara na mão, gritava:

— Pede perdão, senão eu bato de novo!

Ela não pediu, e eu bati de novo.

Ela escondeu o rosto no braço e começou a chorar.

— Pede!

Ameacei com a vara, mas ela só chorava. Então bati de novo, e dessa vez ela nem se mexeu, como se não tivesse sentido dor.

Ela foi andando em direção à casa, e eu fiquei parado, vendo-a afastar-se.

Vovó me perguntou o que tinha havido com ela, que ela não queria contar (da cozinha, eu ouvia os seus soluços no quarto).

— Estávamos brincando, ela caiu e se machucou.

Vovó foi ao quarto:

— Molenga, só porque esfolou um pouco a perna tem de chorar desse jeito?

Ao voltar para casa, deixei três moranguinhos na mesinha do quarto onde ela, deitada, havia adormecido.

No dia seguinte recebi uma caixinha, embrulhada. Dentro, os três moranguinhos e um bilhete: "Eu gostava é de você mesmo, mas agora nunca mais."

Chuva

Da janela, o homem tinha visto a chuva começar. Viu-a depois engrossando, até se transformar num temporal. Fechou então a janela e foi sentar-se na cama.

Ficou pensando em alguma coisa para fazer. Era um sábado, à tarde. Olhou para os objetos do quarto, mas nenhum lhe deu ideias. Não havia o que fazer ali, e ele não podia sair por causa da chuva.

Pegou o garrafão de vinho, que estava ao lado da cama, e encheu um copo. Enquanto bebia e ouvia o barulho da chuva, continuou pensando em alguma coisa para fazer.

Quando o quarto ficou escuro, e ele acendeu a luz, ainda chovia. Foi até a janela, abriu-a e olhou para a rua. Anoitecia, e os postes já estavam acesos. A chuva diminuíra, e fazia frio. Uma pequena enxurrada corria pelo passeio. Pessoas passaram de guarda-chuva. Um cão magro foi andando devagar pela calçada e, à porta do bar, parou e sacudiu o pelo.

Ele voltou a sentar-se na cama. Pôs mais um pouco de vinho no copo e começou a pensar no que ia fazer à noite. De vez em quando olhava na direção da janela: já estava meio escuro, e ele não podia ver quase nada; mas ouvia o ruído da chuva. Parecia que ela não ia parar àquela noite.

Enquanto pensava no que ia fazer, ele foi vestindo o terno. Depois penteou-se, pôs a gravata e o paletó. Pendurou a capa de chuva na cadeira e foi olhar na janela. Já estava escuro. O cão havia se deitado à porta do bar.

Ele vestiu a capa e sentou-se na cama para acabar de beber. Continuava pensando. Havia uma amiga que lhe pedira que telefonasse à noite. Um amigo que o chamara para ir à casa dele. Um outro, que o convidara para a festa na casa de um terceiro. Aquela conhecida, que ele prometera visitar num sábado. E ainda os colegas de serviço, que se encontravam todo sábado no bar. E o cinema. Pensando, de vez em quando tomava um gole de vinho e olhava para a janela.

Ainda não eram oito horas, e ele ficou à janela, olhando a chuva. Passava pouca gente. Nos outros dias e com sol, a rua não tinha também grande movimento.

O cão foi tocado do bar e ganiu, fugindo para a rua. Ficou parado na chuva, depois veio andando devagar pela calçada, o rabo entre as pernas. Parou sob a janela e ficou mexendo num caixote de lixo.

Ele assobiou para o cão: o cão levantou um pouco a cabeça, e continuou a mexer no lixo. Já ia embora, e ele tornou a assobiar: o cão parou e olhou de lado, procurando.

Ele saiu do quarto e foi até a entrada do corredor. Assobiou de novo: o cão descobriu-o, mas ficou no mesmo lugar, olhando-o. Ele estralou o dedo: o cão mexeu ligeiramente o rabo. Chamou-o: o cão veio andando e parou perto do lixo. Chamou-o para mais perto: o cão andou mais um pouco e tornou a parar.

Ele então saiu do corredor, esperando que o cão viesse atrás. Da porta, divisou-o no escuro, parado à entrada do corredor. Assobiou, e o cão veio entrando, a mancha esbranquiçada se aproximando oscilante, até que de repente parou.

Ele entrou, deixando a porta do quarto aberta, e alguns minutos depois o cão estava em frente: pequeno, magro, encharcado de chuva e tremendo. Chamou-o para dentro do quarto: o cão ainda voltou a cabeça para o corredor, hesitante, depois entrou.

Deixou-o à vontade, para que se acostumasse com o quarto, mas o cão não parecia estar interessado nisso e continuava parado perto da porta, olhando para ele. Ele estralou o dedo: o cão abanou o rabo.

Seguro de que o cão não iria embora, foi buscar leite e um prato no outro cômodo. Ao voltar, o cão ainda estava no mesmo lugar, mas havia se deitado, se enroscado como à porta do bar. Tremia. Percebeu-o chegando, mas não ergueu a cabeça.

Ele pôs o leite no chão: o cão viu, mas não se mexeu. Teria comido havia pouco ou estaria tão fraco que nem sentia fome? Chegou o prato mais perto: o cão olhou, e fechou mansamente os olhos. Deixou, então, o prato no chão e foi sentar-se na cama.

Ele não quer comer, pensou; o cão não estava com fome. Queria só um lugar onde não estivesse chovendo e ele pudesse dormir. Ou então nem dormir, pois conservava os olhos semicerrados: queria só um lugar onde não estivesse chovendo e ele pudesse ficar sem ser molestado.

Ainda tremia. Aquietava-se um pouco, mas a tremura logo voltava. De vez em quando, sem chegar a erguer a cabeça, o cão olhava de esguelha para ele; mas não parecia estar desconfiado ou com medo: olhava só para certificar-se de sua presença.

Mesmo assim, ele disse:

— Não precisa ter medo. Não vou fazer nada com você.

Pôs mais um pouco de vinho no copo. Tomou um gole, depois olhou para a janela. Ainda não decidira o que ia fazer.

— São várias coisas — disse, em voz alta. — Tenho de escolher uma. Mas, pensando bem, não há grande diferença entre elas. Não, a diferença não é grande. Por exemplo: a amiga do telefonema ou o amigo da festa. Ou então os colegas de serviço.

O cão sacudiu a orelha.

— Você está compreendendo?

Precisava arranjar um nome para ele. Tiu. Simplesmente assim: Tiu. Ficava bom.

— Compreende como, Tiu? É assim: a gente sente necessidade de certas coisas, então a gente sai. A gente procura outras pessoas, vozes, movimento, agitação, tudo isso. Mas depois a gente volta; a gente tem de voltar. A gente chega em casa e... Está compreendendo? Não estou te atrapalhando dormir, estou?

O cão ergueu um pouco a cabeça e ficou olhando na direção do prato. Talvez, se continuasse falando com ele, ele se animasse e resolvesse tomar o leite. Podia tomar, pelo menos dar algumas lambidas. Trouxera o leite para ele. Podia pelo menos dar uma provada. Talvez, se continuasse falando com ele, ele tomasse. Parecia mais animado agora.

— Pois é. É como eu estou te dizendo. Vocês não sentem essas coisas. Felizmente. Mas gente é diferente; gente sente. São coisas que fazem a gente sofrer. Coisas que doem.

Virou o resto do vinho na boca e em seguida pegou o garrafão. Com o garrafão numa das mãos e o copo na outra, ficou um instante olhando para o ar. Depois concluiu o gesto, enchendo o copo até a metade. Deixou o garrafão no chão.

Pela janela aberta, ouvia o ruído da chuva. Podia ouvir até a enxurrada — ou seria impressão? Viu, em sua memória, a rua molhada, os pingos contra a luz do poste, pessoas passando de guarda-chuva. Viu outras paisagens de chuva em outros dias, outros lugares, com outras pessoas; sons, vozes, pedaços de conversas, risadas...

Durante algum tempo ele ficou assim, olhando na direção da janela, esquecido da bebida e do cão.

Até que se lembrou deles de novo. Tomou outro gole e disse para o cão:

— É por isso que a gente bebe. Por causa dessas coisas. Mas vocês não têm necessidade disso. Não precisam beber. Bom seria se a gente também não precisasse. Claro que eu gosto de uma bebida. Mas não é isso. É essa necessidade que a gente sente, essa coisa que leva a gente a beber. Na hora é bom. Por exemplo: eu estou achando bom estar aqui, agora, bebendo. Mas amanhã vou ficar triste. É isso. Não, não é bem isso. Não é exatamente isso. O que eu quero dizer é o fato de eu estar bebendo aqui, agora, eu sozinho nesse quarto bebendo: isso não é alegre. Não é. Há coisas alegres, mas isso não é. Podia ser outra coisa. Quero dizer: em vez de eu estar aqui, nesse quarto, bebendo sozinho, ser outra coisa. É isso que eu quero dizer, entende? Não sei, não devo estar sendo muito claro. Acho que eu não estou sendo muito claro.

O cão voltara a se enroscar, mas suas pálpebras não estavam de todo fechadas. Não parecia querer dormir. Queria apenas ficar ali, deitado, enquanto durasse a chuva ou enquanto aquele homem não se cansasse de falar com ele.

O cão parara de tremer. Ele notou isso com certo contentamento e pensou em buscar na cozinha algum pano velho com que o cão melhor se aquecesse — mas logo pensou em outras coisas e se esqueceu.

Abanou a cabeça:

— Não, você não pode compreender essas coisas.

Claro, era um cão e não podia compreender — já estaria ficando bêbado? Olhou para o copo na mão. Só tomara dois; ainda era cedo para estar bêbado. Lá pelo quarto copo está bem, pensou, mas só com dois ainda era muito cedo.

Encheu, então, o terceiro.

Não estava bêbado; era só um modo de conversar com o cão ali. Não havia mal nisso. Não havia ninguém vendo. Ele estava com vontade de falar, e o cão era um bom ouvinte: não fazia perguntas, nem pedia que ele continuasse quando ele se interrompia. Um bom ouvinte.

— Você é um cachorro camarada, Tiu. Compreende o que eu estou dizendo? Não, você não pode compreender, pois é só um cão, um animal. Mesmo assim, eu acho bom estar aqui te falando. Enquanto isso o tempo passa, e a chuva também vai passando. Depois você poderá ir embora. Ou, melhor: eu terei de te tocar, porque você não vai querer ir embora. Vou ter de fazer isso. Eu não posso ficar com você: moro sozinho, trabalho o dia todo fora; eu não poderia cuidar de você. Compreende? É só enquanto dura a chuva. Depois você terá que voltar para a rua. Mas, por enquanto, não precisa se preocupar; pode ficar aí, tranquilo. Essa chuva não vai passar tão cedo. Enquanto isso, nós vamos conversando. Eu ia sair. Vesti o terno, penteei o cabelo, e aqui estou: bebendo e falando sozinho. É engraçado. Cheguei até a vestir a capa de chuva. Eu não vou mais sair. Posso tirar essa capa. Não há mais motivo para sair. Não estamos bem aqui? Você enroladinho aí, e eu aqui, tomando o meu vinho. O que nos falta? Aliás, eu nem sei direito se eu ia mesmo sair. É verdade que eu pus roupa e tudo; mas quantas vezes já não fiz isso e não saí? Muitas vezes. Fico enrolando, arranjo uma coisa aqui, outra ali, e acabo não saindo. Hoje eu não sei se ia ser assim, mas muitas vezes foi. Às vezes eu quero sair, tenho vontade de sair, e ao mesmo tempo não quero. Nunca sei direito se quero ou se não quero. Há essa necessidade de que eu estava falando: gente, barulho, agitação. Mas depois há a volta. A gente chega em casa triste; mais triste do que quando saiu, isso é que é o pior.

Não sei por quê, mas as pessoas sempre me deixam triste. Mas, se eu fico em casa, sozinho, também acabo triste. Quer dizer: não tem jeito. Eu agora estou aqui, bebendo, falando, e, de certa forma, pensando que eu estou alegre. Mas não estou; sei que eu não estou. Como pode estar alegre um sujeito sozinho num quarto, bebendo e falando com um cachorro? Ainda mais numa noite de chuva como essa, e num sábado, quando todo mundo está por aí, nos bares, cinemas e clubes, conversando, rindo, dançando, fazendo uma porção de coisas. Isso não é alegre. Mas e se eu tivesse saído? Já sei: a volta, a entrada nesse quarto, os olhos pregados no escuro e aquele peso oprimindo o coração. É difícil, muito difícil. E não serve de nada pensar nisso. Eu devia pensar numa coisa mais agradável. Você, Tiu, não compreende porque é um animal, mas eu vou te dizer: gente é uma coisa muito triste. Muito triste. E é por isso que a gente bebe, que eu estou aqui bebendo, e que todo mundo bebe. A bebida faz a gente esquecer um pouco. Depois piora, ela aumenta a tristeza, e a gente fica mais triste ainda. Mas na hora é bom, ela ajuda a esquecer um pouco. Pelo menos um pouco a gente pode esquecer. E é por isso que beber é bom, e que eu bebo, e que todo mundo bebe. É por isso. Por causa disso.

O cão fechara os olhos, e agora parecia finalmente dormir: seu corpo se alteava num ritmo compassado e tranquilo.

Olhando de novo para a janela, de onde vinha o ruído da chuva, o homem, com o copo de vinho na mão, havia parado de falar.

Fazendo a barba

O barbeiro acabou de ajeitar-lhe a toalha ao redor do pescoço.

Encostou a mão:

— Ele está quente ainda...

— Que hora que foi? — perguntou o rapazinho.

O barbeiro não respondeu.

Na camisa semiaberta do morto alguns pelos grisalhos apareciam.

O rapazinho observava atentamente.

Então o barbeiro olhou para ele.

— Que hora que ele morreu? — o rapazinho tornou a perguntar.

— De madrugada — disse o barbeiro; — ele morreu de madrugada.

Estendeu a mão:

— O pincel e o creme.

O rapaz pegou rapidamente o pincel e o creme na valise de couro sobre a mesinha. Depois pegou a jarra de água que havia trazido ao entrarem no quarto: derramou um pouco na vasilhinha do creme e mexeu até fazer espuma.

O rapaz era sempre rápido no serviço, mas, àquela hora, sua rapidez parecia acompanhada de algum nervosismo: o pincel acabou escapulindo de sua mão e foi bater na perna do barbeiro, que estava sentado junto à cama. Ele pediu desculpas, muito sem graça e mais descontrolado ainda.

— Não foi nada — disse o barbeiro, limpando a mancha de espuma na calça; — isso acontece...

O rapaz, depois de catar o pincel, mexeu mais um pouco e então entregou a vasilhinha com o pincel ao barbeiro, que ainda deu uma mexida.

Antes de começar o serviço, o barbeiro olhou para o rapaz:

— Você acharia melhor esperar lá fora? — perguntou, de modo muito educado.

— Não, senhor.

— A morte não é um espetáculo agradável para os jovens — disse. — Aliás, para ninguém...

Começou a pincelar o rosto do morto. A barba, de uns quatro dias, estava cerrada.

Através da porta fechada vinha um murmúrio abafado de vozes rezando um terço. Lá fora o céu ia acabando de clarear; um ar fresco entrava pela janela aberta do quarto.

O barbeiro devolveu a vasilhinha com o pincel; o rapaz já estava com a navalha e o afiador na mão: entregou-os ao barbeiro e pôs na mesa a vasilhinha com o pincel.

O barbeiro afiava a navalha. No salão, era conhecido o seu estilo de afiar, acompanhando trechos alegres de música clássica, que ele ia assobiando. Ali, no quarto, ao lado de um morto, afiava num ritmo diferente, mais espaçado e lento: alguém poderia quase deduzir que ele, em sua cabeça, assobiava uma marcha fúnebre.

— É tão esquisito — disse o rapazinho.

— Esquisito? — o barbeiro parou de afiar.

— A gente fazer a barba dele...

O barbeiro olhou para o morto:

— O que não é esquisito? — disse. — Ele, nós, a morte, a vida. O que não é esquisito?

Começou a barbear. Firmava com a mão esquerda a cabeça do morto, e com a direita ia raspando.

— Deus me ajude a morrer com a barba feita — disse o rapazinho, que já tinha alguma barba. — Assim, eles não têm de fazer ela depois de eu morto. É tão esquisito...

O barbeiro se interrompeu, afastou a cabeça e olhou de novo para o rosto do morto — mas não tinha nada a ver com a observação do rapaz, estava apenas olhando como ia seu trabalho.

— Será que ele está vendo a gente de algum lugar? — perguntou o rapazinho.

Olhou para o alto — o teto ainda de luz acesa —, como se a alma do morto estivesse por ali, observando-os. Não viu nada, mas sentia como se a alma estivesse por ali.

A navalha ia agora limpando debaixo do queixo.

O rapazinho observava o rosto do morto, seus olhos fechados, a boca, a cor pálida: sem a barba, ele agora parecia mais um morto.

— Por que a gente morre? — perguntou. — Por que a gente tem de morrer?

O barbeiro não disse nada. Tinha acabado de barbear. Limpou a navalha e fechou-a, deixando-a na beirada da cama.

— Me dá a outra toalha — pediu; — e molhe o paninho.

O rapaz molhou o paninho na jarra; apertou-o para a água escorrer e o entregou ao barbeiro, junto com a toalha.

O barbeiro foi limpando e enxugando cuidadosamente o rosto do morto. Com a ponta do pano, tirou um pouco de espuma que tinha entrado no ouvido.

— Por que será que a gente não acostuma com a morte? — perguntou o rapazinho. — A gente não tem de morrer um dia? Todo mundo não morre? Então por que a gente não acostuma?

O barbeiro fixou-o um segundo:

— É — disse, e se voltou para o morto.

Começou a fazer o bigode.

— Não é esquisito? — perguntou o rapazinho. — Eu não entendo.

— Há muita coisa que a gente não entende — disse o barbeiro.

Estendeu a mão:

— A tesourinha.

Na casa, o movimento e o barulho de vozes pareciam aumentar; de vez em quando um choro.

O rapazinho pensou, alegre, que já estavam quase acabando e que dentro de mais alguns minutos ele estaria lá fora, na rua, caminhando no ar fresco da manhã.

— O pente — pediu o barbeiro; — e pode ir guardando as coisas.

Quando acabou de pentear, o barbeiro se ergueu da cadeira e contemplou o rosto do morto.

— A tesourinha de novo — pediu.

O rapaz tornou a abrir a valise e a pegar a tesourinha.

O barbeiro se curvou e cortou a pontinha de um fio de cabelo do bigode.

Os dois ficaram olhando.

— A morte é uma coisa muito estranha — disse o barbeiro.

Lá fora o sol já iluminava a cidade, que ia se movimentando para mais um dia de trabalho: lojas abrindo, estudantes andando para a escola, carros passando.

Os dois caminharam um bom tempo em silêncio. Até que, à porta de um boteco, o barbeiro parou:

— Vamos tomar uma pinguinha?

O rapaz olhou meio sem jeito para ele; só bebia escondido, e não sabia o que responder.

— Uma pinguinha é bom para retemperar os nervos — disse o barbeiro, olhando-o com um sorriso bondoso.

— Bem... — disse o rapaz.

O barbeiro pôs a mão em seu ombro, e os dois entraram no boteco.

Meus oito anos

Quando tinha oito anos eu vi o demônio. O padre disse que o demônio aparecia a quem comungasse com pecado mortal. Comunguei com pecado mortal e de noite o demônio apareceu. Ficou ao lado da cama, me olhando e rindo. Tinha chifres e rabo e fedia enxofre, mas a cara era a do padre, o riso era o do padre, a voz era a do padre quando ele disse: meu cordeirinho. Veio me abraçar, passando a língua nos lábios como fazia o padre. Tive tanto medo, que mijei na cama. Gritei e ele desapareceu. De manhã fui na igreja e pedi perdão diante da imagem de Nossa Senhora das Graças. Pedi que se ela tivesse mesmo me perdoado, desse algum sinal, como fazia nas histórias que me contavam. Não deu nenhum sinal. Tornei a pedir. Nada. Cheguei bem perto da imagem e pedi pela última vez. Enquanto rezava uma salve-rainha, observei que a imagem era vesga: um olho olhava mais para baixo, e o outro mais para cima. Achei tanta graça, que disparei a rir e tive de sair da igreja.

Meu lindo papagaio cearense: ele sacode as asas e solta um grito que transforma o quintal na selva de Tarzan. De cipó em cipó, faca na boca e tanga, Tarzan salta da goiabeira e vem conversar com o amigo. O amigo não conversa. Conversa com os outros e trepa no dedo dos outros. Tarzan estende o dedo e ele bica. Arregala o olho, eriça a penugem, avança a cabeça em desafio. Tarzan pega o estilingue e dá uma pedrada, que arranca um grito esganiçado. O gavião terrível abre as asas para atacar. Outra pedrada e ele tomba da cerca, batendo as asas. Outra pedrada e seu olho estufa, ensanguentado. Arma as asas, abre o bico, empina a cabeça eriçada e recebe uma pedrada no outro olho. Cego, arrasta-se no chão e dá com a tela de arame, a que se agarra, agitando as asas e dando bicadas. Outra pedrada e ele revoluteia no chão, misturando terra e sangue. Aquieta-se e nem se move quando outra pedrada lhe atinge o lombo. Abre o bico e vai emborcando a cabeça para dentro. O vento, que balança as folhas da goiabeira, arrepia sua penugem azul, e formigas passeiam no bico sujo de sangue.

Lucinha, dentinhos de coelho e olhos azuis, missa das oito no domingo e matinê à tarde, minha gravatinha vermelha com bolinhas brancas, meu sonho, meu amor. Dez vezes te salvei da mão do tarado, vinte vezes te carreguei para fora do fogo do incêndio, trinta vezes te levei no meu avião a jato, mas você nem uma vez sorriu para mim. Quem sorriu para mim foi Zizica, que era gorda e tinha voz rouca. Escreveu-me uma carta dizendo que se eu não gostasse dela, ia tomar formicida. Guardei a carta, que mostraria aos outros depois que ela se suicidasse, para que todo mundo ficasse sabendo que era por causa de mim que ela tinha se suicidado. Não suicidou-se e começou a namorar o vizinho, que andava de terno e tinha duas bicicletas: eu não tinha nenhuma, nem podia comprar. Achei sua voz bonita e descobri que seu sorriso parecia com o sorriso de uma artista de cinema. Comecei a olhar para ela: ela virava a cabeça, para não me ver. Mandei dizer que estava de mal dela: ela mandou dizer que achava até graça. Fiquei uma noite inteira sem dormir, para ela ver meu rosto de sofrimento: dormi na aula e fiquei de castigo. Andava de roupa suja e cabelo desgrenhado, para ela ter dó de mim: ela cuspia de nojo. Escrevi-lhe uma carta dizendo que se ela não gostasse de mim, eu ia dar um tiro no ouvido.

Deus do Antigo Testamento era meu avô, barbudo e forte, governando o mundo de sua cadeira de molas. Construíra uma cidade, criara dez filhos, desbravara regiões selvagens, tivera maleita, matara cobras e onças, prendera ladrões, carregava sacas de oitenta quilos e dobrava barras de ferro, não tinha medo de nada nem de ninguém. E, além disso, gostava de pretas, como vim a saber um dia em que eu estava brincando no quintal. Primeiro apareceu a preta. Depois Vovô. Detrás do monte de tijolos velhos, vi Vovô abraçar a preta por trás e segurar os peitos dela. A preta escapuliu e se escondeu atrás da mangueira. Vovô começou a relinchar feito burro e a caminhar para a mangueira. A preta dava umas risadinhas e vi que ela era desdentada. Vovô espichou a barba para a frente feito um bode. Depois raspou o chão com o pé feito um boi. Depois deu uma corridinha apressada feito um porco e agarrou a preta, suspendendo a saia dela, e eu vi que ela estava sem nada debaixo. Ajoelhou diante dela e, segurando seu traseiro, gemia: abre as pernas, meu amor, abre as pernas.

Eu adorava Mamãe. Quando ela saía e demorava, eu pensava que ela tinha morrido e sentia vontade de chorar. Mas eu não a obedecia. Gostava que ela mandasse eu fazer as coisas, só para poder desobedecê-la. Um dia entrei no quarto e ela estava arrumando a mala. Disse que estava cansada de pelejar comigo e ia viajar e me deixar com Vovó, para Vovó acabar de me criar. Tive tanto ódio dela, que rezei para que um caminhão a pegasse na rua e matasse. Ela arrumou a mala e carregou para a sala. Eu queria não chorar, fiz tudo para não chorar, mas quando ela telefonou chamando o táxi, meu corpo arrebentou num choro desesperado. Ela me abraçou, disse que estava brincando, que tudo aquilo era fingimento, que não ia me deixar, nunca deixaria seu menininho, e me pediu para esquecer. Eu esqueci. Mas não podia esquecer que desejara vê-la morta.

Eu não gostava de Dona Dalva porque ela era velha e feia e ruim. Uma vez Juca deu um assobio em aula e ela achou que fosse eu. Eu disse que não fora. Ela disse que eu estava mentindo. Eu disse que não estava. Ela me mandou calar a boca. Eu disse que não calava. Ela me pôs de castigo lá na frente e todo mundo riu. No fim da aula Juca se levantou e confessou que ele é que tinha assobiado. Ela disse: agora é tarde. Contei para Mamãe, e ela foi pedir satisfação ao diretor. Exigiu que Dona Dalva me pedisse desculpas na frente dos alunos. O diretor disse que isso era impossível. Mamãe disse que não sairia dali enquanto Dona Dalva não fizesse o que ela exigia. O diretor chamou-a para dentro e o ouvi perguntando se ela ia pagar os três meses que ainda não tinha pago. Ela saiu e me chamou para ir embora. No caminho disse para eu esquecer aquilo. Eu disse que não esqueceria. Jurei que não esqueceria. Ela disse que tinha vontade de me bater tanto, que até sangrasse. Depois começou a chorar.

Paulinho morreu e descobri que meninos também morriam. Era o melhor do time. Era alto e tinha os lábios tão vermelhos, que pareciam pintados. Batera duas vezes em mim porque o chamara de Vareta. Eu morria de medo dele. Escorregou numa casca de banana e bateu a cabeça na parede: nem ligou, mas dois dias depois ficou de cama, e duas semanas depois morreu. Ficou tão magro, que a gente via os ossos, tão sem cor, que antes de morrer já parecia defunto. Pensei: você nunca mais vai me bater. Nos últimos dias não deixava a mãe se afastar um minuto. Pedia que não apagassem a luz, porque tinha medo de dormir e não acordar mais. Dizia que não ia morrer porque ia crescer e ser engenheiro como o pai e construir casas e pontes e ter um jipe para visitar as obras. Morreu, vestiram-no de branco, puseram num caixão e o enterraram. O menino que batia nos outros e ia crescer e ser engenheiro como o pai era agora um túmulo entre uma porção de túmulos no silêncio do cemitério. De noite sonhei que eu é que tinha morrido e estava na escuridão da sepultura e bichos comiam meus olhos. Acordei gritando: não quero morrer! não quero morrer!

Eu gostava do porão da casa de Vovó. Gostava de ficar ali, na penumbra, sob o som abafado de passos nas grossas tábuas do assoalho. Gostava de pensar em escorpiões ocultos detrás dos baús azuis, com flores desenhadas nas tampas, e dos móveis fora de uso, empoeirados e cheios de teias de aranha. Gostava do cheiro do porão, que era o cheiro de pessoas que tinham morrido havia muito tempo. A porta com o cadeado enorme e pesado: se a trancassem, o porão ficaria escuro como um túmulo. Escutando os passos no assoalho, eu esperava Laila. Brincávamos de médico. Ela se deitava de bruços sobre a cama estragada e pedia que eu desse a injeção: na coxa. Seringa era um pedaço de pau, fino e pontudo: eu enterrava a ponta em sua carne, até ela gritar de dor. A doente morreu e quis ser velada. Fechou os olhos e cruzou as mãos sobre o peito. Busquei flores no jardim e a enfeitei. Acendi um toco de vela e pus a seu lado. Saí e encostei a porta. Enquanto trancava o cadeado ouvi o grito que me fez arrepiar como um grito de alma do outro mundo.

O medo encolhe nas paredes frias do hospital, aperto na barriga, vontade de saltar pela janela, dois braços que me seguram por trás, implacável avental branco, luzinha acesa na testa do médico, agulha que me enfiam na garganta e furam sem dó nem piedade. Odeio esse rosto que olha com calma para a ferramenta na mão e depois para a minha garganta e não vê meus olhos gelados de pavor e não ouve meu coração que bate fora do peito e sacode a sala inteira: Mamãe, Mamãe, Mamãe. Brutalidade de ferro rasgando, arrancando sangue pela boca, nariz, olhos, ouvidos, bacia branca dançando no ar, mão segurando minha cabeça: calma, calma, já acabou, já acabou. Já acabou: a bacia com sangue deixada no chão, o médico tirando a luzinha da testa, Mamãe sorrindo: já acabou, meu filho, correu tudo bem. Vozes e passos no corredor, portas se abrindo e fechando, barulho de carros na rua, meus olhos sem sono e cansados de olhar para as paredes, verdes e lisas. No quarto vizinho um gemido triste e monótono como o gemido de um cachorrinho doente: um moço pobre, doença de Chagas, um mês de vida no máximo, conta o médico para Mamãe. Manda-me abrir a boca: está ótimo, já pode mandar buscar um sorvete, se ele aguentar. Sorri e desaparece. Pela porta aberta o ouço no quarto vizinho: como é, bichão, e essa gemedeira? é assim que você quer sarar logo e voltar pra roça?

Tia Clea não gostava de mim porque um dia a vi sem dentadura e ninguém nunca a tinha visto sem dentadura. Ela disse que eu ia pagar caro. Eu tinha medo só de olhar para a cara dela. Tia Clea era médica e disse para Mamãe no consultório que se Mamãe não tratasse da minha gripe, podia virar coisa séria: receitou uma injeção que me fazia berrar de dor e deixava meu braço inchado. Eu me escondia no quintal, fugia para a rua, xingava, gritava, esperneava, quebrava as coisas. Mamãe desistiu da injeção, e eu sarei. Tia Clea soube e disse que eu sofria dos nervos. Eu disse que não voltava lá mais nem arrastado, e Mamãe me levou a outro médico. O médico me examinou e disse que eu não tinha nada, que aquela idade era assim mesmo e que um dia eu ainda teria saudade dos meus oito anos.

Más notícias

"Más notícias", vou dizendo logo, ao entrar.

"Não brinca, não", ele diz; "às vésperas do Comício da Vitória..."

"Pois se não agirmos rápido", eu digo, "se não agirmos rápido, o Comício da Vitória vai se transformar no Comício da Derrota."

Puxo uma cadeira e sento-me.

"O que aconteceu?", ele pergunta.

Acendo um cigarro. Eu tinha me prometido não fumar mais nenhum aquele dia; mas...

"O que aconteceu, porra?..."

"O que aconteceu? Bom", eu digo, "aconteceu o seguinte: o caminhão tombou."

"Puta merda..."

"Pois é."

"Eu sabia", ele comenta, "eu sabia que aquele vagabundo ainda ia me aprontar alguma..."

"Foi agora, no começo da noite", eu conto; "o caminhão estava voltando para a cidade."

"Quantos?", ele pergunta.

"Quantos o quê?"

"Quantos mortos, porra! Não é isso o que você quer me dizer?"

"É, é isso", eu digo, pegando o cinzeiro na mesa; "infelizmente é isso... Mas, felizmente", acrescento, "morto mesmo houve um só."

"Um só."

"É. Um morto e três feridos, um deles com ferimentos graves."

"Então são dois mortos."

"Dois mortos por quê?", eu pergunto.

"Claro", ele diz; "nesse azar..."

"Não", eu digo, "é um morto só; o outro, segundo eu soube, não corre nenhum risco de vida."

Ele fica olhando fixo para a mesa.

"Estamos fodidos", diz.

"Não sei", eu digo.

"Claro que estamos!"

"Acho que ainda tivemos muita sorte", observo; "poderia ter morrido muito mais gente."

"Por que não morreu?"

"Ou então haver mais feridos; foram só três, e o caminhão estava cheio. Tivemos foi muita sorte."

"É...", ele diz.

Ergue de novo os olhos para mim:

"Estamos fodidos, companheiro..."

"Não penso assim."

"Claro que estamos: fodidíssimos!"

"Ainda há chances", eu digo.

"Chances...", ele diz. "Que chances podem haver depois de uma coisa dessas?..."

Vinda de dentro, Beth surge na porta interna do escritório. Ela percebe logo o clima — fúnebre. Fúnebre seria a palavra exata nos dois sentidos: literal e metafórico.

"O que aconteceu?", ela pergunta.

"*Bye-bye*, primeira-dama...", Maca diz.

Ela se aproxima, sob a clara luz fluorescente:

"O que houve? Por que essa cara? Até parece que morreu alguém..."

"Pois foi isso mesmo: você acertou na mosca."

"Morreu?", ela pergunta, espantada. "Quem morreu?..."

Maca olha para mim:

"Conta, conta para ela."

Eu conto.

"Estamos fodidos...", ele torna a dizer no final.

Beth fica um instante em silêncio, pensando.

"Por que você diz isso?...", ela pergunta, olhando para ele.

"Por quê...", ele abre os braços. "Ora, meu santo Deus... Porque isso é a melhor coisa que podia acontecer para eles, Beth!"

Ela olha para mim, ainda confusa.

"Você não está entendendo?", ele pergunta.

"Não, não estou..."

"Você não lembra o que eles andaram falando na campanha?"

"Na campanha?"

"Que eu exploro os boias-frias, e não sei mais o quê..."

"Lembro."

"Então? E agora? O que você acha que eles vão dizer? Vão dizer que eu sou um assassino de boias-frias. No mínimo!"

"Mas você não teve culpa", ela diz.

"Claro, claro que eu não tive culpa. E daí? Isso faz alguma diferença?"

Ela não diz nada.

"O que importa", ele continua, "o que importa é que um caminhão do Senhor José Tagliari, o popular Macarrão, candidato a prefeito, tombou e matou um boia-fria; se não forem dois ou mais..."

"Pois é", ela diz, sentando-se: "eu te disse para dispensar aquele irresponsável."

"Disse, você disse."

"E não foi uma nem duas vezes."

"Não, foram três."

"Foram muitas vezes."

"É."

"Por que você não me escutou?"

"Eu ia adivinhar?"

"Se você tivesse me escutado..."

"Agora é tarde, Beth", ele diz; "agora é tarde; agora já estamos fodidos..."

"Se tomarmos alguma providência, não", eu digo num tom firme, enquanto apago — pela metade — o cigarro no cinzeiro.

"Eles já estão sabendo?", Maca me pergunta.

"Eles?..."

"O pessoal de lá."

"Com certeza."

"Claro, é óbvio; alguém deve ter ido, voando, contar para eles. Uma hora dessas o João Turco deve estar entoando preces de agradecimento a Alá."

Eu rio.

"É capaz até que a cidade inteira já esteja comentando."

"Não", eu digo, "a cidade, não; a cidade, ainda não deu tempo; mas se a gente demorar..."

Ele suspira fundo:

"Adeus, prefeitura!"

E adeus, penso, adeus chefia de gabinete...

"Pois eu não desisto!", diz Beth, cerrando o punho e como que acordando do choque da notícia. "Eu não desisto! Depois de tudo o que a gente fez? Depois de ter chegado ao ponto a que a gente chegou?"

"Claro", eu digo, apoiando-a.

"E o meu vestido da posse? Será que eu passei um mês inteiro escolhendo o modelo para nada?"

Maca ri.

"E a bolsa de couro de crocodilo que eu pedi à Lulu para trazer de Miami para mim? Hem? E a bolsa? E a bolsa de couro de crocodilo?"

E os três maços de cigarro que eu fumei por dia durante a campanha? Hem? E os três maços de cigarro que eu fumei por dia, acabando com a minha saúde?

"Não, meu filho, Elizabeth é nome de rainha; Elizabeth é nome de primeira-dama..."

"Ainda há chances", eu torno a dizer; "nem tudo está perdido."

"Claro que não", diz Beth; "perdido está para o coitado que morreu."

"Pois para ele é que não está mesmo", Maca diz.

"Como não? Ele perdeu a vida."

"Quem perdeu a vida não perdeu nada, porque não sabe que perdeu."

“Como assim?...”

“Agora eu”, ele diz, “eu, se eu perder essa prefeitura, vou ficar o resto da vida lembrando disso; ainda que eu viva quatrocentos anos.”

“Pois não perca!”, ela diz.

“Isso, Beth!”, eu aplaudo.

“Deus é um sacana...”, Maca resmunga, feito um menino chorão. “Será que não dava para ele esperar mais uns dias para fazer isso? Será que não dava para ele esperar só mais uns dias?...”

“É...”, eu digo.

“Cinco anos que eu colho algodão”, ele prossegue, “cinco anos que esse pessoal vai, todo dia, à minha fazenda; vai e volta; e nunca houve nada. Agora, a dois dias do Comício da Vitória...”

“Realmente...”, eu digo; “foi um azar; quanto a isso...”

“Parece até que foi de encomenda.”

“É...”

“Parece até que aquele filho da puta comprou Deus. Aliás, o que um turco não compra? Compra tudo. Compra até Deus!”

Olho para o cartaz na parede, Maca sorrindo, esbanjando confiança e simpatia; mas, por um momento, é como se eu, algum tempo depois, estivesse vendo aquele cartaz num muro qualquer da cidade, ele já desbotado, rasgado e sujo — o melancólico cartaz de um candidato que não se elegeu.

“E a Justiça?”, Beth pergunta, sentando-se novamente. “Como que fica a Justiça?”

"A Justiça é de menos", Maca diz; "na Justiça eu dou jeito."

"Dá jeito como?"

"Bom: você lembra daquela novilha que eu dei para o Doutor Catão?"

"Aquela malhadinha?"

"É."

"Lembro."

"Pois bem: chegou a hora dessa novilha me dar uma cria."

"Dar uma cria?..."

Maca se volta para mim:

"Ou essa novilha me dá uma cria, entende?", ele diz, apontando o dedo, como se a coisa fosse comigo, "ou essa novilha me dá uma cria ou o Doutor Catão nunca mais vai ver uma novilha minha."

De novo para Beth:

"E muito menos o tourinho, o tourinho preto, que ele me cantou aquele dia e eu fiz que não entendi. Ou será que ele pensa que eu não entendi mesmo? Pois entendi, e muito bem."

Para nós dois:

"Se o Doutor Catão não me quebrar esse galho, se o Doutor Catão não me quebrar esse galho, eu juro: ele nunca mais vai ver nem mesmo uma bosta seca das minhas vacas!"

"Mas às vezes não depende só dele", Beth observa.

"Claro", diz Maca, "claro que não depende só dele; mas os outros é mais fácil ainda."

"Os outros?"

"O Souza, o Aderbal, o Nenzinho..."

"Você acha que eles..."

"O Souza, por exemplo: o Souza, eu dou uma leitoa para ele; o Natal vem aí, quem resiste a uma leitoinha nessa época?..."

Nós rimos.

"Já o Aderbal... O Aderbal, eu posso dar um peru."

"Dá aquele manco", diz Beth.

"É, para o Aderbal aquele peru manco já está bom demais..."

Tornamos a rir.

"Agora, o Nenzinho... Coitado, o Nenzinho é tão humilde... Eu acho que com o Nenzinho um franguinho resolve. Ou então uma linguiça. Às vezes até mesmo um saco de laranja-da-ilha; ele tem um problema nos rins, ele só chupa laranja-da-ilha."

Rimos de novo.

"É...", Maca balança devagar a cabeça, "não é à toa que eu vinha cevando essa gente... Parece até que eu estava adivinhando que alguma coisa iria acontecer..."

Eu olho as horas, preocupado.

"Mas o quê, afinal, que você ia propor?", Maca me pergunta.

"Bom, eu..."

"Eu não vejo saída", ele me corta; "para mim, esse foi o último round, o último round de Turcão contra Macarrão."

"Não se você ir lá", eu digo.

"Ir lá? Ir lá onde?"

"No local do acidente."

"No local do acidente?"

"E sem demora."

"Você está é louco!", ele diz. "Você sabe que eu não posso ver sangue."

"É o único jeito."

"Então fodeu tudo mesmo, porque lá eu não vou."

"Você vai", eu digo; "você vai, e diante da câmera — o pessoal da televisão já deve também estar indo para lá —, diante da câmera você promete uma ajuda às vítimas, promete custear as despesas de funeral do morto."

"Despesas de funeral? Você acha tudo fácil, né? Você sabe quanto está ficando um funeral hoje? Sabe?"

"Não."

"Você sabe quanto está custando um caixão?"

"Não, não sei, e, para ser sincero, não estou muito interessado em saber isso..."

"Eu bem que gostaria de ajudar esse infeliz, mas você sabe, você sabe que eu não posso gastar mais nem um tostão."

"Quem falou em gastar? Eu disse para você prometer..."

"E depois?"

"Depois? Ora, Maca, você sabe que o tempo dá jeito em tudo... O negócio é agora; nós temos de pensar é em agora. Agir com rapidez. Antes que o pessoal do João o faça. O resto, depois a gente vê."

"É isso mesmo", diz Beth, "o Tim está certo: a gente tem de agir é agora."

"E com rapidez", eu repito.

"Nós já enfrentamos tantas paradas, querido; agora, no final, no finalzinho, às vésperas do Comício da Vitória, agora é que nós vamos desistir? Vamos morrer na praia?..."

"Você vai lá", eu digo, "você vai lá e faz um discurso do tipo: 'Com a voz embargada pela emoção'..."

"Eu já disse que eu não posso ver sangue, rapaz."

"Pois então não olhe!"

"Não olhe... Como que eu não vou olhar? O cara está lá, ao lado, a televisão filmando, e eu não olho? O que eles vão dizer depois? Vão dizer que eu não me dignei nem a olhar para o morto. Eles vão dizer isso."

"Pois então olhe", eu digo, já meio impaciente: "olhe e faça um belo discurso; transforme o limão numa limonada, converta em sorte o azar. Fale sobre o sofrimento dos que lutam para sobreviver. Fale dos que pagam com a própria vida para sobreviver; ou melhor, que..."

"Bom", ele diz, a cara se animando de súbito: "eu posso também levar um médico."

"Médico?", eu estranho. "Médico para quê, se os feridos já foram socorridos?"

"Médico pra mim, porra."

Eu abano a cabeça.

"O quê?", ele diz. "E se eu tiver um troço lá? Já pensou?"

"Você não vai ter nada", diz Beth.

"Você tem é de fazer um discurso", eu insisto; "é isso que você tem de fazer. Faça um discurso emocionado, um discurso empolgante."

"Como?"

"Como...", eu digo, sem concluir, pegando outro cigarro — mas não, chega: não vou fumar; ficar me fodendo por nada?

"Bom", Maca diz, "quem sabe se..."

Ele se levanta e se empertiga:

"Vê o que você acha..."

"Vamos lá", eu digo, entusiasmando-o.

"Meus caros amigos", ele começa; "nesta escura e trágica noite de setembro, com o coração esmagado pela dor..."

"Não", eu o interrompo: "esmagado não dá."

"Por quê?"

"Primeiro porque é muito exagerado; e segundo porque é como o cara morreu."

"Como o cara morreu?"

"É."

"Ele morreu esmagado?"

"É."

"Esmagado?..."

Eu balanço a cabeça.

"Poxa...", ele diz, sentando-se de novo; "você não tinha me contado..."

"Não, não tinha."

"Pensei que o cara tivesse morrido com fratura do crânio ou qualquer coisa assim..."

"Não."

"Pensei que... Poxa, esmagado... Agora sim, agora danou tudo mesmo..."

"Coragem, Zé!", diz Beth, se levantando. "Você sempre foi um forte!"

“Sempre fui um forte... Sempre fui um fraco, isso sim; um homem que não pode ver sangue...”

Ela olha para mim, já meio aflita.

“É a única saída, Maca”, eu digo; “a única. Ou você faz isso ou nós vamos realmente pro brejo.”

Ficamos então os três em silêncio ao mesmo tempo, um silêncio carregado de apreensão.

“Está bem”, Maca se levanta de repente: “eu vou lá.”

“Bravo!”, diz Beth, e nós batemos palmas.

“Pombas! Ninguém vai me tirar a porra dessa prefeitura!”

“Isso!”

“Muito menos um morto!”

“Ao contrário”, eu digo: “o morto é que vai te levar à prefeitura.”

“Se é assim, meu caro”, ele me abraça fortemente, “se é assim, que Deus e Nossa Senhora me perdoem, mas então eu só posso dizer: viva o morto!”

“Viva!”, eu digo, e pego outro cigarro — mas esse, ah, esse eu acendo, e acendo com prazer.

Escapando com a bola

Seria ele? Meu Deus, mas como estava acabado! Cabelos grisalhos, magro, enrugado... Mas, não tinha mais dúvida: era ele mesmo.

Então acabou de entrar no bar e foi até a mesa do fundo, onde ele estava, o único freguês àquela hora da tarde.

Parou à sua frente:

— Canhoto...

O outro encarou-o: ao reconhecê-lo, teve uma súbita e intensa expressão de ódio — um ódio que vinha daquele tempo, que atravessara todos aqueles anos e que irrompia agora no rosto como uma explosão.

Esperava por uma reação hostil, o que seria natural, mas não tão forte assim. Sentiu-se desconcertado, sem saber como prosseguir. Mas a determinação que o trouxera até aquele lugar e aquele momento fez com que ele recobrasse o controle.

Então disse:

— Como vai?...

O outro mal sacudiu a cabeça em resposta.

— Posso sentar?

Um gesto impreciso com a mão, indicando a cadeira.

Ele sentou-se.

— Não vou demorar, a conversa é rápida; eu só queria falar umas coisas com você.

O outro virou mais um gole da pinga, sem olhar para ele — a mesma cara fechada.

— Fiquei sabendo que você morava nessa cidade, andei perguntando a umas pessoas e descobri. Então fiz essa viagem. Eu vim aqui só para me encontrar com você.

O outro então o olhou, um ar de estranheza no rosto hostil.

— Estou com sede, vou pedir uma cerveja... Você toma comigo?

O outro respondeu mostrando o copinho de pinga.

Ele olhou para o garçom e pediu a cerveja e um copo.

— O que você faz aqui? — perguntou, tentando criar um papo.

— Faço umas coisas.

— Sei... Eu tenho uma loja lá, em Belo Horizonte, uma loja de roupas. Não é grande coisa, mas dá para ir vivendo; dá para ir criando a família, a mulher e os três filhos. Uma hora aperta daqui, outra hora dali; a gente vai levando...

O outro não disse nada.

— De vez em quando eu pensava: "Gente, e o Canhoto? O que será que ele anda fazendo?" Eu sempre procurava ter notícias suas, mas ninguém sabia direito. Na época, quando aconteceu a coisa, eu acompanhei tudo: a operação, depois a complicação que houve, a conversa de uma outra operação, as dificuldades financeiras do clube e as suas; acompanhei tudo. O dia que eu soube que você não poderia mais jogar, eu fiquei muito triste; muito triste. Torci para que não fosse verdade, para que ainda houvesse jeito, para... Eu torci...

Olhou para o outro, que se mantinha em silêncio, os olhos fixos no copo: segurava-o como se fosse, a qualquer momento, esmagá-lo com a mão.

— Desculpe, Canhoto, me desculpe estar aqui falando nessas coisas; eu sei que não é agradável para você, eu sei; acho que você preferiria muito mais que eu não estivesse aqui. Pois eu te prometo: prometo que eu não aparecerei mais, isso eu posso te prometer. Mas dessa vez eu precisava vir, eu precisava falar com você. Há seis anos que isso está atravessado na minha garganta.

Pôs mais cerveja no copo.

— Você não quer mesmo?...

— Não.

— Sabe, eu reconheço: eu fui covarde; eu devia ter te procurado logo, naqueles dias ainda, e conversado com você, te explicado como que aconteceu. Não ia adiantar muito, mas... Sei lá; pelo menos... Eu não tive intenção, Canhoto, não tive nenhuma intenção; juro. É que... Você lembra: nós, meu time, nós tínhamos de ganhar aquele jogo, tínhamos de ganhar de qualquer jeito; era decisivo para a nossa classificação. Faltavam só três minutos para terminar, a torcida já comemorava: quando vi você escapando com a bola naquele contra-ataque, nossa defesa toda batida, eu fiquei louco; eu vi que ali não tinha erro. Eu só tinha um recurso: te parar; não havia outro jeito. E aí eu fui. Fui pra valer. Mas eu não tinha intenção de... Eu não sou violento, nunca fui. Você vê: eu era o capitão do time, o cara mais controlado. Mas àquela hora...

O outro levou o copinho à boca e virou de uma vez o resto da pinga.

— Nós ganhamos o jogo; é, nós ganhamos... Aí veio a melhor fase do time, e nós chegamos a campeão. Para mim também foi a melhor fase: eu nunca tinha jogado tão bem. Chegaram a falar em mim para a seleção. Já pensou? Eu na seleção... Seria a maior alegria da minha vida. Era esse o meu maior sonho. É o maior sonho de todo jogador, devia ser o seu também... Aliás, você poderia chegar lá mais do que eu: você tinha muito mais futebol; você driblava melhor e tinha um chute, que eu vou te contar... era uma bomba. Não estou dizendo isso agora pra rasgar seda; eu já achava isso, muita gente achava, você sabe. Dos times do interior naquela época você despontava como a maior estrela; isso era indiscutível. "Tiago, marca esse garoto", lembro do Maia me dizendo aquele dia, antes do jogo, nas instruções; "marca esse garoto, que ele é um capeta; não tira o olho dele um segundo." Foi uma parada. O nosso duelo de meio de campo...

E ele ficou lembrando, o olhar perdido na mesa. Lembrou também de outros jogos, a emoção dos gols, o coro da torcida... Tudo isso acabara — para que lembrar?...

Lá fora a tarde ia morrendo; vagos barulhos chegavam da rua calma daquela pequena cidade.

— Mas — ele disse, retomando a fala, — o que eu mais queria te contar é que... eu não podia esquecer daquilo; não podia. Eu sempre lembrava. E quanto mais bem eu ia, quanto mais o pessoal falava de mim nos jornais, mais eu lembrava; um troço de louco. Era como se tudo aquilo só viesse acontecendo por causa daquele dia. Quer dizer: se não fosse aquele dia, nada daquilo teria acontecido. Troço de louco. No campo, então, em dia de jogo, era eu entrar e lembrar. Uma vez cheguei até a te ver lá dentro. Pra você ver como eu estava; parecia que eu estava mesmo ficando pirado...

O outro não disse nada.

— Foi aí que começou a minha fase ruim; tudo começou a dar errado comigo: errava os passes, perdia as bolas, chutava fora, tudo dando errado. “O que há com você?”, eles me perguntavam. Eu sabia? “O que você tem?” Sei lá o que é que eu tinha; só sabia que estava dando tudo errado, só sabia isso. Fui parar até em terreiro de macumba. Adiantou? Picas. Aí chegou a hora de renovar o contrato: cadê que eles renovaram... Mas eu dei razão: renovar daquele jeito, com aquela macaca?... Aí eu fui para o interior, o Esporte; um salariozinho de merda, só mesmo para não ficar parado. Fui. E a macaca também; tudo continuou do mesmo jeito, o mesmo azar, puta que pariu: nunca vi coisa igual. E uma tarde, depois de um jogo terminado em derrota e em que perdi dois gols, olhei para o gramado, olhei assim para o gramado e disse: "Tiau, irmão." Virei as costas, e nunca mais botei os pés num campo de futebol.

Acabou de esvaziar a garrafa de cerveja.

— Encerrada a minha gloriosa carreira, fui tratando de ajeitar a vidinha cá fora. Comprei a loja, andei perdendo dinheiro numas besteiras, mas, aos poucos, tudo foi se ajeitando. Tudo, menos uma coisa... Essa não tinha jeito. Eu pensara que, longe do gramado, ela iria desaparecendo. Qual... Desapareceu nada. Cheguei à conclusão de que ela nunca desapareceria: ficaria na minha memória feito uma cicatriz.

Ele pegou o copo, mas não bebeu.

— Um dia, na hora de deitar, eu falei com a minha mulher, contei para ela a história toda; eu nunca tinha contado para ninguém. Ela escutou, escutou com atenção, depois disse: "Por que você não vai e procura ele? Por que você não vai e conta para ele tudo isso que você me contou?..." Ela estava certa, era isso mesmo o que eu devia fazer. Eu já pensara nisso, mas logo depois pensava: com que cara que eu vou chegar nele? com que cara que eu vou chegar e dizer tudo isso?...

Olhou para o copo.

— Mas aí — prosseguiu, — aí, esses dias, de repente, eu resolvi: eu vou, eu vou lá. Descobri onde você morava, peguei o ônibus, e aqui estou: aqui estou, nessa cidade que eu nem conhecia antes; aqui estou agora, te contando tudo isso...

Ele pegou o copo e tomou um demorado gole da cerveja.

Houve um silêncio prolongado.

— E você, não diz nada? Eu queria que você dissesse alguma coisa; qualquer coisa. Mesmo que seja pra me mandar pro inferno. Mas que você dissesse alguma coisa.

— Dizer... — o outro então respondeu, a voz saindo ofegante. — Dizer o quê? O que você quer que eu diga? Você arruinou minha vida, você não vê? Não foi só a minha perna que você quebrou: foi a minha vida. Eu ia ser um grande jogador, ia ser um dos maiores craques que o Brasil já teve. Mas você acabou com tudo, você acabou com tudo àquela tarde.

— Eu tentei te explicar...

— Foi um pesadelo, um pesadelo noite e dia; um inferno. Pensar que eu nunca mais poderia jogar era para mim pior do que a morte. Eu queria morrer. Comecei então a beber, bebia feito um louco, para não pensar naquilo. Aí acabei de estragar minha saúde; tive uma porção de problemas, precisei da ajuda de meus pais, meus irmãos, acabei com o dinheiro deles, foi desgraça atrás de desgraça; desgraça atrás de desgraça. Hoje eu sou isso que você vê: um molambo, um farrapo, resto de gente. Dizer... O que você quer que eu diga? Hem? O que você quer que eu diga?...

Parou, a respiração opressa.

— Desculpe, Canhoto, eu não sabia; não sabia que tinha acontecido tanta coisa; juro que eu não sabia. Alguma coisa eu podia imaginar, mas... Sinto muito, sinto muito de verdade. Eu tentei te explicar; eu te contei como foi. De uma coisa você pode estar certo: eu me arrependi muito nesses anos todos; me arrependi muito. Mas foi como te contei: um momento de loucura; foi uma coisa que normalmente eu não faria; uma coisa que aconteceu comigo, mas que poderia ter acontecido com qualquer outro; inclusive você. Era isso que eu queria que você compreendesse. Queria que você compreendesse que eu também, de certo modo, fui vítima; que nós dois juntos fomos, àquela hora, vítimas de uma mesma coisa, uma coisa maior do que nós, sei lá o quê: talvez aquela torcida, talvez aquele relógio, talvez aquele vento louco que de repente dá na cabeça da gente... Era isso que eu queria que você compreendesse. Foi para isso que eu vim aqui, que eu viajei esses mil quilômetros. Queria que você compreendesse e... que você me perdoasse.

— Não há perdão para isso.

O outro então se levantou e, sem se despedir, foi caminhando rumo ao balcão, puxando uma perna. Pagou e saiu do bar.

Ele ficou só na mesa, só com aquele passado e aquele arrependimento que não encontrara perdão. O que mais podia fazer? Fizera o que podia. Não podia fazer mais nada.

Mas, pensando bem, aquilo estava certo. É, estava. Ele também não era uma vítima? Então devia também arrastar aquele arrependimento pela vida afora, como o outro arrastaria a perna.

Assim era e assim devia ser — concluiu, a caminho do balcão, onde, surpreso, ficou sabendo que o outro tinha pago sua cerveja.

Ousadia

O homem pôs a revista na mesa, sem fazer nenhum ruído. Depois desviou a luz do abajur para o chão, ficando a cama quase no escuro. Mas o travesseiro ele ainda deixou como estava, encostado em pé na cabeceira da cama. E ele também continuou na posição de antes, agora olhando para o que tinha à frente, na direção de seu olhar: apenas a elevação dos pés no lençol.

Virou-se ligeiramente para ver a mulher: ela estava voltada para o outro lado, o lençol puxado até o queixo. Parecia já estar dormindo.

"Zazá...", disse, falando meio baixo, de tal forma que ela responderia se ainda estivesse acordada, mas de tal forma que ela não acordaria se já estivesse dormindo.

"Hum...", a mulher gemeu, sem se mexer.

"Você já está dormindo?...", perguntou o homem, no mesmo tom.

"Não...", respondeu a mulher, também no mesmo tom.

Não estava ainda, mas, pela voz, parecia quase.

Ela continuou imóvel, e o homem notou, no lençol, a respiração calma e compassada de quem já está prestes a dormir.

Ele cruzou as mãos por trás da cabeça, entre a cabeça e o travesseiro.

"Zazá, eu estive pensando..."

"O quê?...", gemeu a mulher.

Ele virou-se, curvando-se por cima dela, a mão pousada em seus quadris e acariciando-os por sobre o lençol.

"Você já está dormindo, bem?..."

A mulher abriu os olhos, sem mexer a cabeça:

"Estou não", disse ela; "estou só com os olhos fechados..."

"Não durma ainda, não...", ele disse, dando uma palmadinha nos quadris dela.

A mulher mexeu a cabeça no travesseiro, concordando, e tornou a fechar os olhos.

O homem voltou a se encostar no travesseiro e a cruzar as mãos atrás da cabeça, depois de deixá-las um instante abandonadas sobre o corpo.

"Sabe, hoje eu estive pensando. Está escutando, Zazá?..."

"Estou...", gemeu a mulher.

"Estive pensando uma porção de coisas..."

O homem falava olhando na direção dos pés sob o lençol. De vez em quando, como que acompanhando as voltas de seu pensamento, mexia com eles, mas sem perceber isso.

"Precisamos movimentar mais a nossa vida, Zazá; precisamos fazer coisas novas, diferentes... Sair da rotina. É a rotina que envenena a vida da gente. A rotina é um dos maiores males da vida. É ela que mata, que nos envelhece prematuramente. Deixemos a rotina para quando formos velhos; não somos ainda, temos ainda uns bons anos na nossa frente. Lembre-se: a vida começa aos quarenta. Estamos só com sete anos. Estamos ainda na infância..."

Olhou de lado, para a mulher:

"Zazá, você está me escutando? Ou você já está dormindo?..."

A mulher gemeu, para dizer que estava escutando.

"Precisamos movimentar a nossa vida. Inventar, criar coisas novas. Usar aquilo que ainda temos em nós da juventude: a fome pela novidade, pela variedade. Pelas coisas exóticas."

O homem parou um pouco: parecia escolher, entre várias coisas, qual a próxima que diria.

Olhou de novo para a mulher, mas dessa vez não falou nada com ela.

"Isso, mesmo nas menores coisas, ou mesmo nas coisas mais...", hesitou, porque lhe faltaram as palavras ou porque achou melhor não dizer.

Começou outra frase:

"É isso que faz a gente viver, permanecer sempre jovem. A gente precisa ter coragem. A gente tem de ter ousadia... A gente..."

Novamente parecia não saber o que dizer, ou ter medo de dizer.

Olhou para a mulher e ficou algum tempo observando-a, observando o seu corpo, cujas curvas o lençol branco e fino delineava. E então se ergueu para fazer algum gesto, mas um suspiro mais fundo da mulher o deteve a meio do caminho, ficando ele com a mão suspensa sobre os quadris dela. Mas foi apenas o suspiro, ela não se mexeu. Assim mesmo, ele voltou à sua posição de antes.

Ela então mexeu um pouco as pernas — mas não se virou, como ele pensou, e pareceu temer, que ela fosse fazer. Seu rosto então se descontraiu, como se ele tivesse acabado de escapar de algum perigo.

Agora estava olhando realmente para os pés e mexendo-os, no calmo e contido nervosismo de um gato mexendo o rabo.

"Zazá, lembra do Manuelino?", perguntou.

A mulher não respondeu.

Ele virou um pouco a cabeça no travesseiro e repetiu, com uma voz concentrada na direção da mulher:

"Zazá..."

"O quê..."

"Lembra do Manuelino?"

"Manuelino?..."

Ela demorou algum tempo, depois respondeu:

"Lembro" — e para confirmar, menos para ela mesma do que para ele, e dispensá-lo de perguntar de novo se ela estava dormindo, disse: "aquele seu amigo...", e, contente por se lembrar, ainda acrescentou: "aquele do banco..."

"Do banco?... Não, Zazá, aquele é o Marcolino; estou falando é o Manuelino, aquele que veio aqui àquela vez, aquele do chapéu; você até riu..."

A mulher não disse nada.

"Não está lembrada? Aquele do chapéu, Zazá..."

"Lembro... lembro sim... o do chapéu..."

"Pois é. Nós estávamos conversando sobre isso que eu estou falando. Boa praça o Manuelino...", o homem teve um sorriso. "Bom companheiro... Nós estávamos conversando sobre isso, falando sobre essas coisas. Depois eu fiquei pensando... Sabe, Zazá, há uma porção de coisas que nós não fizemos — nós que eu estou dizendo é você e eu. As coisas que a gente ainda não fez nessa vida, e que poderia fazer. Sim, que poderia fazer; que ainda pode — aí é que está. Porque tem umas que a gente não pode mesmo; mesmo querendo. Por exemplo: de que adianta eu querer ir ao Japão se eu não tenho dinheiro para isso?"

"Japão?...", gemeu a mulher.

"Estou dizendo: de que adianta eu querer ir ao Japão se eu não tenho dinheiro para isso? Ou então eu querer ter um Impala. De que adianta? Ou querer..."

Não se lembrou de outra coisa.

"Enfim: querer as coisas impossíveis. Isso é bobagem. Besteira. Infantilidade. Mas o que é possível, eu posso querer. A própria palavra o diz: possível. Quer dizer: que pode. Essas eu posso querer, e não apenas posso: devo. Há tantas coisas que a gente pode fazer — coisas boas, eu estou dizendo, é evidente. Tantas coisas, e que a gente não faz. E por quê? Por que não faz? Por medo; por negligência; por costume; por preconceito. Nós conversamos muito sobre isso, eu e o Manuelino — o Manuelino e eu", corrigiu-se, como um homem habituado a respeitar as mínimas regras da etiqueta.

Olhou para a mulher.

"Nós falamos muito sobre isso, o preconceito — os preconceitos. São eles que nos impedem de fazer uma porção de coisas. São como correntes que atam os nossos gestos, como disse o Manuelino. Ou, então, como ele disse também: os preconceitos reinam sobre as nossas vidas. Há preconceito de todo tipo: social, político, religioso, moral. Uma infinidade deles. Há preconceito de toda espécie, desde a mais baixa até a mais alta."

A mulher se mexeu. Ele parou de falar e ficou olhando. Mas em vez de virar-se, como ele achou que fosse acontecer, ela enroscou-se mais para dentro, ficando na exata posição entre de lado e de bruços. Seus quadris destacaram-se mais ainda.

O homem recomeçou a falar, mas agora continuava olhando para a mulher, para a sua silhueta:

"Há até preconceitos sexuais; ou, melhor, existem muitos preconceitos sexuais..."

Parecia ter-lhe voltado o nervosismo de antes, e ele seguidamente passava, com um quê de aflito, a mão na cabeça, ajeitando o cabelo, que era liso e já começava a rarear.

"Às vezes existem esses preconceitos até entre casais; quer dizer, até entre aqueles onde não devia haver preconceito nenhum, onde a intimidade devia ser absoluta, onde devia haver liberdade para fazer o que quisessem, aquilo que bem entendessem. Afinal é para isso que a gente casa, para poder fazer essas coisas, para fazer tudo aquilo que o corpo da gente pede."

O homem curvou-se de novo sobre a mulher e acariciou, com mais determinação agora, os seus quadris.

"Estou tão cansada hoje, bem...", gemeu a mulher, sem abrir os olhos.

Ele continuou acariciando-a.

"Não é isso; é outra coisa...", murmurou, estendendo-se por trás, ao longo do corpo dela — quando ela então se virou, ficando de costas.

"O que é?...", ela perguntou, fazendo força para acabar de acordar.

Ele ficou na posição em que estava, olhando-a — e então voltou bruscamente a deitar-se de costas.

"O que é?...", ela de novo perguntou.

"Você não me dá atenção", disse ele, com uma irritação muito maior do que a frase comportava, mas a mulher estava muito sonolenta para percebê-lo; "estou falando com você tem mais de meia hora, e você não me escuta, não me dá atenção..."

"Eu não estava dando? Estava sim, bem. Eu não estava respondendo a tudo o que você perguntava? Estava só de olhos fechados; eu não estava dormindo", a mulher falava, erguida na cama, apoiando-se nos cotovelos. "Você quer que eu diga tudo o que você disse, desde o começo?... Posso dizer tudo, desde o começo; você quer que eu diga?..."

"Vê se isso é ideia", ele respondeu, com ironia.

"Trabalhei tanto hoje, bem... Estou cansada, meus olhos estão doendo do tanto que eu costurei... Eu estava só com eles fechados, não estava dormindo. Eu estava escutando tudo o que você estava dizendo..."

"Está bem", ele disse, encerrando. "Está bem. Agora vamos dormir."

Estendeu o braço e apagou a luz. Depois ajeitou o travesseiro e deitou-se de lado, com as costas para a mulher, que também já havia se deitado.

Ele não fechou logo os olhos; no escuro, ficou olhando para a revista na mesinha, lembrando-se de uma fotografia: uma loira de biquíni, deitada de lado e de costas num sofá vermelho.

Os sobreviventes

— E o Nica, lembra dele?

— Nica?

— O Nica.

Franziu a testa, a memória procurando.

— Um baixo?

— Puxa, o Nica, não lembra? Nicanor; acho que era Nicanor, eu nunca soube o nome dele direito. O Nica...

O outro tentou mais um pouco. Sorriu, meio sem graça:

— Sabe que eu não lembro?... Nica... Como que ele era?

— Ele bateu papo tantas vezes com a gente aqui... Não lembra?... Olha, o Silva: lembra do Silva?

— Do Silva eu lembro.

— Pois é; e uma briga que houve uma vez aqui, no tempo daquele garçom... Como que ele se chamava?... Heraldo... Heraldo ou Aderaldo, agora estou meio em dúvida...

— Heraldo; não é um gorduchinho, com cara de menino?

— É, esse mesmo; Heraldo. Agora eu também me lembrei. Aderaldo é um sujeito lá do banco, que foi meu amigo uns tempos; eu estava confundindo. Pois é: o Heraldo; lembra de uma briga que houve aqui, no tempo dele, uma noite?...

— Briga?

— É...

— Briga teve muitas...

— Teve; mas uma com o Silva, uma das mais feias, quase deu até morte. Um cara foi para o pronto-socorro. Lembra?

— Engraçado, eu não estou lembrado... Quem sabe eu não estava aqui? Se estivesse, eu lembrava; do jeito que você está dizendo... Eu não ia esquecer uma briga dessas. Você lembra se eu estava mesmo aqui?...

— Você? Claro, lembro direitinho, parece até que eu ainda estou vendo. Você e o Joaquim, o Joaquim da secretaria: vocês estavam ali, naquele canto, perto da escada. Naquele tempo a escada era ali.

— Disso eu lembro, como era naquele tempo, a escada. Tinha um quadro ali, na parede, não tinha?

— Exatamente.

— Um pescador numa barca.

— Isso mesmo.

— Lembro até da cor da camisa dele: vermelha. Não era?

— Bom, disso eu não lembro.

— Era sim; eu lembro perfeitamente. Camisa vermelha, o sujeito de boné... O rio com corredeiras...

— Eu lembro que era um quadro bonito.

— Era.

— Que será que fizeram dele, hem?

Relanceou os olhos pelas paredes do bar, numa vaga esperança de que o quadro ainda estivesse por ali — mas já fazia mais de vinte anos isso...

— É, mudou tudo mesmo... Até os quadros mudaram... A escada; a entrada, as mesas... tudo. As pessoas... Não tem mais nada aqui do nosso tempo...

O outro ficou olhando para o copo de cerveja.

— Sabe, Brandão? Eu me sinto um pouco como se fosse um fantasma aqui... Somos os sobreviventes de um tempo morto. É isso o que nós somos aqui agora. Não devíamos ter vindo aqui. A gente nunca devia voltar aos lugares por onde andou quando jovem. Para quê? Isso só serve para entristecer, para a gente ver que tudo mudou, que as coisas não são mais as mesmas, que o tempo passou e a gente envelheceu.

— Hum...

— Podíamos ter ido a outro bar, um bar qualquer desses aí. "Nosso bar"... É até meio chato pensar nisso. Nosso bar não é mais nosso, Brandão. Somos dois estranhos aqui, essa é que é a verdade. Olhe ao redor: moços e moças, como nós éramos, só que no nosso tempo não vinha tanta moça como agora, era mais raro; pois isso aqui agora é deles, não temos mais nada aqui... Até o garçom: veja o modo como ele atende a turma e o modo como ele nos atendeu; ele nem sonha que nós um dia é que mandamos nisso aqui, que nós um dia é que fomos os reis. E esse pessoal...

— Afonso, o que é que deu em você? O que você viu? Para que esse discurso fúnebre? Quer estragar essa cervejinha que nós estamos tomando? Foi para isso que nós viemos aqui? Você está parecendo um velho, rapaz.

— É, um velho...

— O que há com você?

— Pois é isso mesmo: um velho; é como eu estou me sentindo.

— Um velho, você... Se você está velho, então eu também estou... Pois eu não me considero nenhum velho. E, olha, eu vou te dizer: a Terra ainda vai ter de girar muitas vezes para isso acontecer. O que é que deu em você? É a cerveja?

— Quem sabe? Você está brincando, mas pode ser mesmo a cerveja. Há muito tempo que eu não bebia. Não posso mais beber, Brandão; meu fígado não vale mais nada, não aguenta mais nada. Mas, também, isso tinha de acontecer um dia; nenhum fígado aguenta do jeito que a gente bebia. Além disso, eu nunca tive um fígado muito bom; desde menino. Meu fígado nunca foi cem por cento. Eu bebia muito era mesmo de teimoso, de maluquice. Também, naquele tempo, não havia problema: o corpo era forte, aguentava. Agora é diferente, a gente começa a sentir. É uma extravagância o que eu estou fazendo hoje. A Zélia, é porque ela não sabe; se ela soubesse, cadê que eu vinha aqui; nem se pensa. Eu estou até imaginando a bronca que eu vou levar quando chegar em casa...

— Hum...

— Deixa pra lá, como dizem... Eu não ia ficar sem comemorar esse nosso reencontro só por causa da porcaria do meu fígado; então a gente passa anos assim, sem se encontrar, nós, que éramos os melhores amigos... Sabe que eu nunca mais tive um amigo como você, Brandão?

Brandão sorriu.

— No duro mesmo; eu nunca mais tive um amigo como você... E então a gente passa esse tempo todo sem se encontrar, cada um morando a milhares de léguas de distância do outro, e de repente, por um acaso, se encontra de novo na rua, e tudo isso fica sem uma comemoração? Não pode; não é justo, não é mesmo?

— De pleno acordo — disse Brandão, enchendo de novo os copos.

— Dane-se o meu fígado, e viva a nossa velha amizade.

Brindaram, sorrindo.

O rapaz que estava na mesa ao lado, de costas para eles, voltou-se para olhar, depois disse qualquer coisa aos companheiros, e eles riram.

Brandão viu.

— De que eles estão rindo?

— Eles quem?

— Esses bestinhas.

Afonso olhou para trás.

— Eles estavam rindo de nós — disse Brandão.

— De nós? Por quê? Não deve ser, não.

Brandão continuou olhando.

Ia só chegando mais gente ao bar. Quase vazio quando entraram, no começo da noite, ele agora tinha apenas uma mesa desocupada. Roupas de cores berrantes, conversas, risadas, barulho de copos e garrafas, uma eletrola tocando alto músicas de iê-iê-iê.

— Será que todo mundo aqui é surdo? — disse Brandão. — Por que eles põem nessa altura? A gente nem pode conversar. Isso é um desrespeito para com o freguês.

— Negão! — gritou lá da porta um rapaz, vestido de camisa azul com flores amarelas, os cabelos, compridos, caindo sobre o ombro.

Ele ficou rindo alto, como se tivesse visto uma coisa muito engraçada. Depois, imitando um lutador de telecatch, inchou as bochechas, estufou o peito, arqueou os braços e, de punhos cerrados, fez cara feia e veio devagar na direção de uma mesa, fincando os pés no chão. Aí se relaxou e abraçou o amigo, esfregando a mão em sua cabeça como se o amigo fosse uma criança. Parecia não se encontrarem há muito tempo; mas, pela conversa, logo se viu que isso acontecera naquele dia mesmo. O rapaz, em pé, ficou rindo e conversando alto com os das outras mesas. Parecia ser amigo de todo mundo ali.

— Barra limpa? — gritou um lá do fundo, esticando o polegar para cima.

Outro deu uma gargalhada.

Um copo espatifou-se no chão.

— Essa é a admirável juventude de hoje... — disse Brandão.

Afonso estava olhando para o fundo, onde haviam quebrado o copo.

Brandão, prestando atenção no cabeludo que chegara: os cabelos caíam sobre os olhos, e ele, com um gesto da cabeça, voltava-os para cima; de novo os cabelos caíam, e de novo o gesto — feito aquele cantor da televisão.

— Afeminados — disse Brandão.

— O quê? — perguntou Afonso.

— Afeminados.

— Quem?

Brandão indicou com o queixo.

— Juventude é assim mesmo, Brandão...

— Assim mesmo? Afeminados? Nós éramos? Podíamos beber muito, e fazíamos as nossas farras; mas afeminados? Isso nunca. Olha esse que chegou, olha só...

Afonso olhou discretamente para o cabeludo.

— Um homem usa cabelo assim, Afonso? Você usaria? Me diga. Você deixaria um filho seu usar? Pois eu vou te dizer: se meu filho aparecesse um dia lá em casa com um cabelo desses, eu dava uma surra nele; era isso o que eu faria. Uma surra daquelas que ele, depois, nunca mais ia querer saber de pensar nisso.

O rapaz continuava a rir, e os outros brincando com ele.

Afonso descansou os olhos no copo e tomou um gole.

— Mas e você, Brandão? Seu fígado: você tem algum problema?

— Meu fígado? Não, meu fígado está tinindo, eu não tenho nada. Posso emborcar ainda quantas quiser.

— Você é que é de sorte; do jeito que a gente bebia... Você ainda bebe daquele jeito?

— Daquele jeito não, claro; mas... Bom: com o casamento, os filhos, as responsabilidades...

— Eu sei; comigo também foi assim: comecei a diminuir com o casamento. Nesse ponto o casamento até que foi bom para mim. Bom ou ruim, até hoje não cheguei a uma conclusão; porque, por minha vontade, eu nunca pararia de beber, mesmo com o meu fígado...

— É...

— Puxa, estou lembrando: mas nós bebíamos, hem?...

— Bebíamos mesmo...

— Éramos uns esponjas...

— Se éramos...

— Você ainda era pior do que eu.

— Eu? Você é que era. Você bebia mais do que eu.

— Será? É, é difícil saber... Agora, tinha um que... Esse bebia mesmo mais do que nós dois.

— Quem?

— O Lazinho.

— É mesmo, o Lazinho; sabe que eu nem lembrava mais dele? O que virou dele, hem?

— O Lazinho?

— É.

— Você não sabe?

— Não sabe o quê?

— Que ele morreu!

— O Lazinho?

— É. Você não sabia?

— Não, sô; quando foi? O que é que foi?

— Aquele desastre de avião aqui, dois anos atrás; lembra?

— Lembro, lembro sim; eu li no jornal. O Lazinho estava lá?

— Estava...

— Que coisa... Eu não sabia...

— Pois é...

— Pensei que ele ainda estivesse bem vivo por aí, em algum lugar; eu nunca mais o vi... Que coisa, sô... O que ele andava fazendo ultimamente? Antes de morrer...

— Não sei; parece que ele estava numa firma, em Recife; sei que ele estava morando lá. Depois daquele tempo, eu também não encontrei mais com ele...

— Sei...

— Foi um choque quando eu li no jornal. Ainda lembro como foi. Foi uma tarde: eu estava lá, lendo a notícia, lendo os nomes dos mortos, mas sem muita atenção, lendo como leria qualquer notícia de desastre; estou lá, lendo, e de repente dou com o nome dele. Foi um choque; na hora eu nem acreditei. Acho que eu li a notícia umas seis vezes; é como se eu tivesse me enganado e lido uma coisa que não estava escrita. É verdade que a gente nunca mais tinha se encontrado; podia até se dizer que a gente nem era mais amigo; mas à hora que eu li aquilo, parece que todo aquele tempo voltou de novo, e me deu uma coisa ruim por dentro, uma sensação ruim...

— É...

— Pois eu achei que você soubesse; a notícia do desastre saiu nos jornais...

— Eu li, como eu te disse; mas devo ter lido por alto e não vi o nome dele. Ou então pode até ser que eu vi, mas, como fazia muitos anos que eu não me encontrava com ele, eu não liguei na hora o nome à pessoa. Lazinho...

Ficaram um momento calados, lembrando do amigo morto.

— E o Célio? Você tem encontrado com ele?

— O Célio? Tenho. De vez em quando a gente se encontra, na rua. Mas não há mais aquela amizade de antigamente. Ele montou um consultório particular, há pouco tempo.

— Eu fiquei sabendo.

A garrafa vazia.

— Vamos pedir mais uma?

— Vamos.

— E o fígado?

— O fígado? Deixa pra lá; hoje eu estou com o meu melhor amigo, o fígado que se dane. Não é isso, não é essa cerveja que vai me matar; e, também, se for, o que eu posso fazer? Pelo menos morri bebendo com o meu melhor amigo.

Brandão acenou para o garçom trazer mais uma.

— Pois é, sô, tempinho bom aquele nosso; turminha boa...

— Era sim...

— Mas... E o Nica? Quem sabe agora você já lembra?...

— Nica... Nica...

Abanou a cabeça:

— É, hoje eu posso desistir: não lembro mesmo. Pode ser que amanhã, uma hora qualquer, eu lembre; mas agora não tem mesmo jeito. Nica...

— Olha, você quer ver: ele... Não, agora sou eu que ia fazendo confusão... Eu ia dizer que ele gostava muito de discutir política; mas quem gostava muito de discutir política era o Januário.

— É, o Januário; o Januário gostava mesmo. O Januário era louco por uma discussão. Acho que era a coisa que ele mais gostava no mundo; ele dava tudo por uma discussão. Eu soube que ele foi eleito prefeito da terra dele nas últimas eleições, você soube?

— Soube; eles me contaram.

— Engraçado: como que eu lembro de todos, e do Nica eu não lembro...

— Deve ser uma... Como que chama quando o sujeito esquece?...

— Am... anamnésia... amnésia... Como que é mesmo?...

— A... — começaram os dois juntos, e dispararam a rir.

— Brandão, velho amigo...

— Pois é, Afonso, aqui estamos de novo, depois de tantos anos...

— É, aqui estamos... Será que já estamos tontos, Brandão?

— Tontos? Nós nem começamos a beber direito ainda...

— Isso é que é triste. Nós nem começamos, e eu já não aguento mais nada. Acabei, Brandão... Cadê as doze garrafas de cerveja que eu bebia?... Cadê a resistência?... Cadê a juventude?... Nosso bar, nossos amigos, cadê tudo isso?... Só restou nós dois agora para lembrar, para chorar as mágoas, para ver que tudo isso já morreu, que o tempo passou e nós estamos velhos...

— Velhos...

— Velhos sim; de que adianta fingir ou ignorar? A gente finge, a gente ignora; mas o corpo não finge, o corpo não ignora... Olhe para mim, Brandão: não é um velho o que você vê?

— O que eu vejo é um idiota; um idiota e um bêbado.

— Bêbado, com duas garrafas de cerveja... De doze baixei para duas; que progresso, hem? Eu podia até escrever um livro: *De Como Me Curei do Alcoolismo*. Depois publicava na *Seleções*, naquela seção de livros condensados...

— Hum...

— Velho, barrigudo, careca; fígado liquidado, varizes; de vez em quando urina solta; até agora nenhum enfarte; avô de cinco netos, pai de três filhos, marido ranzinza, covarde. Eis aí o retrato de seu amigo Afonso aos cinquenta anos, pintado por ele próprio.

— Isso não é retrato; é caricatura.

— O chato é isso; depois de velho, todo retrato da gente parece caricatura.

— Você continua o mesmo cara exagerado, hem, Afonso?

— Exagerado... Antes fosse, Brandão... Antes fosse exagero tudo isso que eu estou te dizendo...

Brandão se levantou de repente, brusco:

— O que foi aí? — disse para os rapazes da mesa. — De que vocês estão rindo?

Assustados, os três ficaram olhando, sem responder.

— Qual é o problema?

— Problema? — um deles então disse, e olhou para os outros. — Tem algum problema aqui, gente?

— Vocês estavam rindo.

— É proibido? — perguntou o rapaz, com um risinho, e tornou a olhar para os outros, que então fizeram também cara de riso.

— Vocês estavam rindo de nós, pensam que eu não vi?

— O senhor está equivocado.

— Equivocado é a avó.

— Vem sentar, Brandão — chamou Afonso, segurando seu braço.

Havia uma expectativa no bar, todos olhando e esperando o que poderia acontecer.

— Vocês pensam que são os donos disso aqui? — disse Brandão.

— Absolutamente — disse o rapaz, e apontou na direção do fundo: — o dono é aquele lá.

O dono veio até eles.

— Posso saber o que houve, cavalheiro?

— Esses pirralhos aí: eles estavam rindo de nós.

— Rindo?

— Ele cismou que a gente estava rindo dele, Bilica; a gente estava aqui, sossegado, bebendo, e ele veio dizer que a gente estava rindo dele. Ninguém estava rindo dele. Agora, se a gente não pode mais rir aqui, então, poxa, então você devia botar uma placa lá na porta para a gente saber, né? Ninguém é obrigado a adivinhar.

Os outros dois com o risinho.

Afonso puxou-o pelo ombro:

— Vamos embora; eu já paguei a conta.

— Embora? Você pensa que esses pixotes vão me tocando assim, sem mais nem menos?

— Ninguém está te tocando, eu é que estou te chamando para ir embora. Já bebemos muito, está na hora de ir. Eu tenho de ir embora, e você também. Ou você vai ficar aí, sozinho, bebendo?

— Esses bestinhas; eles ficam aí, tirando onda de gostosões. Aposto que vocês não são é de nada, está bom?

O rapaz avermelhou.

— Assim, também, não; manera aí, hem, coroa?

Brandão agarrou-o pelo colarinho:

— O quê? O que você disse? Repete, se você for homem.

— Repito.

— Repete.

— Coroa.

Houve uma troca de murros — e quando Brandão viu, estava sentado no chão, com gente ao redor e tudo girando.

Firmou a vista: na frente, o rapaz, de pernas abertas e mãos cerradas — e aquele risinho. Ergueu-se e levou um murro na cara, bateu na parede, caiu sentado outra vez. O sangue escorreu do nariz. Alguém disse: "Basta! Parem com isso!"

Uma pessoa segurava-lhe a cabeça para cima, ele tentou enxergar: viu, embaçadamente, o rosto de Afonso.

— Fica com a cabeça assim, para o sangue parar de escorrer; não foi nada, não.

Depois tudo foi silenciando, até ficar só um zumbido em sua cabeça e aquela mancha escura diante dos olhos.

Afonso firmou o braço, e ele se ergueu.

Todos tinham voltado para as mesas. Só o dono do bar continuava ali, em pé, e disse qualquer coisa que ele não ouviu, enquanto ia saindo, apoiado no ombro do amigo.

Calor

Calor, muito calor ainda — o sol batendo na parede do quarto —, mas ele agora sentia-se melhor.

— Você aqui é como uma brisa...

Ela sorriu, alegre e bonitinha nos seus quinze anos.

— Mais cedo eu tive a visita de uma amiga — ele contou, a cama com a cabeceira erguida; — mas ela é tão feia, tão feia, que o meu quadro de saúde até piorou.

Ela riu.

— Quem, tio?...

— Não, isso eu não posso te contar...

— Por quê?

— Você conta para os outros...

— Juro que eu não conto.

— Só posso te contar isso: que ela é tão feia, que eu quase piorei; quase tive de tomar uma injeção.

Ela deu uma risada.

— Pois é — ele disse; — é isso. Eu estava assim. Mas aí você chegou, e aí eu melhorei. Agora eu estou bem.

Sentada numa das três cadeiras do quarto, ela, de shortinho, cruzou as pernas; depois jogou para trás os longos e lisos cabelos castanhos.

— Eu queria vir ontem, à tarde — ela disse; — mas a minha professora de inglês trocou o horário, e aí...

— Foi melhor — ele disse, — melhor você ter vindo hoje. Ontem eu estava ruim, estava sentindo muita dor ainda.

— Mas a operação correu bem?...

— Correu; correu tudo bem, felizmente.

— E o corte, foi grande?

— O corte? Uns... Alguns centímetros. Você quer ver? Você está pensando em ser médica...

— É, eu estou pensando...

Ela se levantou e se aproximou da cama.

Ele, de peito nu, afastou o lençol; depois empurrou um pouco a cueca e...

— Ôp! — cobriu rápido; — o passarinho querendo fugir!...

Ela riu.

— Aqui — ele mostrou: — o corte vai daqui até aqui...

Ela ficou olhando — as tiras de esparadrapo sobre a gaze, a pele vermelha de merthiolate.

— É grande, não é? — ele disse.

Ela balançou a cabeça, concordando.

Voltou então a sentar-se.

Os dois calados. Uma tosse de velho lá no fim do corredor.

— Fui te mostrar uma coisa — ele disse, — e você acabou vendo outra...

— Eu? — ela disse. — Eu não vi nada.

— Não?...

— Você cobriu!

— Ah...

— Por que você cobriu?

— Por quê?...

Ela riu:

— Estou brincando, hem, tio? Não vai achar que eu...

— Bom — ele disse: — se você quer ver de novo...

— Eu não! — ela disse, olhando assustada para o corredor.

— Não?...

— Não.

— Por quê?

— Por quê?...

Ela riu, mas não respondeu.

— Hum?

— Para você depois contar para os seus amigos, né?...

— Contar para os meus amigos?...

— Claro — ela disse. — Lá no bar, lá na sua rodinha, depois de tomar umas tantas, você vai dizer: "Sabem aquela minha sobrinha, a Daniela?..."

— Não, eu não vou dizer isso, não; não vou dizer para ninguém.

— Sei...

— Palavra de honra.

— Acredito muito...

— Eu prometo. Só nós dois saberemos. Será um segredo nosso: até a morte.

— Hum... Muito bonito...

— Juro. Pode acreditar em mim.

— Você não quis acreditar em mim...

— Eu?

— Agora há pouco.

— Mas aquilo era uma coisa à toa.

— E isso?

— Isso? Bom, isso...

— Hum; o que é isso?

— Eu acho que isso é uma coisa bonita, uma coisa entre um homem e uma mulher; entre um adulto e uma jovem; uma coisa entre um tio e uma sobrinha que se querem.

— Eu, pelo menos...

— Eu também, Daniela; eu também te quero; quero muito, você pode ter certeza.

— Você é o meu tio mais legal, o único de cabeça aberta, o único com quem dá pra conversar.

— Obrigado...

— Se fossem os outros... Se fossem os outros, eu nem tinha vindo aqui.

— É?...

— Tio Breno, por exemplo: Tio Breno mal me cumprimenta; como se eu não existisse. Tio Jerônimo de vez em quando ainda conversa, dá umas prosas, mas eu acho que a única coisa no mundo que interessa para ele é boi. Ele só fala em boi, e agora na falta de chuva: que, se não chover dentro de poucos dias, ele vai perder não sei quantas cabeças de gado e que... Ele só fala nisso. Eu acho que ele nem dorme, pensando nos bois dele...

Ele riu.

— Já a Tia Zilda... Tia Zilda é aquela fera. Ela vive no meu pé. Agora ela deu pra implicar com os meus shortinhos: "Por que essa menina não anda pelada de uma vez?..."

— Ótimo.

— Ótimo?... — ela riu. — O que é ótimo?...

— A Zilda falar assim.

— Ah...

— Agora, você andar pelada... Sinceramente: se de shortinho, já é isso que a gente vê; pelada...

— Tio...

Ele riu.

— Você está com febre?... — ela perguntou.

— Não...

— Então é o calor.

— Quem sabe?

— Eu nunca te vi assim...

Uma enfermeira passou, em direção ao fundo, e deu uma olhada para dentro do quarto.

A tosse do velho. Um bebê chorando. Vozes.

De novo o silêncio.

— Bom, mas então... — ele disse. — Quer dizer que você não quer mesmo...

— O quê?

— Ver; ver de novo...

— Não.

— Então tá; fim de papo...

Ela curvou-se para amarrar melhor o cadarço. Depois ergueu o pé, mostrando para ele:

— Que tal? Gostou do meu tênis?

— Gostei. E você, gostou do meu pênis?

— Tio!... — ela disse, levantando-se e pondo a mão na boca.

— É só pra fazer um trocadilho...

— Você hoje está impossível, hem?

— Eu não ia perder a oportunidade de fazer esse trocadilho...

— Você hoje... Você está precisando de umas palmadas, viu?

— Dá, dá as palmadas; suas palmadas seriam como... seriam como uma chuva de plumas em meu corpo...

— Uai, você agora virou poeta?

Ele riu.

— Você hoje está um perigo...

— Eu?... Que perigo pode ter um homem preso numa cama de hospital?...

— Hum... Muito perigo!...

Ele tornou a rir.

— Você... — ela disse, se abanando com as mãos, os seios saltitando soltos sob a blusa.

A enfermeira passou de volta, sem olhar para o quarto.

— Bom, mas então... — ele disse. — Quer dizer que o nosso assunto está mesmo encerrado...

— Que assunto?

— O nosso assunto...

— Está.

— Encerrado?...

— Está.

— Definitivamente?...

— Definitivamente.

— É... — ele disse. — É uma pena...

— Pois é...

Ela então andou devagar até a cama, encostando-se na beirada — as coxas bronzeadas de sol.

Passou a mão de leve no braço dele:

— Tio Leo, Tio Leo...

— O quê?

— Não acredite em tudo o que eu digo, tá?...

— Não?...

Ela negou com a cabeça.

— Quer dizer que...

Ela sacudiu a cabeça.

— Ótimo... — ele disse.

Olhou pela porta aberta, em direção ao corredor; ela também olhou. Então ele encolheu as pernas, fazendo com elas uma parede: afastou o lençol, e depois...

— Nossa! — ela disse. — Tio!...

— Pega.

— Pode?...

— Você me daria a maior felicidade.

— Mesmo?...

— Eu seria o homem mais feliz do mundo.

Ela olhou para o corredor.

— Está com medo? — ele perguntou.

— Não; eu...

— Pega.

Ela parada.

— Você não quer?

— Quero, mas...

De repente ela puxou o lençol sobre ele.

— O que foi?...

— Nada — ela disse, nervosa; — eu que... Desculpe, tio...

— Tudo bem...

Ela foi até a janela e ficou, meio de costas, olhando para baixo.

Da rua, quase sem barulho, veio a buzina de um picolezeiro.

Ela deu um suspiro fundo:

— Tem dia que eu tenho vontade de morrer...

— Por quê?

— Viver é complicado demais...

— É assim mesmo — ele disse.

Ela tornou a sentar-se, as mãos apoiadas nas coxas, o olhar fixo no chão e os cabelos quase cobrindo o rosto.

— Acho que eu já vou...

— Embora?

— É...

— Por quê?

— Eu preciso...

— Fica mais.

— Não posso...

— Fica...

Ela olhou para ele; e de novo para o chão:

— Eu não vou fazer mais nada — disse, com languidez; — se é isso...

— Não, não é isso.

— Acho que a gente não devia ter feito o que a gente fez...

— A gente não fez nada!

— Não sei o que me deu na hora... Às vezes acho que eu não bato bem...

Ele ficou em silêncio.

— Eu...

— Está bem, Daniela — ele disse, ajeitando-se um pouco na cama e depois puxando o lençol até o peito.

— Eu sou uma criança ainda, tio...

Ele sacudiu a cabeça.

— Meu corpo pode não ser mais de criança, mas eu ainda sou uma criança, entende? Eu sou muito inexperiente; eu não sei nada da vida, nada...

— Esqueça o que houve; você esquece, e eu também esqueço. Tá?

— Eu sou uma menina bem-comportada; eu não sou como algumas amigas minhas, algumas que já vão até em motel e...

Ela se calou.

O sol já sumira do quarto, e o calor diminuíra. Em breve começaria o crepúsculo.

Ela se levantou:

— Eu já vou. Às vezes amanhã, depois da aula, eu dou uma passadinha aqui.

— É melhor você não passar.

— É? — o espanto no rosto. — Então eu não passo.

— Eu acho que...

— Tiau — ela disse, e saiu do quarto.

Ele ficou algum tempo olhando para o corredor.

Depois, estirou as pernas — devagar, para não doer —, estendeu os braços ao longo do tronco e respirou fundo:

— Merda — disse.

Fechou então os olhos, para dormir um pouco. Mas, de súbito, quase num susto, abriu-os: ela estava ao pé da cama, olhando para ele — os olhos vermelhos.

— O que houve?...

— Eu voltei.

— Eu estou vendo.

— Você foi muito rude.

— Rude?...

— Você me magoou muito.

— Eu?...

— Eu vim aqui te fazer uma visita...

Uma lágrima deslizou pelo rosto.

— Eu vim aqui para...

Limpou com o dedo outra lágrima.

— Eu sei, Daniela, eu compreendo; eu gostei muito de você ter vindo.

— Gostou... Gostou, mas...

— Sabe?... Eu vou te dizer: essa cirurgia, as dores, as injeções, o soro, ficar o dia inteiro nessa cama, sem poder se mexer direito e, ainda por cima, nesse calor horroroso, tudo isso perturba muito a gente, Daniela...

Ela escutando.

— Tudo isso faz com que... E então... Sabe? É horrível, principalmente passar horas inteiras sozinho nesse quarto, olhando para essas paredes brancas; isso é o pior de tudo. E era por isso que eu queria que você ficasse mais; era por isso...

— Eu fico — ela disse.

— Fica?... Você fica mais?...

Ela balançou a cabeça.

— Que bom...

— Mas tem uma condição — ela disse.

— Eu já te disse que é para esquecer isso, não disse?

— Não, minha condição não é essa...

— Não? Qual que é a sua condição?

Ela fez uma cara de mistério; deu meia-volta, andou até a porta e afastou com o pé a trava no chão; depois fechou a porta e girou a chave.

Então voltou-se: olhou para ele e sorriu.

— Sabe? — ele disse. — Sabe de uma coisa? Você é uma menina surpreendente.

— E bem-comportada; esqueceu?...

Um caixote de lixo

Sadaó guardava o caixote de lixo no beco. Era um caixotão sujo e feio e tinha um dos lados quebrado. Toda noite, depois de fechar o mercadinho, Sadaó tirava ele do passeio e levava pra lá. Ficava no beco até de manhã cedo, e quem quisesse roubar, era a coisa mais fácil do mundo, mas decerto ninguém queria, porque era um caixotão sujo e feio e tinha um dos lados quebrado.

Uma tarde estávamos brincando, e Milton disse: "Vamos esconder o caixote de lixo do Sadaó?" Eu perguntei pra quê, e ele disse que ia ser muito divertido, e aí começou a arremedar Sadaó dando falta do caixote, e eu então pensei que ia ser mesmo muito divertido quando Sadaó fosse procurar o caixote de manhã e não encontrasse ele e começasse a coçar a cabeça como fazia quando ficava nervoso, e falasse daquele jeito que ninguém entendia, xingando brasileiro misturado com japonês.

Ou então Dona Mikiko, com aquela cara feito uma batata — a gente quase não via os olhos dela —, dizendo, naquela vozinha fina, "a que aconteceu? a que aconteceu?" e andando de um lado pra outro feito barata zonza.

A gente esconderia o caixote no matinho, e na noite seguinte a gente trazia ele pro beco outra vez, e aí é que ia ser mesmo gozado: quando Sadaó de manhã achasse o caixote de novo; ele decerto ia até fazer ferida na cabeça, de tanto coçar. Eu disse que ia ser mesmo muito divertido, e nós combinamos tudo, e de noite nós fomos lá.

Eram mais de dez horas, Sadaó já tinha fechado o mercadinho e ido embora. Não tinha ninguém ali perto, quase todo mundo já tinha ido dormir. Pegamos o caixote, cada um segurou de um lado. Eu estava pensando em Sadaó no dia seguinte, e não aguentei e comecei a rir. Milton estrilou comigo, mas eu não aguentava, e ria mais ainda, nem tinha força pra carregar o caixote; só com muito custo é que eu consegui parar de rir. Escondemos o caixote no matinho e fomos pra casa dormir.

No outro dia, de tarde, eu estava brincando com Milton no quintal da casa dele, e já tinha até esquecido do caixote, quando nós vimos Dona Mikiko passando lá na rua e entrando no portão. Na mesma hora eu lembrei de tudo. Milton disse que decerto ela estava procurando o caixote, e começou a arremedar o jeito de Dona Mikiko falar, mas, foi esquisito, eu não tive vontade de rir. Milton, vendo minha cara, parou de arremedar Dona Mikiko e disse: "O que será que ela está fazendo aqui?" Eu fiquei com medo. "Será que alguém viu a gente e contou pra ela?", ele disse, e eu senti uma coisa ruim na barriga igual quando alguém grita com a gente. "Não sei", eu quis dizer, mas não disse nada.

Eu estava lembrando do dia em que vi Dona Mikiko com calça de homem e um chapelão de palha e eu pensei que era o Sadaó, e quando vi que não era, não aguentei e caí na risada, e ela ficou me olhando com uma cara horrível, que me deixou amarelo de medo e que eu nunca esqueci. De tarde ela foi lá em casa contar pra Papai que eu tinha rido dela, e por causa disso eu fiquei de castigo. Eu estava com medo feito aquele dia, quando ela ficou me olhando com aquela cara. Sentia uma coisa ruim por dentro.

De repente Dona Mikiko passou de volta na rua. Pouco depois a mãe de Milton apareceu na varanda e gritou pra ele ir lá, e quando ela gritou, eu pensei que eu ia sofrer alguma coisa; minhas pernas ficaram bambas. Milton olhou pra mim com uma cara de medo e, sem dizer nada, foi andando pra casa. Fiquei sozinho no quintal. Meu coração batia depressa, e eu estava pensando que Dona Mikiko devia estar lá em casa àquela hora, contando tudo pra Papai. Esperei um pouco, e Milton não apareceu. Decerto ele está apanhando, pensei, porque a mãe dele gostava de bater nele.

Era de tardezinha, e estava escurecendo. Eu estava sozinho e com medo. Queria ir pra casa — a casa da gente é tão boa depois que aconteceu alguma coisa ruim —, mas agora eu tinha medo de ir pra lá. Eu estava com fome também, e então pensei em ir na Vovó, e fui.

Na Vovó eu jantei e fiquei lá até de noite. Fiquei vendo revistas e conversando, mas não prestava atenção nas revistas, nem tinha vontade de conversar; eu estava o tempo todo pensando no que ia acontecer quando eu fosse chegar em casa.

Tinha muita gente na sala: Vovó, Tio Jonas, Tia Tereza, os meninos, e eles riam toda hora. Eu tinha vontade de rir também, de estar alegre feito eles, mas não tinha jeito, só sentia aquela coisa ruim me apertando por dentro. Teve uma hora que eu até pensei que ia chorar. Eu estava vendo sempre a cara de Dona Mikiko, como se ela estivesse na minha frente, me olhando feito aquele dia.

Toda hora eu olhava pro relógio, vendo o tempo passar e achando tão ruim, pois, não demorava, o pessoal da Vovó tinha de dormir, e pra onde que eu ia? Tinha de ir é pra casa, não tinha outro lugar, não podia ficar na rua.

Imaginei como seria bom se nada daquilo tivesse acontecido, se eu estivesse lá em casa àquela hora, com Mamãe e Papai, todos rindo e conversando alegremente. Por que eu tinha feito aquilo? Por que eu tinha escondido o caixote? Quem teve a ideia foi Milton, ele disse que ia ser muito divertido. Pois eu pensei em Sadaó procurando o caixote e coçando a cabeça, e não achei mais a menor graça nisso.

O tempo passou depressa, e tive de me despedir de todos. Tio Jonas disse: "Que mão fria!". E eu disse: "Mão fria, coração quente, paixão ardente", brincando pra disfarçar o meu medo. Fui andando devagar pra casa, como se fosse à força. Enquanto andava, ia imaginando Papai no escritório, lendo jornal e me esperando. Tentei imaginar o que ele ia me dizer, mas não consegui; minha cabeça era uma grande confusão, e eu estava morrendo de medo. Tinha medo de Papai me pôr de castigo — meia hora de joelhos sozinho no quartinho escuro — como aquele dia em que Dona Mikiko contou que eu tinha rido dela.

Eu não sabia que ele ia me pôr de castigo por causa daquilo. O que eu tinha feito de mal? A gente não deve rir dos outros, Papai dizia. Mas eu não estava rindo de ninguém. Não estava rindo de Dona Mikiko. Eu estava rindo por estar pensando que ela fosse o Sadaó e porque de repente achei tão engraçado o meu engano. Não era dela que eu estava rindo. Por que tinha de ser castigado agora? Também não tinha feito nada de mal, só quis me divertir, seria tão engraçado Sadaó aflito coçando a cabeça... Mas isso agora tinha mais nenhuma graça.

E de repente pensei, já perto de casa: quem sabe não aconteceu nada, e tudo é só imaginação minha? Mamãe dizia que eu imaginava demais. Tinha visto Dona Mikiko entrar na casa de Milton e sair: o que tinha isso? Podia não ter acontecido nada, podia ser outra coisa muito diferente. Também a mãe de Milton ter chamado ele podia ser outra coisa muito diferente.

E quem sabe eu passara todo aquele medo à toa? Ir até jantar na Vovó! Pelando de medo de voltar pra casa! E vai ver que não tinha acontecido nada, nadinha. Ah, como eu então ia rir, como eu ia rir com vontade! Ia lembrar de tudo aquilo, daquela tarde horrível, e ia dar cada gargalhada, achar tudo tão divertido! "De que você está rindo, André?", Mamãe perguntaria, e eu acharia mais graça ainda e diria que era uma piada que eu estava lembrando.

Quando entrei em casa, a sala já estava escura. Papai estava lendo no escritório. Quando passei em frente à porta, ele me chamou, e eu senti um frio ruim me correndo na espinha. Fiquei ali, na porta, sem entrar, mexendo na folhinha. "Onde você estava?", ele perguntou. "Sua mãe já estava preocupada, e eu também. Ela foi ver se você estava na casa do Eduardo. Não saia mais assim, sem avisar, a gente fica incomodado."

Ele continuou a ler o jornal, e eu vi, com uma enorme alegria, que não tinha acontecido nada mesmo e como eu tinha sido bobo, como eu tinha sido tão bobo, e fui andando pro quarto. E então Papai me chamou outra vez, e foi como se eu tivesse levado uma pancada na cabeça e ficasse zonzo.

Voltei ao escritório, sem ver mais nada. Lembro que Papai disse que Dona Mikiko tinha ido lá em casa e contado que eu e Milton tínhamos carregado o caixote de lixo do mercadinho. Ele então perguntou se eu queria tornar-me um ladrão. Eu respondi: "Ladrão? Eu não roubei nada." Ele ficou nervoso e disse: "Você ainda tem coragem de me responder, menino?" Eu disse que tínhamos carregado o caixote só de brincadeira, e ele gritou: "Brincadeira? Isso é coisa com que se brinque?" Então eu apertei os dentes e decidi não dizer mais nada, porque eu sabia que não adiantava eu dizer mais nada e que eu ia ser castigado. Ele continuou a falar, mas eu não o escutava mais.

Depois eu estava de joelhos no quartinho escuro e ouvi Mamãe chegar e Papai contar pra ela que eu já estava em casa. Ela foi até a porta do quartinho, e eu, de costas, senti que ela ficou me olhando e queria me dizer alguma coisa, mas não disse nada e ficou apenas me olhando e depois saiu dali.

Passado algum tempo, Papai foi ao quartinho e disse que eu podia sair do castigo. Levantei, ele me pôs a mão no ombro e disse: "Não faça mais isso, não, viu, meu filho?" Eu não disse nada. Saí do quartinho e fui tomar água.

Lá da sala, Papai disse: "André, amanhã eu vou na fazenda; você quer ir comigo?" Eu disse que tinha uma prova. Ele disse que domingo ia de novo, e então eu poderia ir com ele. Eu fiquei calado.

Mamãe me perguntou se eu já tinha jantado; eu disse que tinha. Ela disse que tinha feito uns docinhos, se eu queria; eu disse que não estava com vontade.

Fui pro meu quarto. Papai ainda estava na sala, e quando passei, ele disse: "Então domingo nós vamos na fazenda, não vamos?", e quando ele falou assim, eu sabia que ele esperava que eu olhasse pra ele e dissesse alguma coisa. Mas eu não olhei pra ele, nem disse nada; apenas balancei de leve a cabeça.

Entrei no quarto e fechei a porta. Vesti o pijama, apaguei a luz e deitei. Estava sem um pingo de sono. Fiquei deitado, de olhos abertos, ouvindo o barulho dos pratos que Mamãe lavava na cozinha. Fiquei assim não sei quanto tempo, e foi de repente que eu percebi que estava chorando.

Amanhã eu volto

Noventa anos.

— Estou ficando cega.

O ponteiro grande no três: quando chegar ao nove, irei embora.

— Conheci que era você pela voz. Assim mesmo, só quando você entrou na sala. Antes disso, eu não tinha ouvido nada: estou ficando surda também, completamente surda. Ontem o carro do alto-falante passou lá fora, convidando para o enterro do Estêvão, e eu não ouvi; estava lá no alpendre, sentada, e não ouvi. Depois é que me contaram. Os velhos estão morrendo todos. Há pouco tempo foi o Demerval. Depois a Raimunda. E agora o Estêvão. Éramos amigos há tanto tempo, e não fui nem no enterro dele.

Os olhos úmidos.

— A senhora não teve culpa, Vovó.

Ela não ouviu.

Enxuga os olhos com um lencinho encardido, tirado de dentro do vestido. Com o mesmo lenço, assoa o nariz.

Recoloca os óculos: detrás das lentes, embaçadas de dedo, duas manchas esverdeadas — o que foram um dia os mais belos olhos da cidade.

As mãos, enrugadas e cheias de pintas, alisam o forro da mesa. Unhas cortadas de maneira desigual, sujas de preto nas extremidades.

Noventa anos: a brancura do cabelo já não tem mais idade.

— Sua mãe disse mesmo que você vinha aqui esses dias, mas eu já estava perdendo a esperança. Quanto tempo faz que você não vinha aqui? Precisa vir mais, conversar com essa sua avó rabugenta... Os outros netos parece que até já esqueceram que eu ainda estou viva. Os filhos estão sempre muito ocupados. Os vizinhos dão uma prosinha no portão, e é só. E eu fico lá no quarto, chocando. Fazer, eu não posso fazer nada, por causa da vista. As pernas também não ajudam: tem hora que eu sinto tanta bambeza nelas, que, se eu não segurar em alguma coisa perto, eu caio. Daqui uns dias não posso nem mais sair de casa. Ontem fui dar uma chegadinha na Déa; na calçada foi fácil, mas, na hora de atravessar a rua, foi a maior dificuldade: além de eu não ver se vinha automóvel, as pernas pareciam pernas de menino de um ano. E quando chego lá, a Déa ainda espalha comigo.

— A senhora não deve sair assim.

— Como?

— A senhora não deve andar sozinha na rua.

— Não ouvi direito...

— Estou dizendo que é perigoso a senhora andar sozinha na rua, pode ser atropelada.

— Atrapalhada?

— Atropelada!

— Ah, sei...

As mãos alisando o forro.

Um sorriso:

— Como é, e a moça? Continua firme?

— Continua.

— Hem?

— Continua!

— Ela é bonita? Ouvi dizer que ela tem os olhos muitos bonitos...

— É...

— De que cor que eles são?

— Verdes.

— Hem?

— Verdes! Como os da senhora!

— Ah... E será que sai casamento mesmo?

— Não sei, vamos ver. Preciso arranjar um dinheirinho primeiro.

— Mineirinho?

— Dinheirinho! Dinheiro! Preciso arranjar um dinheiro primeiro!

— Ah, sei...

Os noventa anos desaparecem com o sorriso.

— Assim é que deve ser. Casar sem dinheiro é que não deve, não adianta; acaba apertando um e outro, não e mesmo?

— É isso.

Tamborila os dedos na mesa.

A cristaleira quase vazia: um jogo de chá, dois copos grandes, com listas vermelhas, resto de um jogo que foi se quebrando, uma fruteira, uma manteigueira, uma colher comum; tudo sob uma poeira fina. Na parede, uma folhinha de bloco — atrasada mais de mês.

Ouço barulho de vassoura no quintal: é Maria, a empregada. Vinte anos com Vovó, as duas sozinhas na casa. O quarto dela dá para a cozinha, que dá para o quintal: de noite, ela introduz furtivamente o homem. Em outro quarto, no escuro, rezando o terço de contas grandes e negras, os ouvidos, que não ouvem mais, ouvem até a respiração dos amantes. Depois ela conta em voz baixa para as filhas, pedindo que não falem nada com Maria.

Elas falam.

Maria, então, não atende mais quando Vovó chama; faz café doce porque Vovó gosta de café amargo; deixa a comida ficar fria; não despeja o urinol; chama Vovó de ingrata e diz que vai deixá-la sozinha, quer ver se ela arranja outra.

Vovó engole seco e não responde — vai chorar no quarto. No dia seguinte está de cama, passando mal, e Maria, de olhos assustados, anda desatinada pela casa, chorando e pedindo que não deixem morrer a única pessoa que ela tem no mundo.

O ponteiro já está no sete.

Quando cheguei, o dia estava luminoso e quente, e os pardais saltitavam nos galhos da árvore em frente à janela. Depois escureceu e esfriou. E agora cai uma chuvinha fina, e os pardais sumiram.

— Diga alguma coisa... Por que você está tão calado? Esta parecendo seu pai...

— Está chovendo.

— Chovendo?

Ela não pode ver nem ouvir a chuva.

— Daqui não enxergo. É uma tristeza não poder enxergar. Eu gostaria tanto de fazer um crochezinho; seria uma distração. Teve um tempo que eu fazia muito, alguns anos atrás, quando eu tinha a vista melhor. Passava o dia fazendo croché. Mas agora... Se ainda estivesse ouvindo bem; eu podia escutar rádio, gosto tanto desses noticiários, saber o que está acontecendo no mundo... Mas, mesmo pondo alto e chegando o ouvido perto, eu ainda perco muita coisa. É uma tristeza...

Pega na mesa um cartão.

— Olha aqui: hoje eu recebi na porta esse cartão, mas foi o mesmo que não receber, porque não consegui ler. Quer ver para mim o que é?...

Um casal de amigos participando o nascimento de um filho. Leio o cartão em voz alta.

— Pois é; e eu não consegui ler nada...

Seus olhos estão olhando para mim, e não me veem.

— Ainda está chovendo?

— Está.

— Hem?

— Está!

— Coitado do Estêvão... Ele está lá, uma hora dessas, debaixo da chuva... Eles não quiseram me contar. Se tivessem contado, eu teria ido ao enterro. Éramos amigos há tanto tempo... Desde a infância. Fomos colegas de grupo. Eu não sabia nem que ele estava doente; escondem tudo de mim. Ele deve ter sentido eu não ter ido visitá-lo, mas eu não sabia; na hora do enterro eu estava lá no alpendre, sentada, sem saber de nada. Quando ele ficava doente e eu ia visitá-lo, ele ficava tão alegre, custava a me deixar ir embora: "Não, Sinhazinha, fique mais um pouco, ainda é cedo..."

Começa a chorar de novo. Que posso dizer a ela?

O ponteiro chegou ao nove.

Levanto-me.

Ela me segura o braço:

— Não, senta aí; não vai embora, não.

— Eu preciso ir, Vovó.

— Não; vamos conversar mais; a prosa está boa.

Sua mão, gelada, me agarra o braço com força.

— Eu tenho de ir, Vovó; outra hora eu volto.

— Volta nada.

— Volto sim.

— Vamos conversar mais; eu fico sozinha lá no quarto, sem ter o que fazer. Senta aí.

— Eu tenho de ir mesmo, Vovó; senão, eu ficava.

— E a chuva? Está chovendo, você vai resfriar.

— É uma chuvinha fina, e já está quase parando.

— Senta aí, vamos conversar mais. Não conversamos quase nada ainda. E o futebol, domingo, você foi? Seu pai disse que você ia. Foi?

— Fui.

— Foi bom?

— Foi.

— Senta aí, vamos conversar.

— Não, Vovó, eu tenho mesmo de ir. Outra hora eu venho, e aí nós conversamos bastante. Agora eu tenho de ir. Bênção.

Abraço-a.

— Amanhã eu volto.

Ela sorri e diz:

— Então volta mesmo.

Mas sabe que é mentira.

Andorinha

Era domingo, à tarde, e ele não sabia aonde ir. Havia o pingue-pongue na casa de Mário, o futebol no estádio, as mangas madurinhas na casa da avó — mas ele não estava com vontade nenhuma de ir a esses lugares. Pensou na matinê: eram três horas, não dava mais tempo.

Ficar em casa domingo, à tarde, era cansativo e triste. Todo mundo saíra, e ele estava sozinho, ouvindo o relógio da copa bater as horas, sonolentamente, e tudo parecia muito triste. E quando o galo cantava no terreiro, era tão triste, que até parecia que tinha morrido alguém.

Devia ter ido à matinê. Se tivesse ido, não estaria ali agora, sem fazer nada, sozinho na casa, aborrecido e triste. Se fosse agora, ainda pegaria o seriado, mas perderia metade do filme — assim não tinha graça.

Sentado na escada da varanda, a mão escorando a cabeça, olhava as nuvens, gordas e preguiçosas, passando no céu. Achava engraçado como as nuvens pareciam coisas, animais, gente. Um dia ele tinha visto uma que era igualzinha ao turco do bar — igualzinha.

O galo tornou a cantar, e ele pensou: por que será que o galo canta tão triste domingo, à tarde? As galinhas ciscando o galinheiro, as árvores sem um vento balançando as folhas, o sol quente, nenhuma voz ou grito de gente pela vizinhança — tristeza e aborrecimento.

Enfiou as mãos nos bolsos da calça e desceu ao quintal, andando sem pressa. Apanhou uma goiaba: deu uma dentada e jogou fora — muito verde ainda. Também, não estava com vontade de comer, apanhara à toa.

Trepou no monte de lenha, perto do muro. Não havia ninguém no outro lado, na máquina de arroz. Um cavalo magro comia grama, repuxando o pelo de vez em quando por causa dos mosquitos.

Próximo ao poste, em frente ao armazém, algumas andorinhas estavam pousadas no fio. Dez, ele contou. Ficou ali, olhando. Havia três tão juntinhas e quietas, que pareciam estar dormindo. Se estivesse com o estilingue... Não erraria. Tinha certeza. E então desceu da lenha e correu para dentro de casa. Em poucos minutos estava de volta, com o estilingue na mão.

Esquecera o domingo, a tristeza e o aborrecimento, e agora trepava, cautelosamente, no monte de lenha, o estilingue em punho, o coração batendo forte. Era o que sempre o atrapalhava: o coração batendo forte. Queria acalmá-lo, e não tinha jeito, ia só piorando, batendo cada vez mais forte. Ficava escutando o pum-pum aflito e acabava errando: e via o pássaro se afastando para longe. Se o coração não batesse tanto, se ele não ficasse afobado, quantos passarinhos já não teria matado? Cada pássaro, um pique na forquilha. Que inveja tinha da forquilha de Zé Santos: não tinha lugar para nem mais um pique. A sua estava lisinha...

Atingiu o alto da lenha e equilibrou-se nos paus mais firmes: mal fez a pontaria, as andorinhas voaram, assustadas.

— Desgraça! — xingou, batendo o pé e sentindo vontade de chorar, de tanta raiva.

Ficou olhando, desconsolado, para as andorinhas, que agora voavam em piruetas, esvoaçadas.

Também, ali dava muito na vista, pensou, já mais calmo. Tinha que ser de debaixo — era até melhor para acertar.

Saltou então do muro, procurou o melhor lugar, a uns cinco metros do poste, e ficou esperando, agachado. Dali, sim: dali era impossível errar. O diabo era o coração: pum-pum-pum, como se fosse arrebentar. Se, ao menos, Zé Santos lhe ensinasse a reza do urubu-sem-pena... Era por isso que ele não errava pedrada. Era por isso que ele não ficava com o coração batendo forte.

Riu, lembrando-se de como pensara um dia que Zé Santos não errava pedrada porque o estilingue dele era de goma vermelha — e fez um novo, igual ao de Zé. E não adiantou nada. E como ele pensara depois que era por causa do cartucho de bala que Zé tinha posto no pé da forquilha — e pôs um também na sua. E não adiantou nada.

E aquela vez em que estavam juntos, viu que Zé, antes de fazer a pontaria, fechara os olhos e mexera os lábios como se estivesse rezando; depois deu a estilingada, e o bem-te-vi veio despencando morto do alto da mangueira. Perguntou então o que era aquilo que Zé fizera, mexendo os lábios como se estivesse rezando. Zé disse que era a reza do urubu-sem-pena. Era reza para não errar na pontaria. Ele rezava toda vez; por isso é que ele não errava.

Na mesma hora pediu a Zé que lhe ensinasse, mas Zé disse que não. Pediu, insistiu: e Zé, nada. Chegou a prometer a ele dois sorvetes de coco; mas Zé, nada.

Ainda o via chorando quando ele disse que se Zé não lhe ensinasse a reza, eles ficariam de mal para sempre — para sempre. Lágrimas desciam pelo rosto escuro. Zé disse que não queria ficar de mal, que o considerava seu melhor amigo, não queria ficar de mal.

Se o considerava seu melhor amigo, então por que não queria lhe ensinar a reza do urubu-sem-pena? Zé disse que não é que não queria: é porque não podia. Contou que se ensinasse a reza para alguém, ela perdia o feitiço — quem dissera fora a Durvalina, ela é que tinha lhe ensinado a reza. Se ele não acreditasse que era assim, podia ir lá, no outro lado do rio, perguntar à velha. É porque não podia, senão ensinava.

Durvalina tinha ensinado outros feitiços para ele; esses ele podia ensinar: engolir piabinha viva para aprender a nadar; invocar São Longuinho e dar três gritos e três pulos para achar coisas perdidas; pendurar sabuco no pescoço para curar caxumba — mas a reza do urubu-sem-pena não podia, porque ela perdia o feitiço.

Viu que não tinha mesmo jeito, e então disse que estava só brincando, dissera aquilo só de brincadeira. "Só de brincadeira? Só de brincadeira?", repetia Zé, arregalando os olhos de alegria.

Se pudesse ir ao outro lado do rio... Bem que sabia como ir até lá: era só atravessar o caminho de pedras no meio do rio. A casa de Durvalina ficava mais adiante, escondida atrás da moita de bambu-jardim. Tinha ido até lá perto aquela vez que estava com Zé, pegando canarinho. Zé foi do outro lado, tomar a bênção da velha, e ele ficou ali, esperando, na margem, atrás de uma árvore. De longe, viu só a cabeça dela, com turbante vermelho. Da cara não deu para ver nada; mas Zé já tinha contado que ela era preta feito carvão, banguela e olhos amarelados — olhos que hipnotizavam passarinho que nem cobra.

Era o mais perto que chegara. Assim mesmo, só uma vez. Não voltou lá nunca mais — era bobo? E o medo de topar com Durvalina, olhando para ele com aqueles olhos amarelados? Sabia que ela não gostava de gente branca e que, se aparecia alguma lá, ela jogava praga — e diziam que não havia praga dela que não pegasse. Toniquinho tinha ido lá uma vez: voltou mancando, e não parou mais de mancar.

Havia quem dizia que ela transformava gente em sapo e que os sapos que cantavam de noite na beira do rio tinham sido gente antes. Nisso ele não acreditava, só quem era bobo. Mas em outras coisas, como cegar, mancar, dar dança de São Guido, ele acreditava. "Durvalina tem parte com o demônio", ouvira Toniquinho dizer uma vez.

Esperaria mais um pouco: somente duas andorinhas haviam se assentado no fio. As outras continuavam voando por perto.

O cavalo começou a andar em direção à rua: era tão magro, as costelas à mostra; andando, parecia que ia embaralhar as pernas e cair.

Seu coração estava calmo. Fosse assim na hora de dar a estilingada... Procuraria não se afobar, contaria de um a dez, isso ajudava. Alguma coisa dentro dele dizia que não ia errar. Daquele lugar, pertinho, não tinha jeito...

Devia ser uma coisa enorme matar um passarinho: apontar bem no alvo, soltar a pedrada e ver o pássaro despencando morto, despencado lá de cima, com as asas caídas. Como invejava Zé Santos... Se ele acertasse hoje — um pique na forquilha —, iria contar para Zé, iria contar que acertara e não precisava de nenhuma reza de urubu-sem-pena. Queria ver só a cara que Zé ia fazer. Não tinha jeito de errar, pertinho assim...

Não esperaria mais, que elas podiam voar. Havia seis pousadas agora, juntas. Apontaria numa: às vezes podia errar, e acertar na outra, perto. Colocou a pedra no couro. Fez a pontaria. O coração começou a bater depressa; contou até dez; apontou, apontou, e deu a estilingada.

No primeiro instante, viu confundidos as pancadas de seu coração e o voo assustado das andorinhas — e então gritou "acertei! acertei!", vendo uma andorinha despencando rente ao poste. Quis logo correr para ela, mas estacou, lembrando de repente que ela talvez não estivesse morta: pelo jeito de cair, parecia estar viva ainda, e ele teria de se aproximar com cuidado, senão ela poderia fugir.

Vira bem onde ela caíra: no monte de capim seco ao redor do poste. Ele acertara, e ela estava lá, talvez morta, talvez viva ainda.

Pôs outra pedra no estilingue e aproximou-se. Ao curvar-se sobre o capim, viu, atônito, a andorinha voar e deu a estilingada a esmo. Viu-a voando rasteiro, rente à parede do armazém, e correu a procurar outra pedra, que só achou ao fim de alguns minutos. Colocou-a no estilingue e correu para a andorinha.

Podia agora vê-la inteiramente: ela estava encolhida no chão, no ângulo formado pelo armazém e uma pilha de tijolos velhos. Era uma andorinha de asas muito pretas e luzidias. Não parecia que ela ia tornar a voar: uma de suas asas estava estirada sobre o chão, e a cabecinha levemente erguida. Ela estava deitada, estava caída, como se não pudesse firmar-se.

Talvez ela estivesse apenas tonta; talvez a pedra tivesse atingido só de raspão, e ela fosse a qualquer instante voar. E se ele errasse a próxima pedrada, ela podia se assustar e dessa vez voar para o céu, para longe — e ele teria perdido tudo, perdido a grande sorte que tivera àquela tarde, acertando pela primeira vez.

Mas, era engraçado, vendo o pássaro ali no chão, à sua frente, pertinho, ele não tinha vontade de dar a estilingada. Era muito diferente vê-lo lá em cima do fio, o peito erguido, a cabecinha destacando-se contra o azul do céu. Ali embaixo, caído no chão, encolhido contra a parede escura e suja do armazém, tão fácil de acertar, ele não tinha mais aquela vontade violenta de dar a estilingada. E era engraçado também como ele estava calmo, como seu coração não estava batendo doidamente.

Caminhou devagar para ela, o estilingue em punho, esperando, para desferir a pedrada, apenas o primeiro movimento dela. Mas ela não se movia. Talvez não estivesse apenas tonta; talvez estivesse ferida, tão ferida, que não podia mover-se.

Chegara bem perto: ela encolheu-se um pouco mais contra a parede, mas não fez ameaça de voar. Havia qualquer coisa: ela não voaria. Afrouxou o estilingue e ficou olhando. Percebeu o medo no olhinho que piscava, sentiu-se poderoso e cruel diante da insignificância e fragilidade do pássaro. Estava ali, sem fuga, sem voo, sem distância, sem erro, o que seria o seu primeiro pássaro: por que não dava logo a pedrada mortal? por que não o matava?

Agachando-se, estendeu a mão, devagar para não assustá-la, e então segurou-a: ela não se debateu. E antes que ele abrisse os dedos para olhar, sentiu a umidade e compreendeu que era sangue: a pedra havia acertado de cheio.

E então teve raiva: teve raiva de si mesmo, do domingo, e do que fizera. Teve raiva de sua astúcia, sua espera, sua alegria, e agora sua impotência: sabia que a andorinha ia morrer, sabia que ela ia morrer e que ele não podia fazer nada.

Branco sobre vermelho

A mulher pousou as mãos sobre a mesa e ficou olhando-as: eram mãos muito brancas e formavam um belo contraste com o forro vermelho da mesa. Nos dedos, vários anéis, alguns grandes, na última moda. Sua roupa também seguia a moda: uma pantalona preta, e na cabeça um lenço marrom. Era jovem e muito bonita.

A outra, que a acompanhava, embora não estivesse menos bem vestida, não era bonita, nem jovem; a excessiva pintura não conseguia disfarçar-lhe a idade, que era mais acentuada ainda pela expressão fechada que tinha àquela hora. Fumava seguidamente, revelando um certo nervosismo, mas mantinha a elegância — a refinada elegância que transpirava de cada coisa naquele restaurante, um dos mais chiques da cidade, frequentado por altas figuras da sociedade.

— Então? — ela disse, apagando o cigarro no cinzeiro.

A jovem olhou para ela:

— Então o quê?

— Você não vai dizer?

— Eu já disse, Mafalda.

— E você acha que eu acreditei, Lizete?

— Não acreditou porque você não quis, Mafalda.

— Porque eu não quis... — e ela deu um risinho. — Eu bem que gostaria de acreditar; acharia muito melhor se acreditasse...

— Então por que você não acredita?

— Eu não acredito porque é mentira, Lizete! É por isso que eu não acredito! Ora... Você está achando que eu sou o quê? Que eu sou uma boba? Pensa que eu não percebo as coisas? Pois percebo, e muito bem, viu?

— Está bem, Mafalda, então percebe...

— E não fique com esse risinho cínico; bastam as mentiras que você já me pregou.

— Está bem, Mafalda.

— "Está bem"...

— O que você quer que eu diga? Que está mal?

— Eu quero que você não diga nada!

— Está bem; então eu não vou dizer nada.

As duas se calaram de novo.

O garçom veio até a mesa. Curvou-se, com um sorriso:

— Mais alguma coisa, madame? Outra sangria...

Mafalda olhou para Lizete.

— Eu não quero mais nada — disse Lizete.

— É só — disse Mafalda para o garçom, que tornou a sorrir e se afastou.

Dois casais de meia-idade tinham acabado de entrar no restaurante. Conversavam ruidosamente. Um dos homens, corpulento e gordo, abriu os braços e exclamou, como se falasse para todo o salão:

— Ah! Nada como estar de volta à civilização!

Olhou então na direção das duas mulheres e, reconhecendo Mafalda, cumprimentou-a.

— Quem é? — quis saber Lizete.

— Deputado.

— Ele estava onde?

— Acho que viajando pelo interior, fazendo campanha.

As duas ficaram um instante observando os casais, que se haviam sentado numa mesa do centro; conversavam e riam sem parar, principalmente o deputado. O garçom ao lado, esperava, mostrando uma cara de divertido. Escolhiam uma coisa, escolhiam outra, tornavam a pedir. O garçom esperando, rindo com eles; mas, quando passou em direção ao fundo para providenciar o pedido tinha a cara de sempre, aborrecida e revoltada.

— Eu quero só que você me diga uma coisa — disse Mafalda, recomeçando a conversa: — por que você foi com ele, se podia não ter ido?

— Podia, Mafalda? Eu podia? Eu ia bancar a grossa com ele?

— Você podia ter inventado uma desculpa.

— Que desculpa?

— Que desculpa? Uma desculpa qualquer.

— Não sei que desculpa eu podia ter inventado...

— Não sabe porque você não quis.

A outra se calou.

— Se você quisesse, você inventava; quem não inventa? A questão é que você não quis; a questão é que você quis mesmo ir com ele.

— Está bem, Mafalda — e o tom agora era resolvido: — você quer mesmo saber, né? Pois foi isso: eu fui com ele porque eu quis. Pronto. Você queria saber; agora você sabe.

Mafalda ficou olhando-a, muda. Então desviou os olhos para a mesa: suas pálpebras começaram a bater como se ela fosse chorar. Segurou o cálice de bebida, mas não o tirou do lugar.

— Eu não queria te dizer isso; mas você ficou insistindo...

Mafalda, de olhos baixos, a mão segurando o cálice.

— Mas, também, não é o caso de você ficar assim. Isso não muda as coisas. Nós não... Isso não altera nada.

Ela tirou um lencinho da bolsa e enxugou discretamente os olhos.

— Lamento que você se sinta assim, Mafalda; é por isso que eu não queria te dizer. Mas isso não muda as coisas; juro.

Ela pegou outro cigarro; acendeu-o, as mãos trêmulas.

Algum tempo se passou com as duas caladas.

— Como que ele se chama? — Mafalda então perguntou.

— Ele? O rapaz?

— É.

— Daniel.

— Daniel... — ela repetiu. — É um nome bonito. Ele também é bonito. O que é que ele faz?

— Não sei, não entendi bem. Eu acho que ele é corretor. Não prestei muita atenção.

— Essa hora a gente não presta mesmo muita atenção...

— Você fala como se eu estivesse apaixonada por ele, Mafalda.

— E não está, não?... — Mafalda sorriu, com um pouco de ironia.

— Não, não estou. Houve apenas simpatia entre nós, amizade. Apenas isso.

— Hum... — disse Mafalda, e a conversa entre elas morreu novamente.

Com a noite chegando, as pessoas iam aos poucos aparecendo. Era uma segunda-feira, e o restaurante àquela hora ainda estava praticamente vazio.

Mafalda observava a mesa do deputado.

— Veja; veja como eles comem, como eles ficam. Observe as caras, como estão vermelhas, e como a boca se mexe e os olhos olham para a comida. E o que eles dizem: eles não dizem nada; eles estão apenas falando, porque não suportam ficar calados. É como um bando de porcos no cocho, grunhindo de satisfação. E depois, toda aquela aparência educada e cortês... Como somos grotescos!...

Lizete a observava, com um misto de respeito e admiração.

— Você é profunda, Mafalda...

— Profunda? Eu?... — ela riu. — Não, não sou profunda; nem profunda, nem madame, nem nada. Sou apenas uma mulher que está ficando velha, e que tem muito medo da solidão. Muito medo...

Lizete se moveu inquieta na cadeira. Olhou as horas:

— Dez para as oito... Vamos, Mafalda?

Malfada balançou devagar a cabeça. Olhava fixamente para a mesa.

Lizete acendeu um cigarro; soprou com força a fumaça.

— Quando você vai se encontrar de novo com ele? — Mafalda perguntou.

— Com ele quem?

— Daniel — ela disse, de um modo frio.

— Eu disse que eu ia me encontrar de novo com ele?...

— Você não disse; mas é claro que vai.

— Claro por quê?

— Meu bem, você já mentiu para mim uma vez hoje; não há necessidade de mentir outra vez.

— Eu não estou mentindo, Mafalda — disse Lizete, devagar, se avermelhando.

Mafalda sorriu.

— Ele me convidou para eu me encontrar de novo com ele; ele me convidou. Mas eu não disse que ia; eu disse apenas que telefonaria para ele depois. Eu só disse isso.

— Eu sei... Você vai telefonar, vocês vão se encontrar de novo, ele...

— Mafalda...

— Não me interrompa! — gritou quase a mulher, chamando a atenção das outras mesas, mas ela não pareceu se importar. — Sei muito bem que é isso o que vai acontecer, sei tanto quanto me chamo Mafalda.

Você passará a se encontrar com ele e a me mentir cada vez mais. Até que um dia...

Ela parou, ofegante:

— Até que um dia você me deixará.

— Eu nunca te deixarei, Mafalda; você sabe.

— Não, você não me deixará, claro que não; quem duvida disso? Você, minha gatinha preciosa, a coisa melhor do mundo...

Parou e suspirou fundo. Tinha o rosto afogueado.

— Não — disse, abanando a cabeça, — você tem razão, você não me deixará mesmo...

E olhou de frente a outra:

— Porque, se você me deixar, eu te mato.

A única alegria

De dia o silêncio da casa inteira concentrava-se no quarto do surdo-mudo Bebeto: parando de cortar uma folha de papel, ele o escutava, de olhos no ar.

Na mesa, flores de papel crepom: brancas, vermelhas, amarelas. E pacotes de papel, arame, tesoura, alicate, martelo.

As visitas diziam que as flores eram muito bonitas: bo-ni-tas, diziam, destacando nos lábios as sílabas, para ele entender. Ele sacudia a cabeça, afirmando que entendera, e dava uma risada — risada que fazia as crianças se agarrarem à saia da mãe, cheias de medo. Bebeto procurava cativá-las com gestos carinhosos; a criança piscava de susto, olhos arregalados.

A mãe explicava que a criança estava doente, por isso é que estava enjoada assim. Num minuto, Bebeto fazia uma florzinha, que dava à criança: a criança se escondia atrás da mãe, que então pegava o presente, explicando que depois daria a ela e que ela ia achar muito bom. Na saída, a última tentativa: Bebeto abanava a mão: a criança virava a cara depressa.

Bebeto vivia de suas flores, que vendia para a igreja, para o clube e para particulares. Todo mundo na cidade conhecia "as flores de Bebeto".

O dia em que dava vontade, Marilu e eu o ajudávamos, sentados na beirada da grande mesa. Conversávamos os dois, às vezes ríamos dele por causa de seu modo ruidoso de respirar. O rosto, desconfiado, indagava. Mentíamos, explicando que era um assunto fora dali, um assunto engraçado. Um dia ele saiu correndo atrás de nós com a tesoura, querendo matar. No outro dia, uma hora em que ele não estava, fomos ao quarto e destruímos suas flores.

Ele ficou de mal, virava a cabeça ao cruzar conosco. Eu via seu canivete, enorme, pendurado no chaveiro: com aquele canivete, ele prometera me capar. Eu espreitava seu quarto, à espera de um momento em que ele não estivesse, para tornar a destruir suas flores — e um dia vi Marilu com ele, Bebeto passando a mão nos seios dela, os seios adolescentes que eu tanto cobiçava.

Nada foi melhor para mim do que ver sua cara no dia que Marilu levou em casa o primeiro namorado, um rapaz magrinho, colega de ginásio. Na roda de pessoas, na sala, Bebeto não despregava o olho dos dois, de mãos dadas no sofá: aqueles olhares e sorrisos dos namorados deviam cortar seu coração. "Você caiu do galho, Bebeto", eu pensei, gozando com aquilo; "você nunca mais passará a mão nos seios de Marilu."

Nunca mais: ao ouvir aquele silêncio tão grande, Vovó, que conhecia os silêncios e os ruídos de cada quarto, soube que a desgraça havia entrado na casa — Bebeto estendido na cama, de olhos vidrados, o copo de veneno na mesinha e um bilhete: "Quero o caixão cheio de minhas flores, que foram a única alegria de minha vida."

Onde já se viu enfeitar um morto com flores de papel? — disseram, e não atenderam ao seu último desejo; rosas cobriram-lhe o corpo, perfumando a sala.

Escrito o nome e as datas do morto no cimento fresco, as pessoas começaram a deixar o cemitério. Quando já não havia mais ninguém, corri lá e, tirando de dentro do paletó uma de suas flores de papel, coloquei-a na sepultura.

Causa perdida

Mamãe era maluca com padre. Mais do que ela, só Tia Gertrudes; essa já era tarada. Tia Gertrudes passava o dia nas igrejas, conversando com os padres; começava numa e percorria todas as que podia percorrer num dia — era a própria barata-de-igreja. Mamãe não chegava a tanto, mas também era bem maluquinha.

Acontece que naqueles dias tinha chegado à cidade um padre que fora vigário de nossa paróquia anos atrás e que era, pelo que eu soube, muito amigo da nossa família — ele é que havia batizado Chiquinho, meu irmãozinho.

Logo que ele chegou, Mamãe e Papai foram visitá-lo, e então Mamãe o convidou para almoçar um domingo lá em casa. O padre aceitou, e aí lembrou de umas coxinhas que ele tinha comido lá, num almoço, aqueles tempos; e então Mamãe foi logo dizendo que ele ia comer de novo aquelas coxinhas.

Não haveria mal nenhum nisso; o problema é que, para as coxinhas, Mamãe resolveu pegar um galo nosso, o Filó — e foi aí que danou tudo...

Filomeno, que depois passou a ser simplesmente Filó, era de Chiquinho. Era um galo índio que Mamãe comprara franguinho ainda. Não sei por quê, Chiquinho logo criou afeição por ele; dizia que o frango era seu, tratava dele diariamente, com todo o carinho, levava água e comida, gamou com o bicho. Não sei se foi por causa de toda essa atenção, o frango logo mostrou que não era um frango qualquer: ele tinha inteligência, ou sei lá o que é que ele tinha que era igual à inteligência. Ele tinha algo que um frango comum não tem: ele compreendia e aprendia as coisas.

Chiquinho ensinava para ele, e o danado do frango, à medida que crescia, mostrava-se cada vez mais sabido. Por fim, já galo feito, ele fazia coisas que só mesmo as pessoas que viam podiam acreditar. Filó podia, sem susto, trabalhar num circo de animais amestrados. Se Chiquinho quisesse, ou o pessoal lá de casa, a gente podia vendê-lo por uma fortuna. Mas ninguém pensou em fazer isso: primeiro, porque nossa situação financeira não chegava a tal ponto; e segundo, porque Filó já fazia parte da família, e ninguém queria bancar o José do Egito — embora depois tenham bancado pior...

Não vou contar aqui tudo o que Filó fazia, mesmo porque quase ninguém iria acreditar. Por exemplo: se eu contasse que ele dançava *La Cumparsita*; Chiquinho assobiava e Filó ia acompanhando. Isso várias pessoas viram. Era um galo diferente, o Q.I. do bicho devia ser o de um gênio. Dar bom-dia com a asa, esconder a cabeça, coisas assim eram café-pequeno para ele. No duro: eu às vezes ficava olhando e me dava até um negócio esquisito, pois não era normal, um galo que fazia aquelas coisas não podia ser um galo normal.

Não era com todo mundo que ele fazia; era só com Chiquinho. Chiquinho conversava com ele; o galo ficava parado, escutando e de vez em quando piscava, torcia a cabeça, sacudia as penas, se arrepiava ou cacarejava. Quem via jurava que ele estava entendendo palavra por palavra — e Chiquinho dizia que ele estava mesmo. Se tinha um doido ali, era difícil saber quem era ele, se o galo ou o meu irmão. Ou então os dois juntos. O fato é que eles se entendiam e eram amigos.

Além disso, como todo gênio, Filó também tinha suas maluquices. Por exemplo: tinha dia que ele cismava de andar numa perna só, saltitando. Como ele fazia isso, não sei; sei que ele fazia. A primeira vez que Chiquinho viu, pensou que fosse algum machucado, mas examinou Filó e não achou nada. Depois, uma outra hora, surpreendeu o galo andando normalmente. E, de novo, numa perna só. Não tinha explicação: maluquice de gênio.

Outra coisa esquisita era ele correr de vez em quando os pintinhos, como se sentisse azucrinado com aquela piadeira o dia inteiro — um gênio como ele ter de suportar aquilo. Então explodia, e era uma folia dos diabos no galinheiro, com pintinho correndo para todo lado e a galinha, aflita, sem saber a quem acudia e sem entender o que dera em Filó.

Uma terceira maluquice — Chiquinho achou que fosse maluquice — foi a de Filó não sair da casinha, ficar lá dentro quase o tempo todo, trepado no poleiro, como quem não quer nada, às vezes até dormindo. Quando Chiquinho contou isso, Mamãe, que já vinha desconfiando de certas coisas, arranjou outro galo, mais novo. Chiquinho quis saber o motivo, mas Mamãe disse apenas que Filó já estava ficando velho. Chiquinho era pequeno para entender essas coisas; ele achou que fosse mais uma maluquice de Filó.

"Mãe, por que as pernas do Filó estão ficando daquele jeito?..." Estavam cobertas de um cascão branco. Parecia uma doença, um câncer — mas era simplesmente a velhice. "Mãe, não tem jeito de cortar um pedaço das esporas do Filó? Parece que elas até atrapalham ele andar." "Mãe, apareceu uns caroços na cabeça do Filó, o que será?"

Um dia Chiquinho chegou ao galinheiro e encontrou Filó num canto, abatido, ensanguentado, quase morto: levara uma surra do outro galo. Acabara o reinado de Filó. Chiquinho, de raiva, quase matou o outro galo. Por sorte, Mamãe chegou e não o deixou continuar: "Que loucura é essa, menino?" "Ele bateu no Filó." "Filó já está bom é de morrer, ele não serve mais para nada." Os adultos vivem ferindo à toa as crianças; Mamãe não precisava ter dito aquilo. Ou, pelo menos, devia ter dito de outro modo.

Poucos dias depois ela dava a notícia: Filó ia ser morto para fazer coxinha. Confesso que eu mesmo, quando soube disso, fiquei revoltado. Afinal de contas, Filó não era um galo qualquer e merecia um fim mais digno do que esse, o de se ver transformado em coxinha e ser comido entre conversas e risadas alegres num almoço de domingo.

Existem certas causas que são perdidas desde o começo. São coisas que não deviam acontecer. Por exemplo: a gente gostar de um galo. Pois ninguém vai querer vê-lo um dia cozinhando na panela e transformado em coxinha. No entanto é esse o destino dos galos, e querer ir contra é, no mínimo, criar um problema doméstico.

Quando eu falei com Mamãe que a gente podia comprar um outro galo para as coxinhas, ela deu a bronca: "Comprar, se nós temos esse aí no ponto? Ou você quer que a gente deixe o Filó morrer de velhice e doença e depois ser enterrado, quando ele podia economizar o dinheiro de um bom galo para coxinha? Vocês acham que seu pai trabalha para quê? Pensam que nós somos ricos? Chiquinho ainda passa, mas você já é rapaz e devia compreender isso. Vocês aqui em casa são cheios de coisas; criar tanto caso por causa de um galo velho."

"Não é um galo velho, Mãe", eu disse.

"Não é um galo velho como?..."

"A senhora não compreende."

"Não compreende o quê?..."

Eu cocei a cabeça.

"Vocês só sabem é arranjar problema", ela encerrou, e foi cuidar do serviço.

Domingo chegou, e ao meio-dia lá estávamos todos à mesa: o padre e nós, com exceção de Chiquinho, que se fechara no quarto e não queria sair para nada.

E lá estavam as coxinhas — pobre Filomeno...

Eu decidira não comer nenhuma, em sinal de protesto; mas as coxinhas estavam tão apetitosas, e os outros comiam com tanto gosto, que eu acabei não resistindo e comi também: comi quatro.

Que Filó me perdoe...

Mosca morta

— Nada melhor que uma cervejinha a caminho de casa numa noite de chuva como essa — ele disse. — A vida é boa...

— É — disse o garçom, um rapaz, que limpava com um pano as mesas do bar, quase vazio àquela hora; — a barra anda meio pesada, mas eu também gosto da vida.

— A vida é muito boa — ele tornou a dizer, olhando para a chuva lá fora e levando o copo de cerveja à boca: mas de repente parou.

Ao vão da porta um homem assomara — um homem moreno e corpulento, de boné e com uma capa preta de náilon.

— Olá, Bento... — o homem disse.

Acabou de entrar. Puxou a cadeira e sentou-se. Tirou o boné, deu umas batidinhas para limpar os pingos de chuva e o deixou sobre a mesa.

— Como é, tudo bem?...

Ele respondeu com a cabeça.

— Posso?... — o homem apontou para a garrafa.

Ele acenou que sim. O outro virou-se para trás e pediu um copo. O garçom trouxe rápido.

— Mas, então, como vão as coisas? Fazia tempos que a gente não se encontrava...

— É.

— Estou vendo que você deixou o bigode crescer...

Ele balançou a cabeça.

— Ficou bom, Bento; assentou bem em você... Você ficou... você ficou com mais cara de homem. Sem bigode, você tinha uma cara... Bom, não vou dizer que de fresco, mas... Ficou bom...

Ele olhou para fora.

— Eu tenho uma teoria — continuou o outro: — homem tem de usar bigode. Homem sem bigode... Barba, não: barba é coisa de mendigo e de maconheiro. Mas bigode... Olha o meu: um bigode e tanto, hã?... As mulheres gostam. Elas são malucas com o meu bigode. Você sabe, um bigode... Você sabe, né? Uma cosquinha naquele lugar, elas ficam loucas... Você já experimentou?

Ele pegou o copo e bebeu, para não ter de responder.

— Hum?...

— Não, Toledo.

— Não diga... Então você tem de experimentar... Você não sabe o que é bom, rapaz... Elas ficam malucas. Uma esfregadinha pra lá, outra pra cá, elas vão lá nas nuvens; vão lá nas estrelas... Experimenta, é um conselho que eu te dou. Ou será que você pensava que bigode é só pra enfeitar a cara?...

Ele olhou para o fundo do bar, onde, numa das mesas, alguns rapazes bebiam.

— Bento, sabe de uma coisa? Parece que você não está muito contente de me rever...

Ele sacudiu a cabeça.

— Hã?...

— Estou, Toledo.

— Ah; pensei que você não estivesse. Depois de tanto tempo... Sabe que eu estava até com saudade... Mas... Poxa, e essa cerveja, que acabou? Vamos tomar mais uma?

— Não posso, eu tenho de ir embora: minha mulher está lá, me esperando.

— Oh, mas agora, agora que eu cheguei...

— Outro dia a gente toma.

— Outro dia... Que outro dia? Você sabe que eu... Não, nós vamos tomar é agora. Essa é minha, pode deixar, que essa eu pago.

— Não é isso, Toledo; é que...

— Uma cervejinha a mais, o que isso vai demorar? Nós não conversamos nada ainda...

— Eu sei, mas...

Toledo virou-se para trás:

— Ô jovem! Me traz uma aí!

O rapaz ergueu o polegar, confirmando.

— Não... O que é que há?... Isso não é nem educado. Um amigo vem de longe, te encontra depois de tanto tempo, e você não se digna nem a tomar uma cervejinha com ele? Não é nem educado uma coisa dessas...

O rapaz veio com a cerveja. Pôs a garrafa na mesa, firmou-a e tirou com cuidado a tampinha. Encheu os copos.

Toledo o observava.

— Escuta, você não é filho da Conceição?

— Sou — disse o rapaz.

— Eu estava te reconhecendo...

O rapaz sorriu.

— Como vai sua mãe? Ela está boa?

— Está.

— Ela ainda faz empadinhas para fora?

— Faz.

— São deliciosas — e Toledo virou-se para ele: — são as melhores empadinhas que eu já comi na minha vida.

— Hum — ele disse.

Toledo voltou-se para o rapaz:

— Diz para ela, para sua mãe, que eu mandei lembranças. Diz que é o Toledo; Sebastião Toledo. Diz que é o Tião: ela sabe.

— Tá — o rapaz sorriu, contente, e se afastou.

Toledo bebeu, saboreando a cerveja.

— Mas... Quer dizer então que está tudo bem?...

Ele fez uma expressão indefinida, olhando para fora.

— Eu estimo. Verdadeiramente estimo. Assim é que é bom. Eu gosto de ver gente feliz. Tristeza não leva a nada. Tristezas não pagam dívidas, como se diz. Eu sou um cara alegre. Eu nunca fico triste. Você já me viu alguma vez triste?

Ele olhava fixamente para a chuva lá fora, caindo no asfalto.

— Bento! — Toledo deu um tapa na mesa, assustando todo mundo no bar. — Que diabo! Não está vendo que eu estou falando com você?

Olhou-o.

— Ou será que você pensou que eu estava falando é com essa garrafa aqui? Hem?

Ele não disse nada.

— Responda: você já me viu alguma vez triste?

— Não.

— Você jura?

— Juro.

— Ótimo.

Toledo tomou um gole demorado. Depois passou a mão no bigode, limpando a espuma.

— Pombas!... Coisa de que eu não gosto é falta de educação. Quando alguém fala, a gente escuta. Não foi isso o que você aprendeu? Ou você não aprendeu isso?

— Aprendi.

— Então por que você não estava escutando o que eu estava dizendo?

— Eu estava, Toledo.

— Estava uma pinoia! Você estava aí... Sei lá o quê; só sei que você não estava escutando o que eu estava dizendo. Pombas... Se fosse eu... Quer dizer, se fosse eu que estivesse fazendo isso... Minha mãe era lavadeira, uma mulher atrasada, uma mulher que nunca teve estudo na vida. Mas você, você é filho de doutor e de professora, você devia dar exemplo. Cadê suas boas maneiras? Cadê o que a sua mãe te ensinou?

— Bosta! — ele se levantou de repente. — Por que você não acaba com isso de uma vez, hem?

— Ê... Que isso, rapaz?

— Bosta!

— Calma...

— Eu já estou cheio!

— Ninguém disse nada...

— Você sabe que aquilo tudo foi mentira, Toledo! Você sabe que eles inventaram tudo!

— Mas ninguém disse nada!...

— Bosta! Eu sou um homem honrado, Toledo!

— E quem disse que não é? Quem?...

— Merda!...

— Calma, rapaz; calma... Senta aí...

Ele sentou-se, a respiração ofegante.

— Que isso... Você está nervoso à toa... Toma aí a sua cervejinha, vamos beber... A vida é tão boa... Tão boa e tão curta: hoje estamos aqui, amanhã quem sabe onde estaremos? Vamos aproveitar...

Ele ficou de novo olhando para a chuva.

— Não, você está nervoso demais... Até parece que você está com medo de alguma coisa. O que é? Você está com medo de mim? Não é, né? De mim não pode ser. Você sabe que eu sou o cara mais pacífico do mundo, não sabe?

Olhou-o nos olhos.

— Sabe ou não sabe?

— Sei, Toledo.

— Então? O mais pacífico do mundo. Incapaz de matar uma mosca, como se diz.

De súbito e rápido, Toledo mandou a mão no ar, fechando-a: depois abriu-a, e uma mosca despencou morta.

— A menos, é claro, que a mosca esteja enchendo a minha paciência...

Lá fora a chuva engrossava, caindo forte, um véu cinza cobrindo tudo.

— Virgem Santa! — disse Toledo. — Mas que pé-d'água! Eu nunca tinha visto chover tanto assim aqui, você já?

Mexeu vagamente a cabeça.

— Eu nunca tinha visto... Está parecendo um dilúvio. Bem que a humanidade está merecendo um outro dilúvio. Sabe, tem dia que eu fico pensando: Deus é mesmo misericordioso, porque senão há muito tempo que ele já teria mandado um outro dilúvio para nós. Mas, também, se mandasse, seria o fim, pois dessa vez ele não encontraria nenhum Noé. Você não acha?...

Ele não respondeu; olhava para a chuva.

Toledo então ficou também em silencio, olhando para fora. Mas logo voltou-se para ele:

— Ingratidão... Você é um cara ingrato, Bento... Sabia? Um cara ingrato... Eu venho de longe, viajo essa distância toda só para te encontrar, e você nem conversa comigo... Toda vez é isso, toda vez é essa cara amarrada e essa boca muda. Sabe? Eu já estou cansado. Estou mesmo; já estou cansado. Eu tomei uma decisão: essa é a última vez que eu venho aqui. Entendeu? A última. Não vou voltar mais aqui, não. É a última vez.

Toledo pegou o copo e bebeu tudo até o fim. Depois virou-se para trás:

— Mais uma!

O rapaz veio logo. Abriu a garrafa e voltou para o balcão.

Toledo encheu o copo até quase a borda. Depois, com a garrafa ainda na mão, olhou para ele:

— Você quer? Ou você vai embora?

Ele ficou um instante olhando na direção do copo — e então, sem dizer nada, empurrou-o para a frente.

— Ótimo — disse Toledo, pondo a cerveja. — Assim é que eu gosto.

Depois da aula

A professora, Dona Berta, à porta da sala, olhava para o pátio, já deserto. Os três alunos, sentados em diferentes lugares, a observavam com atenção. Quando ela se voltou, eles baixaram os olhos para as carteiras.

Ela veio andando e parou outra vez na frente:

— Então? — disse, a voz estudadamente calma. — Quem fez isso?

E ela mostrou de novo a folha de caderno com o desenho.

Era a segunda vez que a mostrava. O desenho, feito a lápis, tinha visível intenção caricata: era uma mulher, uma mulher de pernas compridas, ossuda, a cabeleira imensa, e um grande bigode. Como se não bastassem as semelhanças com o original, o autor ainda havia escrito embaixo, com letras grandes: “Dona Aberta”.

Ela havia encontrado o desenho na sua gaveta, depois do intervalo. Retornando mais cedo aquele dia, antes de o sinal tocar, topara com os três alunos saindo da sala. Pela reação deles, logo percebeu que tinham feito algo de errado. Eles negaram que tivessem feito qualquer coisa.

Mas, pouco depois, ao reiniciar a aula, ela foi abrir a gaveta e deu de cara com o desenho. Não sabia qual dos três o tinha feito. Mas saberia. Oh, se saberia!... Nem que tivesse de levar o resto de sua vida para descobrir isso. E fora esse o motivo pelo qual mantivera os três alunos ali, na sala, depois da aula.

Sua primeira tentativa, porém, ao perguntar quem fizera o desenho, conseguira apenas um começo de briga entre os dois meninos, que se acusavam mutuamente. De qualquer forma, uma coisa pelo menos ela já ficara sabendo: que não fora a menina. Mas qual dos dois meninos? Ronaldo? Hugo?

— Quem? — repetiu. — Quem fez isso?

Agora, em vez da briga, recebia como resposta o mutismo dos dois.

— Eu já disse que não farei nada com quem confessar. Só quero saber quem foi. Quando souber, nós iremos embora. Mas enquanto eu não souber, nós não iremos. Posso ficar aqui até a noite; isso não faz a menor diferença para mim. Para vocês também? Querem ficar aqui até a noite?

Eles mudos. Ela esperando.

— Então? Não vai dizer?...

Esperou mais um pouco.

— Não?... Está bem...

A professora andou na direção da menina, e os olhos dos meninos a acompanharam, na expectativa do que ela ia fazer.

— Gema, você vai dizer: quem fez o desenho? — e novamente mostrou a folha. — Quem fez isso?

A menina olhou com atenção, como se fosse a primeira vez que via o desenho — mas não só já o tinha visto nas duas outras vezes em que a professora o mostrara, como também ainda o vira no exato momento em que ele fora feito.

— Quem? Quem fez isso?

A menina baixara os olhos.

— Eu ficaria muito triste se você agisse como eles — disse a professora, se referindo aos meninos. — Uma menina de tão boa família, tão inteligente e bonitinha. Eu ficaria muito triste. Calar diante de uma coisa tão feia, tão baixa, uma coisa digna dos piores moleques de rua... Não, eu sei que você não vai fazer isso. Eu sei que você vai dizer quem foi.

Sabe, né? Pois se enganava redondamente: não ia abrir a boca para dizer um a. Inteligente e bonitinha — agora era assim, né? Mas a perseguição dos outros dias, disso ela não se lembrava, não, né? Pois muito bem: ela ia ver. Não diria absolutamente nada. Nem uma palavra. Não tinha nada com aquilo. Não fora ela quem fizera o desenho. Que Dona Berta descobrisse quem fora. Ficariam ali até a noite? Então ficariam. Só queria ver o que Dona Berta diria para seu pai quando ele, estranhando a demora, resolvesse vir até o colégio e a encontrasse ali, de castigo. Só queria ver o que ela diria.

Quem fez... Será que ela era tão burra assim, meu Deus, tão burra que nem podia calcular isso? Hugo ia fazer uma coisa daquelas? Não era o aluno mais bem-comportado da classe? Não era o que tirava as melhores notas? E então ele ia fazer aquilo? E Ronaldo? Não era dos mais moleques? Já não fizera outras artes antes? É verdade que, olhando para os dois agora, não dava para perceber: Ronaldo até parecia menos o culpado, porque estava mais tranquilo e tinha o ar de quem não fizera mesmo absolutamente nada. Já Hugo não parecia assim: estava com uma cara esquisita e ficava só se mexendo e olhando para os lados. Não seria mesmo fácil para Dona Berta saber. Só se ela contasse. Bastava ela dizer: "Foi o Ronaldo" — e Dona Berta acreditaria. Mas ela não diria. Não diria nada.

— Por quê, Geminha? Por que você não quer dizer?... — e a voz da professora tinha agora um tom quase de choro.

Por quê; ora, por quê. Porque não queria; pronto. Também, que chateação: criar tanto caso com um desenho... Até que ele ficara bacana. E ela não era assim mesmo? Ela não tinha as pernas compridas? Não era ossuda? Não tinha uma cabeleira imensa? E não tinha também um bigode? Só que seu bigode não era tão grande quanto o do desenho. E também ela não se chamava Dona Aberta: chamava-se Dona Berta...

— Seria muito mais fácil — continuou a professora. — Seria muito melhor para todos. Vocês iriam embora, e pronto, não haveria nada.

Não, não haveria,... Era capaz. Acreditava muito nisso. Dona Berta era tão boazinha, né? Ela não faria nada. Era bem capaz mesmo. Como se não a conhecessem... Quem ia ser bobo de acreditar? Claro que ela faria alguma coisa. Só não podiam saber o quê. Mas é claro que ela faria. Todo mundo sabia como ela era. Não deixaria a coisa ficar só por isso. Dona Berta era cruel e vingativa. Ainda mais uma coisa daquelas.

Pensando bem, ela só podia ser assim. Uma mulher que, além de tão feia, ainda era burra. Tinha de ser mesmo cruel e vingativa. E devia ser por isso também que a perseguia — porque ela era bonita e inteligente. Só podia ser, pois era boa aluna e fazia sempre tudo direitinho. E Dona Berta nunca lhe dava as notas que merecia, eram sempre abaixo das notas de Hugo, que ela vivia protegendo. E por que o protegia? Muito claro: para provocá-la. Via isso muito bem. Via perfeitamente por que Dona Berta fazia certas coisas. E, às vezes, ela nem disfarçava.

Dona Berta devia ter uma raiva dela... Uma raiva imensa. Só porque ela era uma menina linda, de cabelos loiros e olhos verdes, uma menina que todos os meninos viviam paquerando. Podia imaginar como fora Dona Berta em menina: nenhum menino devia se interessar por ela; devia ter sido uma menina comprida, desengonçada, feia, todo mundo fazendo piadas com ela. Dona Berta não se casara. Quem iria se apaixonar por uma mulher como aquela? Não tinha jeito nem de pensar. Se ainda fosse inteligente ou boazinha. Mas nem isso. Era burra e ruim.

Desde o começo que a perseguia. Agora chegara sua vez. Queria ver como Dona Berta faria. Ela já estava até com voz de choro. Pois queria vê-la chorar. Queria vê-la chorando ali, na frente dos três. Queria ver Dona Berta humilhada e vencida, pagando por tudo o que fizera de ruim.

— Você gostaria que alguém fizesse isso com sua mãe, Geminha? — perguntou, quase patética em sua mágoa e feiura, a professora. — Você gostaria?...

É claro que não gostaria; mas ninguém ia fazer isso com sua mãe, porque sua mãe não era feia, nem burra, nem ruim.

— Você acha que isso é bom?... Você acha?... — a voz saía estrangulada.

A menina ergueu os olhos e fitou a professora: e então, por um instante, teve pena dela; pena de sua feiura, de seus olhos inchados e vermelhos, de seu ar de súplica e desamparo. Por pouco não falou. Alguma coisa a deteve, alguma coisa obscura, mais profunda e mais forte do que a compaixão que sentira: o prazer de ver aquela pessoa sofrendo e dependendo dela. A professora estava tão entregue em seu sofrer, tão miserável, que isso lhe provocava uma reação física que tinha algo de sexual.

A professora notou: viu, nos olhos da menina, um brilho diferente, uma fixidez mórbida, um começo de sorriso. E então a expressão de suplica e desamparo sumiu — e quando sua voz se ouviu de novo, tinha um tom assustador:

— Vocês vão me pagar caro...

Ela deu meia-volta e foi andando devagar até a mesa. Puxou a cadeira e sentou-se. Ficou imóvel, de olhos baixos, os braços estendidos sobre a mesa. Os três a observavam atentamente, esperando o que ela ia fazer. Por uns dez minutos ela ficou assim, inteiramente imóvel, e, como estava de olhos fechados, chegaram a pensar que ela tivesse adormecido.

Então ela se mexeu, e novamente ficaram atentos, certos de que ela desceria do tablado e faria alguma coisa. Mas ela não se levantou: ela abriu a gaveta, tirou um livro, e, calmamente, começou a ler. Não esperavam por aquilo; depois daquela ameaça, tinham certeza de que ela faria alguma coisa com eles. Em vez disso, ela pegava um livro e calmamente começava a ler. Não entenderam.

O que ela estaria planejando? Desistido é que não tinha, ainda mais depois da ameaça. Sabiam que ela não desistiria enquanto não soubesse o culpado. Mas não conseguiam perceber o que ela estava planejando. A única coisa que podiam fazer é esperar, para ver o que acontecia. Ficariam mesmo ali até a noite? Lá fora já começava a escurecer.

A menina, com provável intenção de desafio, de ver quem resistia mais tempo, também pegara um livro e começara a ler, aparentando absoluta tranquilidade. Mas, na realidade, não lia nada, apenas fingia. De vez em quando olhava disfarçadamente para a professora, que lia imperturbável (ou estaria também fingindo?) e para os dois colegas: Hugo, que estava sentado à frente, tinha uma cara cada vez pior e continuava a se mexer nervosamente, mudando a todo instante a posição do corpo na carteira; Ronaldo, mais atrás, na mesma fileira, olhava tranquilo para a janela. Admirava como ele conseguia ficar assim, como ele não se revelava.

Sempre sentira uma confusa admiração por Ronaldo, admiração por seu desleixo, suas respostas inesperadas aos professores, suas artes improvisadas, como aquela: em menos de cinco minutos fizera o desenho. E havia aquele dia, aquele dia em que Ronaldo a chamara para mostrar "uma coisa muito bacana" lá nas árvores. Ela foi, pensando que fosse um ninho de passarinho ou alguma coisa parecida que Ronaldo tivesse descoberto.

Ao chegarem lá, Ronaldo disse: "Agora fecha os olhos." Ela fechou. E de repente sentiu a mão dele entrando em sua blusa e segurando seu seio. Tentou escapulir, mas Ronaldo a segurava e ia passando a mão, enquanto dizia "deixa, deixa". E então ela fora deixando, fora amolecendo, enquanto uma sensação profunda ia ganhando todo o seu corpo, dominando-a, até atingir uma intensidade insuportável, e então seu corpo vergou-se para trás como um arco. Essa hora ouviu a voz dele, como que por entre nuvens, dizendo com espanto: "Você está gozando! Você está gozando!" Depois, quando fora voltando, notou que estava amparada nos braços dele, e viu então seus olhos fitando-a, assustados e maravilhados. Sem dizer nada, ela deu-lhe as costas e foi embora.

Durante vários dias não falara mais com ele, nem o olhava. Mas não se esquecia — não se esquecia daquela mão, daquelas palavras, daqueles olhos. E sentia vontade de estar lá de novo, entre as árvores, e deixar que Ronaldo acariciasse os seus seios, e que ele pegasse em suas coxas, e que enfiasse a mão em sua calcinha e fizesse tudo com ela, tudo o que ela, nua, fazia sozinha no banheiro ou no quarto.

Não pensava em nenhum outro colega. Só pensava em Ronaldo. Muitos viviam olhando para seus seios e suas coxas. Mas Ronaldo fora o único que tivera a coragem de chamá-la até aquele lugar escondido e fazer aquilo. Percebia que ele vivia doido para fazer de novo. Era só ela topar. Mas ela fingia não entender, fingia não estar nem mais lembrando daquilo. Não sabia direito por que fazia assim: se para deixá-lo com mais desejo, ou se porque tinha medo. Ronaldo era tão seguro de si, tão atrevido, que ela temia que outras coisas pudessem acontecer.

Com Hugo, por exemplo, ela não teria medo: conhecia-o bem, conhecia sua família, era de inteira confiança; de vez em quando ele ia estudar na casa dela e todos lá gostavam dele. Só que Hugo nunca faria aquilo, nunca teria coragem. Ronaldo uma vez fora também estudar com ela; a mãe não achara "nenhuma graça" nele. Era muito diferente de Hugo; fora criado em outro meio, com outra educação.

Era impressionante a tranquilidade com que fazia certas coisas — a tranquilidade, por exemplo, com que mentira e vinha aguentando a mentira. Mas aquilo já era covardia. Ele devia confessar que era ele que tinha feito o desenho. Agora, por causa dele, os dois tinham de pagar também?

O porteiro apareceu na porta da sala e perguntou se podia fechar o portão: Dona Berta disse que podia e pediu que ele deixasse uma chave com ela. O porteiro entregou a chave e foi embora. Ouviram o rangido do portão sendo fechado.

Agora só havia eles ali, no colégio. Se alguém da família chegasse, procurando-os, encontraria o portão fechado e não saberia que eles estavam lá dentro. Dona Berta havia certamente pensado nisso e agido assim de propósito.

A consciência disso, o progressivo escurecer lá fora e o impassível silêncio da professora lá na frente lendo o livro, foram criando entre os meninos um clima de nervosismo e pânico, que finalmente explodiu.

Hugo se levantou e gritou para a menina:

— Você viu, Gema! Por que você não diz? Você viu que foi o Ronaldo! Você sabe que foi ele!

— Então diz, Gema, então diz que fui eu. Você viu, então diz.

— Sem-vergonha! — gritou Hugo para Ronaldo. — Covarde! Por que você não diz?

— A Gema vai dizer. Ela viu. Diz, Gema.

— Você também é uma covarde! — gritou Hugo para ela. — Só porque eu tiro notas melhores que você. É por isso que você não quer dizer! Covarde!

— Diz, Gema.

— Vocês todos são covardes! Cachorrada!

— Para! — gritou a professora, tampando os ouvidos.

Fora um grito tão agudo que parecia vibrar ainda no silêncio da sala.

Dona Berta então se levantou e veio andando na direção da menina, os outros dois olhando assustados.

Parou em frente à carteira:

— Agora você vai dizer — disse para a menina. — Juro que você vai dizer. Se você não disser, eu lhe meto a mão na cara!

A voz subira de repente, fazendo estremecer a sala.

O silêncio agora era insuportável.

— Então? — a professora disse, e sua voz era de gelar. — Quem fez o desenho? Foi o Hugo ou foi o Ronaldo?

Dessa vez, mas sem se mover, sem erguer os olhos, a menina respondeu.

— Foi o Hugo — disse ela.

Olhos verdes

Ao estender sobre mim o avental, vi suas unhas esmaltadas. Senti-as na nuca quando ele enfiou os dedos atrás, no colarinho, para firmar a dobra.

Pegou a máquina elétrica e voltou para atrás de mim, olhando-me pelo espelho e perguntando: "Como é para cortar?"

Pensara mesmo que eu fosse forasteiro, disse, porque conhecia relativamente bem o pessoal da cidade e não se lembrava de me ter visto nenhuma vez. Eu viera de mudança, ou só de passagem? Só de passagem. Quantos dias ia ficar, muitos dias? Poucos, aquele fim de semana; depois continuaria viagem.

Para onde, desculpando a indiscrição. Para o Rio. O Rio? Ah, tinha inveja de mim... Fora ao Rio só uma vez, mas nunca, jamais se esqueceria daquela viagem: "Uma viagem divina..." Parou a máquina no ar, os olhos semicerrados, a boca entreaberta: "Um sonho..."

Tornou a deslizar a máquina pelo meu cabelo e, por um instante, ficou entre nós dois só o gemido da máquina.

Eu já arranjara hotel? Arranjara; um perto da rodoviária, modesto, apenas para aqueles três dias. Ele conhecia um bom, modesto também, mas muito confortável e asseado: se eu quisesse... Era onde ele morava. "Obrigado, mas eu já arranjei esse, já fiz lá a minha ficha; não parece ser mau hotel." Em todo o caso, ele disse, podia ser que eu mudasse de opinião, desagradasse de qualquer coisa — eu não estava com pressa, estava?

Tirou da gaveta a esferográfica e um pedaço de papel, e escreveu. "Aqui. Pode ser que o senhor mude de ideia. O endereço é esse. Lá há sempre quartos. Não é, como eu disse, um hotel de luxo, mas é muito confortável, e o asseio é absoluto." Guardei o papel no bolso da calça, olhando para as suas unhas esmaltadas.

"Coisa que eu não suporto é a sujeira, a falta de asseio; e o senhor?" Eu baixava os olhos quando ele me chamava de senhor: ele era mais velho do que eu, devia ter uns trinta anos. Eu olhava para os vidros de loção, na prateleirinha da parede: para não ver os seus olhos verdes. Olhava para a parede: num canto, a lápis, havia um coração trespassado por uma flecha. Havia também um postal, com vista de Copacabana.

Ele sonhava em voltar lá um dia, ao Rio, quando tivesse mais dinheiro. As noites cariocas, como eram animadas e como ele se divertira! Aquilo, sim, é que era vida. Um povo alegre, sem preconceitos. Fizera muitas amizades lá. Aqueles dias mesmo ainda recebera a carta de um amigo.

Mostrou-me o envelope: era cor-de-rosa, com um ramalhete desenhado no canto. O amigo contava que estava morto de saudade dele e daquelas noites maravilhosas. Gente que sabia apreciar o que era bom e o que era belo. Ali, naquela cidade, morria de tédio — o povo não sabia o que era viver. Não era cidade para ele.

“Nem para um rapaz como o senhor. O senhor também certamente gosta de uma diversão, não é mesmo? Um rapaz como o senhor precisa se divertir, gozar a vida. Se o senhor, por exemplo, quiser se divertir aqui nesses três dias, enquanto espera pela viagem, não encontrará nenhum lugar bom. Pois, olha, não é por nada, não, mas eu vou dizer para o senhor: a zona boêmia daqui é a pior possível que o senhor pode imaginar. Um nojo. Eu nem gosto de dizer.” Simulou cuspir. “E, além disso, perigosa; não sei se o senhor ouviu contar os crimes que acontecem lá...”

Os olhos verdes existiam fora dele: enquanto ele falava, gesticulava, cortava o cabelo com a tesoura, eles estavam lá no espelho — silenciosos, atentos e acesos como olhos de gato parado na escuridão. Eu olhava para as suas costeletas, para o meu próprio rosto, para o avental, para os pés, para o chão, sabendo que eles estavam lá, à minha espera.

“Crimes horríveis. É preciso ter coragem para ir lá; e não ter nojo, nem amor à saúde. Eu tenho nojo, e, além disso, prezo muito a minha saúde.” Estalou os lábios: “Sabe, há mais de mês que eu não apareço por aqueles lados... Não quero arriscar a minha saúde; nem a minha vida. Prefiro ficar fechado no quarto, morrendo de tédio.”

Não podia esquecer o Rio. Quando tivesse mais dinheiro, voltaria para lá e deixaria de uma vez para sempre aquela cidade nojenta, que, para ele, há muito tempo já morrera. Economizava de todos os lados. Naquele dia mesmo fizera um negócio com um conhecido e pegara um bom dinheiro: abriu a carteira sob os meus olhos, mostrando as notas novas. Se estivesse no Rio, que farra não faria com aquele dinheiro — os olhos verdes suplicavam. Eu disse: "Não precisar tirar mais aí em cima, não; já está bom."

A navalha ia e vinha, amolando o silêncio. "Um dia acabarei passando essa navalha no pescoço, assim é mais fácil", suspirou, e, talvez, nesse instante, os olhos verdes tenham chorado. Mas eles não estavam no espelho; e quando de novo lá apareceram, eram os de antes: ainda havia esperança.

Deslizou as costas da mão pela minha barba: "Que barba cerrada, hem? O senhor tem muito cabelo; eu quase não tenho, olha..." Arregaçou a manga da camisa: o braço completamente nu e roliço, braço de moça. Acariciou-o com a outra mão: "Não tem um só fio de cabelo" — seus olhos loucos. Estendi o braço para fora do avental e olhei as horas. Ele não tornou a falar: os olhos se apagaram.

Mas a esperança era mais forte, e, na hora de eu sair, ele tornou a me lembrar o hotel: não era de luxo, mas muito confortável e asseado. "Além disso", acrescentou, "é um lugar bastante discreto."

O violino

Havia, no fundo do porão, um canto onde eu jamais tinha tocado, por motivo que eu ignorava. Medo? Mas medo de quê, se estavam ali apenas coisas, apenas objetos antigos, estragados, fora de uso?

No entanto, o dia em que, sozinho, me encaminhei para lá decidido a mexer nos objetos, era como se eles, à medida que eu me aproximava, se encolhessem no escuro, querendo fugir de mim e me pedindo que eu fosse embora. "Não, não, deixe-nos", pareciam dizer, gemendo, mas eu caminhava com os passos duros do vivo que vai ver na cova as deformações imprimidas pela morte num rosto belo em vida.

E quando — depois de hesitar um minuto, olhando para o amontoado de objetos — eu abri a tampa de um baú, algo repentinamente mudou. Aqueles gemidos cessaram, e uma sensação terrível caiu sobre mim, como se eu tivesse acabado de cometer sacrilégio; tão terrível, que eu gritei e saí correndo.

Mas era tarde: o sacrilégio já fora cometido. Parei antes de chegar à porta; acusei-me de medroso, não havia nada, que medo bobo era aquele? Fora tudo impressão, não acontecera nada, o que uma coisa podia fazer?

Voltei e, sem medo, comecei a mexer nos objetos, procurando enxergá-los na pouca luz que até ali chegava. Uma caixa de papelão com retalhos de pano, meias, um par de luvas — quem as usara e em que tempo? Outra caixa: envelopes de cartas, recibos, caderninhos de capa preta. Uma lata: carretéis vazios — quem os guardara e para quê? Talvez algum menino, talvez até eu mesmo, quando menor, tivesse brincado com eles. Ou seriam de uma geração mais antiga?

Um baú grande: este devia ter muita coisa interessante. Abri: vazio. Detrás dele, encostada à parede, uma caixa de madeira em formato especial: um violino. Foi o mais interessante da aventura, até ali sem grandes surpresas para a minha curiosidade. Com o violino, senti-me recompensado.

Levei-o para a parte mais clara do porão e o abri: a caixa era roxa por dentro, forrada de feltro — parecia um caixão. Ao abri-la, senti como se algo, que estivera morto e encerrado ali por muito tempo, de súbito, com a luz, ressuscitasse e pedisse agora que fosse levado de volta à vida que existia fora do porão, cheia de ar, som e claridade.

Num pequeno compartimento da caixa, um pedaço de breu e uma corda de violino enrolada. A corda parecia nova; antes de ser usada, o violino viera para o porão — por quê? Quem o tocara e por que parara de tocar, tão subitamente que uma corda nova não chegara a ser usada? Alguém que já morrera? Mas quem? Eu nunca ouvira falar de alguém, na família, que tocasse ou tocara violino. Seria algum amigo ou conhecido que o ofertara de presente?

Todas as respostas eu saberia dentro de casa. Mas, antes disso, ainda havia muito o que fazer ali com o violino, a descoberta apenas começara. Tirei o arco e deslizei o polegar pela crina retesada. Como se segurava um violino? Ajeitei-o numa posição incômoda, não encontrava outra. Fiz uma pose imaginária de violinista e tirei o primeiro som: rouco, abafado — mugido de vaca. Experimentei outra corda: um som agudo e fino. Todas as cordas tinham um tom gemente. Passei rápido o arco, tentando tirar sons melódicos, mas era como se as cordas não quisessem me obedecer, ou estivessem me tapeando, ou se divertindo à minha custa, fazendo aquilo de propósito para me irritar.

Mas eu cismara de tocar alguma coisa; pelo menos um pedaço de *Sobre as Ondas*, que eu ouvira uma vez, no rádio, tocada em violino. E insisti, cada vez mais irritado, até que achei ter conseguido um som parecido com a música. E então veio outra insistência: a de repetir o som. Desisti e, aguçado de novo pelas indagações, saí do porão, levando sob o braço a caixa com o violino.

Dentro de casa, bastou um olhar para eu descobrir o dono do violino. Como Tia Lázara era quem sabia os casos da família, fui procurá-la primeiro, no quarto, onde ela ficava o dia inteiro costurando. Olhou-me com displicência; depois voltou-se repentinamente e encarou o violino; e, depois de alguns segundos, em que parecia paralisada pelo que via, olhou de novo para mim e perguntou: "Onde você pegou isso?" Sua voz e seu olhar fizeram-me esfriar de medo. "No porão", balbuciei.

Houve um instante de silêncio, em que ela voltou a olhar para o violino. Parecia enfeitiçada por ele; parecia querer e ao mesmo tempo não querer olhar para ele. E eu, querendo desembaraçar-me dele, mas permanecendo imóvel — como alguém que, descobrindo uma bomba-relógio e sabendo que faltam só alguns segundos para ela explodir, ficasse tão aterrado que, em vez de atirar a bomba para longe, continuasse com ela na mão. Eu estava para dizer: "Já vou levar ele de volta", e então sairia dali. Mas nada dizia, nem fazia.

Então ela disse: "No porão?" Mas dessa vez a voz foi inteiramente outra, não tinha mais a violência anterior: era a voz de alguém que está pensando e diz uma frase só por dizer e continuar pensando. Minha paralisia acabou e, animado pela mudança da voz, eu disse: "Estava dando uma olhada lá e achei ele num canto. É da senhora?" "É", ela disse, prolongando o "é" com a cabeça: "é meu..." E como que atendendo a um gesto seu, embora ela não tivesse feito nenhum e continuasse somente olhando, aproximei-me dela e estendi-lhe o violino. Ela o pegou.

Pôs a caixa no colo e abriu-a. Ficou olhando como se nunca tivesse visto um violino, ou não soubesse para que servia aquilo, e estivesse curiosa e maravilhada. Então pegou o violino, com a solenidade de um sacerdote pegando a hóstia consagrada, e tirou-o com cuidado e carinho da caixa, que ela deixou sobre a máquina de costura. Segurou-o no colo como se fosse uma criancinha e, como se fosse uma criancinha, deslizou a mão por ele suavemente, com uma expressão que eu nunca vira em seu rosto: uma expressão de felicidade.

Essa expressão mudou-se para outra, divertida, de menino que achou o brinquedo perdido, e depois para outra, de nostalgia. Por fim, observando-a sempre, enquanto ela mesma parecia ter se esquecido de mim, eu não sabia se ela estava alegre ou triste por causa do violino; e esperava, com ansiedade, o momento em que ela pegaria o arco e começaria a tocar.

Não resisti à espera e perguntei: "A senhora sabe tocar?" Ela respondeu com a cabeça, sorrindo de novo, com a expressão de felicidade. E então, colocando o violino em posição de tocar, muito séria e concentrada, feriu os primeiros sons, os olhos no ar, escutando. Parou. Apertou as cordas. "Tem uma corda nova ali dentro", eu disse. Ela sacudiu a cabeça. Continuou mexendo nas cordas. Sentei-me na cama dela, ao lado, e fiquei calado e atento, esperando. Ela tornou a firmar o violino sob o queixo e recomeçou, para em seguida interromper de novo e mexer nas cordas. Mas, da terceira vez, saiu uma música — uma música triste, que eu não conhecia.

Pela sua expressão, enquanto ela tocava, eu via que nada do que havia ali, ao redor, existia para ela naquele momento — nem mesmo eu, que a escutava. Só existia aquela melodia triste. E quando ela parou e olhou para mim, parecia ainda que não estava me vendo, como se ela fosse cega.

"Bonito", eu disse. Ela sorriu, e dessa vez olhou mesmo para mim e pareceu contente por eu estar ali escutando-a e por ter comentado que achara bonito.

"A senhora sabe tocar *Sobre as Ondas*?", eu perguntei. Sem dizer que sim, ela começou a tocar.

Era maravilhoso. “Que mais que você quer que eu toque?” Eu pensei. “Tem jeito de tocar *Chiquita Bacana*?” Ela disse que *Chiquita Bacana* não era música própria para violino, eu dissesse outra. Fiquei pensando, encrencado naquele “música própria para violino”; não tinha coragem de dizer as que eu estava lembrando. “Toca *Sobre as Ondas* outra vez...”, eu pedi. Pensei que ela fosse negar, mas não, ela tocou; sempre com aquela expressão séria e ao mesmo tempo sonhadora. Eu era doido com *Sobre as Ondas*; ela me dava vontade de chorar.

Depois Tia Lázara tocou outras músicas, que ela ia lembrando e me perguntando se eu conhecia. Eu não conhecia quase nenhuma; só conheci *Branca*. Algumas músicas eram de compositores famosos, os grandes mestres da música — ela me explicava, dizendo os seus nomes, nomes estrangeiros. O que era dos grandes mestres devia ser tudo bonito, mas houve umas músicas que eu não achei nada bonitas. Mas eu não dizia...

Eu não sabia o que mais me prendia ali: se a música ou se o fascínio que irradiava da violinista — aquela paixão com que ela tocava e que me fazia ficar ali, imóvel, quase sem piscar.

De repente lembrei-me que eu tinha de ir para casa, que Mamãe estava me esperando. Fiquei indeciso sobre o que dizer. Por fim, eu disse: “A senhora quer que eu leve ele agora para o porão? Ou...” “Pode deixar, depois eu levo”, ela disse, sorrindo, sem largar o violino. Fui ouvindo-o até chegar à rua.

E no dia seguinte, ao voltar, logo que entrei na sala ouvi de novo o violino. Fui direto ao quarto. Titia estava lá. Havia uma porção de músicas, de álbuns, espalhados em desordem na cama, velhos, amarelados, alguns rasgados. Onde teriam estado guardados? No porão? Em alguma caixa, escondida no fundo de um armário?

Li alguns nomes em voz alta. Sem largar o violino, Titia me corrigia, ensinando-me a pronúncia correta de nomes estrangeiros. Isso estimulou a minha vaidade infantil, e, com pouco, eu já estava dizendo para os meninos de minha roda que eu sabia falar inglês, francês, italiano e alemão...

Quando eu encontrava alguma música que eu conhecia pelo título, procurava "vê-la" naquelas gradinhas com bolinhas dependuradas, perninhas e cobrinhas esquisitas. Mas não havia jeito, por mais que eu me esforçasse e que colaborasse com a imaginação: como que aquela música podia estar ali? Tomei raiva daquelas páginas, que eu não podia entender. Admitia que ali estivessem as músicas que eu não conhecia. As que eu conhecia, não: essas estavam é mesmo no ar, bastando a gente começar a cantar ou tocar; não tinham nada a ver com aqueles rabiscos antipáticos.

Tia Lázara tocava, parava, demorando-se na página — que ela pusera em pé, encostada na máquina de costura —, dava mais uma tocadinha, sempre olhando para a página. Deixou o violino — havia duas horas já que estava ali tocando, contou — e olhou para mim. Sorriu, mas não por causa de alguma coisa: sorriu apenas porque se sentia feliz.

"Quer ser meu secretário?", ela me perguntou, e eu imediatamente respondi que sim, sem saber o que implicava ser secretário dela; de qualquer modo, ser secretário de gente grande só podia ser coisa divertida. "Então você está contratado", ela disse. "A partir de hoje você é o meu secretário oficial." O "oficial" me deu mais importância ainda. Eu quis logo saber o que eu tinha de fazer, já entusiasmado para fazer fosse o que fosse e que eu imaginava estar relacionado ao violino. "Aos poucos eu vou te dizendo. Para começar: quero todas essas músicas empilhadas em ordem. Entendido?" "Entendido." "Então mãos à obra."

Pelo terceiro dia a notícia já havia corrido na família: "A Lázara voltou a tocar violino." Alguns já tinham inteiramente se esquecido de que ela, em tempos passados, tocara violino. Outros, os mais novos, nunca tinham sabido disso.

E por que ela parara?, eu quis saber por Mamãe. Mamãe me contou que ninguém sabia. Lázara jamais dissera por quê. Um dia, repentinamente, parara de tocar, e nunca mais recomeçara — mas jamais dissera a alguém por quê. Alguma contrariedade, alguma desilusão, mas ninguém sabia com o quê, ou de quê, e não adiantava perguntar a ela, que ela não dizia. Lázara fora uma aluna brilhante, tivera professores de fora, professores estrangeiros. O violino fora a grande paixão de sua juventude.

A transformação que nela se operou aqueles dias foi tão grande, que Tia Lázara parecia ter virado outra pessoa. Mas essa outra pessoa, eu percebia, é que era realmente ela, e não a que eu sempre conhecera —

carrancuda, nervosa, calada, triste, pálida — e que era como que um túmulo, de onde o violino havia ressuscitado a verdadeira.

Muitos da família, ao verem-na assim, acharam que ela estivesse perturbada, ou então secretamente apaixonada por algum homem. Mas logo descobriram que o violino era a causa única daquela transformação. Alguns, então, estimularam-na a prosseguir, enquanto outros acharam cômico e fizeram comentários que circularam pela família. Diziam, com um risinho, que aquilo era "passagem de idade". Eu não sabia o que era "passagem de idade", mas detestava aquele risinho.

Eu gostava é dos que diziam: "Maravilhoso, Lázara; você toca divinamente, uma verdadeira artista!" Sentia-me então com direito a pelo menos um terço do elogio, porque fora eu quem desenterrara o violino do porão e que acompanhava as horas de estudo dela e que a auxiliava e que era o seu secretário oficial — e eu sorria, cheio de mim, enquanto que ela mesma pouco parecia se importar com o elogio, como não se importava também com os comentários irônicos. Era uma coisa que estava dentro dela e que era tão forte que não precisava de os outros ajudarem, nem podiam os outros destruir.

Eu sabia: era a moça que ela fora, era a moça que estava ali dentro, que ressuscitara. Era ela que a fazia ter aquela expressão de felicidade que eu nunca tinha visto antes em seu rosto.

E era também essa moça que a fez abandonar definitivamente a costura, sob discussões, protestos e profecias do resto da família. Nem os que achavam que ela tocava divinamente a apoiaram esse dia. “Você é o único que me entende nessa família de bugres”, ela me disse, sentida com os outros, que diziam que ela havia perdido o bom senso — onde já se viu isso nessa idade? — e que ela ainda haveria de se arrepender seriamente.

Éramos os dois contra o resto da família, que eu também passei a chamar de bugres. Eu desprezava-os; não tinham “sensibilidade artística”, como dizia Titia. Contou-me ela que a história dos grandes mestres era cheia dessas incompreensões e injustiças, mas que eles não se deixaram abater por elas, e um dia acabaram triunfando. Com ela também haveria de ser assim, ela disse. Eu sacudi a cabeça, concordando, e prometi segui-la até o fim, até o triunfo — triunfo que traria, entre outras coisas, o meu aprendizado de violino com os melhores professores do mundo e viagens nossas por uma dezena de países estrangeiros...

Aos domingos, Tia Lázara me levava com ela ao cinema. Começávamos a ficar famosos na cidade, e, ao entrarmos no cinema, eu percebia os olhares sobre nós. Eu correspondia, abanava a mão, ria à toa. Até que Titia me explicou que um artista não liga para essas coisas — para essas “insignificâncias”. E então passei a não ligar também — a fingir que não ligava, porque, dentro, estava doido para ver quem estava olhando para nós e o que conversavam atrás...

Começou a correr a notícia de um concerto que Tia Lázara ia dar na cidade. Era verdade: ela pretendia mesmo dar um concerto público de violino. Arranjou lugar, mandou fazer ingressos e convites, pôs aviso no jornal e no rádio. O concerto foi marcado para um sábado, à noite, no salão de um dos clubes da cidade.

Algumas pessoas tentaram dissuadi-la de seu intento. Uma — por inveja, Titia me contou — disse que ela já estava de idade, que ninguém iria ao clube sábado, à noite, para ver uma senhora de certa idade tocar violino. Ela respondeu que a idade não importava, o que importava era a arte. Outra disse que ela não estava habituada, podia ficar muito emocionada na hora e sofrer alguma coisa. "Se eu morrer, que seja pela arte", ela disse.

E, enquanto isso, ela continuava — ajudada pelo secretário — a se preparar para o concerto. Papai disse que, já que ela não desistia, pelo menos arranjasse uma outra pessoa, que tocasse outro instrumento, para que as duas tocassem juntas. Titia não aceitou a sugestão, mas, talvez influenciada por ela, teve uma ideia: a de eu cantar as músicas — algumas em francês —, ideia que me fez vibrar de alegria.

Mas o fracasso dos primeiros ensaios a pôs por terra: eu não cantava um minuto sem que, de repente, não sabia por quê, me desse uma vontade besta de rir, e disparava a rir. "Você é impossível", Titia dizia. Mas não era por minha vontade, era uma coisa mais forte do que eu. Desistirmos, ela nunca proporia, para não me magoar; fui eu mesmo que, sem mágoa alguma e até com alívio, o propus. Ela disse que, de outra vez, tornaríamos a ensaiar. E continuamos os preparativos, até a noite do espetáculo.

Pus meu terno e uma gravatinha-borboleta que ela havia me dado de presente no meu aniversário. Papai me levou, fomos dos primeiros a chegar. Quando Titia surgiu no palco, ainda havia muitos lugares vazios; e num momento, depois de cumprimentar a plateia, em que ela ficou parada, olhando, percebi que eram as cadeiras vazias o que ela estava olhando e fiquei preocupado, pensando se não tinha um jeito para aquilo — mas já o concerto havia começado.

A primeira parte constava de três valsas brasileiras, e foi aplaudida, mas as pessoas eram poucas e as palmas soaram fracas, e eu até pensei se não teria sido melhor se não tivesse havido palma nenhuma do que haver aquelas palmas pingadas. Eu, eu bati com toda a força, para aumentar o barulho; mas, naquele sem-graça, parecia que eu estava fazendo aquilo de molecagem. E na terceira valsa, já não bati com tanta força, contaminado pela frieza da plateia e sentindo a inutilidade do meu esforço.

Mas Titia não parecia deixar-se afetar, e continuava tocando, sem alterar a expressão da fisionomia — uma expressão séria, um pouco demais, como se ela estivesse ocultando, segurando algo que não queria deixar transparecer. Ela não tocava com a paixão com que tocava no quarto. Por quê? Medo da plateia? Eu estava preocupado, o concerto não estava saindo como eu esperara, como eu imaginara — como nós dois havíamos esperado e imaginado.

Eu quis, no intervalo, ir detrás do palco, mas Papai disse que era melhor eu esperar ali, que no final iríamos lá. Vi algumas pessoas saindo do salão e pensei que voltariam logo, que tinham ido à toalete ou então comprar cigarro; mas quando começou a segunda parte, composta de músicas dos grandes mestres, elas ainda não tinham voltado, e então compreendi que tinham ido embora e senti ódio delas.

A plateia ficara em menos da metade, só dez pessoas, e eu percebi de novo aquele olhar de Titia — dessa vez nitidamente decepcionado — em direção às cadeiras vazias. Eu queria desesperadamente fazer alguma coisa por ela, mas sentia que não havia mais jeito, que tudo fora um terrível fracasso. E agora só desejava que o concerto acabasse o mais rápido possível e aquelas pessoas fossem embora, deixando-nos a sós.

Quando Titia terminava uma música, eu olhava para o chão — para não ver no seu rosto aquelas palmas mortas. Rezava mentalmente para o tempo passar depressa, fechava os olhos, procurava pensar em coisas fora dali, mas aquela agonia nunca que acabava. Até que houve um silêncio; ouvi as palmas e abri os olhos: o concerto tinha acabado.

Em cinco minutos o salão estava vazio. Papai e eu fomos detrás do palco. Papai abriu os braços e encheu a boca com um "magnífico!". "Obrigada", Titia respondeu, sem olhar para ele. Arranjava o violino na caixa. Papai não achou mais o que dizer. Quanto a mim, não pude dizer uma palavra; pensei que, se fosse falar, irromperia num choro. "Vamos?", ela disse. Fomos descendo as escadarias do clube. Nem uma só vez ela olhou para nós.

Não sei se o violino voltou para o porão, porque nunca mais entrei lá. Pode ser que ele tenha voltado, mas pode ser também que Tia Lázara o tenha simplesmente deixado numa gaveta ou em cima de algum armário. Não tornei a vê-lo.

Os parentes alegraram-se pela volta de Titia à costura, elogiaram o seu bom senso, a sua inteligência, a sua coragem de reconhecer o erro. "Erro? Vocês é que foram os culpados, seus bugres!", eu protestei, defendendo-a. "Não fale assim com eles", ela disse, "eles são seus parentes." Olhei espantado: ela? Ela é que me dizia isso? Tia Lázara? Então aquilo acabara mesmo, acabara de tal modo que não ficara nada, absolutamente nada?

Acabara. Acabara tudo. A moça a deixara, a paixão a deixara, a felicidade a deixara, o sonho a deixara. Ela estava morta de novo. Minha tia estava morta.

Dez anos

— E aí?

— Aí eu fui para o terreiro.

— Hum.

— Já contei que eu estava sozinho lá em casa, não contei?

— Contou.

— Papai e Mamãe tinham saído.

— É.

— Eu fui dar milho para as galinhas. Depois fui lavar as mãos no tanquinho; aquele tanquinho da lavanderia, sabe qual?

— Sei.

— Lavei as mãos e fui para dentro. Fiquei lá, na sala, olhando uma revista. Então lembrei que eu tinha esquecido de pôr água para as galinhas e voltei lá, no galinheiro.

— Hum.

— Quando passei na lavanderia, ouvi o barulho do chuveiro da empregada. Aí dei uma olhada para lá, mas continuei andando, e de repente levei um susto: eu vi que a porta do banheiro estava aberta. Feito a gente vê nos filmes: o sujeito vê uma coisa, parece que não viu, e de repente arregala os olhos e para; sabe como?

— Sei. E aí?

— O que você acha que eu fiz?

— Você olhou.

— É. Eu parei e dei uma olhada: a porta estava mesmo aberta, não era imaginação.

— Que tanto mais ou menos?

— Assim...

— Então dava para ver muita coisa...

— Dava...

— E aí. Conta.

— Eu cheguei mais perto, andando na ponta dos pés, e escondi atrás do tanque; do tancão, não é do tanquinho, não.

— Sei.

— Aí eu olhei...

— Hum...

— Menino...

— Estava dando para ver?

— Era a mesma coisa de a porta estar aberta inteira...

— Puxa... E ela?

— O quê?

— Ela estava com alguma coisa?

— Alguma coisa como?

— Alguma roupa.

— Gente tomando banho de roupa?...

— Nada?

— Nada, uai.

— Nada nada?

— Nada nada.
— Então deu para ver tudo?
— Tudo.
— Mas tudo tudo ou só tudo de cima?
— Não, tudo tudo.
— Tudo de baixo também?
— Não estou dizendo que tudo?
— Puxa, hem?...
— Tudo.
— Deve ser, hem?...
— Vou te contar...
— É aquela loura mesmo, né?
— É. Eu não sabia que ela era sem-vergonha.
— E ela? Ela não te viu?
— Aí é que eu acho que ela é mais sem-vergonha ainda: ela viu, mas fingiu que não estava vendo.
— Foram uns quantos minutos?
— Uns cinco.
— Isso tudo?
— É.
— E aí, que mais?
— Aí ela fechou a porta; mas, na hora de fechar, ela deu uma risadinha para mim.
— Risadinha? Como?
— Uma risadinha assim... Uma risadinha sem-vergonha...
— E você?
— Eu? Acho que eu fiquei vermelho pra burro; não sabia onde esconder a cara...
— E aí, que mais?

— Aí acabou. Eu fui para o terreiro, dar água para as galinhas. Depois voltei para dentro.

— E ela?

— O quê?

— Depois disso. Você tornou a ver ela?

— Só hoje de manhã, quando eu vim para a aula.

— Ela disse alguma coisa?

— Não. Dizer, ela não disse; mas deu outra risadinha daquelas. Eu morri de vergonha.

— Hum...

— Essa noite eu sonhei com ela.

— Do jeito que você viu ela ontem?

— É.

— Como que foi o sonho?

— Só isso, ela daquele jeito.

— Conta assim mesmo.

— Mas foi só isso, ela daquele jeito. Tudo igual. Só que não teve o pedaço do galinheiro.

— Pedaço do galinheiro? Qual? Esse você não contou, não.

— Não, estou falando as galinhas, quando eu fui tratar das galinhas. Só não apareceu isso no sonho; o resto foi igual.

— Ela estava sem roupa também?

— A mesma coisa.

— Puxa, hem? Quer dizer que você acabou vendo ela duas vezes...

— É...

— Quanto tempo mesmo que você disse?

— O sonho?

— Não; o banheiro.
— Uns dez minutos.
— Você não disse que foram cinco?
— Cinco? Não. Dez minutos.
— Por que você não foi lá em casa me chamar?
— Não dava tempo.
— Você podia ter dado um assobio dos nossos.
— É mesmo, mas na hora eu não lembrei. Na próxima vez eu dou.
— Quando será que vai ser a próxima?
— Não sei...
— Domingo que vem seus pais vão sair?
— Acho que vão.
— Se tiver, você me chama?
— Chamo.
— Mesmo?
— Mesmo.
— Jura?
— Juro.
— Por Deus?
— Por Deus.
— Então está combinado.

Por toda a vida

Ele trabalhava numa carpintaria. Quando a sirene apitava, às cinco horas, ela corria para a janela da sala e ficava esperando ele passar na calçada. Ele surgia com o rosto já voltado na direção da janela, sabendo que ela estaria ali, à sua espera. Ele a cumprimentava com ligeira inclinação da cabeça, ao que ela respondia, também com uma inclinação.

Então ela deu o primeiro sorriso: ele ficou olhando, muito perturbado, e, sem saber o que fazer, tornou a inclinar a cabeça. E na tarde seguinte os dois sorriram ao mesmo tempo. E na outra tarde, de longe ele já a viu no portão.

E chegou o momento de se dizerem as primeiras frases. Um ano depois, entre risos e beijos, recordariam esse momento, quando estavam tão perturbados, tão apaixonados um pelo outro, que nenhum dos dois conseguia dizer nada, nem mesmo uma dessas frases banais sobre o tempo.

Toda tarde ela ia esperá-lo no portão, e ficavam conversando: ela do lado de dentro, e ele na calçada. Ele falava sobre sua vida: viera de uma cidadezinha do interior, onde ainda viviam os pais. Eram pobres: o pai era pedreiro, a mãe trabalhava numa padaria. Ele viera com um amigo, num transporte de carga, gostara da cidade e resolvera ficar. Depois entrara para a carpintaria, serviço que já fazia antes, em sua terra. Estava satisfeito; não ganhava muito, mas gostava do ofício. Ainda haveria de ter um dia sua própria carpintaria. Mas, para isso, teria de trabalhar muito ainda.

Ela contou que também não eram ricos: o pai tinha um armazém, viviam disso. Eram cinco filhos, quatro menores e estudando. A despesa era grande. O pai trabalhava muito para dar conta. A mãe ajudava na costura, fazendo as roupas dos meninos. Ela, filha mais velha, também ajudava, fazendo bordados para fora.

— Nós já somos pobres, e você ainda namora um rapaz mais pobre que nós? — disse a mãe, que não via com bons olhos aquele namoro.

— O que tem isso, Mamãe? Ele é trabalhador, inteligente...

— Isso não basta. Sem dinheiro, ninguém vale nada hoje. É o dinheiro que manda. Em toda parte é assim. Você ainda é moça e inexperiente. É melhor casar com um homem bom e rico do que com um homem bom e pobre. Não estou desfazendo dele, parece até ser muito bom rapaz. Mas você ainda é inexperiente. Casar hoje com uma pessoa pobre não é um bom negócio.

— E a senhora, não casou?

— Casei. Mas naquele tempo as coisas eram diferentes, não eram como hoje. A vida era mais fácil. Hoje a pessoa que não tem sua conta no banco não consegue nada, é um joão-ninguém.

— Eu gosto dele. E ele gosta de mim.

— Amor só não basta.

— Há muita gente que é pobre e vive feliz; mais feliz do que outros, que são ricos.

— Isso é invenção dessas novelas de rádio, minha filha; a realidade não é assim. Qualquer um sabe que é melhor ser rico do que ser pobre. Se a gente pudesse escolher, não haveria um só pobre no mundo.

— Nós não somos ricos, e vivemos felizes.

— Inês, você não me escutou sempre? Você não sabe que tudo o que eu digo é para o seu bem? Então por que você não quer me atender agora, minha filha? Você não tem experiência da vida. João pode ser um rapaz muito bom, não digo que ele não seja; mas há tantos outros rapazes por aí, tantos outros que também são bons e que estão em situação melhor que a dele...

— A senhora parece ter mágoa de ser pobre.

— Minha filha...

— Nem sei o que é amor para a senhora. A senhora parece que só pensa em dinheiro.

— É assim que você agradece os conselhos de sua mãe?...

De noite saíam de mãos dadas pelo quarteirão, parando na loja de roupas da esquina para olhar as vitrines. Do que viam ali, quase nada podiam comprar; mas faziam muitos planos.

— Quando formos ricos — ela dizia.

— Nós ainda seremos ricos — ele completava.

No domingo iam ao cinema. Ele vinha de terno e gravata — sempre o mesmo terno azul-marinho —, a camisa muito branca e impecavelmente passada. Aquela pobreza digna e limpa a encantava.

Ele dizia:

— Gosto de uma roupa bem passada — e esse pequeno capricho, que ela achava maravilhoso, como que fazia desaparecer sua pobreza.

Ela o adorava. Ele também a adorava.

— Um dia ainda teremos tudo — ele disse: — uma casa grande, arejada, com jardim e quintal, os melhores móveis, roupas finas, carro, tudo do bom e do melhor...

— E uma porção de filhos também.

— Também. Filhos para encher a casa inteira...

Eles se abraçavam no escuro e juravam amor por toda a vida.

A mãe, cansada de falar, entregou a filha à Santa Inês, que era a sua santa protetora. O pai quase nada dizia; escutava as conversas, presenciava as discussões, e ora concordava com uma, ora com outra. Chegava muito cansado do serviço. Dizia para a mulher que orientasse bem a filha; para a filha, dizia que pensasse no que estava fazendo. E ia jogar baralho na casa dos amigos.

O resto da família se dividia: os a favor e os contra. Os a favor falavam no trabalho e na inteligência do rapaz. Os contra falavam na pobreza.

Quanto aos dois, não ligavam para uns nem para outros. Só pensavam no seu amor. Decidiram se casar, e nada no mundo poderia impedir isso.

Depois de um curto noivado, casaram-se e foram passar a lua de mel no Rio. Ficaram poucos dias, por causa do dinheiro, que era pouco.

Foram morar numa casinha, de propriedade do pai dela. A mãe relutara um pouco, por causa do genro, a quem não ocultava sua hostilidade; mas como estava em jogo também a filha, e como, afinal de contas, a burrada — assim se referia ela àquele casamento — já estava feita e não tinha mais conserto, o jeito era cooperar, do melhor modo que pudesse.

O aluguel era barato. Com o dinheiro que ele ganhava, mais o pouco que ela recebia pelos bordados — que continuava a fazer, e mais ainda agora, para ajudar na despesa —, viviam razoavelmente bem.

Tudo na casa era modesto: os móveis, os enfeites, os talheres. Alguns dos objetos tinham sido presentes do casamento, e sendo pobres tanto a família dela quanto a família dele, a dele mais ainda, os objetos tinham sido escolhidos entre os mais baratos nas lojas da cidade. O presente mais caro fora dos pais dela: a bateria de cozinha. Dos pais dele fora a Sagrada Ceia de madeira, que colocaram na parede da copa. O patrão, que muito o estimava, dera um jogo de talheres. Tios e amigos da família dela haviam dado as outras coisas: jarras, jogos de copos e de xícaras, manteigueira, faca de pão, cinzeiros, uma plaquinha de madeira com a figura de dois pombinhos trazendo nos bicos uma faixa com a frase: "Aqui reinam o amor e a felicidade." A placa foi pendurada à entrada da sala.

À tarde ela o esperava no portãozinho da rua. Ele vinha com o rosto cansado. Diziam-se frases curtas sobre a lida do dia, e, quando entravam, ele a puxava contra si e beijavam-se.

Depois iam para a cozinha. Ele olhava as panelas, suspirando fundo e dizendo:

— Hum...

— No forno tem bolinho de arroz — ela dizia.

Era o preferido dele.

Ele abria o forno:

— Olha para lá: faz de conta que você não está vendo...

Tirava dois: um bolinho, que segurava na mão, e o outro, que punha inteiro na boca e ia comendo a caminho do banheiro.

Ela, enquanto acabava de fazer a comida, o ouvia no banheiro, lavando-se e cantando músicas de carnaval. Largava um minuto as panelas, unia as mãos, e, erguendo os olhos para o alto, dizia baixinho:

— Meu Deus, eu vos agradeço, eu vos agradeço...

Os apertos vieram com o primeiro filho, que batizaram de Antônio, em homenagem ao avô paterno. Era um garotinho mirrado e vivia nos médicos e farmácias. As consultas caras, os remédios pela hora da morte: no fim do mês as contas por pagar e a falta de dinheiro — empréstimos, dívidas...

A mulher punha o pequeno para dormir e ficava até mais de meia-noite bordando, enquanto ele, do outro lado da mesa, conferia contas e recibos. Não, se o patrão não aumentasse o seu ordenado, teria de procurar outro serviço; daquele jeito não era mais possível...

Era bom empregado, e o patrão aumentou. A sogra soube e insinuou um aumento no aluguel: quatro filhos por educar, todos pequenos, só de grupo quanto não tinham pago aquele mês?

Depois que a sogra saiu, ele disse para a mulher:

— Sua mãe é mais sovina que não sei o quê...

— Ela é minha mãe.

— E daí? Eu gosto muito de você; mas sua mãe, faça-me o favor: ela é tarada por dinheiro...

— É minha mãe, viu? — a mulher gritou, batendo o pé.

Ele deu uma risadinha e saiu para a rua.

O menino começou a chorar no quarto. Ela o pegou. O menino não parava de chorar. Ela gritou com ele. O menino chorou mais ainda, e ela também começou a chorar: chorava e ninava o menino e pedia à Nossa Senhora que tivesse pena dela e de todos eles.

Com um ano o menino arribou, as visitas ao médico se espaçaram, a despesa diminuiu.

Então veio o segundo filho. Isto é: os segundos — duas menininhas.

— Meu Deus! — ele exclamou, torcendo as mãos.

As gêmeas nasceram bem fortes e mamavam que nem duas bezerrinhas, no dizer da mãe, cujo leite acabou logo no começo. Ela passou a comprar leite em pó. Nem bem uma lata acabava, ela já comprava outra.

Ele viu o restinho no fundo da lata e disse que ela não se importava de fazer economia, não colaborava com ele. Ela ficou calada, para evitar discussão. Ele continuou: disse que tanto tinha de sovina a mãe quanto tinha ela de esbanjadora. Por exemplo, aquela armação dos óculos, óculos que ela acabara tendo de usar por causa do bordado à noite: havia outras que custavam a metade do preço. Mas ela gostava de coisas finas...

— Eu já disse que as outras estavam me machucando.

— Gosta de luxo... Quem sabe você pensa que é a Gina Lollobrigida?... — ele disse, segurando-lhe o queixo.

Ela fugiu de sua mão, afastando o rosto — e sentindo o cheiro da pinga. Começou a chorar.

— Chora, chora... Lágrimas de pecadora arrependida...

No outro dia ele pediu-lhe desculpas e explicou que estava muito chateado: pedira novo aumento ao patrão, e ele negara — um explorador, só pensava no bolso dele, os empregados que se danassem...

— Ele tem sido tão bom para você, bem...

— Bom? Aquele ladrão? Pois sim... Um velhaco, isso é o que ele é.

Ela queixou-se à mãe: toda tarde ele chegava meio embriagado. A mãe não teve meias palavras:

— Essa gentinha é assim mesmo: quando não dá em ladrão, dá em pinguço.

A filha se derreteu em lágrimas, o pai veio consolá-la. Abraçando-a e dando-lhe tapinhas no ombro, repreendia a mulher:

— Isso é coisa que se fale de um genro, Joana?

A mulher não parou:

— Falta de prevenir é que não foi. Cansei de falar.

A filha chorava, o pai dando tapinhas:

— Isso passa, minha filha; todo homem tem dessas coisas, todo homem gosta de tomar seu traguinho de vez em quando. Seu pai mesmo não é assim? E no entanto, modéstia à parte, não sou bom marido e bom pai? São coisas; deixa a situação de vocês melhorar, que isso passa, você vai ver. Pode confiar no seu pai, eu sei como são essas coisas...

Enfim as coisas melhoraram. O patrão não só aumentou seu ordenado, como também logo depois o convidou para substituir o gerente, que morrera.

— O senhor é como um pai para mim — ele disse, sem saber como externar sua gratidão.

Passou a vestir-se melhor e a barbear-se todo dia. Era outra coisa dar ordens. Às vezes ficava na parte mais alta da oficina, observando o serviço: guinchos de serras, motores resfolegando, homens carregando tábuas, batidas de martelo, cheiro bom de madeira e de verniz — e de repente sua imaginação estava longe. Enchia o peito, empinava o queixo: mas, por enquanto, era só o gerente — e ia dar uma ordem.

Em casa a despesa começava a se equilibrar. Os meninos cresciam sadios, com uma ou outra doença ocasional. A mulher continuava bordando para fora. Quando ele chegava, à noite, das reuniões, ainda a encontrava curvada sobre a máquina.

— Planejaram muitas coisas hoje?... — ela perguntou, olhando por cima dos óculos, enquanto ele se mirava no espelho, primeiro de frente e depois de perfil, antes de desatar a gravata.

— Mais ou menos...

— Vou ter que comprar uns carretéis novos amanhã.

— O quê?

— Uns carretéis; uns carretéis de linha.

— Sei...

Ela tornou a olhar por cima dos óculos: ele admirava os dentes.

Depois ele foi, assobiando baixo, para o quarto, terminando a música num grande bocejo, de braços abertos — ela o seguia por cima dos óculos.

Dez minutos depois, ela já o encontrou roncando. Deitada ao lado dele, ficou de olhos abertos, ouvindo os latidos do cão no vizinho.

De manhã, sozinha no quarto, contemplou-se no espelho: magra.

— Magérrima — corrigiu-se.

Branca. Branquela. Anêmica. E aqueles óculos — parecia uma velha. Como seria a outra? Cheia, macia, perfumada... Ele a abraçaria, lhe diria palavras de amor, lhe daria beijos na despedida...

— "Reuniões" — e ela atirou com força os óculos na cama, sem coragem de quebrá-los.

Gritou pelo menino: o menino não respondeu.

— Esse diabinho... Ele me paga...

Pegou a correia velha e saiu atrás do menino.

— Você grita demais com esses meninos — ele disse após o almoço, palitando os dentes, enquanto lia o jornal.

Ela não respondeu, e gritou mais ainda.

Ele foi para a sala, levando o jornal. Espichou os pés sobre a mesinha nova, de fórmica, acendeu um cigarro, e continuou a ler a notícia sobre o lançamento de mais um foguete espacial.

A feijoada

O homem entrou e ficou parado, olhando: nem uma mesa vazia, o restaurante completamente cheio. Sentiu-se chateado.

Sabia que todo sábado era assim e procurava chegar mais cedo; mas aquele dia houvera um contratempo, e ele se atrasara. Ia ficar sem a sua feijoada só por causa disso? Não era justo, não podia ficar...

Um garçom veio:

— Bom dia, Doutor.

— Como é?... — ele disse, expressando nessas palavras tudo o que sentia.

— A casa hoje está um pouco cheia — o garçom disse, com evidente eufemismo. — Mas, se o senhor não se importar de esperar um pouco, deve haver logo uma mesa vagando ali...

— Ficar sem a minha feijoada é que não posso — ele respondeu, categórico.

Ficou então esperando, próximo à porta, o corpo meio empinado para trás, a barriga saliente. Abriu o paletó: a gravata, colorida, sobre a camisa muito branca.

A mão esquerda segurando o cinto, e a direita com um cigarro, ele olhava para a rua: já era meio-dia, e o sol estava intenso. Havia uma luminosidade quase excessiva nas coisas. Era pleno mês de dezembro. Já fazia vários dias que não chovia e, segundo a meteorologia, ainda ia demorar a chover.

Tornou a olhar para dentro, ansioso e impaciente. E então se alegrou: pessoas se levantavam numa mesa do fundo.

Logo veio o garçom:

— Já tem uma mesa.

— Ótimo.

O homem foi seguindo o garçom e, no percurso até a mesa, inclinou algumas vezes a cabeça, de modo formal e algo solene, cumprimentando algumas pessoas.

Sentou-se, enfim: território apossado — e suspirou contente, estirando as pernas.

— Que tal está a de hoje, Fernando?... — perguntou, com familiaridade, ao garçom, que acabava de limpar a mesa.

— Está muito boa, Doutor.

— Está mesmo? — perguntou, mais por um hábito de perguntar do que por dúvida.

O garçom pendurou o pano no braço dobrado.

— O senhor vai começar com o quê? A de sempre?

— É; mas me traz da boa, hem?

— O senhor é da casa, Doutor...

O homem agradeceu com um sorriso.

— E já traz a cervejinha também?

— Também.

— Casco escuro.

— Claro.

— Claro?

— Estou dizendo que claro que é casco escuro.

— Ah — o garçom riu; — achei que era para trazer casco claro.

— Não — ele disse.

— Eu estranhei — disse o garçom; — o senhor sempre pede para trazer casco escuro.

— Pois é — disse ele.

O garçom então se foi.

O homem descansou os braços sobre a mesa, encostou-se confortavelmente à cadeira e olhou para todo o salão: sentia-se feliz, verdadeiramente feliz, e mais ainda se sentiu ao ver algumas pessoas recém-chegadas esperando lá na porta, como ele minutos antes esperara. Agora estava ali, tranquilo, sentado no meio daquele barulho de conversas e risadas, esperando sua deliciosa feijoada, aquela feijoada que ele vinha, religiosamente, todos os sábados comer. Não havia nada melhor.

E lá vinham as bebidas...

O garçom pôs na mesa o cálice de pinga; a cerveja; o couvert. Abriu a garrafa de cerveja, guardando em seguida a tampinha no bolso do avental branco. Encheu o copo: a cerveja espumou.

O homem provou a pinga.

— Que tal? — perguntou o garçom.

— Divina.

— É a melhor que nós temos aqui, no momento.

— Excelente; de primeira.

— Mais um minutinho só, e vem a feijoada — disse o garçom, tornando a ir-se.

O homem comeu uma azeitona preta. Depois, uma lasquinha de rabanete. Passou manteiga num pedaço de pão. Tomou então um bom gole de cerveja: "Eh...", gemeu de prazer.

Mais um pouco se passou, e então viu o garçom, lacaio real, transportando por entre as mesas a bandeja com a preciosa feijoada.

O garçom se inclinou e pôs a bandeja no canto da mesa, começando então a esvaziá-la.

A feijoada fumegava, cheirosa, na tigela de cerâmica; o homem ficou com a boca cheia d'água.

— Ai, que perfume... — ele disse, torcendo as mãos.

— Mais uma cachacinha? — o garçom perguntou, reparando no cálice vazio.

— Pode trazer, pode trazer mais uma cachacinha.

O garçom se foi.

O homem não avançou; conteve-se, um instante ainda, para conferir as coisas. "Vejamos", disse para si mesmo, como se estivesse lá no escritório, conferindo uma fatura: "arroz, couve, farinha, molho..." Tudo ali.

Mergulhou então a colher na tigela, deu umas mexidas e serviu-se, com muita educação. Depois, um pouco de cada outra coisa, em proporções iguais. Tomou um gole de cerveja, olhando vagamente ao redor. Pegou o garfo, ajeitou a comida, e levou-a à boca: "Hum... Que delícia..."

Outra garfada. Mais um gole de cerveja: "Ah..." Um pezinho: seus dentes e língua limparam-no rápido, ficando só o osso, roliço; soltou-o no prato, um batido na louça. Molho ardido: pimenta malagueta, duas —

por isso. A cervejinha apagando o incêndio, esfriando a garganta abaixo — que bom. Um arroto vinha subindo: "Oah..." Sentiu-se aliviado; agora comeria outro tanto.

Foi enchendo de novo o prato.

Chegou o outro aperitivo:

— Demorou um pouco — desculpou-se o garçom.

— Não tem problema; chegou na hora.

— O senhor quer que dê uma esquentada na feijoada? Fica mais gostosa...

O homem concordou; o garçom pôs a tigela na bandeja.

— Mais uma cerveja?...

O homem olhou a garrafa: quase vazia.

— Pode vir.

O garçom se foi.

O homem tomou um gole da pinga. Excelente...

Sentia calor: tirou o paletó e pendurou-o atrás, na cadeira.

Namorou o prato, pôs mais uma colherada de molho, e atacou. Assim prosseguiu, num ritmo contínuo, só interrompendo para tomar novos goles da pinga.

Ao acabar, limpou, com o resto da cerveja, o gosto na boca. Encostou-se então à cadeira e respirou fundo: sentia-se cheio, quase empanzinado. Comera demais. Se desse um arroto; um arrotozinho só... E então sentiu que ele vinha, ia chegando: "Oahhh...", arrotou com vontade.

Depois ainda se ergueu um pouco na cadeira e — "ah..." — acabou de se aliviar. Agora sim, sentia-se outro;

sentia-se ótimo. Mas não comeria mais. Ou comeria? Talvez mais um pouquinho; só mais um pouquinho...

Olhou na direção da cozinha, procurando o garçom; teve dificuldade em ver as coisas, sua vista não se firmava. "Será que eu já estou grogue?", perguntou-se, com uma repentina e esquisita vontade de rir. "É, acho que eu estou mesmo grogue", concluiu, e então começou a rir, sacudindo-se todo, como se aquilo fosse a coisa mais engraçada do mundo.

O garçom, vindo de outro lado, surgiu à sua frente com a bandeja. Ele ainda ria, enxugando os olhos com o lenço, e o garçom, vendo-o assim, riu também. Pôs na mesa a feijoada e a nova garrafa de cerveja, recolhendo em seguida a garrafa vazia.

O homem curvou-se sobre a tigela, como se fosse enfiar a cara ali dentro.

— Ai, meu Deus, esse cheiro...

— Mais uma pinguinha?

— Você quer me matar, Fernando — lamuriou o homem. — Eu vou queixar para a polícia que você está querendo me matar...

O garçom riu.

— Que se pode fazer? Traz, traz quantas pingas houver — e deu uma gargalhada. — Eu vou me empanturrar, Fernando; eu vou me empanturrar!...

O garçom se afastou, rindo, conivente com um casal de jovens que, da mesa vizinha, observava o homem e também ria.

— Aiai — disse o homem, falando sozinho, — eu estou bêbado, completamente bêbado, não resta a menor dúvida...

Pegou a colher para se servir — mas, em vez de servir-se, largou de repente a colher, ergueu-se meio aos trambolhões e foi em direção ao mictório.

Esforçava-se por se equilibrar e não esbarrar nas mesas — os olhos do casal de jovens e de outras pessoas seguindo-o, na expectativa de algum acidente: mas nada houve.

Quando ele voltou, minutos depois, veio num passo mais firme, mas seu rosto tinha uma expressão de torpor e alheamento.

Sentou-se e pôs no prato, de um modo muito pausado, a feijoada e os outros ingredientes. Tomou um gole de cerveja e recomeçou a comer.

Comia devagar, demorando-se, enquanto mastigava, a olhar para a mesa — como se estivesse num lugar muito calmo e silencioso. E quando o garçom chegou com a nova pinga, ele apenas ergueu o rosto para dizer um obrigado, sem nada da efusão de antes.

— Mais alguma coisa? — o garçom perguntou.

— Não — ele disse; — é só.

Lá fora o sol quente entrava pela tarde, a rua já com pouco movimento, as pessoas recolhidas às casas. Dentro do restaurante as mesas vazias e os garçons se movimentando rápidos no salão, procedendo à limpeza. Só uma mesa ocupada, no fundo: lá dela, o homem parecia acompanhar aquele trabalho, mas com um ar distraído.

Quando o viu virar a garrafa toda, seu garçom foi até ele:

— Mais uma, Doutor?

— Não — ele disse; — essa foi a última.

Estava com uma cara amarrotada. O garçom o observava.

— O senhor está bem?

— Na minha idade é difícil a gente estar bem — ele respondeu. — E... eu comi demais. Eu não devia ter comido tanto assim...

— O senhor toma um Sonrisal.

— Isso não adianta.

— Sonrisal é muito bom — disse o garçom, com sincera ênfase.

— O problema não é o estômago — explicou o homem.

Ergueu os olhos, desalentados, para o garçom:

— O problema é aqui — disse, pondo a mão no peito.

— Coração? — perguntou, meio alarmado, o garçom.

— Alma — disse o homem.

O garçom ficou olhando-o: gostava daquele homem, que era rico e importante, mas o tratava sempre com bondade, e teve pena de ele sentir-se assim. Queria fazer ou dizer algo que o fizesse sentir-se melhor, mas não sabia o quê. Não era a primeira vez que acontecia de ele se queixar ao fim de uma feijoada; procurava então dizer-lhe algo que o animasse, e isso às vezes fazia efeito. Mas agora não via o que dizer. A coisa parecia ser mais profunda. O homem estava muito abatido.

— Talvez seja o fígado — tentou ainda; — o senhor toma uma Xantinon B-12, ela faz efeito em pouco tempo. É um ótimo remédio.

O homem mexeu a cabeça, desconsolado:

— Não há remédio para isso, meu filho.

O garçom então se calou, não sabendo mais o que dizer.

O homem olhou para as mesas vazias no salão e o sol quente lá fora — e todo aquele sábado que tinha pela frente, sem nada para fazer.

— Sabe? — disse, erguendo novamente os olhos para o garçom. — Eu me sinto miserável. É assim que eu me sinto: miserável.

Bichinho engraçado

Passar a faca no pescoço: era isso o que faziam com os cágados que vinham no anzol. Não era só um meio de se livrar deles; era também uma espécie de vingança, por causa das iscas que os cágados comiam. Ali já havia dois — os cascos para um lado e as cabeças para outro.

Tinham algo de patético aquelas cabecinhas cortadas, ele observou. Ainda bem que não pegara nenhum cágado. Se pegasse, não sabia o que faria: passar a faca, ele não teria coragem; e pedir a um dos companheiros que o fizesse por ele não ficaria nada bem — ainda mais que já o olhavam com um certo ar de deboche por ser da cidade.

Era a sua primeira pescaria grande — o que prudentemente ocultara dos companheiros —, e estava dando tudo para não fazer feio. Não pegara ainda nenhum peixe, mas, como eles também não tinham pego, isso não era problema. O problema seria o cágado. Cada puxadinha ou aparência de puxada — às vezes apenas a correnteza, ou um galho de árvore, ou as pedras do fundo — já o fazia crispar-se todo, pensando que fosse um.

Na verdade, sua preocupação principal não era mais pegar um peixe: era não pegar um cágado. Ela já se tornara quase obsessiva. Um pouco, também, era o resultado daquelas horas seguidas sob o sol quente, a falta de conforto, o perigo ali, no barranco. Reconhecia isso; reconhecia, mas nada podia fazer para que um cágado não viesse à sua linha, senão torcer. E ele torceu.

Mas sua torcida não adiantou: quando sentiu um peso diferente na linha, um peso que se movia, não teve dúvida. E antes que dissesse qualquer coisa, já um dos companheiros, pescador experimentado, vendo-o recolher a linha, observava lacônico:

"Agora é você que pegou um..."

"É", ele respondeu, contrariadíssimo, recolhendo a linha na carretilha, o peso acompanhando firme.

Pôde então, próximo ao barranco, na água esverdeada e límpida, ver o cágado: de tamanho regular, ele batia as patinhas, preso à linha. Os companheiros limitavam-se a olhar, com um ar de riso, quase de gozação.

"Porcaria", disse ele, fingindo uma grande raiva.

Na realidade, não sentia nada contra o cágado; sentia contra o acontecido, que o obrigaria agora a enfrentar uma situação que achava mil vezes desagradável.

Veio trazendo o cágado barranco acima.

"Porcaria", tornou a dizer, com medo de que os companheiros não tivessem acreditado muito em sua raiva.

Agora o cágado estava ali, a seus pés, entre as pedras, de costas, mexendo as patinhas no ar. O anzol, amarelo, estava preso à beirada da boca: felizmente o cágado não o engolira. Ele curvou-se então para tirá-lo.

"Você tem faca ou canivete?", perguntou cordialmente um dos companheiros.

"Faca? Esqueci a minha em casa..."

A verdade é que nem faca ele tinha.

O outro tirou a dele da cintura, com a bainha, e fez menção de jogar: ele se preparou e catou-a no ar.

Tirou a faca da bainha — mas é claro que ele não faria aquilo.

Pensamentos passaram rápidos por sua mente. E então ele teve o lampejo:

"Sabe?", disse, sem se voltar. "Eu vou levar esse cágado."

"Levar?", um dos companheiros se espantou, os dois voltando-se para ele. "Levar para quê?"

"Para criar."

"Criar?", e o espanto foi maior ainda.

"Você nunca viu gente criar cágado?..."

"Eu não. "

"Pois eu tenho um primo que tinha três na casa dele. "

Pura invenção. Mas precisava dizer alguma coisa assim; o pessoal da roça só acredita quando a gente diz que fulano ou sicrano, um primo ou um tio nosso, tem ou fez tal coisa. E, afinal de contas, criar um cágado não era nada de tão excepcional assim para provocar tanto espanto. Embora não conhecesse determinada pessoa que criasse um, sabia que isso existia. E gente que criava bichos bem mais estranhos?...

"É", disse, com algo de provocação, "é isso o que eu vou fazer com ele: levar para casa e criar. "

Devolveu a faca, agradecendo cordialmente.

Os dois companheiros continuavam olhando-o, admirados: nunca tinham dado a menor importância a um cágado e não conseguiam entender como que alguém podia se interessar por criar um deles — um bicho feio e desengonçado, que só servia para atrapalhar uma pescaria...

"Você vai mesmo?", perguntou o mais incrédulo.

"Por que não?"

"Mas a gente cria isso?"

"A gente cria tudo", ele respondeu; "é só gostar."

O companheiro, admirado.

"Minha mulher é que vai adorar", ele disse, rindo ambiguamente, pois o mais provável é que sua mulher, quando visse o cágado, caísse dura para trás. "Ela gosta tanto de animais...", continuou. "Ela costuma dizer que somos todos filhos de Deus. É por isso que eu vou levar esse cágado para ela. Posso não levar um peixe, mas pelo menos um cágado eu levo. Ela vai adorar..."

Ficou olhando divertido e quase com ternura para o cágado ali, entre as pedras, já de pé, a cabeça e as patinhas encolhidas no casco.

"É", disse, "cágado pode atrapalhar uma pescaria, não há dúvida; mas, observando bem, até que cágado é um bichinho muito interessante, vocês não acham, não?"

"Eu acho", disse um dos companheiros; "principalmente pra passar a faca no pescoço."

"É, pra isso cágado é bão", disse o outro.

"Não vejo a hora de chegar em casa...", ele disse, com o mesmo ar de provocação.

Iscou de novo o anzol, morosamente, sem interesse em continuar a pesca. Agora só desejava que o tempo passasse depressa e anoitecesse e eles fossem embora. Já não se importava de não pegar peixe. Tinha é medo de pegar outro cágado. Mas isso também não seria problema; levaria os dois, e já tinha até uma resposta preparada para tal eventualidade: "Vou levar um para a minha mulher e o outro para mim."

Dessa vez a sorte colaborou com ele: não pegou mais cágado. Nem os outros pegaram. E nenhum deles pegou peixe.

"Foi a pior pescaria que eu já fiz na minha vida", queixava-se um dos companheiros, arrumando a tralha. "Nunca fiz uma pescaria tão ruim."

"Nem eu", disse o outro.

"E eu?", acrescentou ele, deixando-os acreditarem que já pescara em rio muitas vezes, quando, em rio mesmo, até aquele dia, nunca havia pescado: só pescara em córregos, só pegara peixinhos miúdos.

"Você não pode se queixar", disse para ele o primeiro companheiro: "você vai levando um cágado; e vivo ainda, hem?"

Os três riram juntos.

"Estou quase resolvendo levar esses outros dois, que eu matei", continuou o companheiro.

"Leva", disse o outro: "pelo menos um caldinho pra sopa é capaz de dar."

Os três riram de novo.

E riram ainda várias vezes a respeito de cágados, enquanto caminhavam de volta para a casa da fazenda, pela estrada já quase escura. Suas risadas iam ficando para trás, engolidas pelo silêncio da noite, que vinha lentamente chegando.

Ele pôs o carro a funcionar; despediu-se novamente dos amigos; houve uma última piada sobre o cágado, e então ele partiu.

Chegou em casa pouco depois das dez horas. Entrou com o caniço na mão e, na outra mão, um saco de pano. Foi andando até a cozinha.

A mulher estava lavando pratos.

"Quantos dourados?", ela perguntou, com uma displicência irônica, sem interromper o serviço.

Ele já esperava por aquilo.

"Dourado", disse, "eu não trouxe nenhum. Mas antes que você faça qualquer comentário sobre as minhas brilhantes qualidades de pescador, eu quero te informar que nenhum de nós pegou nada. Portanto, você não pode dizer nada."

"Hum."

"Mas não fique triste", ele disse; "eu não trouxe peixe, mas trouxe uma coisa muito melhor para você. Você vai adorar..."

"Já sei", disse ela, voltando-se rápida: "murici! Não é?..."

"Bom: pensando bem, a cabeça até que dá de parecer um pouco..."

"Cabeça?", e ela então observou melhor o saco que ele segurava. "Mas então não é fruta."

"E quem disse que é fruta?"

"Você disse que parece com murici."

"Eu disse que a cabeça dá de parecer um pouco. Um murici meio surrealista, evidentemente..."

Ela olhava, intrigada e meio desconfiada.

“É bicho?”

“Não sei...”, e ele fez cara de mistério. “Não vou dizer nada...”

“Você disse que eu vou adorar?”

“Pelo menos é o que eu acho; você sabe, às vezes a gente se engana...”

“Posso apalpar?”

“Só um pouquinho, senão fica fácil; aí perde a graça...”

Ela apalpou de leve, com medo, os olhos piscando muito.

Ele estava delirando com a coisa; quase não aguentava mais esperar pelo momento de abrir o saco.

“É duro...”, ela constatou. “Não está parecendo bicho, não...”

Ele riu.

“Não, Tito, o que é? Diz; me mostra o que é...”

“Eu vou ficar triste se você não gostar...”

Ele abriu o saco, e ela chegou o rosto perto: ela deu então um grito que atravessou a casa.

“O que é isso, Tito?”

Ela havia se encostado à parede, o rosto apavorado, como se tivesse acabado de ver o mais horrendo monstro da Terra.

Ele dava gargalhadas.

“O que é isso, Tito?”

“É um cágado... um cágado...”, e ele ria.

“Seu cretino; me fazer quase pôr a mão nisso, me passar esse susto...”

Ele continuava a rir.

"Dá mais uma olhadinha, você nem viu direito... Ele é uma gracinha... Acho que os olhos dele são da mesma cor dos seus, bem..."

Ela não quis falar mais; fechou a cara. Voltou a lavar os pratos.

"Você ficou com raiva? Que isso, bem; foi só uma brincadeira. Além do mais, cágado é um bicho inofensivo, não faz mal a ninguém. Só atrapalha um pouco os pescadores; mas, diabo, por que não dizer que os pescadores é que os atrapalham? Afinal, lá sempre foi o lugar deles, e se alguém joga uma minhoca dentro da água, é claro que eles vão querer comer. E depois os pescadores se queixam e se vingam covardemente, cortando o pescoço deles. Eu não, eu não sou covarde; pelo menos a esse ponto..."

Aproximou-se mais da mulher.

"Foi por isso que eu trouxe o cágado. E também porque o achei engraçadinho. Olha como ele faz: ele esconde a cabeça e as perninhas dentro do casco; não é engraçado? Olha, bem; olha só um pouquinho..."

"Não quero olhar; quero é que você suma com isso."

"Puxa, mas assim... Agora sou eu quem fica chateado... Tive a melhor intenção. Pensei até que... Que isso podia ser uma distração para a gente, entende? Um bichinho engraçado, inofensivo... Já pensei até no nome dele: Adalberto. Não sei se você gosta. É que, desde criança, todo cágado eu acho que tem cara de Adalberto. Não sei por quê, mas é assim; não consigo imaginar que um cágado possa ter outro nome. Olha bem se não é", e ele ergueu o cágado para ver a cabecinha dentro do casco. “É Adalberto purinho. Não pode ser outro nome. Está na cara. Hem, Beto?...”

Tremelicou o dedo na frente, e os olhinhos do cágado piscaram.

“Como não gostar de um bichinho desses? Esse ar assustado, esse jeitinho engraçado... É um *gauche*, não resta a menor dúvida. Cortar o pescoço, como podem fazer isso?... Você também vai acabar gostando dele, Dalila; eu tenho certeza...”

“Acabar gostando dele?”, ela se virou e pôs as mãos na cintura: “O que você está pensando em fazer, hem?”

“Estou pensando em criá-lo; apenas isso.”

“Criar esse monstro?”

“Monstro... Um bichinho inofensivo; um inocentezinho salvo da morte...”

“Pois antes ele tivesse morrido; antes você tivesse passado a faca nele.”

Ele abanou a cabeça, chateado.

“Não quero nem saber disso aqui”, ela continuou. “Você dá um jeito. Não quero ver nem cheiro disso aqui amanhã.”

Ele olhou para a cabecinha do cágado, dentro do casco.

“Se você olhasse um pouco mais para ele, você também ia ter pena...”

“Ter pena dessa coisa horrível?”

“Coisa horrível...”

Saiu com o cágado para a varanda. Ficou lá com ele alguns minutos, depois voltou.

“Cadê minha toalha? Vou tomar banho.”

“E o bicho?”, ela perguntou, ainda tensa.

Dessa vez ele se queimou: "Deixe o cágado em paz, Dalila! Ele não vai te comer, não!"

Foi a última palavra. Os dois não se falaram mais àquela noite. Nem, no dia seguinte, falaram mais no cágado.

A mulher sabia como era o marido nesses casos: nada do que ela dissesse adiantaria para que ele se desfizesse do animal. E então só restava a ela uma coisa: ignorar o cágado, fazer como se ele não existisse. Foi o que ela fez.

E, assim, o cágado ficou, e foi ficando, para alegria do homem e aborrecimento da mulher. Mas, também, não querendo o homem abusar de seu poder, tomou providências para que o cágado não fosse além da pequena área que para ele arranjara, ao lado da casa.

Era uma área que estava quase abandonada. Tinha sido feita para os filhos do casal brincarem — mas os filhos não vieram, e o casal, desgostoso, deixou a área ao abandono.

Ele nunca pensara que a área fosse um dia servir para aquilo...

"Que se há de fazer?", refletiu em voz alta, observando o cágado a um canto. "Na falta de filhos, a gente cria cágados... Não é mesmo, Adalberto?"

Adalberto não deu nenhum sinal de concordância: continuava metido no casco e não se mostrava para nada.

"Sujeito mais tímido", ele disse; mas concluiu que, com o tempo, o cágado certamente iria se desinibindo.

Fechou o portão e resolveu espreitar pela fechadura. Só depois de alguns minutos Adalberto deu o ar da graça, pondo a cabeça de fora e observando, com medo, ao redor; e então deu alguns passos.

Ele ficou mais esperançoso, achando que o cágado agora fosse comer os pedacinhos de carne que levara para ele. As folhas de alface, que de manhã deixara, tinham murchado — nelas o cágado nem tocara.

"Você gosta é de uma carninha, né, seu malandro?"

Por isso é que ele comia tanta minhoca na pescaria...

Mas o cágado não tocou também na carne, nem pareceu interessado. Deu mais alguns passos, até o buraco no muro, por onde escorria a água da chuva, e ali ficou. Estaria procurando a fuga?...

Na manhã do outro dia, a primeira coisa que fez foi ir ver o cágado. Olhou pelo buraco da fechadura: lá estava ele, no canto — teria estado ali desde a véspera? Os pedaços de carne continuavam no chão. Entrou e verificou que ele não comera nada.

Preocupou-se; não sabia o que mais podia fazer. Pensou até em pedir uma sugestão à mulher — mas é claro que não faria isso.

Agachou-se e improvisou uns chamados carinhosos — haveria um modo especial de se falar com cágados? Tudo o que conseguiu foi que o cágado se espremesse mais ainda contra o cantinho do muro, ficando quase na vertical.

"Que bicho mais medroso", disse, já meio aborrecido por não encontrar correspondência às suas atenções. "O que há, meu chapa? Eu não fiz nada com você, só estou querendo te agradar..."

Pegou o cágado e ergueu-o: fez uns barulhinhos carinhosos com a boca, tentando cativá-lo.

"O que há? Por que todo esse medo? E a nossa amizade?"

O problema é que não tinha jeito de acariciar um cágado, como se faz com um cachorro ou com um gato. Assim mesmo, ele ainda passou a mão pelo casco, duro — haveria ali alguma sensibilidade?

Não sabia nada, absolutamente nada sobre cágados; era um ignorante completo no assunto. A única coisa que sabia — ouvira dizer — é que tartarugas viviam até quatrocentos anos. Mas não sabia se acontecia o mesmo com os cágados e os jabutis. Jabutis eram personagens de várias histórias que lhe contavam quando criança — sempre em disputa com bichos velozes e sempre vencendo-os pela astúcia.

No mais, só se lembrava de ter lido sobre esses animais nos quadrinhos "Maravilhas da Natureza", de Walt Disney, que alguns jornais e revistas traziam — mas do que lera, nem de longe se lembrava. Livro, ele não tinha nenhum em que pudesse encontrar algo, e duvidava que a Biblioteca Pública tivesse. Certamente deviam existir livros que ensinavam a criar cágados, talvez até um livro de algum americano, *Minha Vida com Joe* —, Joe sendo, naturalmente, o cágado. Mas, para encontrá-los, só nas livrarias ou bibliotecas das capitais, e seu problema era agora: tinha de descobrir um meio de o cágado se alimentar. Do contrário...

Ou podiam os cágados ficar muito tempo sem comer? Mas, ainda que pudessem, era chato ver o cágado assim, não querendo comer nada e morrendo de medo o tempo todo.

Àquela hora, ao pousá-lo no chão, ele saiu doido em disparada, de volta ao cantinho do muro. Estava apavorado. Talvez, para ele mudar, só mesmo com o tempo, quando ele fosse se acostumando com o novo ambiente.

Ou seria a falta de água para nadar? Se fosse, poderia construir ali um tanque. Compensaria? É que andava apertado de dinheiro, e um tanque não ficaria tão barato. E, o pior, isso aumentaria mais ainda o problema com a mulher, que se mantinha irredutível em sua recusa ao animal. Se, pelo menos, Adalberto colaborasse, fizesse alguma graça, se mostrasse, enfim, mais amável, mais interessante... Com o tempo, podia ser até que a resistência da mulher cedesse. Mas daquele jeito?...

"Hem, Adalberto? Como é que vai ser?..."

Fechou o portão, desanimado.

Uma nova tentativa: trazer para ele algumas minhocas. Conseguiu-as no quintal de um amigo. Mas, como já acontecera com as outras comidas, nem tocar nelas, o cágado tocou.

Outra tentativa: colocá-lo no tanque de lavar roupa. Se essa não desse certo... Mas deu; felizmente deu. Pela primeira vez o cágado mostrou uma reação mais animadora: ele mergulhou e nadou dentro daqueles exíguos limites; depois ficou flutuando, quieto. A água estava muito suja — consequência de um problema no encanamento aquele dia —, e só aparecia de fora a sua cabecinha, lembrando uma cabeça de cobra e dando até um certo arrepio.

Conservando-se a distância, ele observou que o cágado ficava assim para pegar mosquitos; duas vezes o viu golpear rápido o ar, depois recolher a cabeça, e, em seguida, lentamente emergi-la de novo, à espera de nova presa. Ficou bastante animado e acreditou que aquilo já era o princípio da adaptação.

Assim, nos dias seguintes, toda manhã ele levava o cágado para o tanque cheio de água e ali o deixava por uma hora — o tempo exato em que a mulher ficava fora, na aula de costura.

Tudo foi correndo bem, embora o cágado ainda se recusasse a comer o que ele punha e mostrasse, perto dele, o mesmo comportamento arredio; mas, pelo buraco da fechadura, já o vira movimentando-se mais, não ficava emburrado lá no canto. A "desinibição" seria questão de dias apenas...

E já imaginava coisas que ensinaria a Adalberto, o cágado atendendo-o pelo nome, seguindo-o pela casa como um cachorro. Talvez até passeasse com Adalberto pela calçada, como fizera Baudelaire, pelas calçadas de Paris, com uma tartaruga pintada de verde. Ele poderia fazer o mesmo pelas calçadas de seu quarteirão, para escândalo da vizinhança, que já o olhava de um modo esquisito... Tinha muitas ideias, e cada dia pensava uma coisa nova.

Mas dois acidentes destruíram todos os seus planos. O primeiro aconteceu numa manhã em que estava tomando banho, e a mulher, por algum motivo, voltara mais cedo da aula. Não a ouviu entrando: soube que ela havia chegado pelo grito horrível, que o fez sair do banheiro ainda ensaboado, embrulhado na toalha. Ao vê-la perto do tanque, deduziu tudo. Que azar, pensou, indo acudi-la. Ela estava branca e trêmula.

"Eu queria ver se ele estava sentindo falta de água", justificou-se; "esqueci de falar com você. Desculpe, bem; não tive nenhuma intenção de passar susto, juro. Quer tomar uma água com açúcar?"

Ela o afastou e, passado o susto, foi ficando vermelha de raiva. Sem dizer nada, ela deu-lhe as costas, e pouco depois ele ouviu a porta da sala batendo com força.

"É, Adalberto, estamos sem sorte...", lamentou.

Mas não deixou, nos outros dias, de colocar o cágado no tanque — o coitadinho achava tão bom... Só que agora ficava ali perto, vigiando, pronto para uma emergência.

O segundo acidente foi pior. Aconteceu numa noite em que a sogra tinha ido visitá-los. Estavam os três no auge de uma animada conversa, quando a sogra deu um grito e subiu no sofá com uma vitalidade surpreendente para os seus sessenta anos. A causa do grito foi logo vista: Adalberto, o infeliz Adalberto, que, por um descuido seu, não fechando o portão, resolvera dar uma esticada até a sala.

Antes que ele pudesse tomar qualquer atitude, já a mulher saíra da sala e voltara com uma vassoura. A raiva acumulada de todos aqueles dias explodiu num gesto decisivo e final: Adalberto foi varrido pela sala e empurrado porta afora como se fosse um simples objeto.

Ele nada fez, nem disse, e procurava agora salvar as aparências, desculpando-se com a sogra, oferecendo água com açúcar, etcétera.

Em pouco tempo a situação anterior se recompôs, e eles voltaram a conversar, mas sem a animação de antes e com um vago mal-estar devido ao acontecimento.

Por dentro, ele só pensava naquilo, chateado com o seu descuido — não por causa da sogra, mas por causa do cágado...

Não via, agora, como continuar com o animal. As mulheres, com seus medos idiotas e seus malditos gritos. Um bichinho daqueles — o mais inofensivo, pacífico, pacato, doentiamente medroso —, um bichinho daqueles provocar gritos e quase desmaios... E depois ser varrido como um objeto, como lixo, ser jogado lá fora...

A sogra não demorou muito mais; despediu-se e, ao atravessar o jardim, ia olhando para os lados: como se ali houvesse, amoitadas nos canteiros, mil cobras venenosas — pensou ele, com ódio.

Ele e a mulher voltaram para dentro — e, como naquela primeira noite, quando ele chegou com o cágado, ela não lhe disse mais uma palavra.

Basta — ele decidiu. Cansara-se. Saiu e procurou lá fora o cágado. Encontrou-o no meio-fio, todo encolhido.

"Pobre Adalberto...", disse, mais para si mesmo do que para o cágado.

Pegou-o.

"Você se machucou? A sorte é você ter um casco como esse; porque a fúria irracional de uma mulher, meu caro... A culpa foi minha; mas, também, que mal tinha você dar uma esticadinha pela casa? Nem sujar, você suja; ou suja menos que o sapato de uma pessoa. É, acabou, meu velho. Agora você vai ter mesmo de ir embora..."

Refletiu um pouco sobre o destino a dar a Adalberto; fechar a porta da casa e abandoná-lo ali, em plena rua, como um enjeitado, isso é que não faria, de forma alguma.

Não demorou muito a encontrar a solução: o lago do Jardim, a dois quarteirões dali. Já havia pensado antes no lago, mas é que queria ter o cágado em casa, como um companheiro...

Foi andando com ele na mão. Já eram mais de dez horas, o céu ameaçando chuva.

Não havia ninguém no Jardim. Ele parou diante do lago.

"Aqui vai ser melhor para você", disse. "Aqui você pode nadar muito melhor e caçar mais insetos. De vez em quando eu virei te visitar. Tá? Tiau, Adalberto."

Colocou-o no lago. O cágado sumiu logo, na água lodosa.

Começava a pingar, e a chuva logo veio, rápida e forte. Foi a conta de ele chegar em casa.

Agora, deitado ao lado da mulher, no escuro, os dois calados, a chuva caindo mansa lá fora, ele refletiu melhor sobre as coisas e sentiu-se mais conformado: às vezes a gente não pode ter tudo o que quer. Adalberto é que devia estar achando bom aquela chuvinha, pensou, com um vago sorriso; o malandro devia estar lá, espraiando-se à vontade no lago, com uma porção de insetos para caçar...

E assim, com a ausência do cágado, a paz foi lentamente voltando ao lar. A mulher não soube o que ele fizera do animal; ele não contou nada.

No outro dia, de manhã, foi visitar Adalberto, ver como ele havia passado a noite em seu novo lar.

Olhou o lago, procurando-o; o fundo, lodoso, tornava difícil distinguir as coisas, e ainda havia, boiando na superfície, plantas aquáticas e folhas.

Observou se não havia alguém por perto, e então chamou: "Adalberto."

Esperou um pouco, os olhos procurando. Não viu nada.

"Adalberto", chamou de novo.

Talvez ele tivesse fugido; talvez já estivesse longe dali. Apesar de ser um cágado, dez horas davam para se andar uma boa distância...

Quando estava pensando isso, percebeu uma coisa meio diferente entre as folhas: uma cabecinha.

"Safado...", riu. "Você bem quieto aí, e eu preocupado com você..."

O cágado olhava na sua direção: será que o tinha reconhecido? Devia estar ali todos aqueles minutos, com a cabecinha entre as folhas, observando-o, e ele nem percebera. Com uma camuflagem daquelas, não havia inseto que escapasse...

"Você, com essa cara de bobo, hem?...", disse ele, sentindo cumplicidade com o cágado.

Voltou para casa satisfeito, tranquilo com o futuro de Adalberto. Eram essas pequenas coisas que faziam a alegria de um dia. E aquele dia ele sentiu-se feliz.

Tão feliz quanto, no dia seguinte, infeliz se sentiu: ao chegar ao Jardim, viu dois meninos que se divertiam chutando uma coisa; aproximou-se e viu que a coisa era simplesmente Adalberto.

Foi então em cima, enfurecido, agarrou os meninos e por pouco não fazia uma besteira maior ainda. Tão grande era sua cólera, que ele ficou sem falar, os meninos presos em suas mãos.

Por fim disse: "Sumam daqui, ouviram? E se eu pegar vocês de novo fazendo isso, nem queiram saber o que eu faço com vocês."

Soltou-os: num minuto os meninos azularam.

Um senhor, velho e gordo, sentado num banco ali perto, olhava para ele com um ar de absoluta perplexidade.

Agachou-se e pegou o cágado; examinou-o, vendo se ele não tinha sofrido alguma avaria. Felizmente, parecia que não. Depositou-o então com cuidado no lago, e o cágado sumiu, fugindo para o fundo.

Olhou ao redor, ainda transtornado, verificando se os meninos não estavam por ali. O velho, no banco, continuava olhando para ele com a mesma cara de perplexidade. Qual o motivo? Ele ter agarrado os meninos? Mas os meninos terem chutado um indefeso animal, isso não provocara nada nele, não, né? Pelo contrário: devia estar ali se divertindo muito com aquele original futebol...

Foi andando de volta e, de propósito, passou bem rente ao velho: lançou-lhe, então, um olhar que era como um tapa.

No caminho de casa, sua indignação foi cedendo lugar a uma descrença triste nas pessoas e na humanidade: o ser humano era aquilo mesmo, da infância à velhice — refletiu, resumindo nesse pensamento toda a sua amargura.

No dia seguinte houve algo que, de certa forma, foi pior ainda e acabou de consolidar seus sentimentos da véspera. Os meninos não estavam lá; mas, ao descobrir o cágado, que medrosamente se arrastava pela grama, sob umas plantas, viu que alguém escrevera com tinta branca no casco: era um palavrão.

Dessa vez sua reação foi muda: seus olhos marejaram. E agora? Levar o cágado para casa? Reclamar do zelador do Jardim? Mas que tinha com isso o zelador? O cágado fora posto ali sem ninguém pedir, e já era muito que o deixassem ficar, que ele pudesse ali sobreviver.

Voltou para casa cabisbaixo. Nesse dia a mulher, que já vinha estranhando certas atitudes dele, quis saber o que havia. Ele tinha decidido nunca mais falar naquilo, mas, na depressão em que se achava, acabou falando. Contou tudo, desde o dia em que ela expulsara o cágado. Mas não fez nenhuma queixa ou recriminação; simplesmente contou as coisas, como elas haviam acontecido.

Ela, mais compadecida dele do que propriamente do cágado — se bem que, a distância e depois de todos aqueles azares, o cágado já não lhe parecesse tão repulsivo —, se desculpou, dizendo que não era por sua vontade que não gostava do bicho, era uma coisa que sentia, uma coisa incontrolável...

Ele sacudiu a cabeça: não tinha problema; lá, no Jardim, era até melhor para o cágado, por causa do lago. O problema eram as pessoas. Por que não deixavam o cágado em paz? Por que tinham sempre de inventar novas maldades com ele?

Na manhã do outro dia, ele voltou ao Jardim. Dessa vez não encontrou novidades: o cágado estava lá, no lago, tranquilo. A tinta já havia se desmanchado um pouco.

"Como é, Adalberto?..."

Talvez, passada a novidade, as pessoas o fossem esquecendo e o deixassem em paz.

Com novas e imprevistas ocupações, ele não pôde voltar ao Jardim nos dias seguintes.

E uma tarde em que andava pelo centro, ao passar por uma lata de lixo, algo chamou-lhe a atenção; foi examinar, e o que ali encontrou, entre papéis, cascas de frutas e outros detritos, não foi nada menos que Adalberto: de cabeça para baixo, o cágado mexia inutilmente as perninhas.

Ele foi ao mercadinho em frente e se dirigiu ao homem gordo, que sabia ser o dono: "Aquele lixo ali é do senhor?"

"É; por quê?", o homem olhou para ele, com algum medo.

"Foi o senhor que pôs o cágado nele?"

"Cágado?"

"Ah!", o empregado, um rapazinho moreno, que naquele momento atendia uma senhora e ouvira a conversa, aproximou-se rápido: "Fui eu, Sô Pedro; eu é que pus o bicho lá. Ele estava perto da lata, aí eu aproveitei e pus ele também. Colaborando com a prefeitura, né?...", e o rapaz deu uma risadinha idiota.

Vendo, porém, que os outros não riam, o rapaz ficou sério e assustado: "Isso presta pra alguma coisa?...", perguntou.

"Cágado?", a mulher também entrou na conversa. "Cágado tem muitas utilidades", disse professoralmente, olhando para o rapazinho, mas falando para todos. "Pode-se fazer muita coisa com eles. Eu tenho uma cunhada que fez um arranjo com um, ficou uma maravilha. Ela é muito habilidosa. Ela fez uma espécie de vaso: lixou o casco, envernizou, pôs um arco de arame, e depois plantou nele. Hoje o vaso está pendurado lá na sala de visitas. Todo mundo que vai lá acha uma maravilha."

"É mesmo?", exclamou o rapazinho, com os olhos muito abertos, abobado. "Poxa, eu não sabia..."

O dono se voltara para ele: "O senhor está querendo o cágado?"

"O cágado é meu", ele disse, esforçando-se para manter a calma.

"Do senhor?", o homem admirou. "Mas como que ele veio parar aqui?"

"Não sei; sei que ele é meu, e vou levá-lo", disse, encerrando a conversa, e foi saindo.

"Se o senhor estiver interessado em vender...", disse a mulher, muito gentil.

Ele não respondeu.

Lá fora, enfiou a mão na lata de lixo, retirou o cágado, colocou-o dentro do jornal dobrado e foi andando em direção ao Jardim.

"É a última vez que te socorro, Adalberto; a última. Trate de se esconder aí, no lago, e não se mostrar a ninguém, que eu não vou mais te socorrer, não; nenhuma vez mais. Se cuide."

Pôs o cágado no lago e foi embora.

Em casa, contou o fato à mulher, e comentou desesperançado: "Antes eu tivesse cortado o pescoço dele na pescaria; antes eu tivesse feito isso..."

Realmente, não voltou ao Jardim. Nem lhe aconteceu mais de ver o cágado na rua. Com o distanciamento e as ocupações, foi se desligando dele, e já o tinha quase esquecido, quando, um dia, ao fazer uma viagem, viu-o na estrada. Não teve a menor dúvida de que fosse ele — e, para confirmar, lá estavam ainda as manchas brancas de tinta.

O cágado ia pela beirada do asfalto, de costas para a cidade, na direção do rio — mas o rio estava a mais de cem quilômetros dali, o cágado nunca chegaria a ele, ou só chegaria com anos; antes disso, provavelmente teria morrido de fome ou sido esmagado por algum carro na estrada.

Podia pegá-lo e levar até algum córrego ou rio onde não houvesse perigo de pescadores, mas não sabia onde encontrar um córrego ou rio desse jeito — e, também, talvez a sua afeição pelo cágado já não fosse tão grande que o fizesse parar e ter esse trabalho...

Assim, limitou-se a suspirar e a exclamar: "Pobre Adalberto...", enquanto via, no espelho, pela última vez, aquela pequena coisa viva, caminhando pelo asfalto.

Felicidade

Porque era o aniversário dele a mulher mandara fazer um bolo no qual fincou as velas com um quatro e um zero e encomendara doces e salgadinhos e bebidas e convidara os parentes e amigos que agora enchiam o apartamento e então apagaram a luz e por um trêmulo e tenso segundo ficaram só as velas iluminando uma porção de rostos em muda expectativa quando ele soprou e uma chuva estridente de palmas caiu sobre os seus ouvidos e então cantaram o *Parabéns pra Você* e ele sorria sem saber para que lado olhava e o que fazia com as mãos e alguém gritou *viva o Edgar!* e todos gritaram *viva!* e a vizinha começou a cantar *Happy Birthday to You* que duas ou três pessoas acompanharam e pararam porque era inglês e não sabiam direito como pronunciar e ficaram com vergonha e a vizinha ficou sozinha cantando e ritmando com as próprias palmas e as dos outros que olhavam e sorriam sem graça e ele também olhava e sorria sem graça e sem saber se olhava para a vizinha ou para os outros que olhavam para ela e para ele e sorriam e ele sorria e suas mãos entravam e saíam dos bolsos e sua mulher ao lado era também apenas um rosto sorrindo e ele sentiu como estava longe dela naquele instante tão perdidamente longe que seu grito de solidão jamais chegaria até ela quando então ouviu seu nome suavemente e era ela sorrindo e pedindo *diga alguma coisa querido* e alguém atrás dele disse *cadê o discurso?* e todos agora estavam em silêncio de novo olhando para ele sorrindo e esperando que ele dissesse alguma coisa e ele passou a mão nos lábios sorrindo e olhando para o chão e pensando o que é que ia dizer se não tinha vontade de falar a ninguém ali e se não tinha nada para dizer e então olhou de novo para a mulher e ele estava pedindo socorro e ela estava sorrindo e esperando que ele falasse pois era o seu aniversário e os convidados estavam ali e ele tinha soprado as velas e haviam cantado *Parabéns pra Você* e agora era a hora de ele dizer qualquer coisa e não havia nada para dizer e sua mão esfregava os lábios e sua cabeça girava e ele achou que ia desmaiar ou sair correndo dali e todos olhando e sorrindo e esperando e nada para dizer e então alguém atrás deu-lhe uma pancadinha no ombro e ele olhou e alguém tossiu e outra pessoa tossiu e um menino estava conversando baixo com outro e rindo e ele pensou em algumas palavras e quando abriu a boca para falar as palavras tinham sumido e sua cabeça girava com aqueles rostos e a sala e o bolo e o chão e as palavras que não havia e alguém disse baixo *você não está se sentindo bem?* e era sua mulher e ele sacudiu a cabeça sorrindo e alguém disse *é a emoção* e ele sorriu e outra pessoa disse outra coisa engraçada e todos começaram a rir e a falar e então ele disse que o perdoassem mas não se sentia inspirado e que lamentava e que infelizmente mas já estavam todos conversando e rindo e começando a comer e a beber e ninguém ouviu direito o que ele disse e um amigo estava abraçando-o de novo dizendo *pois é meu velho pois é* e comentou qualquer coisa sobre os quarenta anos ao que ele respondeu comentando também qualquer coisa sobre os quarenta anos e os dois deram uma gargalhada e nenhum tinha achado muita graça e outro amigo que estava perto riu também sem saber do que os dois estavam rindo e disse também qualquer coisa que não tinha nada a ver com o que os dois disseram e os três riram juntos e nenhum sabia direito do que estava rindo e pareciam muito amigos e felizes e todos ali na sala pareciam muito amigos e felizes com a cerveja enchendo os copos e os salgadinhos enchendo as bocas e as risadas e conversas e gritos das mulheres e dos meninos na copa enchendo o apartamento de barulho e movimento e enquanto um amigo contava uma piada ele estava pensando o que tinha tudo aquilo a ver com os seus quarenta anos e então riu também e disse que aquela era boa mesmo e o outro disse *você já manjou o fim?* e ele respondeu *claro* e os outros da roda olharam para ele com admiração e incredulidade porque não tinham manjado o fim e ele então prestou atenção mas não tinha escutado o começo e quando a piada acabou ele não entendeu e estavam todos morrendo de rir e um perguntou se ele não tinha gostado e ele disse *eu já estava manjando o fim* e sorriu e achou que seria bom contar uma piada também mas não se lembrava de nenhuma e pensou com medo e quase desespero que iam contar outras piadas e ele teria de rir e não estava com vontade nenhuma de rir e havia mais de uma hora já que sua boca estava rindo e sorrindo sem parar e ele não aguentava mais e então pediu licença e atravessando a sala e a copa e o corredor sorrindo mais uma porção de vezes trancou-se no banheiro e sozinho e sentado na quina da banheira olhando para a porta trancada e pensando que pelo menos durante alguns minutos não teria de sorrir ou de falar ou de apertar a mão de alguém ele pela primeira vez naquela noite sentiu um pouco de felicidade.

Cadela

Iam subindo devagar a encosta do morro: o homem na frente, a mulher atrás.

— Eu juro — disse a mulher.

— Jura... — disse o homem.

— Que adianta falar? — disse a mulher. — Você não quer me compreender.

— Compreender... — disse o homem, no mesmo tom.

Tinham chegado ao ponto mais alto do morro, onde havia algumas árvores. O capim, por causa das chuvas, estava crescido e verde.

O homem ficou parado em frente à cerca, a mão direita segurando o arame farpado. A subida, no calor daquela tarde, a conversa e sua própria corpulência o haviam cansado, e ele arfava pesado — o bigode grosso, a barba lhe cobrindo quase toda a cara. Sua camisa, nas costas, estava molhada de suor.

A mulher, um pouco atrás, também estava imóvel e olhava na mesma direção em que o homem olhava. Por ali só se viam cerrados e matas; apenas, ao longe, o telhado de uma casa aparecia. Um pássaro chamava por outro a distância, num piar espaçado e desolado.

Era um dia quente, abafado, o sol encoberto, o céu nublado. Do chão parecia, às vezes, subir ondas de calor.

Na fronte do homem o suor ia lentamente escorrendo. Ele tinha o rosto contraído, os olhos apertados. Continuava a segurar o arame.

— Adão — a mulher se aproximou mais, ficando quase a seu lado: — por que você não procura me compreender?...

— Compreender? — ele então se virou e olhou-a. — Você vai, faz isso, e depois vem me falar em compreender?

A mulher não respondeu.

Ele tornara a olhar para longe, as duas mãos agora segurando o arame.

— Você destruiu tudo — ele disse; — tudo o que havia de bom, tudo o que havia de verdadeiro entre nós. Você destruiu tudo isso.

A mulher o olhava em silêncio.

— Eu confiava em você — ele continuou; — eu te respeitava; eu te amava. Você era para mim como uma princesa.

— Eu estou te pedindo perdão... — disse a mulher, com voz suave.

— Perdão... É fácil pedir perdão, não é?...

— Todos nós erramos...

Ele continuou olhando para longe, o rosto ainda mais contraído, o suor escorrendo, o tórax se dilatando com a respiração opressa.

No rosto da mulher também gotas de suor iam deslizando. Os ramos do capim roçavam-lhe as pernas. Ela sentia uma vaga tontura.

— Adão...

— Chega! — ele gritou. — Não quero mais ouvir!

Seu rosto explodia de cólera.

— Cadela!

A mulher foi se afastando, ele veio vindo.

— É isso o que você é: uma cadela!

Ela se encostou a uma árvore de grosso tronco. Ele agarrou sua blusa e rancou um botão. Rancou os outros. Rancou o soutien. Ela só o olhava, inerme e apavorada.

Ele então pegou os seus seios, grandes e de tetas largas. Ela sentiu os seus dedos, fortes e ágeis. Fechou os olhos.

— Adão...

— Geme, cadela, geme!

Ela não pôde mais e abraçou-se a ele, com sofreguidão.

— Me larga! — ele empurrou-a.

Ela ficou olhando-o, ofegante, os lábios trêmulos.

— Tira a roupa! — ele ordenou.

Ela tirou, enquanto ele também tirava a dele. E, sem que ele nada dissesse, ela se jogou no capim — a cabeça tombada para trás, as pernas abertas, o sexo erguido para o céu, latejante e úmido.

— Eu quero... — ela murmurou para o ar, a voz rouca, os olhos nublados.

Ele pôs o pé sobre sua barriga: ela o agarrou, agarrou sua perna, quis agarrar seu sexo — ele deu nela um empurrão. Ela tornou a se erguer e a querer agarrar seu sexo — ele deu nela um tapa. Ela ficou petrificada, olhando-o.

— Vira de costas! — ele mandou.

— De costas?... — a voz trêmula. — O que você vai fazer?...

— Vai virar? — e ele ergueu a mão para bater.

Ela protegeu o rosto.

— Vai? — a mão ameaçava.

Ela então foi se virando, lágrimas aparecendo nos olhos.

— Você não pode... Eu nunca fiz...

— Cala a boca, sua puta!

Ela o sentiu então sobre si — o corpo dele esmagando-a contra o capim, os braços e as pernas envolvendo-a, ele agredindo-a, machucando-a.

— Você não pode... Está machucando...

Ele ofegava em sua nuca, as mãos esfregavam seus seios e seu sexo. E de repente ela parou de chorar: sentiu que tinha entrado e que agora ia entrando, rápido e firme e de uma vez. E então estava tudo dentro dela, e mexia e ia e vinha, doído e enervante, e doce, e profundo, subindo até sua cabeça, entontecendo-a, crescendo nela toda, fazendo-a torcer-se e rir e gemer e suspirar, e pedir e gritar, desatinada, alucinada, gritando, gritando — e então levada para longe, nascendo e morrendo em sucessivas ondas de luz e de escuro, até não poder mais: e amoleceu, desfalecida.

"Levanta" — ela ouviu, mas não abriu os olhos, perdida numa suave inconsciência.

"Levanta" — ela ouviu de novo, e então abriu os olhos: viu, à sua frente, o capim.

— Sua roupa — ele jogou-a.

Ela se vestiu, de costas para ele. Vestia-se devagar. Amarrou as pontas da blusa. Calçou os sapatos, que estavam ali perto.

— Agora vá — disse ele.

Ela voltou-se: fitou-o com um olhar calmo e distante, como se não o tivesse entendido.

— Eu disse: agora vá.

— Embora?

— É, embora.

A mulher começou a andar, a descer a encosta. Ia lentamente. Então parou; virou-se e veio andando de volta.

Parou em frente ao homem: abaixou-se, ajoelhou e beijou-lhe os pés.

A volta do campeão

Naquelas tardes quentes, sem ter o que fazer e cansado de ficar em casa, ele ia para a praça e sentava-se num banco. Do fundo das rugas, contraídas pelo aborrecimento, os olhos acompanhavam, sem interesse, as pessoas e as coisas que passavam. Até que, cansado disso também, ele se levantava e ia andando a esmo pelos terrenos baldios, de onde voltava já ao escurecer.

Foi numa dessas caminhadas que ele descobriu os meninos. Eles estavam num dos terrenos, reunidos em roda, e faziam algo que, a julgar pela atenção em que se achavam, devia ser bem interessante. Foi chegando mais perto e viu o que era: estavam jogando tabela — as bilocas espalhadas numa grande extensão. E, ao vê-las assim, ele sentiu de repente aquela emoção que tantas vezes sentira quando criança.

Os meninos, presos na expectativa do jogo, mal ligaram para a sua chegada, outro tanto acontecendo com ele que, colocado de maneira imprevista na mesma situação deles, também esperava, com ansiedade, o próximo lance, que um dos adversários — gorducho e claro — caprichava, medindo a distância e calculando a força: bateu, enfim, no tronco da árvore, e os olhos de todos acompanharam a biloca, que atravessou várias, passando rente, e, afinal, não acertou em nenhuma.

— Nossa! — exclamou um dos que assistiam.

Agora, o outro adversário — miudinho, de cabelo caindo na testa —, aliviado e de novo com a chance, caprichava mais ainda, levando a mão várias vezes ao tronco e não batendo, como se estivesse certo de que aquela era a sua última chance, a última que, a cada vez, um dos dois achava que seria e que depois via que incrivelmente não fora, o jogo se prolongando, as bilocas espalhadas por todo lado, o terreno já cheio delas; por fim, cuspiu, fez feitiço no tronco, e levou a mão devagar atrás para bater.

Ele mordia a unha — e quando viu a biloca correr de efeito e parar a meio centímetro de outra, sob novo espanto geral, não pôde mais:

— Deixa eu jogar a próxima vez — pediu, e foi então que os meninos finalmente tomaram conhecimento de sua presença.

Os dois do jogo, meio assustados com aquela inesperada intromissão, olhavam-no, examinando, antes de responder qualquer coisa.

— Valendo? — o gorducho afinal perguntou.

— É — disse ele, seco para jogar.

Os dois examinando-o: não sabiam o que responder. Os outros acompanhavam em silêncio.

— O senhor sabe jogar? — perguntou o gorducho, desconfiado.

— Eu fui o maior campeão do meu tempo, menino.

A resposta mais do que satisfez: os olhos do gorducho brilharam de surpresa e admiração.

Fingindo indiferença, o gorducho então virou-se para o outro:

— Pode, Dudu?

Dudu, que já tirara as suas conclusões — que ele estava inventando aquela história de campeão, ou que, mesmo que aquilo fosse verdade, ele seria menos perigoso do que o adversário —, respondeu, no mesmo tom de calculada indiferença:

— Pode.

— Valendo, né?

— É.

— Todo mundo é testemunha — disse o gorducho, que, pelo jeito, ele notou, não tinha nenhuma dúvida de que ele acertaria.

Ciente de sua responsabilidade e perturbado por aquele inesperado ressurgir de uma emoção que havia quase cinquenta anos não sentia, ele não se preocupou de enfeitar a jogada, o que justificaria o "maior campeão do meu tempo": fez apenas um cálculo meio rápido e bateu — e pá! a biloca acertou numa das primeiras.

O gorducho gritou, a meninada explodiu — e ele, ele foi tomado de um modo tão fulgurante por aquela antiga sensação de vitória, que, por alguns segundos, só teve olhos para si próprio, para o menino que ele outrora fora e de novo era naquele instante.

Só depois é que o adulto nele observou o outro, o que perdera, o que não estava participando da festa: quietinho, mudo, de mãos nos bolsos, Dudu olhava o gorducho catar as bilocas, ajudado pela turma. Sabia o que Dudu devia estar sentindo, sabia perfeitamente...

Ele não usara nenhuma tática especial, desconhecida dos meninos; apenas a sorte, que para eles não tinha aparecido, aparecera para ele. Mas a circunstância o transformara, para os dois, num ser especial: lia isso nos olhos deles, tanto do que ganhara quanto do que perdera, lia isso profundamente...

O gorducho, que tinha uma voz rouca, engraçada, quase não conseguia falar, de contentamento, os bolsos estufados com as bilocas. Ah, os bolsos estufados com as bilocas... Como ele se revia, e como lembrava de cada coisa...

E quando o outro enfiou a mão no bolso, procurando as bilocas, e a trouxe de volta só com duas — o modo como olhou para as duas na mão —, ele não resistiu e teve um novo impulso:

— Vamos fazer o seguinte — parlamentou com o gorducho, usando de diplomacia: — eu joguei uma vez para você; não é justo que eu não jogue uma vez para ele também, você não acha?

O gorducho não achou muito... No miúdo, um começo de alegria apareceu.

— Só se ele não quiser que eu jogue — virou-se para o miúdo. — Como é o seu nome? Dudu, né?

— É.

— E o seu? — perguntou, voltando-se de novo para o gorducho: era preciso ser diplomata.

O do gorducho era Renato.

— Você concorda, Renato? Você quer, Dudu?

Dudu queria.

Renato concordou:

— Mas só uma, hem? — avisou, com medo.

Dudu passou-lhe as duas bilocas.

A meninada de novo na expectativa.

Renato bateu com força, a biloca espirrou para longe. Ele bateu, demonstrando uma certa displicência para tranquilizar Dudu, que o olhava com toda a confiança.

Renato bateu. Ele. As bilocas iam se espalhando.

Pediu três de empréstimo; Dudu olhou-o meio aflito, mas ele, sem os outros verem, deu-lhe uma piscada animadora.

Outro empréstimo: cinco bilocas já — a banca só crescendo. E se ele perdesse? Começou a se preocupar. Preocupava-se por causa de si próprio e por causa de Dudu: seu prestígio e a confiança do menino.

Cada jogada sua recebia da plateia o dobro de atenção: seus mínimos gestos eram seguidos por aquela porção de olhos atentos. Mais preocupado com isso do que com a confiança do menino, e de certo modo aguçado em sua vaidade, cedeu, como nos velhos tempos, a um repentino capricho: levando a mão atrás, bateu por baixo da perna.

A sorte não o esquecera mesmo: acertou bem em cima de uma biloca, e a meninada veio abaixo.

Mas dessa vez houve protestos, Renato não queria aceitar:

— Assim não vale!

— Não vale por quê? — gritou Dudu, indo pegar as bilocas.

Renato correu na frente, outros meninos entraram, empurrões, começo de briga.

Ele veio, para apaziguar:

— É preciso brigar por causa disso? Ninguém precisa brigar; a gente resolve as coisas é conversando, e não dando tapas e empurrões. Ponham as bilocas aí, no chão; vamos conversar.

Os dois puseram, resmungando. A turma tinha cercado os três e cada um dizia uma coisa, briga ameaçando começar entre eles também.

— Vocês aí! — ele espalhou, e eles calaram-se.

Esperou que se fizesse silêncio completo.

— Por que você disse que não vale, Renato?

— O senhor jogou debaixo da perna.

— E isso não vale?

— Não.

— No meu tempo valia.

— Você também já jogou assim — acusou Dudu.

— Mas nós não combinamos hoje.

— Tem que combinar?

— Tem.

— Tem nada.

— Tem.

— Tem o quê, sô!

— Tem.

— Tem, moço?

Gostou de ser chamado de moço.

— No meu tempo não tinha, não. Combinar por quê? É uma jogada muito mais difícil.

— Aí — disse Dudu.

— Mas não foi combinado — insistiu Renato.

Ele viu que não era possível um acordo entre os dois.

— Vamos fazer o seguinte — resolveu, e olhou para a turminha ao redor: — vocês é que vão decidir.

— É claro que eles vão dizer que não vale — adiantou Dudu.

Ele se deu conta então do erro que cometera, prejudicando pela segunda vez o menino: a turma ali era quase toda de Renato.

Sem jeito para voltar atrás, tentou ainda:

— Mas vocês têm de ser honestos, falar a verdade; mentira não vale.

A advertência foi inútil: quase todos se mostraram escandalosamente a favor de Renato, e ele não teve outro jeito senão consolar Dudu, a quem a simpatia natural e o desenrolar das coisas iam-no ligando mais.

— Deixa — ele disse; — nós recuperamos...

O "nós", talvez um pouco inadvertido, teve a força de uma separação de águas: estavam agora bem definidos os adversários, fosse qual fosse o caminhar do jogo e o final.

Ficou decidido que recomeçariam do início. Ele pegou, de volta, as duas bilocas.

E então o jogo prosseguiu, agora de modo mais emocionante, com uma tensão de guerra.

Ao jogar a segunda, ele acertou, numa jogada bonita, o que serviu para levantar o moral do companheiro e pôs apreensivos os adversários.

Uma nova banca foi se formando, já devia haver umas dez bilocas. Ele estava com três de empréstimo. Em nenhum momento, desde que ali chegara, sentiu tão aflitiva a necessidade de ganhar. E de tal modo estava que, numa jogada duvidosa de Renato — um dos meninos disse que a biloca havia relado —, se inflamou a ponto de surpreender a ele mesmo:

— Relou nada, menino! — esbravejou, e o coitado ficou murcho de medo.

Ele percebeu e procurou abrandar:

— Relou?... — indagou aos outros.

Por incerteza mesmo, ou por medo, nenhum respondeu afirmativamente.

— Se relou, pode pegar — disse, magnânimo, para Renato; — mas se não relou, é roubo.

Renato correspondeu:

— Relou não. Pode jogar.

Pediu mais três, de empréstimo. Na terceira ele acertou, e teve tanta alegria, que gritou junto com o companheiro.

Dudu foi logo recolher as bilocas. Ele devolveu as de empréstimo. Ainda ficaram seis.

— Agora eu vou embora — disse Renato.

— Está com medo? — Dudu provocou.

— Medo nada; é que está ficando escuro, e a Mamãe dana.

Estava mesmo ficando escuro.

— Quer continuar amanhã? — desafiou Dudu.

— Com ele? — Renato apontou, e todos olharam em sua direção, esperando que viesse dele próprio a resposta.

— Eu só vim ver você jogarem — ele respondeu; — eu não vou jogar mais.

— Por que o senhor não vem amanhã também?... — pediu um da turma.

— Amanhã? É — disse; — quem sabe? Talvez eu venha...

Iria?... Fora ótimo o que acontecera. Descobrir que, depois de quase cinquenta anos, era ainda um campeão; descobrir que conservava a mesma classe, sentia as mesmas emoções daquele tempo... A banca cheia, aquele momento entre o cálculo e a batida, e depois a biloca passando entre as outras... E aquela jogada debaixo da perna? Fora sensacional, a meninada vibrara...

O que havia ele feito de suas bilocas, ou que delas haviam feito? Decerto tinham sido dadas a alguém. Ou foram elas simplesmente se perdendo, como tantas outras coisas de sua infância? Não conseguia lembrar. Era uma coleção bacana, conseguida em muitas disputas, disputas marcadas por várias brigas. Uma coleção realmente bacana, com piocôs (lembrava principalmente daquele verdão, listrado), piubinhas (aquela "miolo de pão"), buscadeiras, solteiras, leiteiras (e aquela que passara pela mão de todo mundo? era linda, com listas vermelhas, verdes, amarelas...). Era estranho que não lembrasse do que acontecera com as bilocas, pois tinha tanto amor a elas...

E seus companheiros? Pudim, Altamiro, Edson... Altamiro e Edson tinham sumido do mapa, nunca mais os vira. Pudim era fazendeiro, de vez em quando se encontravam; mas nenhum dos dois nunca mais falara nas bilocas. Que diria Pudim se passasse por ali e o visse jogando e fazendo proezas como antigamente? E se ele chamasse Pudim para jogarem de novo? Não tinha cabimento. Talvez nada daquilo tivesse cabimento...

Preferiu não contar à mulher. Mas ela notou:

— Você está com uma cara diferente; o que você andou fazendo? Chegou mais tarde...

Ele sorriu, sem dizer nada.

Na manhã do dia seguinte, estava sentado no alpendre, quando viu aquele menino parado na calçada. Tão longe estava seu pensamento, que levou alguns segundos para reconhecer o menino. Que bobagem... Era o seu companheiro da véspera...

— Vem cá, Dudu...

O menino deu mais uns passos — e não perdeu tempo:

— Quer ser meu sócio?

— Sócio? — ele sorriu, divertido e lisonjeado com a proposta. — Mas eu não tenho nenhuma biloca!...

— Eu divido com você.

Ele ouviu o barulho da mulher chegando à sala. Convidou o menino a irem para a praça. No caminho explicou que era a sua mulher e que ela era meio implicada com menino.

— Por quê? — o menino quis saber.

— Mania — ele ergueu os ombros.

O menino achou graça.

— Então, você fica?

— Fica?...

— Meu sócio.

— Não posso, Dudu. Vocês são meninos, eu já sou um homem velho; não dá certo.

— O que é que tem?

— O que é que tem?...

— Se é por causa das bilocas, eu divido com você.

— Não é por causa disso.
— Por que é então?
O menino o olhava atento.
— Foi tão bom ontem...
— Bom? Eu quase fiz você perder as bilocas todas!
— Mas depois você ganhou.
— É; depois eu ganhei...
— Uma hora você me ensina daquele jeito?
— Daquele jeito?...
— Debaixo da perna.
Ele sorriu e passou a mão na cabeça do menino.
— Como você me encontrou? Você sabia onde eu morava?
— Eu fui perguntando.
— É? — tornou a sorrir, admirado da persistência do menino. — Você é um garoto inteligente, Dudu.
Dudu baixou os olhos, para, logo em seguida, levantá-los, numa última carga:
— Você então fica?
— Sócio?
— É.
— Faz assim: eu vou lá hoje de novo, e lá nós resolvemos. Tá?
— Tá — os olhos brilharam.
— Então está combinado.
— Eu posso passar na sua casa para a gente ir junto? — o menino perguntou. — Não tem perigo de sua mulher ver: eu dou um assobio, um assobio assim...
O menino levou dois dedos à boca, e um assobio agudo cortou a praça.

— Aí — continuou, — você responde, e eu venho para a praça, e a gente se encontra aqui. Você sabe assobiar?

— Claro — ele disse, com displicência.

Será que ainda saberia mesmo? Ajeitou os dedos entre os lábios, puxou o ar e soprou — mas o assobio saiu chocho. O menino o olhou, meio decepcionado.

— Dessa vez não saiu muito bom — se desculpou; — estou meio fora de forma. Mas eu vou melhorando, pode ficar tranquilo.

— Então até mais tarde — disse o menino, e foi caminhando de volta.

Lá pelo meio da praça, parou, voltou-se e deu um assobio: ele respondeu, e o assobio saiu melhor.

De tarde, no quarto, ele treinava o assobio. A mulher veio e ficou parada à porta, olhando-o. O médico e a filha já haviam-na prevenido sobre as possíveis esquisitices dele depois do derrame. De forma que ela não comentou nada, simplesmente perguntou por que ele assobiava.

— Não tenho nada que fazer — ele respondeu; — não é melhor assobiar do que não fazer nada?

Ela deu meia-volta e retornou à cozinha. Mas depois, na ausência dele, comentaria com a filha, pelo telefone:

— Seu pai anda meio esquisito esses dias...

As horas passaram e o fim do dia foi chegando, com ele numa ansiedade que crescia.

Então ouviu o assobio lá fora. Poderia ter esperado no alpendre, mas ficou no quarto só para ter a oportunidade de responder — e seu assobio foi perfeito, o treino dera resultado.

Encontraram-se na praça:

— O assobio agora foi bacana, hem? — o menino comentou.

— Vamos para lá?

— Vamos.

— E se eles acharem ruim eu ir?

— Acham não; eu já falei com o Renato. Sabe o que o Renato disse? Que você é fichinha.

— Fichinha, né? — e ele sentiu-se provocado. — Pois vou mostrar a ele. Olha aqui...

Enfiou a mão no bolso e tirou um saquinho de pano. Abriu-o: os olhos do menino se maravilharam.

— Você comprou?...

— Olha essa buscadeira.

— Nossa!...

— E essa solteira aqui?

— Que bacana!...

O menino não podia em si, de contentamento.

— Puxa, não vai ter nem graça... Você comprou foi hoje?

— Vamos mostrar a eles o que é que nós somos...

A turma os esperava, e parecia ter aumentado — ele era uma atração. Cumprimentou-os, eles responderam alegres.

Com medo de ser visto, perguntou se não havia um lugar mais escondido, inventou umas desculpas. Eles disseram que havia: um mais para baixo, nos fundos de um barracão. E foram então para lá.

Ali, sim: ali podia mostrar, com tranquilidade, toda a sua categoria.

Mas não foi fácil. Aquele dia a sorte parecia estar do lado de Renato. Ele estava só perdendo.

Agora havia uma banca boa; ele tinha de ganhar aquela, de qualquer jeito.

"É a hora do piocô", pensou.

— Piocô vale? — perguntou.

— Como? — Renato e os outros fizeram cara de estranheza.

— Piocô. Bolococô.

Eles riram.

— Não sabem o que é piocô?... — ele perguntou, achando graça também.

Ninguém sabia. Ele tirou do bolso.

— Ah, locão... — disse Renato.

— Vocês dizem é locão? No meu tempo era piocô; bolococô.

Riram de novo, estavam achando ótimo.

— Vale?

— Só se valer a minha buscadeira de aço...

Renato tirou do bolsinho uma esfera de aço e lançou-a com classe para o ar.

Ele consultou Dudu: Dudu disse que podia.

Jogou o piocô, e teve sorte: o piocô acertou. Dudu recolheu a banca.

Agora o jogo estava equilibrado — e assim continuou, até que, com o anoitecer, foram embora. No dia seguinte voltariam para continuar.

O assobio lá fora veio mais cedo: não eram nem quatro horas. Ele respondeu e foi se encontrar com Dudu na praça.

— Você veio muito cedo hoje, sócio...

— Eu quero te mostrar uma coisa.

— Mostrar uma coisa?

— O nosso esconderijo.

— Esconderijo? Onde que é?

— Lá no fundo do quintal de casa.

— Não dá certo — ele disse; — eu não conheço os seus pais.

— É lá no fundo, ninguém vê a gente; a gente passa pela cerca.

— Cerca? Não é difícil passar?

Que misterioso impulso o levava a ir? Talvez aquela necessidade ainda de rever, na infância de um outro menino, a sua infância.

"Esconderijo" — a simples palavra evocava nele uma porção de lembranças. Como seria o daquele menino? Seria também uma lata com tampa, enterrada no chão, coberta de terra e camuflada com cisco?...

E quando o menino foi mostrar, e ele viu que era, sentiu-se comovido, seus olhos ficaram úmidos. O menino, observando-o, não podia compreender por que ele estava assim, mas sentiu-se tocado por sua emoção.

— Edmundo, você é o meu melhor amigo — disse o menino.

— Não fale assim — disse ele, abraçando-o carinhosamente; — seu melhor amigo é seu pai.

— É nada; então por que ele não quis ser meu sócio?

— Decerto é porque ele é muito ocupado.

— Ocupado? Tem dia que ele fica dormindo até a hora do almoço!

Ele riu.

Os dois ficaram em silêncio, olhando para o chão, e naquele instante parecia não haver entre eles diferença de idade: era, nos olhos, a mesma expressão de pura alegria diante da latinha enterrada, cheia de coloridas bilocas — um pequeno tesouro.

Ele então olhou as horas:

— São quase cinco; vamos para o barracão?

— Vamos.

Pegaram as bilocas.

— Nós vamos acabar com eles hoje, hem? — o menino já ia se entusiasmando.

— Não vamos deixá-los com nenhuma.

— Nem uma só, pra contar a história, né?

Já não era Renato, era "eles", a turma, que, por sinal, parecia ter aumentado mais ainda aquele dia: sua fama corria. Começava a distinguir entre eles alguns rostos; outros, ele não sabia se eram daquele dia ou se já tinham aparecido antes.

Haviam limpado a área: tudo estava pronto para a batalha, que prometia ser sensacional.

Foi o seu dia de glória. Foi o ponto máximo da volta do campeão. Chegou mesmo a pensar que nem antigamente ele tivera tão brilhante atuação.

Não houve jogada que não fizesse (dessa vez haviam, previamente, combinado que valeria tudo): de efeito, debaixo da perna, com a mão esquerda, de olhos fechados, de costas, de longe... E tudo ajudado por uma sorte escandalosa.

A meninada delirava. Pelo final, metade havia passado para o seu lado: ele era um ídolo, um campeão como eles ainda não tinham visto.

Estava endiabrado, com aquela mesma antiga sensação de que ele, em tais momentos, não era mais ele, mas algum espírito que dele tomava conta — e então não havia adversário, não havia obstáculo, não havia nada que se pusesse em seu caminho.

Estava fora de si, por mais que as conveniências da idade lembrassem-lhe que devia se controlar: gritava, ria, pulava, tudo numa festa só com a meninada.

E naquele momento era impossível haver lugar para a compaixão, mesmo vendo que o adversário estava esmagado, quase chorando. Guerra é guerra.

Mas, no fim, até ele próprio, o adversário, cedia ante o esplendor de sua classe:

— Você não erra mais nenhuma... Assim não tem graça...

Dudu já tinha bilocas enfiadas em tudo quanto era bolso, e ainda recebia a ajuda dos novos companheiros.

Renato estava com três de resto, e não quis continuar. Mas a luta não terminara:

— Quero ver amanhã, com o Dedinho — ameaçou.

Dedinho! O nome provocou um frêmito na turma.

Na volta para casa, ele quis saber quem era o Dedinho.

— É o sócio dele — contou Dudu, excitado com as emoções daquela tarde e temeroso agora do dia seguinte; — ninguém ganha dele.

— Ninguém?...

— Até hoje ninguém ganhou. Precisa ver o Dedinho jogar. Ele faz umas coisas esquisitas. Ele tem um dedo a mais, pendurado, um dedinho; acho que é por causa disso.

— Dedinho... — ele repetiu, percebendo a magia que cercava o nome. — Pois nós vamos ver...

Em casa encontrou a filha:

— Estava com os meninos? — ela perguntou.

— Que meninos? — ele respondeu, num tom agressivo, sentindo-se descoberto, sentindo violado seu segredo.

— O senhor acha que todo mundo já não está sabendo, Papai?

— Bom — ele acabou de sentar-se: — e o que tem isso?

A filha riu, carinhosa e repreensiva, um cigarro de filtro entre os dedos espichados.

— Tem cabimento uma coisa dessas, Papai?...

A mulher arrumava a janta em silêncio, escutando.

— Pensa: o senhor na sua idade, uma pessoa de quase sessenta anos, brincando com uma meninada de nove, dez anos... Não faz sentido.

— E depois, também, há os outros — entrou a mulher; — eles podem falar.

— Falar o quê? — ele perguntou.

— Falar — disse a mulher.

— Se o senhor ainda...

— Puxa — ele se levantou de repente: — tanta conversa por causa de uma coisa dessas? Eu não vou mais; pronto, está resolvido.

As duas se olharam em silêncio, enquanto ele ia até a porta da cozinha e voltava:

— Esse pessoal tem é titica na cabeça — disse, com a respiração alterada. — Falar... Deixa eles falarem; o que eles têm com a minha vida?

As duas tornaram a se olhar.

— Por que não cuidam da vida deles e deixam a minha em paz? Hem? Por que não cuidam da vida deles?

— A gente está zelando pelo senhor, Pai.

— Zelando... Eu sou por acaso algum inválido? Sou? Pois fique sabendo, menina, fique sabendo que eu tenho muito mais saúde do que vocês todos, incluindo o bostinha desse médico que vem aqui.

— Edmundo... — a mulher pôs a mão na boca.

— Bostinha sim. E ainda vem aqui pegar o meu dinheiro e dizer para vocês que eu não ando regulando bem; pensam que eu não ouço as conversas? Pois fique sabendo ele, e vocês também, que eu regulo muito mais do que vocês todos. Com a minha idade e tudo o que passei, eu estou muito mais vivo do que vocês!

Ele ficou ofegando.

— Zelando... — riu, sarcástico. — Vocês querem é que eu vá morrendo aos poucos; morrendo cada dia um pouco mais; morrendo lentamente...

— O senhor acha que é isso o que a gente quer, Papai?

— É isso o que vocês estão fazendo comigo. Mas podem ficar tranquilas: eu não vou mais lá, nos meninos. Não é isso o que vocês querem? Então podem ficar tranquilas, eu não vou mais lá. Eu vou ficar o dia inteiro aqui, dentro dessa casa.

— Papai, escuta: vamos conversar direitinho.

— Não quero mais conversar — ele disse, e saiu da copa.

Amor

Ela apontou para a vitrine:

— Olha ali que amor de sapato!

Chegaram mais perto. Ele viu seu rosto difusamente refletido no vidro: um rosto cansado, encardido, a barba crescida.

— Não é um amor?

— É.

— Qual que você está pensando? Estou falando é aquele ali, aquele branco ali, ó.

— Eu sei.

— Aquele branco de lá.

Ele olhava fixo para o vidro, aproximando e afastando a cabeça, tentando apanhar a imagem completa de seu rosto, que parecia fugir-lhe, numa brincadeira diabólica.

— Você acha mesmo?

— Acha o quê?

— Bonito, esse sapato; o quê...

— Acho; eu não disse que acho?

— Então qual que é ele?

— Aquele ali — arriscou.

— Não.

— Estou falando aquele segundo, de lá pra cá.

— Na fila de cima?

— É.

— Também não.

— Então é aquele furadinho ali.

— Furadinho? Ah; também não.

— Então não sei; pronto.

Ele começou a andar, de cara fechada. Ela o acompanhou.

Era fim de tarde, avenida movimentada, pessoas voltando para casa com embrulhos, rapazes na beirada do passeio, colegiais em grupos, lojas fechando, filas, rostos cansados, gastos, suados, barulho dos lotações, estalo dos elétricos.

— Eu estava só querendo puxar conversa — ela disse. — Não era caso de você ficar assim.

— Assim?

— Com essa cara.

— O que tem minha cara?

— Nada; não tem nada.

Ele olhou para ela: ela não olhou para ele.

— Está bem: aqui minha cara, ó — e ele fez uma careta alegre. — Está boa assim?...

— Não foi pra chatear que eu estava perguntando; eu só queria puxar conversa; você estava tão calado...

— Eu sei, bem, eu sei — ele disse, sem raiva, sem irritação, sem mágoa, pensando como devia ser bom estar àquela hora lá em cima daquela serra, aquela serra calma, longe, azulada, que aparecia lá no fim da avenida, por trás dos edifícios.

— Mas se você não quer conversar, então não conversemos; como você quiser.

— Eu quero — quero o quê? ele pensou, sem se importar com a resposta, olhando para um lotação que passou, soltando fumaça.

— Você anda tão diferente... — ela desabafou. — Calado, distraído... ríspido...

— Eu estou cansado.

— Você sempre diz isso.

— E o que você queria que eu dissesse?

— A verdade.

— E essa não é a verdade?

— Não.

— Então qual que é a verdade?

Ela não respondeu.

— Hem? Qual que é a verdade? Você não vai me dizer?

Ela não respondeu.

— Bem; então não diga.

— Você não é mais como era antes, quando nos conhecemos...

— E você? Você acha que é a mesma? Ninguém é sempre o mesmo.

— Você era alegre, brincalhão...

— Bem, eu estou cansado, você não vê? Não vê que eu estou cansado? Olha pra minha cara: você não vê?

— Não é cansaço.

— Então me diga o que é.

— Você sabe.

— Não sei.

— Sabe sim.

— Juro que não sei.

— Você não gosta mais de mim.

— É? Escuta: por que você diz isso, se sabe que eu gosto, hem?

— Se você gostasse, você não estaria assim.

— Assim como?

— Como está agora.

— Ai, meu Deus — ele passou a mão pelo rosto, sofridamente.

— Aí: eu não estou dizendo? Não pode dizer nada, que você explode.

— Isso é explodir?

— Você está uma pilha.

— Tá bom: então eu não vou dizer mais nada. Não posso dizer nada, que você diz que eu estou explodindo, ríspido, uma pilha e não sei mais o quê...

— Não diga; a boca é sua.

— Sua é que não é.

— Ainda bem.

O silêncio ia inteirar um quarteirão, quando ele disse:

— Por que não podemos passar sem brigas? Por que a gente tem sempre que estar brigando?

— Não é minha culpa.

— Eu sei: é minha.

— Hoje, por exemplo: eu estava só puxando conversa, e você...

— Foi ríspido, já sei; não precisa começar tudo de novo.

— Quer saber de uma coisa? O melhor é nós terminarmos.

— Terminarmos?

Ele sentiu um frio.

— Não combinamos mais mesmo.

De repente tudo perdido, não há mais palavras nem gestos, só um espaço escuro sufocando a garganta.

— Acho que não é caso disso... Não é caso de a gente terminar... Eu sei, reconheço que eu estou mesmo como você disse; mas não é minha culpa — ele disse, de cabeça baixa, como quem pede perdão. — Não é porque eu quero que eu estou assim...

Haviam chegado ao ponto do ônibus. O ônibus já estava para sair.

— Vou tomar esse ainda — ela disse. — Tenho de chegar mais cedo em casa hoje.

Ele olhou para ela e, não sabendo o que dizer, voltou a olhar para o chão.

— Até logo — ela disse.

— Amanhã te telefono?

— Se você quiser.

— E você?

Ela já havia entrado no ônibus.

Da janelinha, olhou para ele: mas não sorriu, nem abanou-lhe a mão.

Ele ficou vendo o ônibus se distanciar pela avenida, o rosto abatido, pensando por que o amor era tão difícil...

Meus anjos

Embora ela não dissesse a idade, sabiam na escola que Dona Carmen devia ter passado dos trinta anos. Ela não se casara, nem sabiam de namorados recentes em sua vida. Muitos se admiravam disso, pois não só não era ela feia, como também tinha excelentes qualidades: era inteligente, educada, e no trabalho sobressaía entre as companheiras por sua dedicação e entusiasmo. Além disso, ainda pertencia a uma tradicional e rica família da cidade, uma família muito estimada.

E, como se não bastassem todas essas coisas, tinha ainda Dona Carmen uma bela voz, que era ouvida aos domingos pelos que frequentavam a missa das dez na igreja matriz. Ao cantar, ela queria não apenas exibir o seu dom, mas principalmente, com a sua fé, homenagear Aquele de quem o recebera. Tanto ela quanto sua família eram muito católicos; um dos irmãos estava às vésperas de se ordenar padre, fato que levava algumas pessoas a lhe dizerem que, a exemplo do irmão, ela acabaria entrando para o convento. Ela sorria, dizendo que não, e, a uma insistência, limitava-se a repetir que não, nunca pensara em ser freira.

Dona Carmen não era muito prosa, embora também não chegasse a ser calada. Amigas de há mais tempo, no entanto, descreviam-na como mais alegre e expansiva quando mais jovem, e algumas falavam num namoro infeliz, que teria deixado marcas, marcas que a teriam transformado numa pessoa diferente da que ela fora.

Mas se esse era o seu retrato nas relações com as pessoas do convívio diário, dentro da sala de aula, com as crianças, o retrato mudava: ela era mais comunicativa, sorria com mais facilidade, era uma pessoa bem mais à vontade. E ela sabia disso. Não apenas sabia: ela fazia questão de dizer para os outros. Dizia que, estando ali com as crianças, sentia-se inteiramente feliz. Ela amava seus alunos — como se fossem seus filhos. Mas era outra a expressão que usava: "meus anjos". Anjos que tinham entre eles alguns "diabinhos" — a quem ela não menos amava.

Qualquer professor tem seus momentos de cansaço, aborrecimento, enfado, quando nada é melhor do que um feriado ou uma dispensa dos alunos mais cedo. Ela, não; ela parecia achar ruim quando isso acontecia. "Você ainda está no começo", explicava, com bom humor, a diretora, que já tinha uma longa experiência do assunto. "Deixa passar mais tempo; seu dia de saturação também vai chegar. Para uns ele chega mais cedo, para outros mais tarde; mas para todos ele chega. É uma coisa normal."

Dona Carmen sorria. A diretora sabia do que falava; mas de uma coisa ela não sabia, nem suas colegas: o que a sustentava em sua dedicação. Não era apenas o empenho em bem cumprir o dever; era algo muito mais profundo e que ela nunca dissera a ninguém: era a sua identificação com o mundo das crianças, o único mundo onde ainda podia encontrar inocência e pureza. Aqueles rostos de olhar transparente, aquelas bocas de riso limpo, as conversas e os gestos sem malícia — eles eram o que havia de melhor sobre a Terra, eram o que salvava, o único refúgio para uma alma como a sua. Ninguém sabia disso. Não contara nem contaria jamais a alguém. Aquilo era como que a essência de sua alma.

A escola era um prédio velho, onde ela própria, quando criança, estudara. De tempos em tempos davam-lhe uma reforma e havia muito que falavam em o demolir para a construção de um novo prédio, um prédio que atendesse melhor às necessidades do ensino — a cidade crescera muito naqueles anos, e continuava a crescer.

Com seu prédio, suas diversas áreas, que se dividiam numa simetria caprichosa e sem muita lógica, a escola ocupava quase um terço do quarteirão. De seu estilo, antigo, diziam os mais entendidos que se tratava de uma imitação do gótico. E, como que para confirmar, de um modo oblíquo, essa opinião, contavam-se misteriosos casos acontecidos na escola, casos que iam passando de uma geração a outra: casos de doidos, criminosos, tarados... Uma versão mais recente dava como certo ser ela, à noite, ponto de encontros amorosos de "anormais".

Para quem ouvira falar em tudo isso e contemplava pela primeira vez o prédio, não era difícil acreditar; mas, para os professores e os alunos que o frequentavam diariamente, a escola era apenas um prédio antigo como qualquer outro, sem nada de especial.

As salas se ordenavam pela série. A do 4º ano no turno da tarde, a sala de Dona Carmen, era a última do corredor. Depois dela, havia o pátio e as outras áreas. As aulas começavam à uma hora e terminavam às quatro. Às sete o portão era fechado a cadeado pela porteira, Dodora, uma mulher gorda e rude, de expressão carrancuda e enigmática. Nesse período, de quatro às sete, a escola se esvaziava.

Os meninos tinham permissão para continuar pelo pátio até as seis, hora em que Dodora tocava um apito. Uma hora restava ainda para as professoras que, por acaso, tivessem permanecido para concluir ou adiantar algum trabalho, o que raramente acontecia: antes que tocasse o apito para os alunos, já havia muito que as professoras tinham desaparecido. Nisso também Dona Carmen era uma exceção, pois gostava daquele silêncio e daquela tranquilidade, e aproveitava-os sempre que podia.

Foi num desses fins de tarde que, concentrada na correção de um dever, julgou ouvir vozes de crianças. Ergueu a cabeça e, na penumbra da sala, ficou atenta. Depois de alguns minutos, como não ouvisse mais nada, julgou ser uma ilusão: àquela hora não havia mais aluno na escola, já tinham todos ido embora.

Mas, de repente, ouviu de novo: pedaços de vozes abafadas. Foi até a porta, que havia encostado, abriu-a e olhou para o corredor e o pátio: não viu viva alma. E então teve uma súbita consciência de que as vozes tinham vindo do outro lado, da área abandonada, onde, num canto, se empilhava o lixo.

Foi até uma janela e, suspeitando já de algo estranho, abriu-a devagar, apenas uma fresta. Olhou o terreno vazio, cercado pelo muro, com folhas de caderno na grama rala e já escura. Nada viu de diferente. Mas então ouviu de novo uma voz e, dessa vez, com um timbre que a fez entender num segundo o que se passava. Virando a cabeça para o outro lado, ela viu um menino e uma menina, seus alunos, quase sob a janela, no monte de folhas secas: nus, ela de bruços e ele sobre ela, os dois mexendo-se e ofegando, as pernas se agitando descontroladas, as mãos agarrando.

Depois os dois se vestindo, caminhando com cuidado até o muro, ele subindo e espreitando a rua, ajudando-a a subir, eles desaparecendo. No escuro ficou o monte de folhas secas, para o qual, da fresta da janela e como que traumatizada, ela agora olhava fixo.

Tudo nela se confundia e se despedaçava. Era mais do que qualquer coisa que ela já tivesse visto; era algo que ela quase não podia suportar.

Fechou lentamente e quase que mecanicamente a janela e foi andando até a mesa, onde parou de novo — zonza, transtornada, derrubada pelo que acabara de ver. Eram duas crianças e, no entanto, os seus movimentos e gemidos, a febre e a fúria e os estertores finais...

Era terrível. E ela vira tudo, vira mesmo o momento em que o corpo da menina estremecera com a penetração. E ela nada fizera: ficara olhando. Devia ter impedido, mas ficara olhando, vendo cada coisa, vendo tudo. Duas crianças; tinham dez anos...

Fora terrível. Sentia-se abalada e sem forças para pensar com clareza. Levou as mãos ao rosto, quase em desespero: "Meu Deus, ajudai-me!" Como poderia encarar as duas crianças no dia seguinte? Como poderia ela própria se encarar agora depois daquilo?

Foi andando devagar pelo corredor, em direção à saída. As janelas das salas, fechadas: parecia nelas enxergar qualquer coisa como um sorriso de zombaria. As paredes, os cantos, as sombras — cada coisa insinuando um mesmo segredo, maléfico e triunfante.

E Dodora, onde estava Dodora? Encontrou-a sentada no fundo da cantina: imóvel, silenciosa, impenetrável — como uma grotesca e misteriosa estátua antiga. Não teria visto aqueles meninos? Ou, quem sabe, teria ela própria arranjado aquilo? Diziam que era ela que patrocinava os encontros amorosos à noite. Talvez fizesse algo parecido com as crianças. Que segredos ocultava aquele rosto? Por que a olhava demoradamente? Por que sempre a olhava assim quando ela saía tarde? O que queria dizer aquele olhar?

Na solidão de seu quarto, a cabeça ainda febril, ela não podia dormir. Tinha medo, tinha muito medo; medo das coisas, medo dela própria — de repente tudo se tornara inseguro e ameaçador.

Vencida, enfim, pelo cansaço, dormiu. Mas vieram os sonhos. O que estava acontecendo? Por que os meninos olhavam para ela com aquele olhar estranho? Por que sorriam? Eles estavam fazendo gestos obscenos. Ela estava ao lado do monte de folhas secas, vendo o menino e a menina fazerem sexo, e eles riam para ela. Carregando nos braços o menino, nu, entrou numa casinha e fechou a porta várias vezes, e a porta não se fechava. Então tirou rápido a roupa e ficou de frente para a parede e segurava o sexo do menino, tentando enfiá-lo nela, e não conseguia. Deitou-se de bruços no ladrilho molhado de urina e o menino estava em cima dela e investia, e não entrava. Nua, em sua cama, deitada de lado, com as pernas encolhidas: Dodora atrás, sentada na beirada, dominando-a com um braço, e, com a mão, em golpes fortes e rápidos, ia enfiando o cabo da vassoura.

Foi o primeiro dia que Dona Carmen falhou. Doença foi sua alegação. E quando, na manhã do outro dia, ela pediu licença de uma semana para uma viagem, a diretora nem por sombra se opôs: nenhuma professora teria mais autoridade moral do que ela para pedir isso. Mas não deixou de comentar com as outras o que com a própria Dona Carmen já havia comentado: que todo professor tem o seu dia de saturação. O dia dela chegara, fora simplesmente isso o que acontecera. Embora, admitia, esse dia tivesse chegado mais cedo do que esperava.

Velório

Só de tarde é que fui saber da morte do Valico. Me contaram no serviço que ele tinha morrido àquela madrugada. Pedi licença ao chefe e fui dar uma chegada lá.

Tinha muita gente, a maioria eu conhecia. Nego Branco, Lolô e Penca estavam lá. Bastião e Nassim chegaram depois.

Valico estava na mesa. Coitado. Amigo do peito. Bom num truco igual a ele está para nascer outro. Vou sentir falta dele naquelas partidas domingo adentro.

Dona Laura chorou muito quando fui abraçá-la.

— Ele era tão seu amigo, Nestor... Ele era tão bom... Não era hora dele morrer... Ele não podia morrer...

Coitada. Vai sentir muito a falta dele. Valico era um marido e tanto: compreensivo, trabalhador...

A sala estava muito cheia e fui para fora, onde estava a turma.

— Pois é, hem? — eu disse. — O Valico...

— É... — eles disseram.

— Perdemos um amigo — eu disse.

— Um grande amigo — disse Nego Branco.

— O nosso melhor amigo — disse Penca.

— Vou sentir falta dele — eu disse.

— Todos nós — disse Nego Branco.

— Todos nós — repetiu Penca.

— Foi de madrugada, né? — eu disse.

— Foi; de madrugada.

— Pois é, hem, sô...

— É...

— Sujeito bom igual ao Valico... — disse Nego Branco.

— É mesmo — eu disse.

— Honesto — disse Penca.

— Trabalhador — disse Lolô.

— Um homem assim é difícil de encontrar hoje em dia — disse Nego.

— Difícil? — disse Penca. — Eu dou a bunda se você encontrar um.

— Sabe que é mesmo? — disse Lolô. — A gente não encontra mais, não.

— Não encontra mesmo, não — disse Nego.

— É uma pena — eu disse.

— Uma perda irreparável — disse Lolô.

Depois chegou Bastião. Ele também só tinha sabido de tarde.

— Que coisa, hem, sô? O Valico...

— Pois é...

— O Valico...

— É...

— Ontem mesmo eu estive aqui, tomamos um cafezinho juntos... Que coisa...

— É...

O enterro era às cinco horas. Já eram quatro, e o caixão ainda não tinha chegado. A família começou a se incomodar. Nadir, uma das irmãs de Valico, veio falar conosco. Penca e eu nos encarregamos de tomar as providências.

Telefonamos para a funerária. Imaginem: disseram que havia ocorrido um engano e o caixão não fora feito. Parecia piada.

Pediram mil desculpas e disseram que não havia problema: tinham alguns caixões prontos e, conforme o modelo do caixão e o tamanho do morto, talvez um deles até servisse.

O modelo não tinha problema; em último caso, como aquele, qualquer um serviria. O problema era o tamanho: Valico era enorme, um gigante. Só mesmo um caixão especial.

Penca explicou tudo, deu uma bronca daquelas com eles. Pediram outra vez mil desculpas e disseram que viriam tomar de novo as medidas e que em meia hora, no máximo, o caixão estaria pronto.

Quando o sujeito veio, repetimos as broncas: onde já se viu uma coisa dessas? Que descaso, que desconsideração pelo morto e pela família do morto... Fomos por aí. O sujeito ficou murchinho, depois jurou que dentro de meia hora, sem falta, o caixão estaria pronto.

Pois a meia hora passou, e nada. Dessa vez eu é que fui ao telefone. O cara disse que houvera um pequeno atraso porque tiveram de buscar material não sei onde; voltou a se desculpar. Eu disse que se dentro de quinze minutos o caixão não estivesse ali, nós iríamos buscá-lo pessoalmente. Mostrei que estava bem puto.

A essa altura havia, como não podia deixar de ser, um mal-estar geral na casa. "O que aconteceu?...", cochichavam pelos cantos. "Adiaram o enterro? Cadê o caixão?" O morto, firme lá na mesa, e nem sombra de caixão. Quase seis horas: uma hora de atraso.

Novamente o telefone: ocupado. Discamos de novo. Ocupado. Ocupado. Ocupado.

— Sabe que isso é golpe deles? — disse Penca. — Vai ver que eles ainda não acabaram e estão ocupando a linha só para nós não telefonarmos para lá.

Era capaz mesmo de ser isso.

Fomos conversar com os outros, para ver o que se fazia. Lolô propôs irmos lá e resolvermos a coisa na raça.

Foi nessa hora que Nassim chegou. Contamos a coisa para ele.

— Topo qualquer parada — ele disse.

— Bom — disse Nego Branco: — nós vamos lá; e depois? E o caixão? Se não fizeram ainda, quem vai fazer?

Nego Branco é muito equilibrado, a gente sempre escuta o que ele diz.

— De fato — eu disse.

— Vocês estão é afinando — disse Penca. — Num caso desses vocês ainda estão pensando o que a gente vai fazer? A gente tem que resolver isso é no braço.

— Topo qualquer parada — tornou a dizer Nassim.

— Calma, gente, vamos com calma — disse Nego. — A hora é de calma, e não de precipitações. Vamos resolver a coisa com calma; mais alguns minutos de atraso não é que vão fazer o mundo vir abaixo. Quem já esperou uma hora pode esperar mais um pouco. Sou de opinião que a gente deve ficar aqui mesmo e esperar; sabe lá até se eles já estão vindo com o caixão para cá?...

— É bem capaz... — disse Penca. — Esse pessoal? Do jeito que eles são? Eu não duvido nada de eles nem terem ainda começado o bendito desse caixão... Não duvido nada...

— Eu também acho que a gente deve é esperar — disse Bastião. — Que adianta a gente ir lá brigar? Isso vai resolver alguma coisa?

— Você está é com medo, Bastião — disse Penca.

— Medo? Eu?

Nego:

— A questão, Penca, é que a briga não vai resolver nada, ela só pode piorar as coisas. Se ainda tivesse outra funerária aqui; mas só tem essa... Onde que nós iríamos arranjar outro caixão?

— Mas é um desaforo, Nego!

— Isso é, um desaforo, concordo; um desaforo para com a memória do nosso amigo, para com a família, e para com a gente também, afinal de contas. Um desaforo; quanto a isso não há dúvida. Mas o que se vai fazer? Brigar é que não adianta.

— A gente pode deixar a briga pra depois — disse Nassim.

A sugestão do turco até que foi boa; ela deixou Penca mais calmo. E decidimos mesmo esperar. A família do morto concordou; eles concordariam com qualquer coisa, já estava todo mundo passado, incapaz de refletir e tomar decisões.

Lembramos de telefonar para o cemitério, explicando a demora. Mas antes tentamos novamente a funerária: ocupado. Os filhos da mãe; isso não passava mesmo de golpe deles...

O sujeito que atendeu no cemitério começou esculhambando: disse que já estavam indo embora, que aquilo era falta de responsabilidade — fazer eles ficarem esperando aquele tempo todo, sem nenhum aviso... Pedi desculpas e expliquei que essas horas a gente esquece de tudo, o senhor sabe como é. É falta de responsabilidade, repetia o cara, grosso pra burro. Em parte ele tinha razão; mas era isso motivo para ficar danado da vida daquele jeito, esculhambando Deus e o diabo?

Mas o cara engrossou mesmo foi quando eu expliquei o motivo da demora: "O senhor não tem uma desculpa melhor? Essa não está colando de jeito nenhum." "Pode vir aqui ver, se o senhor não acredita." "Eu ir aí? Vai contar essa pra caveirinha, meu chapa." Pra caveirinha: aquela foi de morte. Mas gíria de coveiro só podia ser mesmo de morte. (Boazinha essa...)

Fiz força para não perder a esportiva, já que isso só podia complicar mais ainda as coisas. "Não enterramos ninguém com escuro", o cara disse. Eu pedi só mais meia hora. Ele disse quinze minutos. Eu insisti: "Até sair de casa, passar na igreja..." "Está bem; meia hora. Mas nem um minuto a mais; nem um só, ouviu?", ele disse, com voz de sargento de batalhão. Tive vontade de mandar lembranças pra caveirinha; mas maneirei, para não acabar de foder tudo.

A essa altura eu já estava buzina.

— Porra, esse enterro tá foda — eu disse. — Desse jeito, nós vamos acabar plantando o Valico aí mesmo, no quintal.

— O diabo é ele ser grande — disse Lolô. — Senão a gente podia pegar um dos caixões que já estão prontos, quebrava o galho. Mas ele tem quase dois metros; vai ser grande na puta que pariu. Vocês já viram defunto desse tamanho? Eu nunca tinha visto. Por isso é que eu não me incomodo de ser baixote. Um baixote não tem problema, mas um grandão até depois de morto tem problema; é o diabo. Se ele não fosse exagerado, uma hora dessas ele já estaria tranquilo debaixo da terra, não haveria problema, e nós já teríamos ido para casa.

— É... — eu concordei.

— Estou morto de cansado — continuou Lolô; — trabalhei hoje feito égua de carroça. Aquele serviço ainda me mata, está doido; trabalhar feito eu trabalhei hoje... Eles podiam pelo menos trazer um cafezinho aqui para a gente; afinal, ficar aqui esse tempo todo esperando não é mole, não, cansa. Ainda mais com esse rolo: telefona pra um, está ocupado; telefona pra outro, vem bronca. Como é mesmo que o cara te gozou, Nestor?

— Gozou não, porra.

— Ê, você está com o estopim curto, hem?

— Tá engrossando, tá engrossando... — disse Penca. — Não vamos começar a discutir entre nós também, vamos?

Nego:

— A gente tem razão em estar assim, com essa coisa toda; mas não vamos perder a cabeça. Afinal, a família do morto está contando conosco para ajudar, não vamos fazer feio. Não fica nada bem a gente fazer um papelão aqui...

— Que papelão? — eu disse. — Quem está fazendo papelão? Não pode falar um pouco mais alto, não?

— Então vai buscar o café para nós — disse Nassim.

Fui providenciar o café.

Estávamos na parte lateral da casa, e tive de atravessar a sala. Já havia pouca gente; a maioria, cansada de esperar, havia se desculpado e ido embora, uns dizendo que voltariam em pouco.

Cadeiras vazias. As flores haviam murchado; algumas, mais recentes, colocadas àquela hora, só serviam para mostrar as outras, murchas. As velas já estavam no fim, e não havia mais onde comprar, pois o comércio já estava fechado.

Uma das tias de Valico, uma velha, tinha pegado num sono lascado. Ao passar, esbarrei sem querer nela. Ela acordou, assustada, empertigando-se na cadeira e perguntando: "Já está na hora de levantar?" Essa valeu...

Não tinha mais ninguém chorando. As irmãs, montadas nas poltronas, cada qual com a cara mais cansada do que a outra.

Eu não olhei para a cara de Valico, mas imagino que, àquela altura, até ele já devia estar também com cara de cansado: "Poxa, não vão me enterrar mais, não?", devia estar pensando com os seus botões.

Se o caixão continuasse demorando, aquele pessoal ia todo ferrar no sono, não precisava ser nenhum gênio para prever isso. Café, para eles, não adiantava mais: ali era enterro ou cama.

Depois de providenciar o café na cozinha, voltei para fora. Falei sobre o pessoal na sala. Voltamos a discutir e a pesar a situação toda. A meia hora do sujeito do cemitério ia passando, começava a escurecer. Já estava todo mundo cansado e ninguém mais queria brigar — a não ser Nassim.

Decidimos esperar mais meia hora, aquele resto de dia, porque, sendo horário de verão, às sete horas ainda haveria claridade bastante para se enterrar o morto. A gente avisaria o grosso do cemitério.

Dessa vez eu não quis ir telefonar. Foi Nego Branco. Voltou com a cara desolada:

— Já foram embora; só tinha um de resto lá, e esse disse que, agora, só amanhã cedo...

— Cachorrada! — disse Lolô.

— E agora? — disse Bastião.

— Agora? — disse Lolô. — Agora é ir embora, e o enterro e o morto e tudo que se danem! Pra mim já basta!

Ele virou as costas e foi mesmo embora, ninguém tentou segurá-lo; afinal, era aquilo que todo mundo ali estava com vontade de fazer.

— E nós? — disse Penca. — O que nós estamos esperando?

— Quer ir embora também, pode ir, Penca — disse Nego. — Ninguém está te pedindo para ficar.

— E eles? — eu disse. — Vamos embora e deixamos os parentes naquela situação? O que nós vamos dizer para eles depois? Afinal, mais cansados do que eles nós não estamos. Acho que seria uma covardia, uma...

— Quem mandou eles darem essa mancada do caixão? — disse Penca.

— Não é culpa deles — eu disse.

— Minha também é que não é.

— Se você quer ir embora, vai, Penca.

— Não precisa ninguém me dizer isso, está bem?

Estávamos nesse bate-boca, quando Nego Branco disse:

— Eu vou dizer para eles que o enterro só pode ser amanhã, de manhã, e que eles podem dormir, que eu fico lá na sala, velando o morto e esperando o caixão.

Disse isso e foi andando para a sala. Paramos de discutir e ficamos nós quatro ali, em silêncio: Bastião, Penca, Nassim e eu.

Até que Bastião disse:

— Agora não é mais a família do morto: agora é o Nego. Seria sacanagem a gente deixar ele sozinho aí a noite inteira; isso é que eu não vou fazer.

E saiu andando para a sala também.

— Bosta! — gritou Penca. — Vocês estão é dando! Está todo mundo dando!

— Então eu vou dar também — eu disse e saí para a sala, atrás de Bastião.

— Veados! Frescos! — Penca ficou xingando.

Uns cinco minutos depois ele apareceu na sala, com Nassim. Sentaram, e ficamos lá os cinco, amuados, enquanto o pessoal dormia nos quartos, uns roncando naquela altura.

Dona Laura custou a concordar, mas a levamos com jeito, mentimos que era só um pouco, que a acordaríamos logo, que era só para ela descansar um pouco. Mas do jeito que ela estava, com os calmantes que já havia tomado, sabíamos que era só encostar na cama, que ela tão cedo não abriria os olhos.

Depois de muita demora, a empregada trouxe o café: deixou-o numa mesa da sala e foi embora para casa.

Não demorou muito, o caixão chegou. Vieram dois caras trazendo e foram logo se desculpando, antes que disséssemos qualquer coisa.

— Está certo, está certo — disse Penca. — Agora vocês arrumam o resto aí, põem o homem no caixão e tudo; não vamos mexer com isso, não.

Puseram, arranjaram tudo, pediram mais desculpas.

— Está certo, está certo. Até logo.

As velas tinham acabado. As flores, murchas.

No começo, a turma ficou olhando para o morto, como era natural. Mas, foi indo, todo mundo se cansou disso — até morto a gente enjoa de olhar, se fica olhando muito tempo.

Cada um foi, por seu lado, procurando algo com que se distrair. Bastião encostou numa poltrona e começou a cochilar. Nego tinha encarado num quadro de passarinhos na parede e não despregava mais os olhos. Se ainda fosse mulher pelada; mas passarinho? Nassim achara um jornal num canto e estava lendo. Penca começou a andar pela sala; parou ao lado do caixão e ficou olhando.

— Puta merda, o Valico está feio uma coisa que presta... Será que eu também vou ficar assim depois de morto? Vai estar feio na China... Está com uma cara de puto, olhem aqui...

— Deve ser por causa do enterro — eu disse.

De vez em quando chegava uma visita:

— Uai, ele ainda está aqui?

"Ele" era o defunto.

A gente tinha de explicar tudo. Só mesmo Nego Branco, com aquela paciência; cada um que chegava, ele explicava tudo de novo.

Nassim espichara no sofá e jogara o jornal em cima da cara.

— Daqui a pouco está todo mundo dormindo — disse Penca. — Tem que acontecer isso mesmo, é natural; quem aguenta ficar o tempo todo acordado nessa chatura?

Nego Branco olhando os passarinhos. Fui lá perto do quadro para ver o que era. Olhei, mas não vi nada de mais.

— O que você está vendo nesses passarinhos, Nego? — eu perguntei.

— Que passarinhos? — ele respondeu.

— Que passarinhos?... Esses aqui, uai.

— Uê... Eu não tinha visto, não... Bonito, hem?... Essa não...

— Não tinha visto? Vai me dizer que você não estava olhando para esse quadro?

— Eu? Não; agora, que você disse, é que eu vi.

— Para onde então que você estava olhando?

— Olhando? Não sei, uai; estava olhando aí para o ar...

Doidinho. Nego está doidinho, não tenho mais dúvida.

Penca veio olhar também.

— Sobre o que vocês duas estão aí brigando? É sobre esses passarinhos? O que têm eles? Esse aqui é bem-te-vi; eu conheço porque já matei muitos quando era menino. Esse outro eu não sei.

— Não é sanhaço? — eu disse.

— Sanhaço? Ô meu, em matéria de passarinho você está mais por fora que mão de afogado — ele me gozou. — Sanhaço não parece nem um pouco com isso aqui.

— Joguei no bicho — eu disse.

— Por falar em jogar no bicho — ele disse, — por que a gente não joga uma partidinha, hem? Uma partidinha para ir passando o tempo; uma partidinha de buraco ou outra coisa... Do jeito que está é que nós não aguentamos. Daqui a pouco está todo mundo aí puxando o ronco. Dois já estão. Aí: o filho da puta desse turco nem bem acabou de encostar e já está roncando feito um porco, dá vontade da gente socar a mão na barriga dele; feito um porco. Uma partidinha; só para ir passando o tempo... Hem, Nego? O que você acha?...

Nego pensou um pouco.

— É...

— Uma partidinha, ou mais de uma. Você já pensou? A gente ficar aqui desse jeito até de manhã? Você acha que a gente aguenta? Eu não aguento, definitivamente. Daqui a pouco eu também vou me esparramar por aí, nem que seja no chão; já estou que não aguento de cansaço e sono. E você, Nestor?

— Acho que é uma boa ideia — eu disse.

— A gente vai para a copa, ali para a mesa onde a gente costuma jogar...

— É... — disse Nego. — A gente podia mesmo fazer isso... Mas e o baralho?

— Deve estar lá, no lugar de sempre, na gaveta — disse Penca. — Eu vou lá olhar...

Ele foi.

— Um está aqui... Só um; o outro...

— A gente joga sete e meio — eu disse.

— E tento?

— Na cozinha: feijão. É só pegar lá.

Num minuto arranjamos tudo.

Chamei Bastião. Ele arregalou os olhos:

— Já está na hora?

— Vamos sair pra um sete e meio, levanta aí.

Ele acabou de acordar.

Nassim é que não teve jeito: enrolava a língua, dava chutes e murros dormindo. Já vi gente dormir, mas igual a esse turco...

Deixamos Nassim lá, roncando, e fomos para a copa.

Já eram dez horas; ninguém mais aparecia, e trancamos a porta da sala. Para não verem que havia gente, apagamos a luz da sala — e Nassim e o morto ficaram lá, no escuro, cada um dormindo um sono diferente.

Vinte tentos para cada, valendo cada tento cem cruzeiros. Nego começou com a banca. Mas não chegou a dar a segunda mão: Bastião fez um sete e meio real. Bastião, porém, não sabe ser banca: em vez de ser melhor, para ele é pior ficar com a banca; ele ficava só puxando carta e acabava estourando, o besta. A sorte é que ele também perdeu logo a banca — para ele, perder a banca é sorte —, e aí pôde arribar de novo, mas já estava só com cinco tentos. Ele não tem malícia; ele diz que joga por esporte, para passar o tempo, não se importa de ganhar ou de perder. Pode ser; da turma ele é que é o melhor de dinheiro. Além disso, nossas apostas não são altas, todo mundo vive duro.

O seguinte com a banca foi Penca. Penca é o contrário de Bastião: sem a banca, ele já é bom — bom não, largo —, com a banca, então, vira um capeta.

— Ê, cambada, segura as calcinhas, que lá vai ferro!

Começou a quebrar todo mundo, o montinho de feijão dele só aumentando e o nosso montinho só diminuindo. Bastião foi o primeiro a perder tudo, e pediu um empréstimo de dez tentos.

O foda de jogar com Bastião é quando ele começa a perder: dana a coçar a cabeça de tal modo, que, daí a pouco, a mesa está um nojo de caspa. É caspa pra tudo quanto é canto; se der uma ventania, faz poeira. É um nojo. E ele nem desconfia. Eu não digo nada porque ele pode achar ruim — Bastião não é muito de brincadeira — e também porque os outros parece que não ligam. Mas eu morro de nojo, Deus me livre. Quando ele então perde uma aposta boa, é uma desgraça: mete a unha com vontade, e aí é aquela chuva. Caspa desse jeito é doença; não é possível. Quantas vezes por mês será que ele lava a cabeça?

E a mulher dele? Será que ela não olha isso? Eu não conheço a mulher dele, mas uma mulher que não zela nem pelas caspas do marido não deve ser lá grande coisa. Ou vai ver que ela fala e ele não dá bola, ele é um sujeito meio maníaco. Bastião é um tipo bem esquisito. Um dos caras mais esquisitos que eu conheço. Sei lá; é um tipo diferente.

Lá pelas onze horas o jogo estava mais ou menos equilibrado, ninguém ganhando muito ou perdendo muito. Só que começamos a sentir fome. Tínhamos comido apenas uns sanduíches de mortadela na hora do jantar, sanduíches que eles haviam preparado para nós. Naquela confusão, e porque a casa de Valico era longe das nossas, ninguém tinha ido jantar em casa; remediamos com os sanduíches. Mas agora a fome estava apertando.

Deixei o jogo e fui olhar na geladeira, ver se encontrava alguma coisa para comer. Tinha ainda um pedaço grande de mortadela, e um queijo prato. Tinha também duas garrafas de Brahma e uma Correinha já começada. Informei à turma.

— Manda brasa aí — disse Penca. — O papaizinho aqui está com sede e com fome.

— Será que não tem importância? — eu disse.

Penca:

— Importância por quê? Diabo, a gente está fazendo favor e ainda é obrigado a passar fome? Nada disso. Traz aí.

Piquei uns pedaços de mortadela e de queijo, peguei os copos no armário, e levei tudo para a mesa, com a Correinha e as Brahmas.

O jogo, é claro, ganhou outra animação.

Bastião, com uns dois goles de pinga, já estava bêbado feito uma vaca e disparou a apostar só de cinco para cima — e o diabo é que ele ganhava. Só podia ser o anjo da guarda dele, pois ele nem sabia mais o que estava fazendo, de tão bêbado.

— Ganhei?... — perguntava, esforçando-se para abrir os olhos.

Penca, danado da vida, nem respondia: empurrava os tentos. Só bêbado mesmo para Bastião ganhar. Mas eu também já estava ficando buzina: diabo, o cara não sabe nem jogar direito, fica bêbado e dispara a ganhar?

— Merda — xingava Penca.

Uma hora eu senti um cheirinho desgraçado e perguntei qual o fedamãe que tinha soltado aquele.

Todo mundo:

— Eu não fui.

Sentiram também o cheiro.

— Carniça pura. Esse está podre. Nossa Senhora... Foi você Bastião?

— Hem?... O quê?...

Continuamos a jogar, mas o diabo do cheiro não acabava. Até que eu lembrei que talvez fosse o Valico que já tinha começado a feder.

— Vai ser isso mesmo — disse Penca, — vai ser isso... Se não for, é o Nassim. Dá uma olhada lá, Nestor.

— Tenho cara de cheirador de defunto? — eu disse.

Mas fui lá olhar. Não foi preciso nem chegar perto: era o Valico mesmo.

— Que merda — disse Penca. — Logo agora que o jogo estava ficando sensacional...

Sensacional porque ele tinha começado a ganhar de novo com a saída de Bastião, que tinha ido vomitar no banheiro e escorara por lá.

Já eram três da madrugada. O enterro ia ser às seis. Achamos que até lá a coisa aguentava. Mas se demorasse mais do que isso, ninguém ia suportar chegar perto do Valico.

Jogar com aquele cheirinho é que não dava. Resolvemos passar para a cozinha. Enquanto eu e Nego carregávamos a mesa e as cadeiras e arranjávamos tudo, Penca saiu atrás de um bar aberto para comprar mais bebida. Teve sorte: veio com três Brahmas e duas garrafas de pinga.

Essa hora Nassim, decerto com o cheiro do morto, havia acordado e chegou esbaforido na cozinha.

— Porra, me deixaram sozinho com o Valico...

Estava morrendo de medo o marmanjão.

A chegada de Nassim deu nova vida ao jogo. O duro foi, depois de certo tempo, a gente vigiá-lo para ele não roubar, porque já estava todo mundo de fogo, ninguém conseguia prestar atenção, e ficou só ele ganhando e o resto perdendo — devia estar roubando feito um turco. Mas ninguém estava ligando para isso. Foi indo, ele também ficou bêbado, e o jogo virou um rolo, ninguém sabia mais o que estava fazendo: Penca apagara, e eu tinha pegado os tentos dele, Nego dava as cartas já viradas — o jogo virou uma bagunça. Acabou todo mundo ferrando no sono ali mesmo.

Quando acordei, já era dia. Nego ainda estava na mesa, no mesmo lugar, debruçado; Nassim, no chão, roncando; e Penca enroscado num canto, em cima do capacho, feito cachorro.

Olhei o relógio: seis e meia!

Corri para a sala.

Já tinham levado o Valico. Só a tia velha estava lá.

— Que hora que eles saíram? — eu perguntei.

— Já tem uma meia hora — ela respondeu; — eles já devem estar quase voltando.

Sim, senhor: a gente faz aquilo tudo, espera aquele tempo todo, e ainda fazem o enterro sem a gente. Sim, senhor. Fiquei puto.

— Foda-se — eu disse.

— O quê?... — perguntou a velha.

Fui no banheiro mijar.

Bastião estava lá, deitado, encostado no vaso, dormindo de boca aberta. Cara nojento. Tive vontade de dar uma mijada na cabeça dele, para acabar com suas caspas.

Suzana

As casas da cidade tinham ficado para trás. Os dois meninos iam agora pela estrada, caminhando em silêncio.

De repente um deles parou.

— O que é?

— Acho que eu não vou, não...

— Por quê?

— Eu fico pensando: se o velho pegar a gente...

— Eu já te disse que ele não pega.

— Mas se ele pegar?

— Como que ele nunca pegou?

— Ele pode resolver voltar mais cedo hoje...

— Não volta, não; ele só volta de noitinha.

— Ele pode chegar lá, na casa, e a gente não ver.

— O lugar é detrás de um canavial: mesmo se ele chegar, lá da casa não dá para ele ver.

O menino ainda ficou pensando.

— Você disse que não mora mais ninguém lá perto?

— Ninguém.

— A Suzana fica lá sozinha?

— Sozinha.

— E se ela não deixar hoje?

— Por quê?

— Não sei; dois assim...

— Bobo... E uma vez que fomos nós três lá? Eu, o Binga e o Henriquinho.

— E os três fizeram?

— Os três. O Henriquinho ainda fez duas vezes; ele disse que ia virar amante da Suzana...

— Será que não tem perigo de a gente pegar doença?

— Doença? Essa é boa... É mais fácil ela pegar doença da gente...

— Quantas vezes você já foi lá?

— Já perdi a conta...

— E você nunca teve medo de o velho aparecer?

— Eu sabia que ele não apareceria.

— Sabia como?

— Sabia, uai.

— Mas se logo hoje ele aparecer?

— Bosta! Você vai ou não vai?

— Eu quero ir, mas fico pensando se o velho aparecer lá na hora e pegar a gente...

— Eu já te disse que ele não aparece, que ele não pega. Que coisa!...

O outro ficou de mãos nos bolsos, olhando para o chão.

— Está bem: então vamos.

Começaram a andar de novo.

— Mas do jeito que você disse: primeiro, nós olhamos se o velho está lá.

— Do jeito que eu disse.

— E se ele estiver, a gente volta para trás.

— Do jeitinho que eu disse.

O sol já havia sumido, e eles andaram mais depressa.

— Você vai ver, é a coisa mais gostosa do mundo... Depois de uma vez, você vai querer voltar lá todo dia... Suzana é um espetáculo...

A casa ficava meio distante da estrada; era de um branco desbotado, e o telhado tinha escurecido de velho. Ao lado, por trás da cerca de arame farpado, estava uma carroça de leiteiro. No fundo havia um terreiro com muitas árvores e um canavial.

— Será que ele está aí?

— Parece que está tudo fechado.

— Ele pode estar lá dentro.

— Espera...

Ficaram atrás de uma árvore grossa que havia quase em frente à casa, e um dos meninos deu um longo assobio, musicado.

Ninguém apareceu.

— Vem...

O outro o seguiu, e passaram pela cerca.

As janelas da casa fechadas, nenhum barulho.

O menino foi descendo pelo terreiro, o outro seguindo-o. Começava a anoitecer, e as árvores estavam cheias de sombras.

Um novo assobio ondulou no silêncio, solitário e prolongado. O menino ficou parado, esperando.

Então, de repente, viu algo mexer-se no canavial. Olhou para o outro, e os dois sorriram.

— Suzana — ele chamou, e a égua apareceu.

A chuva nos telhados antigos

— Que estranho... — ela disse. — Mas como você me descobriu aqui, Wilson?

— Isso é segredo; eu contratei um detetive particular...

Ela riu.

— Você vê que não adianta se esconder, né? — ele disse. — Mesmo que fosse a cidade mais longe do mundo, eu ainda te encontraria...

— É — ela tornou a rir; — eu estou vendo...

Ele pegou o maço de cigarros. Ofereceu-lhe: ela agradeceu.

— Você parou de fumar?... — ele estranhou.

— Parei; o Olímpio não gosta.

— Nem dentro de casa?

— Não — ela respondeu, e se levantou: — deixa eu pegar um cinzeiro...

Ela foi pegar o cinzeiro em cima de um móvel, e ele aproveitou para observá-la com mais liberdade. Ela continuava bonita; mas, claro, não era mais aquela menina graciosa, de olhos melancólicos, que ele conhecera tempos atrás: era uma mulher, e tinha mesmo aquele ar negligente de uma mulher com dois anos de casada.

— Detetive... — ela pôs o cinzeiro à sua frente e voltou a sentar-se. — Mas me conta, Wilson; me conta o que você fez durante esse tempo, por onde você andou...

— Fiz muita coisa, Tânia; andei por muitos lugares. Pintei muito...

— Eu fiquei sabendo de uma exposição sua, há pouco tempo.

— Uma no Rio?

— Acho que é. Eu li num jornal. Sei que o sujeito lá te fazia os maiores elogios, te chamava de um dos grandes talentos novos da pintura brasileira... Está vendo?

— É, não posso me queixar quanto à minha carreira; tenho tido bons êxitos. Com os quadros, já deu até para eu ir à Europa.

— Eu soube mesmo que você foi. Que tal?...

— Ótimo; gostei muito. Andei bastante por lá. Fiquei uns tempos em Paris...

— Paris... — ela disse.

— Você lembra?...

Ela sacudiu a cabeça.

— Quantos planos, hem?... — ele lembrou.

— É... E nenhum deu certo... Bom, pelo menos você foi a Paris...

— Fui, mas não como estava naquele plano.

— É assim mesmo: as coisas nunca são exatamente como a gente deseja.

Ela olhou na direção da janela, como se procurasse ver algo longe, na memória.

— De vez em quando eu me lembrava lá de você — ele disse; — de você, dos nossos planos...

— Hum...

— Era o último dia de aula, você lembra? O último dia de aula e o seu último ano no colégio. Você disse: "Hoje é a última vez na vida que eu visto esse uniforme odiento."

Ela riu: estava surpresa de vê-lo lembrar-se daquele detalhe que ela própria não fixara; mas fora isso, exatamente isso, o que ela dissera.

— Não foi o que você disse? — ele ainda perguntou, para confirmar.

— Foi; exatamente...

— Está vendo?

— Puxa, como você foi guardar uma coisa dessas, Wilson? Eu nem lembrava mais...

— Pois é... Você vê que eu não esqueço de nada, né?...

Ela baixou os olhos, como se houvesse naquela frase uma velada acusação.

— O engraçado é sabe o quê? — ele continuou.

— O quê?

— Que você estava achando bom não vestir mais o uniforme, e eu achando ruim.

— Ruim? Você? Por quê?...

— Porque foi com ele que eu te conheci; e então eu pensei que eu nunca mais te veria como naquele primeiro dia. E isso era como se... como se eu começasse a te perder...

Ela tornou a baixar os olhos.

— O que você fez dele?

— Dele?... — ela ergueu de novo os olhos.

— Do uniforme.

— Ah, nem lembro mais, nem sei o que eu fiz.

— Claro — ele disse; — que bobagem...

Os dois riram sem graça.

— É... — ele disse; — muita água passou...

— Por que você não me telefonou àquela vez, Wilson?

— Àquela vez?

— Eu te pedi que telefonasse, não pedi?

— Pediu; você pediu...

— E por que você não telefonou?

— Não sei; eu fiquei na dúvida; não sabia se você queria mesmo que eu telefonasse...

— Sempre duvidando das coisas, hem?... — ela o repreendeu, com um terno sorriso.

— Sempre, eu não digo; mas àquela vez...

— Hum.

— Foi uma fase difícil para mim, Tânia; eu estava com uma porção de problemas, sem emprego... E o pior é que eu não sabia se continuava com a pintura, tinha dúvidas sobre a minha vocação...

Ela o olhava, escutando com atenção.

— Depois, com muita dificuldade, as coisas começaram a se estabilizar, e eu aí fiquei mais seguro do que eu queria; fiquei mais tranquilo.

— A gente nota isso.

— Você nota?

— Noto; noto que você ficou mais adulto.

— Bom, mas, também, já era tempo, né?...

— E eu? — ela perguntou. — Você acha que eu mudei?

— Mudou; mudou muito. Você era uma menina àquela época; agora é uma mulher. Mas continua tão linda quanto antes.

Ela sorriu.

Ficaram os dois, por alguns segundos, em silêncio.

— Você toma um licor, Wilson? — ela perguntou.

— Licor? De quê?

— Murici.

— Murici? Faz anos que eu não vejo murici.

— Você gosta?

— Muito.

— Da fruta e do licor também?

— Ambos os três.

Ela riu.

— Vou trazer para nós...

Ela se levantou e desapareceu no corredor.

Ele chegou até a janela. A chuva, miúda, continuava a cair sobre as casas, de telhados antigos. Um pouco mais longe estava o rio, de águas barrentas, com bananeiras à margem. O céu encoberto, o dia escuro, ninguém passando na rua.

Era uma paisagem triste, e ela o fazia recordar-se de outras, que ele não sabia de quando nem de onde, mas que estavam bem lá no fundo de sua memória, na parte mais solitária de seu ser. E ele então sentiu de novo o que tantas vezes sentira: aquele gosto antecipado de perda, a inutilidade dos esforços, o irremediável das coisas. Tudo já estava havia muito tempo traçado, e qualquer tentativa de mudança terminava sempre em fracasso.

Ela chegou com o licor.

— Estava olhando a chuva... — ele disse.

— Há três dias que chove assim.

Os dois sentaram-se.

Ele tomou um gole do licor.

— Você que fez?

— É.

— Está ótimo; meus parabéns.

Ela sorriu.

No silêncio, ouviam o ruído apagado da chuva.

— O que vocês fazem aqui, Tânia? Para se divertir...

— Tem um cinema aí; é a única diversão. De vez em quando também a gente reúne a turma de engenheiros e faz uma festa; é uma turminha boa.

— Você não sente falta daquela vida que a gente levava? Cinemas, teatros, bares...

— Às vezes sinto, não vou dizer que não; mas a gente se acostuma.

— Eu acho que eu não me acostumaria.

— Olha: quando chegamos aqui, eu, no primeiro dia, pensei: "Não aguento ficar nessa cidade nem mais um dia." Agora já estou aqui há dois anos.

— É... — ele disse, tomando mais um gole do licor.

— É assim.

— E em casa, o que você faz para passar o tempo?

— Adivinha...

— Não sei...

— Você vai rir...

— O quê?

— Tricô.

— É?...

Ele de fato riu.

— É — disse, — pelo que eu vejo, você está mesmo uma autêntica dona de casa, hem?

— Eu tinha que ser, né?

— Claro...

Tomou mais um gole.

— E o Olímpio? Ele fica a tarde inteira fora?

— Fica.

— Você não tem medo de aparecer algum tarado aqui? Ou essa cidade não tem tarado?

— Tem a empregada.

— A empregada é tarada?

— Você, Wilson... Acho que você não mudou foi nada...

— Ela fica com você, a empregada tarada?

Tornaram a rir.

— Sabe, Tânia, eu não me conformo: você aqui, nessa cidade, esse tipo de vida... Sinceramente: eu não acredito que você possa se acostumar com isso.

Ela sorriu apenas.

— E algum herdeiro, já vem por aí?

— Por enquanto não...

Ficaram de novo calados.

Ele tomou mais um gole do licor.

Olhou as horas:

— Cinco e cinco... O trem passa às seis...

Olhou para ela:

— Será que a gente se verá de novo, Tânia?...

Ela mexeu a cabeça, sem dizer nada.

— Pode ser que a gente nunca mais se veja — ele disse.

Ela ficou olhando para o cálice de licor.

— Você me perguntou o que eu vim fazer aqui. Sabe, eu não vim fazer nada: eu vim aqui só para te ver. A saudade era muita. Eu queria te ver, queria falar com você, saber como você estava, ter a certeza de que você continuava viva...

Riu e olhou para ela:

— Besta, né?...

Ela não disse nada; continuou olhando para o cálice de licor.

— Você tem razão, Tânia: eu talvez não tenha mudada nada mesmo...

Ele foi até a janela e ficou algum tempo olhando a chuva. Começava a escurecer.

Tornou a olhar o relógio:

— É, já é hora de eu ir andando...

Ela se levantou e veio também até a janela.

— Você volta?... — ela perguntou, olhando para fora.

— Você quer que eu volte?...

Ela mexeu a cabeça de modo indefinido.

— Não sei, Wilson... Não sei...

Ele observou-a, depois ficou um instante olhando para fora.

Respirou mais forte:

— Não — disse; — eu não voltarei.

Pronto: estava decidido.

Segurou de leve o rosto dela; lágrimas desciam mansamente.

— Tiau, Tânia.

Ela não respondeu.

Viu-o ainda, pela janela, caminhando, sob a chuva, para a estação, que ficava no fim daquela mesma rua comprida. Ele ia a passos firmes, e nem uma vez se voltou para trás.

Pardais e morcegos

O primeiro pulava o muro e fazia o reconhecimento: os pardais não ligavam, por onde teria entrado aquele cachorro? que se levantou depressa e se afastou, rabo entre as pernas, vira-lata.

Ninguém: as salas de aula mofando em silêncio, por trás das janelas de vidros quebrados e das paredes gastas, que a cada ano repelem a tinta fresca em pequenas bolhas secas, que os meninos furam com os dedos — o grupo está velho e cansado, por que não o deixam morrer?

Então os outros vinham, gatos pulando muro. Vinham seguros e contentes: aquele era o seu reino, oculto do mundo por muros altos, grades de ferro, portões com cadeados.

Os pardais e seus pios, que berçam o sono do grupo, eram os companheiros. E os morcegos; não os viam, mas seu cheiro estava no ar, nas árvores, nas paredes, no chão. Quando ia escurecendo, eles começavam a aparecer: surgiam de repente, como se nascessem naquele instante mesmo das sombras, que já se amoitavam nos corredores do grupo, à espera da noite. De repente os pios tinham cessado e os pardais sumido — para onde? Ninguém vira. É como se tivessem se transformado nos morcegos.

Almas do outro mundo, doidos, assassinos, tarados espiavam de dentro das salas pelo buraco da fechadura, debaixo das portas, nas frestas das janelas, andavam de macio pelo assoalho de tábuas antigas, que repetiam seus passos: de repente uma porta se abriria com estrondo ou um grito viria de uma janela. O escuro mandava os meninos embora.

Abaixo das escadas que dão para a quadra cimentada, onde fazem as peladas, o grupo, em forma de u, espreita com seus mil olhos-janelas-fechadas e seu silêncio: vem acordá-lo a bola que bate no telhado, que rebenta um resto de vidraça, que vai picando pelo corredor e morre.

Nunca faltará bola: de cobertão, de borracha, de meia, de papel, laranja, bucha de laranja, limão, qualquer coisa redonda, e até mesmo o que não é redondo: pedrinha, pedaço de pau.

Cansados de jogar, esparramam-se pelo chão ou vão se empoleirar nos galhos dos fícus.

— Achei um ninho!

O filhote branco, mole, olhinhos ainda fechados: Gonzaga pegou-o e torceu a cabecinha.

— Por quê?

— Porque eu quis.

— Matar passarinho é pecado.

— É nada.

Pecado eram as palavras escritas nas casinhas. Alguns ainda não entendiam direito. Nomes sussurrando mistérios e promessas pressentidas ou imaginadas. "Sozinho ou com outra pessoa?", perguntava o padre no confessionário.

Outra pessoa: Eva, a faxineira; levava os meninos para a casinha, levantava a saia e mostrava, em troca da merenda. Quem tinha doce podia passar a mão também; quem tinha pão ou fruta, só ver. Os mais velhos — os que já tinham penugem no lábio — faziam outras coisas. Faziam? Gonzaga contava que tinha feito uma vez: Eva quase caiu sentada dentro do vaso. Ela gemia e dizia: "Ai; ai."

Gonzaga tinha o rosto fino e pontudo, e duas presas agudas: parecia um morcego. Contava também que ele e mais dois uma vez levaram Zuza a uma casinha e fizeram com ele à força. O nome de Zuza era Jesus, mas quando o chamavam de Zuza, ele dizia: "Ih, antipático", e requebrava feito mulher. Zuza era fresco. Veado. Por que eram assim? Veados. Por que se chamavam veados?

Uma vez passara em frente à casa de Zuza e olhara pela janela: Zuza estava com os pais e os irmãos na mesa, almoçando; não havia nada de diferente. Será que o pai sabia? E a mãe? Prestava atenção nele quando passava na rua: se não mexiam com ele, era igual aos outros meninos mesmo.

Outra vez o vira chorando. A professora dissera em aula: "Você não tem vergonha de se chamar Jesus? Deviam mudar o seu nome." Quando foi no recreio, um menino repetiu o que a professora dissera, e então Zuza começou a chorar: ficou de frente para a parede, o braço tampando os olhos e chorando. Ninguém foi falar nada com ele — Zuza não tinha nenhum amigo.

A última lâmpada retine, espatifada por uma pedra: chovem caquinhos de vidro no chão.

Mundo complicado: Eva não era filha-de-Maria? Viu-a fazendo novena, viu-a comungando na missa, tomando bênção do padre — como que ela fazia aquilo nas casinhas? Só se fosse mentira. Mas não era:

Gonzaga — e Sávio também — jurava por Deus que era verdade, contava direitinho como tinha sido, não estava inventando.

Era férias: às vezes mudavam os funcionários do grupo; às vezes Eva não voltaria no segundo semestre. Gostaria que ela não voltasse — mas tinha certeza, tinha certeza de que ela voltaria. Um dia ela riu para ele de um jeito diferente. E se ela um dia o chamasse para ir à casinha com ela?

As frutinhas dos fícus estalam, esmagadas pelos pés.

Se ela um dia o chamasse? Quando via retrato de mulher pelada, seu coração tampava a garganta. Mulher nua. Nua, nua, nua — ficava repetindo.

Uma vez Sávio apareceu com umas fotografias... Meu Deus, era cada coisa... Será que tinha gente que fazia aquilo mesmo? Tinha uma de uma mulher com três homens, outra de uma mulher com um burro, outra de duas mulheres...

"Isso não é nada", disse Sávio; tinha outras na casa dele, debaixo do colchão, muito mais bacanas — outro dia ele ia trazer. Nunca trouxe. Toda vez dizia que tinha esquecido. Combinaram então de ir à casa dele para ver; mas, logo depois, ele disse que o pai não gostava de menino lá, dava um espalho. "Não vou esquecer mais; amanhã eu trago." Nunca trouxe.

Mulher nua, pecado... Tem hora que tem vontade de esquecer tudo isso e ficar assim, deitado de costas no chão, os braços e as pernas abertos, largado feito um morto, olhando para a imensidão do céu, olhando até sentir como se o seu corpo tivesse sumido e ele estivesse solto no ar, leve como um floco de algodão.

A porta está aberta

A cidade, e tudo o mais, ficara para trás — e agora, à medida que o ônibus avançava pela estrada, ele se sentia cada vez mais próximo de seu objetivo.

Era novembro: depois de seguidos dias de chuva, o capim, que cobria como um tapete os pastos à margem da rodovia, estava tão verde que parecia brilhar ao sol daquela tarde azul e sem nuvens.

Quando ele avistou a antiga seringueira, deu o sinal para o ônibus parar. Pendurou no ombro a bolsa de couro, despediu-se dos que seguiam viagem e desceu.

Tudo ao redor era silêncio e solidão: nem uma casa, nem uma pessoa ou animal a destacar-se na planura. Ao se aproximar da seringueira, um bando de pássaros-pretos, como que por encanto, saiu de súbito e de uma vez de dentro da copa, num barulhão de asas e folhas, dando-lhe um tremendo susto.

Já refeito, tomou a estrada de chão batido e, instintivamente, olhou para o relógio de pulso, que havia deixado em casa. Devia já passar das três horas, pensou, e apressou o passo — embora a seguir pensasse, quase rindo consigo mesmo, que se havia um dia em que ele não precisava ter nenhuma pressa, esse dia era aquele...

Menos de meia hora depois, chegava à curva do caminho, de onde, com a respiração por um instante quase suspensa e o coração disparando, ele avistou o rio. Lá estava, depois de tantos anos, o rio; lá estava ele, por sobre a copa das árvores; lá estava, largo e majestático, como um imenso espelho de prata.

Por um momento, ali ficou, apoiado ao tronco de uma árvore como que ao ombro de um velho amigo, naquela muda contemplação.

Então, despertando, andou rápido, mais rápido que antes, em direção à pequena casa que havia a menos de um quilômetro da margem do rio.

Entrou e sentou-se a uma das duas mesas, no acanhado ambiente. Estava suado e ofegava um pouco. Tirou o lenço do bolso, abriu-o e enxugou com força o rosto.

O dono, um homem de aspecto ainda jovem, veio atendê-lo.

— Pois não...

— Uma cerveja.

O homem trouxe. Abriu a latinha e o serviu.

Antes que o homem retornasse ao balcão, ele foi ao que lhe interessava:

— Você tem uma canoa aí...

— Tenho.

— Ela fica lá na margem...

— É.

— Você me vende?

— A canoa?

— Sim.

— A canoa já é meio velha.

— Eu também já sou.
— Não, o senhor é novo ainda.
— Novo...
— Uns quantos anos o senhor tem? Uns cinquenta?
— Estou caminhando para os sessenta.
— O senhor está muito conservado...
Ele sorriu.
— Mas então? A canoa.
— A canoa?
— Ela não está fazendo água...
— Não. Nem o senhor, né?...
— O pior é que eu estou.
— É?...
— Hiperplasia benigna da próstata. Já ouviu falar?
— Não.
— Mas ouvirá, pode ter certeza. Quando você estiver chegando aos sessenta.
— Então ainda está longe... — o homem riu.
— Hiperplasia é só o começo. Depois vêm: impotência, reumatismo, enfarte, derrame, perda da memória, perda da vista, perda dos dentes, perda disso, perda daquilo...
— O senhor está muito forte ainda...
Ele pegou o copo e tomou um gole da cerveja.
— Bom, mas vamos ao que interessa: a canoa.
— Para que o senhor quer a canoa?
— Eu preciso ir ao outro lado do rio.
— Eu posso levar o senhor.
— Não.
— O senhor me dá uma grojazinha...
— Acontece que eu não sei quando eu volto.

— Eu posso levar o senhor e outro dia buscar. Ou então eu levo e outra pessoa traz.

— Não, assim não me interessa.

— O senhor não está fugindo...

— Da polícia, não. Quanto ao mais... *Patet exitus*: a porta está aberta.

— O senhor é advogado?

— Não.

— Nem professor.

— Não.

— O que o senhor é?

— Neste momento eu sou apenas um homem que precisa de uma canoa.

O homem riu.

— Mas o senhor sabe remar?

— Claro. Eu já remei muito. Eu já vim aqui muitas vezes, quando eu era moço. Eu gostava de vir aqui, para pescar.

O homem ficou olhando-o, meio incrédulo.

— Quer dizer que o senhor sabe o tanto que o rio é perigoso...

— Sei, claro.

— Principalmente nessa época do ano, por causa das chuvas.

— Eu sei.

— Atravessar o rio é muito arriscado.

— Eu sei disso.

— O cara não pode bobear. Ele tem de remar o tempo todo, principalmente quando pega a correnteza. Se ele parar, a correnteza leva mesmo, e aí é direto para a cachoeira. E, então, não tem choro.

— Eu sei; eu sei disso.

— O senhor já viu a cachoeira?

Ele sacudiu a cabeça.

— É um mundaréu de água. Deus me livre de um dia cair naquilo — e o homem se benzeu rápido. — O cara que cair ali... Eu vou te contar: o cara que cair ali, não sobra nada; nem a alma...

Ele tomou mais um gole.

— Bom, mas e a canoa?

— Desculpando a indiscrição, o que o senhor vai fazer no outro lado? É algum negócio?

— É.

— Gado.

— Exatamente.

— Vai comprar.

— Isso.

— Interessante... — o homem coçou a cabeça.

— O que é interessante? — ele perguntou.

— É que no lado de lá não tem gado nenhum...

— Não? E daí? Eu vou negociar é com as vacas?...

O homem deu uma risada.

— O senhor é engraçado.

— Sou?

— O senhor é engraçado...

— Hum...

— Gente assim vive muito.

— Então eu vou viver muito...

— Com certeza. Gente assim... Estou lembrando de uma entrevista que eu vi na televisão: o homem mais velho do Brasil. Mais velho naquela época. Depois veio aquela pretinha, aquela baixotinha, esqueci o nome dela; ela também já apareceu várias vezes na televisão...

— Eu sei.

— Mas o homem, o homem mais velho naquela época, quando o repórter perguntou qual era o segredo da longevidade dele, ele respondeu: "Não esquentar a cachola." Ele respondeu assim: "Não esquentar a cachola." Esse era o segredo da longevidade dele.

— Sei.

— Cachola? Será que foi cachola mesmo que ele disse? Agora estou meio na dúvida. Acho que foi moringa; não esquentar a moringa; acho que foi isso o que ele disse. Ou cachola mesmo?...

— Hum.

—Faz tempo que eu vi essa entrevista; eu era rapazinho ainda. O senhor não viu?

— Não.

— O velhinho era simpático, até meio assim... serelepe. Ele apareceu lá segurando uma enxada. Naquela idade, acho que cento e vinte anos, ele ainda roçava mato. Então ele disse isso, quando o repórter perguntou qual era o segredo da longevidade dele: não esquentar a moringa. Ou a cachola. Um dos dois.

— Certo. Mas e a canoa?

— A canoa? Sabe o que eu estou achando?

— O quê?

— Não leve a mal, mas eu estou achando que o senhor não vai mesmo atrás de gado; que o senhor vai atrás é de outro bicho...

— Que outro bicho?

— O bicho de saia...

— Hum...

— É ou não é?

— Quem sabe?

— O bicho de saia é danado, sô; o bicho de saia faz a gente fazer cada coisa...

— É verdade.

— E às vezes... Às vezes até em vez de ir atrás de chifre, o senhor está indo atrás é de pôr chifre — e o homem deu uma risada.

Ele também riu.

— Está vendo? — disse o homem. — Eu também sei fazer minhas gracinhas...

— Pois é...

— Pôr um chifrezinho... Porque atravessar o rio do jeito que ele está, sozinho, essa hora, correndo risco...

— É...

— Estou certo?

— Pode ser...

— E o senhor ainda é um coroa muito enxuto...

— Em breve serei um coroa muito molhado.

— Entendo... Afogar o ganso...

— Não exatamente.

— Mergulhar de cabeça... Feito o japonesinho da piada, o que tinha um trenzinho de nada, mas era o maior sucesso com as mulheres. Aí um dia eles perguntaram a ele por quê. Ele: "Cabeça, non?" "Mas uma cabecinha dessas, Japão?" "Non, cabeça de Japon memo: Japon mergulhar de cabeça, non?"

— É...

— Agora... A gente também precisa ter cuidado, porque essas coisas de amor... Amor pode, às vezes, levar a gente à perdição. O senhor não acha?...

— É.

— A gente precisa ter cuidado...

— É. Mas vamos resolver, eu estou com pressa: quanto você quer na canoa?

— Não, eu não posso vender...

— Por quê?

— Eu preciso da canoa. Além disso, ela foi presente do meu pai, já falecido.

— Quanto está custando uma canoa nova?

— Uma nova? Deve ser uns trezentos ou mais.

— Eu te dou quatrocentos.

— Mas o senhor nem viu a canoa!

— Não tem importância; eu confio na sua palavra.

— O senhor nem viu!...

— Pago em dinheiro.

— Dinheiro?

— Dinheiro vivo.

— O senhor não está mesmo fugindo...

— Estou, sabe? Estou, sim; mas, por favor, não espalhe.

O homem riu.

— Então? — ele disse. — Quatrocentos?

— O problema é que eu não posso vender. É como eu disse: a canoa foi presente do meu pai...

— Quinhentos.

— Aí o senhor está me apertando...

Ele tomou o ultimo gole da cerveja; levantou-se e pendurou a bolsa no ombro:

— Quinhentos ou já vou embora.

— Bom — disse o homem, — meu pai sempre foi muito compreensivo; não é agora, que ele está lá em cima, velando por nós, que ele vai deixar de ser...

— Feito então?

— Feito.

— Ótimo.

— Eu só tenho de fechar as janelas — o homem disse. — Essa hora não vem mesmo quase ninguém aqui. O pessoal costuma aparecer é lá pelas seis, seis e meia...

O homem fechou as janelas e depois a porta.

— Ah — disse: — agora eu lembrei.

— Lembrou? Do quê?

— Do que o homem disse, o velhinho, o homem mais velho do Brasil: moringa. Foi isso que ele disse: moringa. "Qual é o segredo de o senhor viver tanto tempo assim?", o repórter perguntou, e ele respondeu: "Não esquentar a moringa." Ou cachola? Ah, é melhor deixar isso pra lá... Vamos.

Os dois foram descendo, calados, em direção ao rio.

De repente o homem parou:

— Escuta — disse.

Ele prestou atenção.

— Ouviu? É a cachoeira. Quando o vento vira para cá, dá para a gente ouvir o barulho. É um mundo véio de água...

Continuaram a andar.

O sol já estava mais fraco. Vacas pastavam ao longe, com a paz imemorial de vacas pastando. Um bando alegre de maritacas passou no céu. Lenta e suavemente, ia o dia deslizando para o crepúsculo.

Entraram pela pequena mata, de árvores antigas e copadas. Ao saírem, lá estava, à frente, em toda a sua imponência, o rio — e seu coração disparou de novo, batendo fortemente.

Era a sua chance de voltar, ele pensou, parando; sua última chance. Se desse mais um passo...

— Algum problema? — o homem perguntou, estranhando.

— Não; eu estava olhando o rio: há tantos anos que eu não o via...

— Viu como ele está cheio? Desde que eu estou aqui, acho que eu nunca tinha visto ele tão cheio assim...

Acabaram de descer até a margem.

— Aí está a moça — disse o homem, mostrando a canoa. — Já meio erada, como eu disse, mas...

— Está bem; está ótimo.

O homem destrancou o cadeado que, por uma corrente, prendia a canoa ao tronco de uma árvore.

— Eis — disse. — "O barco está pronto para singrar os mares", como eu vi uma vez um sujeito dizer num filme.

Ele pegou a carteira, no bolso da calça, tirou o dinheiro, contou e o entregou ao homem.

— Certo?

— Certo.

— Compre uma canoa nova; e lembre-se de mim.

O homem o fixou:

— O senhor está com medo?

— Não.

— Se o senhor quiser desfazer o negócio, não tem problema; eu devolvo o dinheiro.

— Não.

— É como eu disse: é só não parar de remar quando chegar lá no meio. Não pare nem um minuto. Vá remando, até passar a correnteza; aí já não tem mais tanto perigo. Entendeu?

— Entendi.

— O senhor está vendo aquelas árvores lá longe?

— Estou.

— Pois é: o senhor vai atravessando o rio em direção àquelas árvores.

— Certo.

— Lá, lá nas árvores, tem uma escadinha de pedra no barranco; é fácil de subir. Aí o senhor vai andando: o senhor vai dar numa estradinha de terra. Segue em frente, até o fim. Aí o senhor já avista o posto de gasolina. Lá, no posto, passa ônibus quase que de hora em hora. Passa também muito carro; às vezes o senhor até consegue uma carona. Certo?

— Certo.

— E quando voltar, não deixe de passar na vendinha. Tomar mais uma cerveja.

— Por falar nisso, eu esqueci de pagar aquela.

— Aquela foi de graça.

— Então obrigado.

Ele entrou na canoa e sentou-se. Pôs a bolsa ao seu lado, no assento.

Pegou o remo.

— Até — disse.

— Até — o homem respondeu. — Boa travessia!

Ele manobrou o remo, apontou a canoa para o leito do rio, dando as costas para a margem — e começou, firme e ritmadamente, a remar.

Intrigado ainda com tudo aquilo, e com a mente envolta numa sombra de preocupação, o homem, em vez de ir embora, preferiu permanecer onde estava, observando o avançar da canoa pelo rio.

Aos poucos, porém, sua preocupação foi se dissipando: o sujeito sabia de fato remar, e ia remando com segurança. Só o rumo não estava em linha reta. Mas isso não seria problema: quando ele atingisse o outro lado, ele poderia ir subindo, beirando a margem, até chegar às árvores.

Mas então — não entendeu —, com a canoa já chegando ao meio do rio, o sujeito de repente jogou o remo longe. Por quê? E já ia a canoa sendo rapidamente levada pela correnteza. Por que ele fizera aquilo? Por quê?

Triste

Aconteceu num segundo: ela debruçou-se sobre a carteira, ele olhou para trás — e então passou a mão nos seios dela, que recuou bruscamente, gritando "descarado! descarado!"

Não sabia direito o que acontecera depois; sentira o rosto pegando fogo, como no dia em que bebera escondido a pinga do avô, tudo foi ficando cinzento e sumindo: a voz de Dona Yara sumiu, a carteira sumiu, a classe sumiu.

Agora ela estava lá na frente, escrevendo no quadro-negro.

— É para copiar o ponto? — alguém perguntou.

— É — ela disse.

Ele leu no quadro: "O cão", escrito com letras grandes, em cima, e embaixo três linhas já. Começou a copiar: "O cão é um animal irracional, vertebrado, mamífero"...

O lápis ia escrevendo, mas ele não pensava no ponto: pensava em Roberto lhe acenando, pensava naquela sensação macia em sua mão rápida, pensava em Dona Yara de olhos arregalados, "descarado! descarado!", o mundo escurecendo e sumindo.

Olhou para o relógio na parede: quase quatro e meia; tinha de correr para acabar o ponto. Olhou também para Dona Yara, agora ao lado do basculante, olhando para o pátio. Em que ela pensava? No que acontecera? Ela não tinha mais a cara de espanto e raiva que o aterrara. Já fazia uns cinco minutos que ela estava ali, parada daquele jeito, o giz na mão. Parecia ter se esquecido da sala, dos alunos...

— Dona Yara, é só isso? — um aluno perguntou.

Ela não respondeu, nem se mexeu — como se não tivesse ouvido.

— Dona Yara...

O aluno ia repetir, quando ela então se voltou e disse:

— O quê?

— O ponto é só isso?

— É. É, sim. Só isso.

Falava de um modo estranho, como se somente sua boca estivesse falando, enquanto ela mesma permanecia longe, distante da sala.

— É um ponto pequeno, não é? — ela disse, e todos perceberam que ela não disse aquilo para ninguém ali, que ela só disse, que ela estava longe dali, o olhar perdido, a boca falando sozinha. — Alguns pontos são pequenos... Uns são grandes, mas outros são pequenos...

O sino bateu.

Ele ajeitou os cadernos para sair.

— Podem sair.

Os alunos se levantaram — e então os olhos dos dois se encontraram: os dela com uma expressão que ele nunca tinha visto antes, uma expressão que não era de maldade ou de vingança, mas que fez seu coração se apertar de medo e seus olhos se desviarem, numa confusa sensação de vergonha.

— Você fica — ela disse.

O barulho dos meninos, ecoando no corredor, chegava até a sala: ele na carteira, olhando para os cadernos, e ela na mesa, olhando para o livro.

Escurecia depressa; escuridão de chuva. Pela porta aberta, ele viu as nuvens escuras cobrindo o céu. Fazia calor. Prestou atenção, para ver se ainda ouvia voz ou barulho de gente lá fora: mas tudo agora estava silencioso.

Ia chover muito. Se fosse embora agora, era capaz de chegar em casa antes da chuva; mas se ficasse ali mais tempo, teria de esperar ela passar.

Para que Dona Yara o mandara ficar? Não lhe dera linhas para copiar, não fizera nada, nenhum castigo, estava quieta lá na mesa, o que ela queria? "Você fica" — a voz enérgica, mas não zangada. Era para ele ficar, ia haver qualquer coisa, ela lhe diria alguma coisa ou faria alguma coisa: mas já fazia meia hora que estavam ali, e não tinha havido nada.

Olhou para o rosto dela, buscando uma explicação: ela passava devagar as páginas do livro, mas ele percebeu que ela não lia, só passava, como ele fazia quando tinha de estudar e não estava com vontade e ficava pensando em outras coisas — em que estava ela pensando? Por fim desistiu: aceitou o silêncio e a imobilidade dela, e ele ter de ficar ali esperando sem saber o quê. Cruzou os braços sobre a carteira.

Talvez o castigo fosse aquilo: ele ficar ali esperando. Uma vez Dona Fernanda fez os alunos ficarem de pé a aula inteira, enquanto ela, sentada, lia um livro; depois o sino bateu, e ela foi embora, sem dizer palavra. No dia seguinte, ficaram sabendo pela diretora que aquilo tinha sido o castigo por terem matado a aula da véspera. Talvez Dona Yara estivesse fazendo a mesma coisa; e então era só ele esperar, não tinha de copiar linhas nem nada.

Procuraria uma coisa em que pensar, para o tempo passar depressa.

Lembrou-se do recreio:

"Você é medroso, Eduardo."

"Medroso é a avó."

"Então quero ver você passar a mão nos peitos de Dona Yara."

"À hora que você quiser."

"Passa nada."

"À hora que você quiser."

"Na aula."

Mas não pensara que fosse acontecer aquilo, os olhos arregalados, "descarado! descarado!"

Estava arrependido. Mas se não tivesse feito o que fez, todo mundo ia pensar que ele era medroso — ele não era medroso. Roberto dissera aquilo só para provocá-lo. Era uma coisa que ele nunca teria feito se não tivesse sido provocado. Devia contar tudo isso para Dona Yara. Ela precisava saber.

E agora, o que ela pensaria dele? Um dia ela lhe dissera que ele era o aluno de que ela mais gostava. E agora? E seus pais, quando eles ficassem sabendo? Não queria nem pensar...

Sentia as gotinhas de suor escorrendo pelas costas. Se pudesse tirar o blusão... Mas não teve coragem de pedir a ela.

Trovões, a ventania lutando com as árvores, papéis e folhas secas rodopiando em nuvens de poeira.

Arriscou uma nova olhada à mesa: Dona Yara estava olhando para o pátio, com aquela mesma expressão perdida. Lembrou-se do que o pai dissera: "Dona Yara parece ser uma moça triste." Depois disso, sempre a achara triste. Era alguma coisa nos olhos, aquele modo de olhar, como se ela estivesse olhando para longe, para uma coisa que estivesse muito longe, perdida. Sentia-a isolada num outro mundo, diferente e distante, e então a achava triste.

Era, no entanto, essa tristeza que, misteriosamente, o ligava a ela. Às vezes, sem que ninguém mais na sala o percebesse, ela olhava de modo mais demorado para ele, e, nesses instantes, era como se ela descerrasse um pouco as cortinas daquele mundo distante e solitário que ele percebia por trás de sua tristeza.

A mãe dissera: "Há qualquer coisa de errado na vida dessa moça..."

"Só pelo fato de ela ser triste?", perguntara o pai.

"Não é por isso. Acho muito esquisito uma moça morar sozinha num quarto de hotel."

"Antigamente podia ser; hoje as coisas mudaram muito, não é mais como no nosso tempo."

"Mudaram, mas nem tanto. Uma moça morando sozinha num quarto de hotel é sempre esquisito. Não é certo."

"Você vive imaginando coisas, Alice."

O que o pai queria dizer com isso, você vive imaginando coisas? O pai sempre dizia que a mãe vivia imaginando coisas. Mas era esquisito mesmo uma moça morando assim, sozinha, num quarto de hotel. Esquisito e triste. Dona Yara tinha vindo de outra cidade. Ele nunca soubera nada sobre os pais dela e se Dona Yara tinha irmãos. Ela nunca falara nisso.

Dona Yara quase não conversava fora do assunto da aula. Mas não era chata nem ruim, como Dona Fernanda, que também conversava pouco: "Meninos, menos conversa e mais estudo." Dona Fernanda era a mulher mais chata do mundo, disso ele não tinha a menor dúvida. E o pior era que ela nunca ficava doente. Já tinha rezado muitas vezes para ela ficar, mas ela nunca ficava. Dona Yara não: era calada, mas boazinha, todos gostavam dela. Ela nem parecia ser professora; parecia ser uma irmã mais velha dos alunos.

E ele fizera aquilo... Como era aborrecido: ter feito uma coisa que a gente queria não mais ter feito... Podia pelo menos ter sido com Dona Fernanda. O castigo decerto ia ser muito pior, mas ele não estaria com aquele arrependimento doendo. Era até capaz de ele rir, de aquilo ser engraçado. Com Dona Yara não fora nada engraçado; ele ficara apavorado.

Não pensara que fosse acontecer aquilo. Sentia-se até mal, lembrando. Mas Roberto não ia escolher Dona Fernanda, porque ela era feia e, além disso, quase não tinha seio. Tinha dia que ela parecia não ter nenhum, e tinha dia que ela parecia ter um pouco. Roberto disse que era seio postiço, seio de borracha, que as mulheres compravam nas lojas.

Dona Yara não: quando ela vinha com aquele vestido vermelho, decotado, e curvava-se sobre a carteira para corrigir os exercícios, ele podia ver quase tudo. Dava vontade de enfiar a mão lá dentro. Mas tinha medo até de olhar e ela ver que ele estava olhando. Seu coração batia tanto, que ele tinha a impressão de que o blusão mexia e que, se ela olhasse para ele, veria isso. Mas ela ficava curvada sobre a carteira, e só olhava para ele no fim, para dizer alguma coisa sobre os exercícios. Será que ela não percebia que ele ficava olhando? Ou percebia e não se importava? Ou fazia de propósito para ele ver? Quando ele pensava que era de propósito, sentia um arrepio no corpo.

Mas não, não, não era isso; o que ele fizera não tinha nada a ver com isso. Ele fizera porque fora provocado; fizera para não ser chamado de medroso. Dona Yara precisava saber disso, precisava contar tudo para ela, como acontecera: não foi por querer, Dona Yara, foi o Roberto, eu não queria fazer isso — mas nunca teria coragem de falar, pois, só de pensar, suas mãos já estavam frias. Se ela ao menos dissesse alguma coisa, começasse a conversar com ele... Aí era capaz de ele ter coragem. Mas ela continuava quieta lá na frente, olhando para fora.

A chuva caiu, pesada. Pingava na porta, e Dona Yara levantou-se para fechá-la. A sala ficou quase escura. Ela foi acender a luz: a luz não se acendeu, devia ser a chuva. Ela voltou para a mesa.

Agora nem ele nem ela podiam olhar para o pátio. Ele cruzou os braços sobre a carteira e afundou neles o rosto. Ficou escutando o barulho da chuva.

De repente ergueu a cabeça: fora a chuva?

Olhou para Dona Yara:

— A senhora me chamou?

— Chamei. Venha cá.

Ele se levantou e foi.

— Chegue mais perto.

Ele chegou.

— Por que você não olha para mim? Está com vergonha? Não precisa ficar com vergonha.

— Dona Yara, eu...

Não sabia como dizer.

— O que aconteceu...

— Eu compreendo, não precisa dizer.

— Eu não queria...

— Eu sei, eu não fiquei com raiva.

Não fiquei com raiva? Mas não era isso o que esperava ela dizer. Não fiquei com raiva?...

— Eu não ia ficar com raiva de você, um menino tão bonzinho...

Não, não era isso, ela não entendera, ela não devia estar falando assim, sorrindo, não era isso: não é isso, Dona Yara.

— Eu não queria.

— Eu sei, bem; não tem importância, eu não me importei. Foi uma coisa à toa. Se ainda tivesse sido um outro... Mas você, um menino tão bonzinho...

Ela segurou-lhe o queixo:

— Não é mesmo? Um menino tão bonitinho...

Ele baixou os olhos, ruborizando.

— Sabe que você é muito bonitinho?...

Olhou para ela: não a conhecia, aquela não era Dona Yara, não havia mais Dona Yara.

— Você é um amorzinho...

Ela acariciou-lhe os cabelos:

— Um amorzinho...

— Dona Yara, eu quero ir embora.

— Embora?

Ela deixou-o.

— Quer dizer que você não quer ficar aqui comigo?

Ele não respondeu. Olhava para o chão.

— Hem? Você não quer ficar aqui comigo?

Respondeu que não, com a cabeça. Sentiu lágrimas nos olhos.

— Bobinho. Você não entendeu nada, hem? Pensei que você já fosse mais sabido...

Ele mordeu o lábio, tentando reter as lágrimas, que escorriam quentes pelo rosto.

— Pensei que você já entendesse mais as coisas... Vai, pode ir. Eu não estou te segurando. A chuva já parou.

Ele caminhou até a carteira e pegou os livros.

Não olhou para ela: foi saindo, não queria olhar para ela, nunca mais queria olhar para ela.

Céu estrelado

Mesmo sabendo que naquela noite — véspera de Ano-Novo — a estrada não teria muito movimento, admirava-se do tanto que ela estava calma. A própria noite, carregada e ameaçadora de chuva nos dias anteriores, irradiava agora a mesma calma, com seu límpido e estrelado céu.

Era bom dirigir assim, tranquilo, sem pressa, depois de mil correrias para sair a tempo de chegar antes da meia-noite, quando todos os da família se reuniriam em sua casa para comemorar a passagem do ano.

Olhou as horas: quinze para as dez. Naquela marcha, devia chegar às onze e meia, mais ou menos. Podia chegar até antes, se acelerasse; mas não, não ia acelerar, não ia correr.

"Chega", disse para si mesmo, "chega de correr."

Propósitos de Ano-Novo? Pois ali estava um bom: não correr. E já começara agora, na véspera, a poucas horas do ano novo, indo assim, bem devagar, contemplando a noite, a estrada...

E lá estava, na frente, um... Vejam só: um tatu! Parecia paralisado pela luz dos faróis. Apagou-os então, de imediato, e desviou o carro para o acostamento.

"Pode passar, meu caro", ele disse; "antes que alguém passe por cima de você..."

Esperou um pouco. Então acendeu novamente os faróis, e já não viu mais o tatu. Voltou à estrada e seguiu.

Um tatu... Há quanto tempo não via um... Aquela parecia ser mesmo uma noite especial, uma noite...

O celular tocou.

"Alô."

"Bem, onde você está?"

"Estou na estrada."

"Que hora que você chega?"

"Espero chegar à hora que eu disse: antes da meia-noite."

"Já está quase todo mundo aqui."

"É?"

"Quase todo mundo."

"Eu vi um tatu."

"Tatu? Você matou ele?"

"Matei. Eu passei por cima, e ele fez crec!"

"Eco."

"Eu vou levando ele pra te mostrar..."

"Eu não! Deus me livre!"

Ele riu.

"Já está quase todo mundo aqui. Seus irmãos chegaram mais cedo: o Jonas e a Judimar, com as famílias."

Jonas, o Psicopata, e Judimar, mar de ignorância, burrice e mentira.

"O Paulo chegou há pouco e quer o carro para levar a namorada dele no clube."

"Ele só aparece quando precisa de alguma coisa, né? Dinheiro, carro..."

"Como, bem?..."

"Nada."

"Sabe quem também está aqui?"

"Quem?"

"A Dona Ofélia."

"Dona Ofélia? A troco de quê?"

"Ela pediu para eu te dizer que ela trouxe as fotos para mostrar para nós, as fotos da viagem que ela fez ao Egito."

"Egito?"

"Espera aí, amor..."

Ele esperou.

"Não é Egito, não; ela está aqui pedindo para eu corrigir: é Patagônia."

"Parecem..."

"É Patagônia, amor."

"Já ouvi."

"Ela está dizendo que as fotos são lindas, que as paisagens são maravilhosas, os desertos... Hem? Como, Dona Ofélia? Espera um pouco, amor..."

"Estou esperando..."

"A Dona Ofélia vai falar com você..."

"Sim."

"Boa noite, José."

"Boa noite, Dona Ofélia."

"É só para fazer uma correção: os desertos; a Léa entendeu mal."

"Sei."

"Eu fiz referência aos desertos do Egito."
"Sim."
"Os desertos do Egito em contraste com as geleiras da Patagônia."
"Sim."
A linha caiu.
Ele ligou o rádio.
Simon e Garfunkel!
"*Hello, darkness, my old friend*"...
Ele cantou junto, até o fim.
Era mesmo uma noite especial: ligar àquela hora o rádio e dar com Simon e Garfunkel e uma de suas canções prediletas...
Tinha todos os discos deles, todos os LPs — mas havia tempos que, por falta de tempo, não os escutava.
Então outro bom propósito de Ano-Novo: escutar novamente todos os discos de Simon e Garfunkel.
Ah, a década de 60! Quanta coisa... Os sonhos, as lutas, a rebeldia, a coragem, a loucura... O que ficara de tudo aquilo? O que ficara? E ele? E sua vida?
O celular.
"Amor."
"Quê?"
"Eu quero saber se eu já posso pôr o pernil no forno."
"Pode."
"Que hora que você vai chegar?"
"Eu já disse: antes da meia-noite."
"Então eu já posso pôr o pernil?"
"Pode."

"Então eu vou pôr, hem?..."

"Tá."

Ele casara com um par de peitos. Isso: um par de peitos. Depois vira que, por trás dos peitos, não havia nada. Ou, melhor, havia, havia, sim: havia o nada.

O celular.

"E aí, campeão?"

"Quem?"

"O Silva."

"Silva?..."

"Sim, meu caro."

"Onde você está, Silva?"

"Adivinha..."

"Só pode ser na firma."

"Não, na firma, não... Sabe onde eu estou?"

"Onde?"

"Sentado confortavelmente no sofá de sua casa."

"De minha casa?..."

"Sim, senhor."

"Hum..."

"Eu trouxe os relatórios para você ler."

"Mas hoje, Silva?..."

"Não, hoje, não; claro que não. Mas como amanhã é feriado, eu pensei que você gostaria de já ir dando uma olhada. É só pra agilizar as coisas."

"Hum."

"Só pra agilizar, entendeu?"

"Sim."

"A perspectiva é boa, viu?"

"É?"

"Muito boa. A previsão é de um aquecimento das vendas já a partir de março."

"Sei."

"Está aqui o relatório; quinhentas páginas."

"Quinhentas?..."

"É, mas é que estão aqui também os balanços, as planilhas... Está tudo aqui, reunido."

"Hum."

"Você vai ter uma boa diversão para o feriado; estou até com inveja..."

"É, né?..."

"Ah, Zé, sabe quem está aqui também?"

"Quem?"

"O Teco."

"Teco?"

"O Teco Telecoteco."

"Ah."

"Eu encontrei com ele ontem à noite na rua. Aí eu perguntei: 'Teco, onde você vai passar o réveillon?' 'Em lugar nenhum', ele respondeu, 'eu vou ficar em casa, quieto no meu canto.' 'Não vai, não', eu disse; 'você vai comigo lá no Zé.'"

"Hum."

"Ele topou, e agora ele está aqui também. Ele e a Glorinha, a mulher dele. E o filho, o Pimentinha."

"Sei..."

"Acho que eu não fiz mal em convidar, fiz?"

"Não."

"Como?..."

"Eu disse que não."

"Seja sincero: eu fiz mal?"

"Claro que não, Silva!"

"Ele está aqui, ao meu lado, o Teco. Ele está te mandando um abraço."

"Outro para ele."

"Você já está vindo?"

"Já; eu e a minha amiga *darkness*."

"Quem?..."

"Minha amiga *darkness*."

"Os meninos estão fazendo muito barulho aqui, eu não ouvi direito..."

A linha caiu.

Ele desligou o rádio.

Dez para as onze.

Uma placa: "Não perca tempo."

Perco, sim. Eu agora vou perder todo tempo que eu puder. Serei o maior perdedor de tempo do mundo. O que você está fazendo aí, parado nessa mesa, Zé? Nada, não estou fazendo nada; estou perdendo tempo. Vamos?...

Ele riu.

O celular tocou.

"Bem, que história é essa?"

"Ou vocês param de me ligar ou eu vou acabar batendo."

"Quem é essa amiga que está aí com você?"

"Amiga?..."

"Essa que está aí com você."

"Não tem nenhuma amiga aqui comigo, Léa; você ficou doida?..."

"Tem, sim, eu estou sabendo."

"Como está sabendo?"

"O Silva me contou."

"O Silva?..."

"Ele me contou que você está aí com uma amiga."

"O Silva ficou maluco; ele não entendeu nada. Você está aí na sala?"

"Estou no banheiro, e daqui não saio enquanto eu não souber que amiga é essa."

"Está bem; tem, sim, tem uma amiga aqui comigo: é a *darkness*."

"Aquela do escritório?"

"Do escritório?..."

"A Joana D'Arc, a Darquinha."

Santo Deus, é hoje...

"Vai cuidar do seu pernil, Léa; vai cuidar do seu pernil, antes que ele vire carvão."

"Pois que ele vire, que o pernil vire carvão e que a casa pegue fogo: eu não saio desse banheiro enquanto eu não souber quem é que está aí com você."

Droga...

"Eu aqui feito uma idiota, nesse calorão, no meio desse povo, assando um pernil e te esperando para dar um abraço, e você me traindo com uma colega de serviço..."

"É..."

"Eu sei que é ela, eu já desconfiava; à hora que eu liguei, eu ouvi a voz dela."

Santa Mãe de Deus...

"Você quer saber de uma coisa? Quer? Que esse seu carro bata e que você e sua amiga morram carbonizados e não sobre nada, tá? Nem cinza."

Ela desligou.

Ele passava diante da mata de eucaliptos, à sua esquerda, e abriu os vidros para deixar entrar o ar perfumado e revigorante.

Eucaliptus citrodorea...

O celular tocou.

Merda!

"Alô."

"Pai?"

"Sim."

"Que hora que você chega?"

"Primeiro a gente diz boa noite; não é, não?"

"Ah, Pai, isso é caretice."

"Caretice, né?"

"Que hora que você chega? Estou precisando do carro pra levar a mina no clube; ela está lá na casa dela, me esperando."

"Hum."

"Eu vou com ela passar o réveillon. Já são onze horas. Você já está chegando?"

"Estou."

"Vê se dá uma acelerada."

"Não, não vou dar uma acelerada."

"Você está a quanto?"

"Cinquenta."

"Ah, Pai, vai curtir com a minha cara, é?"

"E vou passar para quarenta; depois trinta; depois vinte; depois..."

O celular foi desligado.

Tabuletas, outdoors — a capital ia aparecendo. Mais quinze minutos, e ele estaria à porta de casa.

Quando viu, no horizonte, a comprida faixa de luzes, desviou o carro para o acostamento e parou. Apagou os faróis e ficou algum tempo quieto.

Então deu meia-volta: atravessou a pista e entrou pela estradinha de terra que ia dar na mata de eucaliptos. Quando chegou em frente à mata, ele novamente parou.

Olhou as horas: onze e meia.

Pegou o celular e teclou.

"Léa, eu tive um problema aqui; eu só vou chegar mais tarde."

"Eu sabia."

"Sabia?"

"Sabia que você não ia chegar."

"Então está bem."

Ela desligou.

Ele encostou a cabeça no banco, fechou os olhos e ficou ali, na escuridão, esperando passar o tempo, esperando o Ano-Novo passar.

A moça

Por duas vezes surpreendera a moça olhando e sorrindo para ela. Sentia que era observada com insistência. Mas tinha certeza, tinha absoluta certeza de que não a conhecia. Guardava bem a fisionomia das pessoas. A moça devia estar tomando-a por outra. Só podia ser isso.

Mesmo assim, querendo mais uma vez se certificar, voltou a olhar disfarçadamente para ela — e dessa vez a moça não apenas sorriu, como ainda se levantou e veio andando em sua direção.

— Eu te conheço... — disse a moça, ainda sorrindo.

— De onde?...

Ela gaguejou qualquer coisa, e agora sim: de perto, não tinha mais nenhuma dúvida de que nunca vira aquela pessoa em sua vida.

— Você não se lembra?... — perguntou a moça.

— Não sei... — ela respondeu. — Parece que...

— Como que é seu nome?

— Marialva.

— Marialva... — a moça repetiu. — Tenho certeza... Você não é daqui...

— Não, sou de Goiás.

— Você não esteve aqui outras vezes?

— No Rio?
— É.
— Não, essa é a primeira vez.
— Que coisa estranha... Tenho certeza que... É, talvez seja engano meu; talvez alguém parecido com você... — a moça sorriu, graciosamente.

Tinha um sorriso lindo, os dentes perfeitos e muito brancos, os lábios cheios, vermelhos, de um contorno sedutor.

— Posso sentar?...
— Pode...
— Ou você está esperando alguém?
— Estou esperando meu marido, mas acho que ele ainda demora.

A moça sentou-se, com muito charme.

— Ele foi a uma secretaria ali, arranjar uns papéis — ela acabou de contar.
— Vocês estão a passeio?
— Lua de mel.
— Hum... — a moça fez um ar de malícia.

Ela baixou os olhos, enrubescida.

Sentia-se ridiculamente provinciana. A moça, que devia ser apenas um pouco mais velha do que ela, era muito educada, e, além disso, tinha uma segurança e um encanto nos gestos e na maneira de falar, que a faziam sentir-se mais encabulada ainda, amarrada e estúpida.

E era incrivelmente bonita: tinha os olhos grandes, brilhantes e vivos, e uma boca que dava vontade de ficar olhando. Tinha também um corpo bem feito: quase magra, a pele bronzeada de praia, uma blusa preta, decotada, mostrando o começo dos seios, que eram pequenos, os bicos aparecendo ligeiramente — ela observou, enquanto a moça abria a bolsa para tirar o maço de cigarros.

— Quer?...

— Não, obrigada; eu não fumo.

A moça acendeu o cigarro com elegância e com a displicência de quem já fumava havia muito tempo. Apagou o fósforo e olhou ao redor, procurando o garçom.

— Vou pedir alguma coisa. Você está tomando o quê?

— Guaraná — respondeu, com vergonha.

Mas a moça, com um ar de naturalidade, ou talvez apenas querendo ser gentil, disse:

— Acho que eu vou também tomar um guaraná. Garçom! — chamou.

O garçom veio.

— Um guaraná.

— Grande ou pequeno?

— Grande; e bem gelado.

O garçom anotou no bloquinho e se foi, parando em outra mesa para atender a outro pedido.

Quase todas as mesas do barzinho estavam ocupadas, e havia um movimento contínuo de gente entrando e saindo. Era uma tarde quente de verão, a temperatura por volta dos 35 graus.

— Eu não disse ainda o meu nome — lembrou a moça, com um de seus belos sorrisos; — é Adriana.

— Você é daqui mesmo?

A moça sacudiu a cabeça, afirmativa.

— Tenho um apartamento aí. Moramos eu e uma amiga minha. Esses dias ela está viajando; estou lá sozinha.

— Você não tem medo?

A moça sorriu.

— Já estou acostumada; já fiquei sozinha muitas vezes.

— Pois eu acho que eu não ficaria nem uma só vez...

A moça tornou a sorrir, e a conversa entre elas morreu por um instante.

Foi a moça quem recomeçou:

— Você não foi à praia ainda...

— Praia? Não, mas...

— Você não pode deixar de ir.

— Eu vou; é que faz só dois dias que estamos aqui. Mas nós vamos. Vir ao Rio e não ir à praia, né?...

— Pois é...

— Nós vamos, sim...

— Vocês já viram muita coisa?

— Mais ou menos; meu marido teve de arranjar esses papéis, sabe como é...

— O que ele faz, seu marido?

— Ele é bancário.

— E vocês vão ficar aqui muitos dias?

— Talvez uma semana; mais uns cinco dias.

— Vocês têm alguém no Rio?

— Alguém...

— Um conhecido, uma pessoa para andar com vocês, mostrar a cidade...

— Não... Nós...

— Se vocês quiserem um guia...

— Não sei, meu marido... Talvez ele...

— Eu sei, vocês estão em lua de mel...

— Não é isso, é que... Acho que...

— Faz isso: eu vou te dar meu endereço. Se vocês quiserem... Talvez alguma outra coisa que vocês possam precisar...

Pegou uma tirinha de papel e escreveu. Entregou a ela.

— Muito obrigada — ela disse, e guardou o papel na bolsa.

— Você, por exemplo: você não vai fazer compras?... Sei de ótimas butiques. Poderíamos ir juntas, enquanto seu marido resolve os problemas...

Olhou bem para a moça; chegava a estranhar tanta gentileza numa pessoa que ela mal acabara de conhecer. Já ouvira falar muito na camaradagem do carioca, mas mesmo assim... Devia haver nela algo que atraíra a moça — talvez a semelhança com a tal pessoa que a moça conhecera e com a qual a confundira. Não sabia o que era. Estava achando estranho.

— O que você acha?... — perguntou a moça, com uma expressão convidativa, parecendo mais bela ainda, irresistivelmente bela.

Observou-a bem, procurando descobrir alguma intenção secreta naquele convite, naqueles olhos brilhantes e sorridentes que esperavam. E então, de repente, sentiu algo indefinível, algo que a fez desviar-se da moça como se tivesse medo.

O garçom chegou com o guaraná. Abriu a garrafa, serviu à moça e se foi.

A moça, em seguida, quis lhe servir; ela agradeceu, dizendo que não queria, mas a moça insistiu e pôs o guaraná.

— Você não vai ficar bêbada com isso...

Ela riu, meio envergonhada.

As duas beberam.

— E então, o que você diz?... — a moça voltou, querendo uma resposta.

Olhou-a de novo e teve vontade de dizer: "Você é linda." E vontade de — vontade de beijar aquela boca maravilhosa.

Olhou para um ponto na mesa:

— Eu vou falar com o meu marido; se ele...

— A gente vai às compras e depois a gente pode dar umas voltas de carro... Eu tenho um Corcel.

Sacudiu a cabeça, mudamente. E então, querendo mudar a conversa, olhou as horas:

— Não sei o que houve que ele está demorando tanto...

— Burocracia é assim mesmo — disse a moça, tranquilizando-a.

— Faz quase uma hora — e olhou para a pracinha em frente, esperando ver o marido entre as inúmeras pessoas que passavam.

Estava doida para ele chegar, para estar junto dele, e para irem embora. Sentia-se pouco à vontade ali, num ambiente que não era o seu. As pessoas passavam pela mesa e paravam quase a seu lado, olhando para os seus seios, que ficavam bem visíveis, por mais que ela puxasse o decote para cima, o que a todo instante fazia, pretextando consertar o broche. Arrependia-se de ter posto aquele vestido.

— Você tem um broche lindo — disse a moça.

— Presente do meu marido...

— Posso vê-lo?

— Claro...

A moça estendeu a mão e, ao tocar o broche, encostou-a suave e decididamente na sua pele. Ela sentiu a respiração parar; seu coração bateu com toda a força, sua cabeça parecia inchar-se de sangue.

A moça retirou a mão:

— É lindo o seu broche...

Olhou-a, por entre as pancadas de seu coração, e agora compreendia tudo, já não havia mistério: os olhos da moça falavam claramente, olhando firmes para os seus; não havia mais neles sorriso, somente a expressão ansiosa e aflita do desejo.

E de súbito ela viu alguém que entrava no bar:

— Meu marido! — disse, quase num grito.

Ele veio até a mesa, e ela abraçou-se a ele.

— Meu bem... — queria que ele a apertasse com toda a força e a protegesse. — Por que você demorou assim?...

— Nunca vi gente mais enrolada — disse ele, e, antes de continuar, olhou constrangido para a moça.

— Ficamos nos conhecendo — ela disse e apresentou-a.

Os dois apertaram as mãos formalmente.

— Vamos, benzinho? — ela disse, levantando-se.

— Vamos. O que vocês tomaram?

— Deixa, que eu pago — disse a moça.

— Absolutamente — disse ele, enfiando a mão no bolso interno do paletó e tirando a carteira.

O garçom veio, e ele pagou.

Despediu-se da moça.

Depois ela:

— Até logo — disse, de modo seco.

— Tiau — a moça respondeu, com um de seus belos sorrisos.

O casal foi caminhando pela calçada.

— Que moça linda, hem? — ele disse. — Como que você ficou conhecendo-a?

— Por acaso; ela chegou e começamos a conversar.

— Ela é muito bonita.

— Por que você demorou tanto assim, benzinho?...

— O pessoal lá é dureza — e ele contou para ela tudo o que se passara, enquanto na esquina, esperavam um táxi.

Dentro do táxi, a caminho do hotel, ela, de modo inesperado, disse:

— Bem, eu quero ir embora amanhã.

— Amanhã? Embora? Por quê?...

— Porque eu quero. Me deu vontade.

— Mas você estava gostando tanto... O que houve?

— Nada. Me deu vontade.

Ele a olhava, sem entender, sem encontrar uma explicação para aquilo.

— Nós não vimos nada ainda... A gente fica mais uns dois dias, depois a gente vai.

— Não; eu quero ir amanhã.

— Mas por quê, bem? Qual o motivo? Me diz...

— Eu já disse: é que eu não quero ficar.

— Está bem — ele disse; — então nós vamos. Para onde você quer ir?

— Qualquer lugar.

— Qualquer lugar? Você não tem nem uma ideia?

— Cabo Frio — ela disse, o primeiro nome que lembrou.

— Cabo Frio? Está bem: então nós vamos para Cabo Frio. Está resolvido. Amanhã?

— É.

— Tá; então está resolvido.

Chegaram ao hotel.

Subiram, calados, no elevador. Ela mantinha um silêncio misterioso, e ele, amuado com aquela mudança brusca nos planos, perdera a vontade de conversar.

— Quer tomar banho primeiro? — ele perguntou. — Eu vou fazer a barba.

— Pode ir; eu vou depois.

Ele tirou a roupa, vestiu o roupão e foi para o banheiro. Ela ouviu o chuveiro funcionando.

Deitada na cama, ela olhava fixo para o globo de luz no teto. Então se levantou e ficou diante do espelho do guarda-roupa, se olhando, olhando os seios, que apareciam no decote. Segurou o broche um instante, sentindo o contato de sua mão — mas como se fosse a mão de outra pessoa.

Desceu atrás o zíper, puxou as mangas do vestido e observou-o deslizar suavemente por sobre os seios; depois acabou de empurrá-lo até o chão. Observou-se ainda um instante, as tetas aparecendo fora do minúsculo soutien: tirou-o, e os seios ficaram livres e soltos, em toda a sua exuberância e beleza. Com mais um gesto, ela acabou de ficar nua.

E então, no espelho, naquele corpo de mulher, jovem e belo, duas mãos pousaram sobre os seios, envolvendo-os, acariciantes — mas não eram suas mãos, eram as mãos de outra mulher, mãos macias e quentes e que sabiam acariciar como nenhumas outras. E agora desciam pelas suas ancas, rodeavam as coxas e iam lentamente subindo até a carne ardente e úmida. E já não eram somente as mãos, era também aquela boca maravilhosa, que percorria todo o seu corpo, numa alucinante viagem.

O marido saiu do banheiro.

Ela estava de penhoar, debruçada à janela, olhando a cidade, iluminada, e então voltou-se:

— Bem, eu estive pensando... Vamos ficar no Rio mesmo.

— É? — e ele abriu os braços.

Desistia de entendê-la.

Ela foi até ele:

— Não fique com raiva de mim, benzinho...

— Eu simplesmente não te entendo mais.

— É que eu estive pensando e... Achei que seria melhor a gente ficar aqui mesmo.

— Claro que é.

— Você não acha?

— Foi o que eu te disse; não foi?

— Você não fica com raiva?...

— Claro que não; eu ficaria se a gente fosse embora.

Ela sorriu; e então abraçou-o:

— Eu te amo — disse, enquanto seu pensamento voava, cheio de expectativa, para outra pessoa, longe dali, num outro ponto da cidade.

Avô

Sua cama ficava no rumo da porta, ele queria ver quem passava no corredor. A cabeça apoiada em travesseiros macios, os olhos, atentos, ficavam à espera.

— Neto, ô neto, vem cá.

A voz cansada exigia, mandava, não tinha jeito de fugir.

Se continuasse andando, se fingisse que não ouvira, às vezes a voz era tão baixa, tão fraca, que não dava mesmo para ouvir. "O senhor me chamou? Pois não ouvi", diria, quando ele se queixasse.

E um dia fez isso. Mas, já na rua, se arrependeu: seu avô, coitado, ali na cama o dia inteiro, velho e doente, chamando os outros decerto porque se sentia sozinho. Ele também, se estivesse assim, gostaria de conversar com alguém, qualquer um gostaria. E era seu avô.

— Tinha uma pessoa me esperando lá na porta — inventou quando foi ao quarto; — eu estava com pressa, por isso é que eu não parei.

O avô não disse nada, ficou olhando para ele — teria desconfiado?

Um dia se queixou:

— Os netos estão ficando ariscos.

Fez uma cara ruim, de quem engole uma coisa amarga.

— Depois de velho, ninguém mais quer saber da gente.

Achou aquilo triste, quis dizer alguma coisa, mas não disse nada, nunca sabia o que dizer ao avô: ficava ali, a seu lado, calado, só respondendo ao que o avô lhe perguntava. "Como é, neto, está gostando da escola? Já sabe a tabuada? Cinco vezes três." "Tabuada é só no segundo ano, Vovô" — o avô sempre esquecia isso. "Então vamos ver se você já sabe mesmo a poesia" — e ele tinha de declamar, pela milésima vez, a poesia enorme que o avô lhe ensinara. Declamava correndo, sem ponto, sem vírgula, sem nada, para acabar depressa. O avô não se importava, não parecia notar isso: "Ê neto inteligente..."

O avô pegava-lhe a mão; gostava de ficar segurando a mão dos outros — por quê? Ele sentia quase nojo daquela mão, branca e mole, acariciando a sua: "Meu neto, meu neto..."

O mau hálito do avô: sofria do estômago. Sofria também do coração, dos intestinos, do fígado, uma porção de doenças, a mesinha do quarto sempre cheia de remédios, ampolas de injeção. O cheiro de álcool. O urinol no chão.

Ali na cama. Dia e noite. Semanas, meses seguidos. Aquela magreza, aquela fraqueza, o cabelo branco, a barba crescida, a boca, murcha sem a dentadura, que ficava aberta quando o avô dormia: será que não entrava mosquito ali? Ser velho era uma coisa triste.

Agora o avô dera para dormir. Ele passava, na ponta dos pés, pelo corredor e ia apanhar mangas no quintal. Quando voltava, o avô ainda dormia, o quarto meio escuro. Por que dormia tanto assim? Estaria melhorando? Iria sarar? Mas e o médico, que vinha agora quase todo dia?

Prestou atenção nas conversas: está muito fraco, diziam, não quer mais se alimentar, não toma nem mais a sopinha, quem sabe a gente chama outro médico? Chamaram outro médico, novos remédios apareceram na mesinha.

— O problema é que o organismo dele quase não reage mais — ouviu a mãe dizer no almoço.

De madrugada os galos cantam, e alguém está morrendo no quarto de janela acesa.

De madrugada os quintais frios; a tosse de um varredor que parou na esquina para acender o cigarro e escarra, limpando a boca na manga da camisa; um bêbado vomitando no beco fedendo urina; um cachorro fuçando na lata de lixo e se enroscando à porta de um bar iluminado, com cheiro de café novo.

De madrugada, até que o sino chame para a missa das cinco, quando a última lâmpada acesa na rua ainda lembra a noite, antes de se apagar na claridade fria da manhã.

Na escuridão parada, uma janela se ilumina ("'O que é, Pai? O senhor quer alguma coisa?' Então ele ficou me olhando; não sei por que ele ficou me olhando. Ele disse: 'Água', a voz tão fraca, que eu tive quase de encostar o ouvido nos lábios dele para ouvir. Eu trouxe a água, e ele bebeu um pouco; segurei a cabeça dele atrás, para ele beber. Depois ele disse que estava com muito sono, e eu tornei a encostar a cabeça dele no travesseiro. E então ele fechou os olhos e suspirou de um modo muito suave, e eu continuei ali, ao lado dele, pensando que ele estivesse dormindo; mas ele estava tão quieto, meu Deus, ele estava tão quieto...").

A campainha soou forte e insistente no silêncio da casa adormecida. Semidesperto, ele percebeu uma luz se acendendo, passos ligeiros, alguém abrindo a porta da sala — e de repente a mãe chorando pela casa:

— O Papai morreu, coitadinho! O Papai morreu!

A manhã estava fria. Ouviu quando a carroça do padeiro passou com estrépito na rua, tilintando os guizos. Ficou ainda algum tempo na cama, depois se levantou. Abriu a janela: pessoas descendo para o serviço, fumando, cara de sono. A empregada varria a calçada.

Dentro de casa tudo quieto, as janelas fechadas como se todos ainda dormissem. A mãe e o pai tinham ido ao avô, não vira a hora em que saíram, tinha pegado no sono de novo.

Era para ele ir também, quando se levantasse — a empregada deu o recado. Quisesse alguma coisa, era só pedir a ela.

— Maria!

Ele sentado à mesa, a xícara de café fumegando, o pão ainda não cortado.

— A manteiga acabou; pão sem manteiga não vai. Você podia...

A morte do avô: campainha de madrugada, susto, choro, a casa tão quieta de manhã, com as janelas fechadas, ele sozinho, dono da casa, dando ordens à empregada.

— Só tinha dessa?

— Não sei; não perguntei...

A empregada submissa. Quisesse alguma coisa...

— Está bem; deixa.

Maria sorriu, se afastou, foi acabar de varrer a calçada.

Depois do café, ele desceu. No caminho encontrou a professora. Contou para ela. Ela não sabia, estava surpresa:

— Um dia desses o Pedro, seu tio, me disse que ele estava melhor.

— Estava mesmo, mas depois ele tornou a piorar.

— Que coisa...

— Pois é... Quando a gente menos espera... — ele disse, lembrando-se do que ouvira uma vez a mãe dizer.

Despediu-se da professora.

— Meu avô, meu avô morreu — ele se repetia, enquanto caminhava, sentindo agora que isso era uma grande novidade.

Os colegas ficariam sabendo, Dona Mirta contaria. No dia seguinte, na escola, ele estaria calado, não conversaria com ninguém, não sorriria nenhuma vez; no recreio, não brincaria, ficaria encolhido num canto. Os outros observariam: está triste, é o avô dele, morreu ontem. Teriam dó dele, viriam consolá-lo: "Não é nada, não; não fique triste; seu avô?" "O que é que a gente vai fazer" — a cara tão triste.

Da rua ele já viu: sobre a mesa, coberto por uma colcha rendada e flores. Velas acesas em grandes castiçais, como os da igreja. As pessoas, mudas e sérias, olhando. Onde estaria seu pai? Sua mãe estava ao lado da mesa e chorava, com o lenço colado ao rosto.

— Você... tomou... café?

A voz trêmula, aos arrancos.

Estava impressionado: o rosto vermelho, contraído, tão diferente dos outros dias — não parecia sua mãe.

Cheiro de flores e de velas queimando: cheiro de defunto. Em cima da mesa, sob a colcha rendada, os pés pontudos, a saliência das mãos cruzadas sobre o peito, a cabeça — a mãe descobriu-a para ele ver: a cara amarela e seca e dura do avô morto.

Ia chegando mais gente, ficavam sabendo e vinham, a notícia corria depressa.

Ele andando pela casa, olhando uma coisa e outra, curioso e assustado. A cama do avô vazia: esquisito. "Neto, ô neto, vem cá" — nunca mais ouviria aquela voz. "Está gostando da escola? Já sabe a tabuada? Declame a poesia." Nunca mais.

O avô ali na cama — nunca mais.

Morrer era isso: nunca mais.

O retrato na parede: o avô gordo, posudo, cabelos negros, bigodão, colete e relógio de correntinha. Quando? Um tempo em que ele não vivera, um homem que ele não conhecera, outro homem, o do retrato era outro homem, não era o morto, que estava lá na mesa, cabelos brancos, amarelo, seco, murcho; o do retrato era só o do retrato, para sempre o do retrato, um outro tempo, um outro homem, olhando da imobilidade cinzenta e fixa, indiferente ao que estava acontecendo na casa.

Os parentes, os vizinhos. Dona Luci, muito bonita, o cabelo penteado de um jeito diferente, vestido azul chique, como se tivesse vindo a uma festa. Colocava rosas numa jarra, compenetrada; punha uma, tirava, punha outra. Afastou-se um pouco, ficou olhando, com a cabeça meio inclinada:

— Não, ainda não está bom — disse, e mexeu de novo. — Agora sim, está linda — disse, sorrindo.

Falava sozinha, pois ali perto só havia ele, olhando, e ela não estava falando com ele.

Apertou de leve, com a mão, o cabelo atrás; alisou o vestido nos quadris; e foi pelo corredor, levando a jarra com as duas mãos, requebrando. Seus sapatos, de salto alto, faziam barulho, e ela entrou na sala na ponta dos pés.

Dona Filhinha chegara havia pouco e já estava puxando um terço: os outros respondiam em voz baixa. A chama trêmula das velas acompanhava o tom grave da oração. A cera escorria pelos castiçais e pingava na mesa, secando em pequenas crostas brancas.

Quando ele voltou, à tarde, as crostas haviam aumentado, grudavam-se às quinas da mesa; começava a pingar cera no chão. Todos os assentos da sala tomados, pessoas se encostando à parede.

À porta da casa, os homens, quase todos de terno escuro e gravata, reunidos em pequenos grupos, calados ou conversando baixo.

Dia quente. O vento levantava poeira na rua.

— Essa poeira — disse o homem magro.

Quem seria? Nunca o tinha visto.

— Com esse vento — disse Sô José.

Sô José tinha aparado o bigode e passava os dedos por ele.

— Poeira e sol — disse o magro, que era muito branco.

— Bom num dia desses é uma cervejinha gelada — disse Sô José.

— Cerveja? — disse o magro. — Cerveja, para mim, é um veneno.

— Pois, para mim, não há nada melhor... — e Sô José alisou a barriga.

— Um veneno — repetiu o magro.

O magro enfiava e tirava seguidamente as mãos dos bolsos. Agora estava olhando as horas no seu relógio de bolso.

Celina — a que o povo falava — havia aparecido no portão de casa, e Sô José olhava para lá.

O magro tirou o relógio do bolsinho da calça — não tinha acabado de olhar as horas? — e ficou olhando-o na palma da mão, com uma cara zangada.

Um vento mais forte soprou de repente, e o magro engoliu seco; depois mexeu os lábios, dizendo qualquer coisa, decerto xingando a poeira.

Sô José olhando para Celina.

— É um fato — disse, balançando devagar a cabeça.

— O quê? — disse o magro, como se tivesse levado um susto.

Olhou também para Celina; ajeitou a gravata no colarinho, a cara de nojo acabou. Cruzou as mãos atrás e ficou olhando para o ar.

Celina saiu do portão, entrou em casa.

Sô José bocejou demoradamente, dando tapinhas na boca, a mão grossa e cabeluda, enquanto olhava para os lados.

— Esse aí é neto do Armando — disse para o magro.

— Hum — disse o magro, sem sorrir.

— Seu avô era meu amigão; um dos maiores amigos que eu já tive em toda a minha vida. Agora... — virou-se para o magro: — Pra você ver como são as coisas...

O magro sacudiu a cabeça, sem dizer nada. Tirou mais uma vez o relógio do bolso.

— Quantas? — perguntou Sô José.

— Quatro e meia — disse o magro, com uma cara desanimada.

— Seu relógio não está atrasado? — perguntou Sô José.

— Meu relógio nunca atrasa... — disse o magro, com uma cara mais desanimada ainda.

Um carro preto virou a esquina e veio estacionar-se à porta da casa. Estava sujo de poeira, tinha vindo de longe.

Tia Joana. Estavam esperando-a, pensavam que ela não chegaria a tempo para o enterro. Tia Joana e Tio Nina. Moravam na fazenda, só vinham à cidade em caso de doença ou morte.

Tio Nina: um homem forte e gordo, moço ainda. Sabia que era ele pelos retratos. O marido de Tia Joana, o que vivia na pinga e tinha outra mulher. Batia em Tia Joana e a deixava passar fome, por isso é que ela estava magra e acabada assim, só trinta anos e já com cara de velha.

O avô não queria aquele casamento — ouvira contar. Conhecia a família de Tio Nina, gente à toa, com ele é que Tia Joana não casava, isso é que não, não casava, só se passasse por cima de seu cadáver.

Tia Joana casou — e ali estava, em cima da mesa, o cadáver do avô. No dia do casamento — ouvira contar — o velho adoeceu e foi para a cama, passando mal. Depois disso nunca mais prestou, vivia tomando remédio, queixando-se de tudo, dizendo que o melhor era morrer de uma vez.

As pessoas no passeio juntaram-se à porta, queriam ver.

Choro, abraços, Tia Joana gritando:

— Papaizinho! Papaizinho!

E de repente um barulho surdo, pessoas movendo-se rápidas, a cara assustada de Tio Nina e de outros, eles carregando alguém para o quarto: Tia Joana — os braços pendurados, os pés bambos, arrastados pelo chão.

Fecharam a porta.

Tio Nina então apareceu de novo. Tio Pedro cochichou qualquer coisa para ele. Ele balançou a cabeça, dizendo não, e fez um gesto dizendo que estava tudo bem — mas Tia Joana não apareceu mais: a porta do quarto fechada.

Agora Tio Nina está ao lado da mesa, olhando para o morto, os braços cruzados, o rosto pensativo. Em que estará pensando? Arrependido? Qual, talvez esteja até achando bom: o velho não gostava dele, e ele não gostava do velho.

Chega mais perto, afasta a colcha com a mão direita e, com a esquerda apoiada no braço do morto, fica olhando, pensativo. Arrependido? Quem sabe? Batia em Tia Joana e a deixava passar fome, trinta anos e velha.

Se o avô estivesse vivo, não deixaria Tio Nina tocá-lo assim. Não o deixaria nem entrar na casa, como não deixava quando estava vivo. Mas agora está morto, não pode fazer nada, e Tio Nina continua com a mão em seu braço, olhando muito pensativo, ninguém pode saber o que ele está pensando, arrependido ou achando bom, ninguém pode saber.

O caixão chegou — roxo, com as bordas douradas. Os homens na sala se aproximaram, solícitos, houve um ajuntamento e, depois de alguns minutos, o avô estava no caixão. A tampa ficou ao lado, em pé, encostada à parede — triste e sinistra.

Sentada no mesmo lugar da manhã, sua mãe leva o lenço aos olhos e começa a chorar novamente.

Dona Filhinha — quantos terços teria rezado? — se ajoelha com dificuldade ao lado do caixão e reza, de cabeça baixa. Depois levanta-se, com dificuldade, fica olhando para o morto — e arregaça-lhe com o dedo a pálpebra do olho esquerdo: um olho estatelado, horrível. Para que ela fez isso? Vai embora, andando com dificuldade, as pernas inchadas.

A sala cheia, a hora do enterro se aproximava. O magro, lá fora, devia estar olhando o relógio, cara de nojo, xingando o sol e a poeira.

Então a sirene da carpintaria tocou: cinco horas, hora do enterro. Há um movimentar-se aflito na casa, explosões de choro, um aperto sufocante no ar.

De um canto da sala, ele olha tudo, assustado.

Sua mãe se aproxima, soluçando entre lágrimas:

— Toma a bênção do seu avô, meu filho; toma a bênção...

Ele vai até o caixão e faz o que vira a mãe fazer: beija a testa do avô — testa amarela e fria.

E o caixão deixa a sala, carregado por quatro homens, as pessoas vão seguindo atrás, entram nos carros, o batido das portas que se fecham.

O enterro já vai lá na frente, se aproxima da esquina.

A igreja, o caixão aberto de novo, o padre rezando, com o coroinha, ao lado, segurando o baldinho de água benta.

Amém — disseram, e o caixão foi fechado de novo, o sino tocando lento e triste, as pessoas saindo, Sô José ajoelhado num banco, a cabeça entre as mãos, chorando? seu amigão, parecia que estava até soluçando.

O enterro, lá fora, recomeça.

A subida, longa e poeirenta, com o muro branco do cemitério lá no fim. O carro vai devagar, atrás do carro da frente; para quando o carro da frente para; recomeça a andar quando o carro da frente recomeça; parece que nunca chegarão ao cemitério.

A mão direita na direção e a esquerda, com o cigarro, pendurada fora, seu pai aperta os olhos e solta com força uma baforada: a fumaça fica cheirando fortemente no carro, misturada com o cheiro de gasolina.

O cemitério: portão de ferro, enorme e enferrujado; árvores tristes; túmulos brancos, negros, novos, antigos, acinzentados pelo tempo, cruzes e anjos; flores murchas;

covas; a casinha branca lá no meio — uma vez vira uma caveira lá.

As pessoas rodearam a cova. O padre rezou de novo. Agora abrem o caixão pela última vez. Ele fica um instante assim, aberto, as pessoas olhando pela última vez, chorando. Então colocam a tampa de novo. E fecham o cadeado do caixão.

(Fechado, encerrado, trancado para sempre, o morto não poderá fugir; quando todos tiverem deixado o cemitério, ele, no silêncio do túmulo, debaixo da terra, abrirá os olhos e encontrará a escuridão completa; a falta de ar, a cabeça erguendo-se e dando com a tampa do caixão, olhos arregalados de aflição e desespero, gritos sufocados, mãos que batem e arranham e sangram.)

O caixão vai descendo devagar para o fundo da cova. Flores são jogadas. E então uma pá de terra se abre em chuva e morre num som abafado. Outras pás de terra, o caixão vai desaparecendo, as pessoas vão deixando o local.

Na linha do horizonte, sob um céu calmo, a cidade espera a noite. O carro desce a rua devagar. Ele no banco de trás, o pai na frente; a mãe voltara em outro carro.

O gosto daquele beijo amarelo e frio, o gosto do morto em seus lábios: ele chegou rente à janela e cuspiu.

O carro atravessa a ponte e pega o calçamento, a poeira fica para trás. Junto à porta, ele vai olhando: as pessoas andando devagar ou depressa, paradas à porta de casa conversando, rostos nas janelas, que olham curiosos para dentro do carro, querendo ver quem é, alguns meninos brincando na esquina — um dia como os outros. Num bar ele viu Sô José: sentado a uma mesa, bebendo cerveja.

O pai abriu a porta da sala: dentro estava escuro. O pai acendeu a luz. Tirou o paletó, que pendurou numa cadeira. Afrouxou a gravata. Diante do espelho, passou a mão pela barba.

A água jorrava com força da torneira. As mangas da camisa arregaçadas, o pai esfregando com as mãos o rosto, o pescoço, as orelhas, espirrando água nele, sentado ali, olhando.

As mãos apertam com força a toalha contra o rosto, descem ao pescoço, sobem para uma orelha, passam para a outra.

O pai pendura a toalha. Abre o armarinho e pega o pente. Molha um pouco o cabelo. Penteia, lentamente. Dá com o pente umas batidinhas no lavatório e guarda-o de volta no armarinho. Olha-se no espelho: pronto.

— Passa também uma água no rosto. Havia muita poeira. Ou você quer tomar um banho antes de jantar? Ou toma à noite, quando a sua mãe chegar? Você está com fome?

— Não.

— Então quer tomar agora?

— Depois. À hora que a Mamãe chegar.

— Passa então uma água no rosto enquanto eu olho a comida. Acho que é só esquentar, a Maria deixou tudo no jeito. Esfrega o rosto, os braços; isso refresca. Foi um dia quente. Fez muito calor hoje.

Arroz, feijão, carne cozida com batatinha, tomate.

— Põe tomate também. Está sem fome?

Sacudiu a cabeça que sim.

— Come um pouco. Deve ser o calor. Ainda está muito quente. Se continuar assim, é capaz de ter chuva essa noite. Põe mais um pouco de batatinha, você gosta muito...

— Que hora a Mamãe vai voltar?

— Sua mãe? Não sei. Ela não deve demorar. É alguma coisa que você está querendo?

— Que hora mais ou menos será que ela vem?

— Lá pelas dez, talvez. Ela está lá com os seus tios.

— Às vezes ela vai dormir lá também.

— Dormir? Não. Ela vai dormir aqui, em casa. Por quê? É alguma coisa que você queria com ela?

— Não.

— Pode dizer. Às vezes é alguma coisa que você quer com ela. Às vezes eu mesmo...

Ele ficou olhando para o prato.

— Não quer mais, não? Come só mais um pouco...

Ele comeu mais um pouco.

— Tem doce ali, no armário: aquela compota de figo que sua mãe abriu ontem na janta. Você decerto enjeita doce de figo...

— Hoje eu não estou com vontade.

— Até figo?

— À hora que eu for deitar, eu tomo um copo de leite.

— Bem, então você fala com a sua mãe à hora que ela chegar. Fala com ela que você não jantou; que você quase não comeu.

Ele se levantou.

— Eu vou lá no terreiro, levar esse resto para o Tigre.

A corrente se desenrolou rápida no escuro. O cão se equilibrava de pé, batendo as patas no ar, querendo alcançar o prato. Ele despejou a comida na vasilha de lata, e o cão ficou comendo vorazmente.

O terreiro imóvel, o ar abafado, a escuridão chegando devagar e se empoleirando nas árvores.

Ele cuspiu. Esfregou a mão com força nos lábios. Cuspiu de novo. Tornou a cuspir. Sentia a garganta emborcando para dentro e emendando com o estômago. Segurando-se ao muro, ele vomitou.

Confissão

— Conte os seus pecados, meu filho.

— Eu pequei pela vista...

— Sim...

— Eu...

— Não tenha receio, meu filho, não sou eu quem está te escutando, mas Deus, Nosso Senhor Jesus Cristo, que está aqui presente, pronto a perdoar aqueles que vêm a Ele de coração arrependido. E então?...

— Eu vi minha vizinha... sem roupa...

— Completamente?

— Parte...

— Qual parte, meu filho?

— Para cima da cintura...

— Sim. Ela estava sem nada por cima?

— É...

— Qual é a idade dela? Ela já é moça?

— É...

— Como que aconteceu?

— Como?

— Digo: como foi que você a viu assim? Foi ela quem provocou?

— Não; ela estava deitada, dormindo...

— Dormindo?

— É...

— Quer dizer que ela não te viu?

— Não...

— Ela não estava só fingindo?

— Acho que não...

— Acha?

— Ela estava dormindo.

— A porta estava aberta ou foi pela fechadura que você viu?

— A porta, ela estava aberta... Só um pouco...

— Teria sido de propósito que ela deixou assim? Ou...

— Não sei...

— Quanto tempo você ficou olhando?

— Alguns minutos...

— Havia mais alguém no quarto ou com você?

— Não...

— Você sabia que ela estava assim e foi ver, ou foi por um acaso?

— Por um acaso...

— E o que você fez? Você não pensou em sair dali?

— Não...

— Nem pensou?

— Não sei... Eu...

— Não tenha receio, meu filho; um coração puro não deve ocultar nada a Deus. Ele, em sua infinita bondade e sabedoria, saberá nos compreender e perdoar.

— Eu queria continuar olhando...

— Sim.

— Era como se eu estivesse enfeitiçado...

— O feitiço do demônio. Ele torna o pecado mais atraente para cativar as almas e levá-las à perdição. Era o demônio que estava ali no quarto, meu filho; era o demônio que estava ali, no corpo da moça.

— Na hora eu não pensei que era pecado; eu fiquei olhando, feito a gente fica quando vê pela primeira vez uma coisa bonita... Depois é que eu pensei...

— É uma manobra do demônio: ele queria que você ficasse olhando, para ele conquistar seu coração; por isso é que você não sentiu que estava pecando. Ele faz o pecado parecer que não é pecado e a gente pecar sem perceber que está pecando. O demônio é muito astuto...

— Depois eu arrependi e rezei um ato de contrição...

— Sim. E que mais? Foi essa a primeira vez ou já houve outras antes dessa?

— Mais ou menos...

— Mais ou menos?... Você quer dizer que...

— É que...

— Pode dizer, meu filho, não tenha receio.

— Uma vez...

— Essa mesma moça?

— É... Ela estava de camisola; uma camisola meio transparente...

— De tal modo que permitisse enxergar a nudez?

— É...

— A nudez completa?

— Não; como agora...

— Sim. Foi em casa que você a viu assim?

— Foi...

— Ela estava só?

— Estava...

— E os pais dela?

— Eles estavam viajando...

— Os pais dela viajam muito, não viajam?

— Viajam...

— Sim, eu sei. Quer dizer...

— Eu tinha ido lá buscar um livro. Ela estava no quarto e me chamou...

— Ela não procurou se cobrir com mais alguma coisa?

— Não...

— E ela não se envergonhou de estar assim?

— Não... Eu procurei desviar os olhos, mas ela mesma não estava importando. Procurei sair logo dali, mas era como se alguma coisa me segurasse, parecia que eu estava fincado no chão...

— E ela? O que ela fez? Ela conversou com você?

— Conversou...

— De que tipo a conversa?

— Normal...

— Ela não disse alguma coisa inconveniente?

— Não... Mas o jeito dela olhar, o jeito que ela estava sentada...

— Sim. Que jeito? Uma posição indecorosa?

— É... Mostrando as pernas...

— Entendo. E o olhar?

— O olhar?...

— Havia no olhar alguma imoralidade, alguma provocação?

— Havia...

— Sei.

— Mas eu arranjei uma desculpa e fui embora...

— Fez muito bem, meu filho; é isso mesmo que você devia ter feito. Você pensou na gravidade da situação? Isto é: que poderia ter sido muito mais grave?

— Pensei...

— Não era isso o que estava no olhar dela?

— Isso?...

— A promessa desse pecado grave.

— Era...

— Ou era apenas uma simples provocação? Quer dizer: você acha que ela estava disposta a te levar a pecar com ela ou... Entende o que eu estou dizendo, não?

— Entendo...

— Ou ela estava simplesmente te provocando, sem outras intenções?

— Não...

— Não o quê? Ela queria pecar?

— É...

— Você imaginou isso ou as atitudes dela mostravam?

— As atitudes dela...

— Mas a família dela não é de bons costumes, não é muito católica?

— É...

— E você acha que ela faria isso?

— Acho...

— Você não...

— Já ouvi Mamãe dizendo que ela não procede bem... Que ela não é mais moça...

— Entendo. Só sua mãe ou outras pessoas também dizem?

— Só ouvi Mamãe. Ela não gosta que eu vou lá...

— Sei... Faz ela muito bem; sua mãe está zelando pela sua alma.

— É...

— Foi muitos dias antes da segunda vez que aconteceu isso que você está me contando? Ou foi perto?...

— Perto...

— Esses dias?

— É...

— Quer dizer que os pais dela ainda não voltaram?

— Não...

— Eles geralmente ficam muito tempo fora?

— Ficam...

— E ela fica sozinha?

— Ela fica com a empregada...

— E o irmão dela? Quer dizer: ela deve ter um irmão, não tem?

— Tem, mas ele fica quase o tempo todo na fazenda; ele só vem na cidade domingo...

— Sim, sim. Muito bem. Quer dizer... É... E que mais, meu filho? Outros pecados?

— Não, só esse...

— Pois vamos pedir perdão a Deus e à Virgem Santíssima pelos pecados cometidos e implorar a graça de um arrependimento sincero e de nunca mais tornar a ofender o coração de seu divino filho, que padeceu e morreu na cruz por nossos pecados e para a nossa salvação. Ato de contrição...

Françoise

Duas vezes já havia ela passado ali, na minha frente, e eu a observara: era bonitinha, loira, os cabelos em desalinho e a roupa um pouco desleixada. Mas não parecia estar em viagem; era mais provável que estivesse esperando alguém que fosse chegar.

Ou então, como não era ali o lugar mais apropriado para isso, pois o ponto de desembarque dos ônibus ficava na outra extremidade, talvez ela estivesse simplesmente esperando outra pessoa com quem marcara encontro na rodoviária, um local como qualquer outro. O fato de ser o lugar onde eu estava um dos mais visíveis e menos movimentados da rodoviária — um banco no caminho para o guarda-volumes — me confirmava nessa hipótese.

Assim, quando veio se aproximando um rapaz simpático, sem malas e também sem ar de viajante, sorri ligeiramente por dentro, contente com a minha perspicácia de observador. Mas a moça, que estava parada a poucos passos de mim, olhando para um ônibus que acabara de chegar, não se moveu — e o rapaz passou direto. Genial a minha perspicácia...

"Você conhece?", ouvi a moça dizer.

Surpreso, olhei para os lados: não havia mais ninguém ali; era comigo mesmo que ela estava falando.

"O quê?", eu perguntei.

Ela estava meio de lado, a mão esquerda segurando a corrente que margeava o passeio.

Suspensa, afrouxadamente, em pequenas pilastras de concreto armado da altura dos joelhos, colocadas com intervalos de uns dois metros, a corrente se destinava a evitar a saída de transeuntes para fora do passeio, um lugar perigoso por onde passavam os ônibus que chegavam.

A moça apontou para o que chegara:

"Lindoia", disse.

"Se eu conheço?"

"É..."

"Não", eu disse, "não conheço."

Ela veio andando devagar, jogando um pouco os pés como se brincasse com eles, parecendo querer e não querer se aproximar de mim.

Perguntou se podia sentar-se ali.

"Claro", eu respondi.

Ela então sentou-se. Depois enfiou as mãos entre as pernas, encolhendo a cabeça como se sentisse muito frio. Nessa posição, tinha o ar de uma garotinha.

"Tenho vontade de ir lá...", ela disse.

"Lá onde?", eu perguntei. "Lindoia?"

Ela disse que sim, com a cabeça.

"Quando eu era pequena", contou, "Mamãe cantava muito aquela música que começa assim: 'Tardes silenciosas de Lindoia'... Conhece?"

Eu disse que sim, que a música eu conhecia.

"Ela gostava muito de cantar essa música. Eu achava a música muito bonita e vivia pedindo a ela para cantar. O engraçado é que eu não sabia que Lindoia era uma cidade, que ela existia mesmo em algum lugar feito as outras cidades. Não é engraçado isso?..."

"É...", eu disse.

"Eu pensava que Lindoia era apenas aquelas palavras. Depois eu entrei para a escola e aprendi que Lindoia era uma cidade onde havia águas medicinais e aonde muita gente ia. Então eu tive vontade de ir lá também. Mas não por causa disso, das águas e das pessoas: por causa da música."

"Sei...", eu disse.

"Até hoje eu tenho essa vontade. Às vezes eu venho aqui, na rodoviária, e fico olhando os ônibus que chegam de lá, ou que saem para lá. Esse que chegou agora é o que chega às seis, às dezoito horas."

Eu sacudi a cabeça.

"Será que ela ainda é a mesma coisa?...", ela disse.

"A mesma coisa?...", eu perguntei.

"Lindoia; será que ela ainda é igual à música?"

Fiz um gesto vago com a cabeça: não estava entendendo bem o que ela queria dizer.

"Eu tinha vontade de ir lá para ver...", ela disse, pensativamente.

"Você nunca pediu à sua mãe para te levar lá?", eu perguntei.

"Mamãe? Não", ela disse. "Mamãe já morreu. Ela morreu há muito tempo. Eu tinha nove anos."

"E seu pai?"

"Papai eu nem cheguei a conhecer; ele morreu antes de eu nascer. O Beto é que conheceu ele. Beto é o meu irmão. Ele é mais velho do que eu três anos. Em outubro ele vai fazer vinte e um anos. Quinze de outubro."

"E você?", eu perguntei. "Como você se chama?"

"Françoise."

"Françoise", eu repeti. "Sempre tive vontade de conhecer uma menina chamada Françoise..."

Ela sorriu, olhando para as mãos, que continuavam enfiadas entre as pernas.

"Você é francesa, ou seus pais?", eu perguntei.

"Não", ela disse. "Françoise era o nome de minha avó. Mas ela também não era francesa. Quem era francesa era a minha bisavó; minha bisavó é que era francesa."

Ficamos um momento em silêncio.

Acendi um cigarro.

"Você vai viajar?", ela perguntou.

"Vou."

"Que hora?"

"Às dezenove horas."

Olhei o relógio.

"Falta uma hora ainda...", eu disse.

"Para onde você vai?"

"Rio."

"Rio...", ela repetiu, pensativa.

"E você?", eu perguntei.

"Eu? Eu estou aqui à toa. Às vezes venho aqui. Gosto da rodoviária. A gente vê tanta coisa diferente:

pessoas diferentes, coisas diferentes... Gosto de vir aqui. Os ônibus também, esse movimento, gente chegando, gente saindo... Mas às vezes isso também me deixa triste. Você estava triste?"

"Eu?..."

"Desde que cheguei aqui eu reparei em você. Você parecia triste. Estava quietinho aqui, sentado nesse banco, longe das pessoas. Você gosta de ficar sozinho?"

"É que eu estou muito cansado", expliquei. "Viajei a noite inteira, e eu quase não durmo em viagem; não dormi quase nada. Além disso, fiquei hoje o dia inteiro andando. Eu estava cansado. Queria ver se cochilava um pouco aqui."

"Quer dizer que eu te atrapalhei?", ela perguntou, com um ar assustado.

"Não", eu disse; "de modo algum. Eu já cochilei um pouco, agora mesmo, antes de você chegar; já deu para descansar um pouco. E também eu vou viajar mais daqui a pouco; eu posso dormir no ônibus."

"E se você de novo não dormir? Você disse que quase não dorme em viagem..."

"É; mas cansado do jeito que estou, acho que eu vou dormir logo..."

Passei a mão pelo rosto. Minha barba estava crescida.

"Se você quiser, eu vou embora", ela disse, ameaçando levantar-se.

Eu repeti que não, e pedi que ela ficasse — estava achando bom conversar com ela, eu disse.

Ela ficou, voltando a enfiar as mãos entre as pernas, continuando naquela posição de frio.

"Você está com frio?", eu perguntei.

"Não", ela respondeu.

"Eu tenho um cachecol aqui", eu disse, levando a mão ao bolso do paletó: "você não quer usar ele?..."

"Não, obrigada", ela respondeu rapidamente, negando com a cabeça. "Não é preciso, eu sou assim mesmo, vivo sentindo frio; sinto frio o ano inteiro. Mesmo quando o dia está quente, eu às vezes ainda sinto frio. Não é engraçado?"

"É...", eu disse.

"Eu vou te pedir é outra coisa", ela disse, sorrindo e fazendo uma cara meio misteriosa.

"O quê?", eu perguntei.

Ela acenou com os olhos para a minha mão:

"Vou te pedir uma fumadinha..."

"Eu tenho cigarro aqui, eu te arrumo um", eu disse, enfiando a mão no bolso interno do paletó.

"Não", ela disse, me detendo, "é só uma fumadinha, eu não fumo; é só uma fumadinha..."

Estendi o cigarro, com o filtro voltado para ela, mas, em vez de pegá-lo, ela segurou minha mão e se inclinou para fumar. Sua mão estava fria.

Depois ela tragou e soltou lentamente a fumaça, acompanhando-a com os olhos.

"Se meu tio visse...", ela disse. "Ele me matava..."

"Seu tio?", eu perguntei.

"É... É com ele que nós moramos, eu e o Beto. Ele é que criou nós dois, depois da morte de Mamãe. Ele é irmão dela. Ele não gosta que eu fume. Ele diz que mulher direita não faz isso...", e ela deu uma risada divertida.

Era a primeira vez que eu a via rir. Rindo, ela era ainda mais bonita e parecia ter mesmo dezessete anos. Séria, ela parecia mais velha; tinha até uma pequenina ruga na testa. Era estranho como tinha, ao mesmo tempo, um ar tão infantil e tão maduro. Creio que era isso que a fazia me parecer tão bonita, pois seus traços eram comuns. Os olhos é que mais se destacavam, grandes e brilhantes.

"O que é?...", ela perguntou, vendo que eu a observava.

"Estou reparando nos seus olhos", eu disse. "Eles são bonitos..."

Ela baixou a cabeça, um pouco tímida. Voltou a enfiar as mãos entre as pernas. Então disse, baixo, algo que eu não entendi; como se ela tivesse dito aquilo só para ela mesma.

Eu perguntei o que era.

"São versos", ela disse. "O Beto é que fez para mim. Te contei que ele é poeta?"

"Não..."

"Ele já fez muitos versos para mim. Os que eu estava dizendo agora são assim: 'Seus olhos úmidos como as duas metades de uma laranja partida.' Não é bonito? Você acha que os meus olhos são assim?"

"Acho...", eu disse.

"Tem um outro que é assim: 'Sua boca coca.' Sabe o que é coca?"

"Não...", eu disse.

"É a mulher do coco."

Eu ri.

"Você sabia que fruta também tem macho e fêmea?"

“É?...”

“O Beto é que disse.”

“Hum...”

“Eu nunca tinha pensado nisso.”

“Eu também não...”, eu disse, meio rindo.

“Mas o Beto disse que é preciso ter imaginação, que não é qualquer pessoa que vê.”

“Não, né?...”

“Ele me mostrou como é. Ele pegou uma banana e disse: ‘Olha bem, Fran.’ Ele me chama de Fran. De Fran quando ele não está bravo comigo; quando está, é Franzinha. Não é engraçado? Devia ser o contrário, né? Franzinha devia ser quando ele não está bravo. Mas ele é poeta; poeta é assim mesmo...”

“É...”, eu disse.

“‘Olha bem, Fran, olha bem para ela: agora me diga se é uma banana ou um banano.’ Eu olhei bem. ‘É um banano’, eu disse; e ele disse que era sim, era um banano... Depois disso eu sempre observo as frutas e sei direitinho quando é um e quando é outro. Você acha que isso é bobo?”

“Não”, eu disse; “acho que é divertido...”

“Se tivesse uma fruta aqui, eu ia te perguntar, para ver se você também tem imaginação...”

“Hum...”

“Meu tio acha que isso é bobo. Ele acha que eu e o Beto somos uns bobos. Ele diz que tem pena de nós. Dizia; agora ele não diz mais, parece que ele cansou de dizer. A única coisa que ele agora diz para a gente é ‘bom dia’ e ‘boa noite’; e mandar a gente fazer as coisas.”

Eu sacudi a cabeça.

"Ele acha que o Beto devia estudar e ser médico; como o pai dele, o nosso pai, que era médico. Mas o Beto não gosta de estudar, ele gosta é de escrever poesia. Acho que ele faz muito bem. Meu tio diz que poesia não serve para nada, que o Beto nunca será um homem rico. Sabe o que o Beto respondeu? Que ele não queria ser rico. Meu tio disse que ele era um bobo."

"O que seu tio faz?", eu perguntei.

"Meu tio? O que ele faz?"

"É."

"Ele tem um barzinho. É aqui perto, numa rua ali. Eu ajudo ele lá; de tarde. De manhã eu vou na escola; faço o curso básico. Meu tio quer que eu me forme em contabilidade e depois entre para o escritório de uma fábrica. Ele diz que isso é a melhor carreira hoje para uma moça numa grande cidade; a carreira mais futurosa. Eu acho essa palavra horrível: 'futurosa'. Você não acha, não?"

"Acho", eu disse.

"Tem palavras que são bonitas e outras que são feias. Essa eu acho feia, horrível: 'futurosa'. Nostalgia é uma palavra bonita. Lindoia também. Se eu não me chamasse Françoise, eu queria me chamar Lindoia. Você não acha que é uma palavra bonita?"

"É sim; muito bonita."

"Palavras são feito gente, tem de todo jeito: bonitas, feias, gordas, magras, simpáticas, antipáticas, sérias, engraçadas, alegres, tristes; todo jeito."

"É verdade...", eu concordei.

"O Beto diz que a gente pode aprender tudo com as palavras, mas, para isso, é preciso a gente gostar delas feito a gente gosta das pessoas. Eu também já pensei isso uma vez."

"É?..."

"Você já reparou como é engraçado uma palavra se a gente fica olhando para ela muito tempo e pensando nela?"

"Não...", eu disse.

"É engraçado, ela parece que começa a mexer, a viver; parece uma coisa viva..."

"Hum..."

"Palavras parecem uma porção de bichinhos brincando: brincando de serem palavras. Já reparou isso?"

"Não...", eu disse.

"Diga uma palavra que você acha bonita..."

Eu pensei.

"Françoise", eu disse.

Ela baixou os olhos.

"Você acha o meu nome bonito?...", perguntou, olhando para o chão.

Eu ia responder que sim, mas não disse nada.

Ficamos os dois em silêncio.

De repente ela olhou para mim e riu:

"E se fosse no Brasil? Aí seria Francisca."

"Chica."

"É, Chica."

"Chiquinha. Eles iam te chamar de Chiquinha. Você acharia bom?"

"Não sei...", ela disse.

"Maria Chiquinha", eu disse, e cantei, olhando para ela: 'O que você foi fazer no mato, Maria Chiquinha?'."

Ela ria, o rosto vermelho. Continuei cantando, e ela rindo cada vez mais. Depois olhou para mim, pedindo que eu parasse.

"Ai", disse, os olhos ainda molhados de rir; "você é igual ao Beto... Ele também me mata de rir... Você está parecendo ele..."

Olhei as horas.

"Já está na hora?", ela perguntou, preocupada.

"Não", eu disse; "ainda tem muito tempo..."

"Engraçado", ela disse: "eu não estou sentindo mais frio... Você me fez rir tanto, que eu esquentei..."

"Como é o Beto, seu irmão?", eu perguntei. "Me fale mais sobre ele; parece ser um rapaz interessante... Você gosta muito dele, não gosta?"

"Gosto; muito."

Virou-se de repente para mim, o olhar iluminado:

"Vai ver que você também é poeta; é?"

"Não", eu respondi, "não sou. Mas gosto muito de poesia; leio muito."

"Qual que você mais gosta? Qual poeta?"

"Há muitos", eu disse.

"O que o Beto mais gosta é um alemão. Até hoje eu não aprendi a falar o nome dele. É um nome difícil de falar."

"Hoelderlin?"

"Esse!", ela exclamou, admirada. "Como que você sabe?"

"Eu também já li e gosto dele. É um grande poeta. Morreu louco."

"Quase todo poeta morre assim. Deve ser bom...", ela disse, pensativa.

"Por que você acha que deve ser bom?"

"Um louco não vê as coisas..."

"E isso é bom?"

"Qual outro poeta que você gosta?", ela perguntou de repente, sem responder à minha pergunta.

Quando fazia perguntas, seus olhos se iluminavam como se algo dentro deles se acendesse.

"Há muitos", eu respondi. "Gosto de Drummond, Manuel Bandeira..."

"E Vinicius de Moraes?"

"Também."

"O Beto não gosta muito dele. Eu gosto."

"Você lê muito?"

"Leio."

"E diversões, você gosta?"

"Diversões?..."

Ela olhou para o lado.

"Eu não tenho dinheiro. Meu tio não me dá. Dá, mas é pouco, o dinheiro não dá para eu me divertir. Meu tio acha que divertir é desperdiçar dinheiro. Mas, também, ele não é rico. O Beto é que de vez em quando me leva no cinema com ele, ou então no bar: aí eu tomo chope; mas pouco, para não chegar em casa tonta."

"Sei..."

"O Beto não importa. Ele deixa eu fumar também. Ele não diz para eu fazer essas coisas, mas, se eu peço para fazer, ele deixa; não é como o meu tio, o nosso tio.

Ele acha que isso não tem importância; não tem importância mulher fazer essas coisas. Eu também acho. O que tem beber ou fumar? Mas meu tio não gosta. Ele me mata se ele me vê fazendo essas coisas."

"O que ele faz? Ele te bate?..."

"Bate? Não; nem gritar, ele grita. Ele só me olha. Mas o jeito que ele me olha é pior do que se ele me batesse."

"E suas amigas?", eu perguntei.

"Amigas?..."

Ela olhou para um ônibus que vinha chegando.

"Eu não tenho amigas", disse; "eu sou sozinha."'

Voltou-se para mim, sorrindo:

"Não é engraçado isso? A gente ser sozinha?..."

Eu não sorri.

"Por que você é assim, sozinha?", perguntei.

Ela desviou olhar de mim. Arrependi-me de ter perguntado; não devia ter perguntado aquilo. Mas ela respondeu, sem olhar para mim:

"Não sei por quê", ela disse. "É porque eu sou assim mesmo. Não tem gente de todo jeito? Pois é. Eu sou assim: sozinha."

Olhou então para mim:

"Você não me acha meio esquisita?"

"Esquisita?..."

"Você já desejou ser um ônibus, por exemplo? Ou um arranha-céu?"

"Não", eu disse.

"Pois eu já."

"É?"

"Não é esquisito?"

"Hum..."

"Já desejei até ser essa corrente aí."

"É?..."

"Você viu a hora que eu estava ali, antes de sentar aqui?"

"Vi", eu disse.

"Eu estava pensando isso: que devia ser bom ser essa corrente. Olha para ela: não parece ser bom? Ela fica aí, todo dia ela está aí. Ela não fala, ninguém conversa com ela. Ela está sempre aí do mesmo jeito. Toda vez que eu venho aqui, ela está aí, é sempre a mesma coisa. E mesmo se algum dia eles tirarem ela daí, ela continuará sendo essa corrente. Não é bom? Mas não é esquisito eu desejar ser essa corrente? Não é uma coisa sem pé nem cabeça?"

Ela começou a chorar, tão de repente, que me assustei.

"O que foi?", eu perguntei. "O que houve?..."

Ela ficou um instante com o rosto entre as mãos.

Estendi a mão sobre o seu ombro, mas antes que eu pudesse tocá-la, ela voltou a olhar para mim: já não estava chorando.

"Desculpe", ela disse. "Às vezes tenho disso; às vezes choro assim, de repente, sem mais nem menos. Não é nada; não precisa se preocupar. Quantas horas?..."

Olhei: faltavam vinte e cinco minutos.

"Está na hora?"

"Quase."

Ela voltara a enfiar as mãos entre as pernas e a encolher a cabeça. Tremia um pouco. Olhei para ela e quis dizer alguma coisa, mas não soube o quê.

"Sabe?", ela disse, num tom em que eu ainda não a ouvira falar, de extrema gravidade. "Tem hora que eu penso que o Beto nunca mais vai voltar."

"Voltar?", eu perguntei. "Voltar de onde?"

"Eu não te contei que ele está viajando?"

"Não."

"Está; ele está viajando. Mas já faz muito tempo, e tem hora que eu penso que ele nunca mais vai voltar. Meu tio diz que vai, que ele vai, sim, voltar; mas tem hora que eu não acredito muito nele. Meu tio já mentiu para mim muitas vezes, sabe? Não acredito muito nele."

Vi de repente seus olhos se abrindo muito e todo o seu rosto se transformar em pavor. Olhei para onde ela estava olhando e vi um homem, gordo e forte, caminhando em nossa direção. Quando voltei a olhar para ela, ela já havia se levantado e corria na direção dele; mas não parou, e continuou a correr, até que sumiu entre as outras pessoas.

Dessa vez a minha perspicácia — se é que isso merecia ser chamado de perspicácia — não falhou: aquele, pensei, só podia ser o tio dela.

E pensei também, olhando o relógio, que minha viagem agora ia ficar para o próximo ônibus...

O homem continuou a andar em minha direção, no mesmo passo, lento e cadenciado, sem que a corrida da menina o tivesse feito deter-se ou voltar-se para trás.

Parou então à minha frente e, sem sorrir, sem sequer dar o nome dele ou perguntar o meu, disse, no tom meio rouco e cansado de um cardíaco:

"Você é amigo da Françoise?"

“Não”, eu respondi, com o mesmo ar neutro dele. “Estou de viagem. Eu não a conhecia. Eu estava sentado aqui e começamos a conversar.”

“Sou o tio dela”, ele disse, o que eu já deduzira. “Não gosto que ela fique conversando com estranhos.”

Devo ter tido uma reação hostil, pois ele logo passou a se explicar, fazendo-se mais amável.

“O senhor compreende: ela é uma moça, uma moça ainda nova e inexperiente; não é aconselhável que ela fique andando por quaisquer lugares, ou conversando com quem quer que se lhe dê na cabeça. Sabe como é: há muita gente ruim por aí, não se pode descuidar. E, além do mais, ela não é uma moça perfeita.”

“Perfeita?”, eu admirei. “Não me pareceu; que ela não seja.”

“Uma pessoa estranha não nota. Ela tem uma perturbação psíquica. Suas faculdades mentais não estão perfeitas. Ela não falou ao senhor de um irmão dela?”

“Beto?”

“É, Beto. O que ela disse?”

Fiz um gesto vago, dando a entender que ela dissera várias coisas, enquanto procurava achar, no meio de tudo aquilo, onde estava a tal perturbação psíquica que eu não notara. Mas não tive tempo de concluir nada; o tio disse tudo numa frase:

“Pois é: o Beto já morreu.”

“É?”, eu disse, com espanto.

“Morreu há quase um ano já”, ele contou. “Um desastre de automóvel. Ela ficou abalada, a Françoise. Os nervos. Ela ficou meio perturbada. No começo foi muito pior, eu não sabia o que fazer com ela, como fazer. Mas depois ela mesma foi melhorando sozinha, por si mesma. Ela inventou essa historia de que ele está viajando. Ela falou sobre isso?"

"Falou", eu disse.

"Pois foi ela mesma que inventou e acredita que é verdade. Não é admirável? Eu deixei. Foi assim que ela melhorou. Hoje ela já está boa. Quer dizer: está assim; mas acho que ela não demora a acabar de ficar boa. Vai aos poucos..."

Perguntei por que ele não procurava um médico especialista, mas não me lembro direito da pergunta nem do que ele respondeu; lembro-me apenas que ele falou na sua falta de dinheiro e na exploração que eram os médicos desse tipo, e que não havia necessidade disso, pois Françoise agia como uma pessoa normal e não dava trabalho a ninguém, e era até uma garota feliz. Dessa expressão eu me lembro bem: "uma garota feliz".

Depois disso ele se despediu de mim, mas também não me lembro como foi, o que ele me disse e o que eu disse a ele, se ele me sorriu ou se continuou com aquele ar pouco amigo; lembro-me que eu estava de novo sozinho e que, depois de levantar-me para ir embora, fiquei algum tempo segurando a corrente que margeava o passeio.

Carta

Eu era um menino como qualquer outro, amado por um pai extremoso. Quando a adolescência veio, esse amor, que nunca mudou, me fez diferente dos outros de minha idade, me separou deles como do cascalho se separa o diamante. Diamante, puro e transparente como diamante: é assim que você me queria. Mas, Papai, você não vê que o homem é feito de sangue, suor e tripas, e que a pureza é só um sonho?

É como se você me tivesse posto numa redoma, e nela eu vivesse. Eu não tentava sair, mas não sei se era por amor ou por medo, se porque te amava ou se porque não sabia agir de outro modo. Mas eu nem sei direito se te amava; talvez o que eu sentisse por você fosse mais pena do que amor. Pena dessa sua falta de jeito para tudo, para pôr uma gravata ou para conversar com as pessoas, por mais íntimas que elas sejam. Mas quem algum dia foi realmente seu íntimo? Quem chegou a penetrar nessa solidão, que existia mesmo quando Mamãe era viva?

E essa pureza, essa implacável pureza que você carrega como uma tara e que te torna estrangeiro ao mundo e até ao seu próprio corpo? Eu era como que o espelho em que você se mirava para encontrar o único amparo no mundo à sua solidão; eu era a sua imagem e semelhança. Como ousaria te roubar esse amparo, te apresentar uma imagem em que você não se reconhecesse mais, uma imagem suja de pecado?

Eu sei, você é bom, honesto, trabalhador, e me ensinou a ser tudo isso. Você nunca me deixou faltar comida nem roupa, e me deu os melhores colégios para estudar. Não posso me queixar quanto a isso. Mas a sua pureza, Papai, o seu medo de que eu viesse a ser um desses 'jovens perdidos de hoje' me estragou, me deformou, fez de mim um incapacitado para viver: medroso, ressentido, solitário, separado da vida como um bicho selvagem no fundo de uma caverna escura e fria, com medo da luz e dos ruídos.

Eu bem que sairia da caverna, se você me ajudasse; mas eu nunca te pediria essa ajuda, porque você nunca poderia dá-la. É verdade também que você não guardava a caverna, que nada havia tampando a saída; mas para quê, se durante tanto tempo você havia me ensinado a ter medo de lá fora e a gostar da caverna, que, no mais íntimo de mim, eu odiava?

A mulher, em que eu via a própria encarnação da vida, tornou-se para mim uma ameaça, uma ameaça permanente, um perigo, uma emboscada que me perseguia até nos sonhos. Embora uma parte de meu ser ansiasse por se entregar a ela, a outra parte, que você havia marcado com o sinete da sua pureza e alimentado todo o tempo de modo a torná-la a mais forte, a subjugava, como, numa estampa da infância, São Miguel Arcanjo subjugando aos pés o demônio.

Não, eu não estou te culpando de nada; culpa, inocência, que sentido têm essas palavras quando somos todos homens? Que pensaria você da palavra culpa quando procurasse relacioná-la à sua vida e só visse esse amor que hora nenhuma você deixou me faltar? Como poderia você compreender que foi exatamente ele que estragou minha vida?

Todos esses anos eu vivi num inferno interior, mas você não sabia, porque eu te ocultava isso. Por fim a coisa se tornou instintiva em mim: eu era um por fora e outro por dentro. E, além disso, conversamos sempre tão pouco e as cartas foram sempre tão breves. Mas, também, de que poderíamos falar? Dentro de mim, eu só tinha aquele inferno; e você, a sua solidão.

Nas férias, quando eu vinha, bastava a minha presença em casa para te alegrar, minha presença muda. Essa mudez era, no entanto, para você, como um pássaro cantando. Só que o pássaro estava engaiolado, e você não via; você achava o canto belo, como iria ver a gaiola? Mas, para o pássaro, o que existia era a gaiola, e não o canto. E o desejo de fugir para a liberdade.

Marisa estimulou esse desejo. Marisa era a liberdade, a vida, o amor. Eu a amava, Papai. Nem é isso; essa palavra não diz nada do que eu sentia por ela, do que eu nela via. Eu via nela a mãe que eu perdi criança, a irmã que eu não tive, a namorada que eu não tive, a prostituta que eu não tive, todas as mulheres que eu encontrava na rua e nos meus sonhos; Mãe, Irmã, Namorada, Prostituta, Nossa Senhora, tudo. Não é quase louco que eu tenha visto tudo isso numa menina de apenas treze anos? Mas eu também não sou quase louco? Para muitos, e quem sabe se para mim mesmo, não haverá mais agora esse quase.

Faz uma hora que deixei Marisa no quartinho lá fora, jogada na cama, o vestido amarrotado, os cabelos sobre o rosto, e manchas de sangue no lençol: estupro. Sim, Papai, foi isso o que houve: estupro. Eu a levei para lá e a agarrei e ameacei. Não vi a hora que eu fiz isso, mas sei que eu fiz, tudo isso; como um animal. Agora ela já deve ter ido embora, pelos fundos, e eu estou aqui na sala. Quando você chegar, você talvez já não me encontre. Não, eu não estou pensando em fugir. Eu poderia, se quisesse; mas fugir de quê, ou para quê? Não há mais nada; não há mais nada. E é por isso que eu estou tão tranquilo e que eu estou podendo te escrever esta carta.

Catástrofe

— Vai ser uma catástrofe!

— O que eu podia fazer?

— Você podia ter dito para ela não vir.

— Eu ia dizer uma coisa dessas?

— Por que não?

— Uma pessoa me telefona dizendo que quer vir passar uns dias na minha casa, e aí eu digo para ela não vir?

— Por que não?

— Você diria?

— Claro que eu diria.

— Pois eu não.

— Eu diria: "Escuta, fulana, eu fico muito feliz de você ter se lembrado de mim e da minha casa, mas seria melhor você não vir, porque meu marido não só não aprecia visitas, como também, e principalmente, não aprecia crianças, tanto é que nós não as temos."

— Muito engraçado... Já imaginou eu dizendo isso para ela ou para quem quer que fosse?

— Você não disse; o resultado aí está: eles vêm.

— São só seis dias, Artur.

— Só seis dias...

— Ela quer aproveitar a Semana da Criança.

— E nós com isso?

— Ela queria dar um presente para os meninos, e aí ela escolheu esse passeio.

— Muito bonito: ela dá o presente, e nós pagamos a conta...

— Ela me disse: "Mimi, sabe de que os meus filhos estão precisando? Sabe de quê? Eles estão precisando de um banho de interior."

— Se depender de mim, eles vão ter é um banho de sangue.

— "Você acredita, Mimi, você acredita que até hoje alguns dos meus meninos nunca viram uma galinha de verdade?"

— Por que eles não vão a uma granja? Perto de São Paulo existem dezenas.

— Ah, Artur; você sabe que não é isso.

— É o quê, então?

— Você sabe que... É como a Dininha disse: "Uma galinha passando na rua, os pintinhos atrás..."

— Galinha passando na rua...

— "A galinha ciscando..."

— Essa sua amiga é maluca...

— São essas coisas, entende? São essas coisas que ela quer...

— É maluca sua amiga.

— Não, maluca ela não é, não.

— Começa pelos filhos. Ou, melhor, por ter filhos, já que ter filhos é um ato de insanidade mental.

— Ter filhos é um ato de amor, Artur.

— Os ratos que o digam.

— Ter filhos...

— Já começa por aí, por ter filhos. Agora, ter sete, sete filhos... Isso é a própria loucura.

— Por quê?

— Porque é.

— Eu não acho.

— E os nomes? Os nomes dos moleques.

— O que é que tem os nomes?

— Repete aí para mim.

— Para quê?

— Repete.

— Dagoberto, Delmiro, Dilermando, Donato, Durango, Dorval e Durval.

— Santa Maria...

— Os dois últimos são gêmeos.

— Bem-feito. Deus castiga.

— Eu tenho muita dó da Dininha; muita. Já pensou, ser abandonada nova ainda, com sete filhos pequenos?...

— Eu imagino o cara: um dia ele olhou ao redor, viu aquele bando de meninos e aí pensou: "Meu Deus, o que é que eu fiz?..." Pegou então a maleta, saiu de fininho e caiu no mato.

— Além do mais, a Dininha foi minha amiga de infância, minha melhor amiga. É um jeito de eu agora ajudá-la; de nós dois a ajudarmos.

— Ajudar...

— O que é hospedar por alguns dias uma família?

— Isso não é uma família, é uma horda.

— Nossa casa é grande; nós temos recursos, felizmente...

— O problema não é esse, Mimi; o problema nem é a nossa paz, que eles vão perturbar.

— Então qual é o problema?

— O problema é que eles vão acabar com tudo!

— Acabar com tudo como?...

— Acabar com tudo, tudo o que tem aqui: acabar com os quadros, com as esculturas, os tapetes, as orquídeas, os bichos; eles vão acabar com tudo!

— Como você pode dizer isso, se você nem conhece os meninos, Artur?

— É preciso?

— Você nem sabe como eles são.

— É uma equação, Mimi; uma equação matemática.

— Equação...

— Pensa bem: sete meninos, sete meninos de três a onze anos, sete meninos engaiolados num apartamento no centro de São Paulo; de repente esses meninos são soltos, levados para o interior e despejados numa casa ampla, com jardins, quintal, bichos... O que vai acontecer?

— Não vai acontecer nada.

— Não, não vai, não...

— Não vai acontecer nada.

— Eles só vão acabar com tudo.

— Imaginação sua, Artur.

— Imaginação...

— Você é que está imaginando isso.

— Os quadros e as esculturas eu ainda podia levar para um banco, podia fazer isso. Mas e as orquídeas? E os bichos? Como que a gente vai tirá-los daqui? Onde que a gente vai pôr? E quem iria cuidar deles?

— Pense um pouco, Artur...
— Pensar em quê?
— Pense no que seria essa viagem para os meninos...
— Por que eu vou pensar nisso?
— Você também já foi menino...
— Já, já fui, e dou graças por não ter sido menino de capital e por nunca ter morado em apartamento; e, se mais alguma coisa preciso acrescentar, por ter visto galinhas desde pequeno.
— Você também já foi filho...
— Fui, embora não exatamente por minha vontade. Mas, de qualquer forma, posso dizer que ter sido filho foi, pela mãe que eu tive, a melhor coisa de minha vida.
— Então? A Dininha também está querendo ser uma boa mãe para os filhos dela.
— Filhos...
— O quê?
— Para que filhos?...
— Para quê?...
— Será que não vão um dia parar com essa bobagem?
— Se parar, a humanidade acaba.
— Alguma objeção?
— Se não fossem os filhos, uma hora dessas nós dois não estaríamos aqui.
— Nem estaria lá essa debiloide, nos ameaçando com essas sete pragas, com essa catástrofe.
— Bom: nós já falamos muito.
— Já.
— Vamos encerrar?
— Vamos.

— Eu não vou fazer nada.
— Não.
— Eles vêm.
— É.
— Eu até já vou comprar uma lata de biscoitos.
— E eu uma caixa de balas.
— Balas? Você?...
— Balas de revólver, *my dear*.

Primos

Eu tinha me levantado para ir embora:

— Ainda é cedo — ela disse.

— Já são mais de dez horas — eu disse, olhando o relógio; — vou ter de me levantar de madrugada amanhã, para viajar.

— Nem acabamos essa garrafa — ela disse. — Vamos acabar ela primeiro, depois você vai...

— Bem...

— Senta; senta aí...

Acabei cedendo e novamente me sentando.

Ela pôs nos copos o que restava da cerveja. Era a segunda garrafa que bebíamos.

— Hoje está bom para uma cerveja — ela disse.

— É — eu concordei; — com esse calor... Ainda bem que está armando chuva. E é por isso que eu queria ir.

Ela pôs as mãos na cintura:

— Ê, mas você é bobo, hem?... O que é que tem se chover? Será que você está na casa de um estranho?

Eu ri.

— Se chover, você dorme aqui. Você já devia ter vindo para aqui. Assim, ao menos, eu tenho uma companhia. Acho ruim quando o Lauro está viajando.

— Você tem medo?

— Não é medo; é mais preocupação com as crianças; às vezes uma necessidade...

— Isso é mesmo.

— Medo até que eu não tenho.

Um trovão sacudiu o céu. Houve uma pausa. E então a chuva caiu, uma chuva pesada.

Fiz uma careta para Rosana.

— Está vendo? — ela disse. — Você não quis vir para aqui, né? Agora vai ter de ficar. Daqui a pouco já vou até arrumar sua cama...

Fui à janela. Era uma janela grande, dessas de levantar e baixar. Nós estávamos na sala do primeiro andar; Rosana morava num sobradinho.

Ela veio também à janela. Ficamos olhando a chuva cair na rua.

— É muita água... — eu disse.

— É — ela disse. — Estava precisando.

— Estava mesmo — eu concordei.

A chuva foi mudando de direção, começou a pingar na janela. Rosana foi fechá-la, eu a ajudei — a janela era meio pesada. Rosana deixou aberto um pedaço em cima: ali não chovia, e o calor continuava forte.

— Nesse tempo, quando chove, parece que o calor aumenta mais ainda — ela observou.

— É sim — eu disse.

— Eu vou dar uma olhada no quarto dos meninos; às vezes, quando chove muito, entra água na janela. Senta aí...

Eu sentei-me. Acendi um cigarro. Fiquei fumando e olhando a chuva através da vidraça. Chovia pra valer, com relâmpagos e trovões. Era o começo das chuvas, e as primeiras são quase sempre assim, tempestuosas.

Pensei como eu faria para ir embora. Lauro viajara no carro deles e não tinham ainda telefone, para que eu pudesse chamar um táxi; eles telefonavam de um armazém perto, que, àquela hora, naturalmente estava fechado. Se é também que, com toda aquela chuva — e apesar de em cidade do interior isto ser bem mais fácil —, eu encontraria um táxi.

O fato é que eu não estava com ideia de pousar ali. Não que houvesse algo de mais; não havia: eu gostava muito de Rosana e me dava bem com Lauro. Eu só não tinha, com eles, muita liberdade, o que não chegava a ser um problema. E quanto ao convite de Rosana, eu sabia que era sincero, pois ela sempre fora muito atenciosa, muito generosa. Eu não queria ficar simplesmente por hábito. E também, talvez, por um pouco de timidez: por maior que seja a minha ligação com um amigo ou com um parente, eu prefiro sempre ir para um hotel.

— Está tudo certo — ela disse, voltando.

— Eles estão dormindo?

— Estão; eles são bons para dormir. Eles não dão quase nenhum trabalho.

Ela havia acabado de sentar-se, mas se levantou de novo:

— Trazer mais uma cerveja, né?...

— Tem? — eu perguntei.

— Tem; tem um estoque aí. A gente sempre guarda para o caso de uma visita, Ou então para a gente mesmo.

— Hum.

— O Lauro não é muito de beber, mas eu, se deixasse, acabava com o estoque em pouco tempo...

— Eu seria a mesma coisa...

— Quem sabe a gente acaba com ele hoje, hem?...

— Não seria nada mau... — eu disse.

Ela riu.

Foi buscar a cerveja. Seus sapatos, de salto alto, iam descendo os degraus da escada. Ouvi, depois, barulho de garrafas.

Não era meu plano, mas eu até que estava achando bom estar ali, com aquela chuva lá fora, sentado num sofá macio, fumando — e, o melhor, tomando uma cervejinha gelada com uma prima de que eu gostava muito.

Além de gostar, Rosana era, de minhas primas, a mais bonita. Ela era muito bonita. Desde adolescente eu achava. Diria até que desde menino, pois me lembro que nessa época eu já a admirava. Rosana era dois anos mais velha que eu: ela estava com trinta.

Ela vinha subindo a escada.

— Demorei?...

— Não.

Ela abriu a garrafa e encheu os copos. Então sentou-se.

Nós bebemos. A cerveja estava ótima.

— Você não sabe em que eu estava pensando... — eu disse.

— Pensando?

— É.

— Na viagem...

— Não.

— Na chuva...

— Também não.

Ela fez uma cara de quem procura adivinhar.

— Sabe em quê? — eu disse.

— Em quê?

— Você nunca adivinharia...

— Em quê?...

— Eu estava pensando em você.

— Em mim? — ela fez uma cara de espanto, curiosidade e riso. — Mas o que você estava pensando?...

— Já vou te dizer...

Peguei meu copo e tomei um gole da cerveja.

— Sabe o quê? — eu disse.

— O quê?

— Eu estava pensando que você é a minha prima mais bonita; apesar do cacófato...

Ela riu, depois fez uma cara fingida de pose.

— É verdade — eu disse; — verdade que eu estava pensando isso e que você é a minha prima mais bonita...

— Guy, você não tinha mais nada para pensar?... — ela disse, meio embaraçada, o que me deixou um pouco embaraçado também. — Acho que essa cerveja já está fazendo efeito...

Eu ri. Devia estar meio vermelho. Eu tinha a sensação de que ela percebera tudo o que eu estivera pensando — o que, evidentemente, não era possível, mas foi a sensação que eu tive àquela hora.

Para sair do embaraço, continuei falando:

— É verdade — eu disse; — sério mesmo: eu estava pensando isso.

— Mas o que você estava pensando? A respeito de quê? Agora você tem de me contar, fiquei curiosa... —

ela disse, rindo, mas com algo de sério nos olhos, o que me fez de novo ficar embaraçado.

— Você está achando que é alguma coisa secreta?... — eu perguntei.

— Não sei, uai — ela ergueu os ombros. — Você é que sabe.

Pareceu-me, naquele instante, que íamos entrando num terreno perigoso. Preferi mudar de tom:

— Não, boba — eu disse; — não tem nada de secreto. Apenas estava eu aqui pensando nas minhas primas e cheguei à conclusão de que você é a mais bonita delas. E é mesmo; o que tem eu dizer isso?

— Não tem nada, uai.

— Pois é.

Ela fumou; depois ficou olhando para o cigarro.

— Então *thank you very much* pelo elogio — disse.

— E te digo mais — eu continuei: — toda a vida eu achei isso.

— Toda a vida?...

— Você não acredita?

— Acredito...

Eu ri, pelo modo como ela falou.

— Desde menino— eu disse; — desde aqueles tempos em que a gente brincava junto.

— Guy, você já está ruim...

— Ruim?

— Eu nunca te vi falar assim.

— Decerto é o calor...

Ela riu.

— Se eu não te conhecesse — ela disse, — e se você não fosse meu primo, eu até pensaria que isso é uma declaração de amor...

— Será que você me conhece mesmo?

— Será que é mesmo uma declaração de amor?

— Não — eu ri; — não é uma declaração de amor...

O barulho da chuva aumentou, chamando nossa atenção. Ela estava mais forte ainda.

— Puxa — comentei, — faz tempo que eu não vejo uma chuva assim.

— Essa está forte mesmo.

De repente a luz se apagou.

— Tinha de acontecer — ela disse.

— Sempre que chove, apaga?

— Quando chove mais forte. Já estava até demorando...

— Volta logo ou fica muito tempo assim?

— Às vezes volta; às vezes demora.

Ficamos um instante em silêncio, no escuro, ouvindo a chuva e os trovões. Os relâmpagos clareavam a sala.

— Que pé-d'água!... — eu disse.

A luz voltou.

— Oba! — dissemos juntos, e olhamos, rindo, um para o outro.

— Não pode é falar — disse Rosana, — senão ela vai embora...

Passou mais um pouco; a luz parecia ter novamente se firmado.

Rosana pegou um cigarro. Eu peguei um também. Acendi os dois.

Pus mais cerveja nos copos, ficando na garrafa só um restinho.

— Pois é... — ela disse. — Guy, meu primo, me fazendo uma declaração de amor dentro de minha própria casa...

Eu ri.

— Pra você ver... — eu disse. — Já pensou se o Lauro ficasse sabendo?...

— O Lauro? Não gosto nem de pensar.

— "Casal de primos pego em flagrante delito de adultério pelo marido da mulher."

Ela deu uma gargalhada.

— Já pensou uma notícia dessas quando os meus pais e os seus lessem? — ela disse e deu outra gargalhada, jogando a cabeça para trás, no sofá.

Eu ria também, mas parei; ela continuou, com lágrimas nos olhos.

— É, você disse que eu estava ruim — eu lembrei, — mas acho que você é que está...

— Ai, Guy, seria bom demais... Já pensou? Principalmente sua mãe, quando ela lesse o jornal.

— Seria engraçado mesmo...

— Seria ótimo...

— E Tia Jandira?

Outra gargalhada, ela não parava de rir.

— Rosana, você está bêbada...

— Ai, Guy... — ela só respondia, rindo, as lágrimas escorrendo.

Então sentou-se direito, enxugou os olhos.

— Seria bom demais, gente... — ela disse.

— Seria sensacional... — eu disse.

— Um escândalo na família...

— Já pensou?

— Seria demais da conta...

Ela pegou a garrafa.

— Olha... — eu balancei o dedo.

— Deixa de ser bobo, Guy; você acha que eu fico bêbada só com isso?

— Fica, não: você já está.

— Vá à merda, sô.

— Opa; assim é que eu gosto...

— Eu, para ficar bêbada, tenho de beber muito; sua prima aqui não é mole num copo, não.

— E eu, você acha que eu sou?

— Você, eu não sei.

— Você achou que eu já estava bêbado...

— Você me faz uma declaração de amor: o que você queria que eu achasse?

— "Declaração de amor"...

— Não foi, não?... — ela olhou para mim. — Então diga que não foi.

— Digo.

— Que foi ou que não foi?

Peguei meu copo.

— Mas... Sabe, Rosana?... Eu tinha que te dizer isso um dia, senão eu ia ficar frustrado pelo resto da vida.

— É?

— Mesmo; eu ia ficar frustrado pelo resto da vida.

— Coitadinho...

— E não é só isso, não, hem?

— Não?

— Há muito mais coisas...

— Muito mais coisas?

Eu sacudi a cabeça.

— Nossa!... — ela disse, e eu percebi de novo aquele embaraço de antes, apesar de ela procurar mostrar-se à vontade, ou por isso mesmo.

Tomei a cerveja.

— Quais são essas coisas?... — ela perguntou.

— Não — respondi; — essas eu não posso dizer.

— Não? Por quê? Tem sacanagem?... — e ela deu um começo de gargalhada.

— Você está rindo, mas o negócio é sério.

— Então me conta. Por que você não pode dizer?

— Certas coisas a gente não diz.

— Não? Pois eu acho que a gente pode dizer tudo.

— Você acha mesmo?

— Claro; por que não?

— É, você tem razão. Eu também penso assim.

— Então diz. Não é nenhuma cantada que você vai me dar, é?

— Quem sabe?

— É?

— O que você faria se fosse?

— O que eu faria?

Ela ficou me olhando; depois disse:

— Não, Guy, você já fez onda demais; agora conte as tais coisas.

— Você não respondeu à minha pergunta.

— Sua pergunta?

Ela tornou a me olhar; e então pôs as mãos na cintura:

— Será que você está querendo mesmo me dar uma cantada?...

— Sabe que eu até gostaria?

— É?

— É — eu disse. — Mas não tenho coragem.

Ela deu uma gargalhada.

— Ai, Guy, você hoje... Mas... E as coisas? Você vai contar ou não vai?

— Vou; eu vou contar, sim...

Houve um silêncio.

— Mas antes eu vou ao banheiro — eu disse, me levantando.

Ela indicou a porta: era uma das que davam para a sala.

Depois que entrei, ouvi Rosana descendo a escada.

Olhei-me no espelho: eu já estava naquela fase da cerveja, que é até agradável, quando há como que uma neblina diante dos olhos, e a gente sente um amargo na boca, e o corpo parece meio flutuante.

Eu não pensei muita coisa. Na verdade, eu não pensei nada; apenas tive a certeza, enquanto ouvia o barulho da chuva lá fora, de que aquilo iria até o fim: de que eu não me impediria mais de falar, nem me pediria ela que eu não falasse.

Quando saí do banheiro — Rosana já tinha voltado — a primeira coisa que vi, na mesinha, foram as duas garrafas novas de cerveja.

— Trouxe duas dessa vez — ela disse.

— Ótimo — eu disse.

— Agora nós temos de beber.

— Nós beberemos — eu disse.

Ela encheu de novo os copos. Acendemos novos cigarros.

Ela então encostou a cabeça, de lado, no sofá, e olhou para mim:

— Agora conte...

— É difícil, sabe?

— Por quê?

— Você pode não gostar, ou... Sei lá...

— Você disse que eu talvez não te conheça, Guy; e você, será que você me conhece?...

Eu a fitei: fitei seus olhos, seus olhos negros, que me pareceram misteriosos e indevassáveis.

— É — eu disse, — pode ser; talvez eu não te conheça direito também.

Ela olhava para mim.

— Então?... Conte; agora sou eu que estou te pedindo...

— Eu vou contar... — eu disse.

Tomei um gole da cerveja.

— É uma espécie de obsessão, compreende?

— Obsessão?

— Uma obsessão com você.

Ela não disse nada; olhava-me fixamente.

— Isso deve ter começado quando eu era menino, quando a gente brincava junto. Não sei dizer exatamente quando, mas sei que foi nessa época. Lembro que... Mas isso é outra coisa...

— O que é? — ela quis saber.

— Coisa à toa, você não vai lembrar...

— Mas conte. O que é?...

— Você lembra daquele milharal que tinha no fundo de sua casa?

— Milharal? Lembro.

— E uma vez que você me chamou lá, você lembra?

— Eu te chamei? — ela fez uma cara de estranheza.

— Você devia ter nove anos.

Ela franziu a testa, procurando lembrar-se.

Ao contrário do que eu dissera, eu tinha certeza de que ela lembrava; mas, embora eu esperasse que ela fosse dizer que não, eu não sabia agora se ela estava dizendo a verdade ou mentindo.

— Não, não lembro de nada, não — ela disse. — Te chamei lá, e aí? O que houve?

— Bem — eu disse: — quando nós chegamos lá, você levantou o vestido.

— Eu fiz isso?... — ela riu, admirada.

— Você não lembra?

— Juro que eu não lembro.

— É engraçado — eu disse. — Mas o mais interessante é o detalhe...

— Detalhe? Que detalhe?

— Você não tinha nada por baixo.

Ela deu uma gargalhada.

— Ai, meu Deus... Mas como eu não lembro de nada disso?...

Eu a observei bem, mas não consegui saber se ela estava dizendo a verdade.

— Pois é — eu disse.

— Essa é boa... — ela disse, rindo.

— Mas não é isso o que eu ia te dizer; o que eu ia te dizer é da adolescência.

— Hum.

— Você sabe como foi a educação lá em casa a respeito de sexo. Na sua também; só que na sua era mais livre, seus pais não eram tão rígidos.

— Até certo ponto — ela disse, soprando a fumaça.

— Os meus eram muito mais. E, depois, entrava também o temperamento; você era extrovertida; eu não, eu era fechado, tímido. Não sei se você lembra disso.

— Eu lembro é que sempre que eu ia à sua casa, você estava fechado lá no quarto — ela disse.

— Mas de uma coisa você não sabe — eu disse.

— O quê?

— Que, sempre que você chegava, eu saía para te ver.

— É? Você fazia isso?...

— Fazia.

— Pois eu não sabia mesmo... — ela disse, com uma expressão divertida; — eu nunca notei isso...

— Você não ia notar; você não me dava muita bola, você vivia cercada de fãs e namorados.

Ela sorriu.

— Não era assim?...

— Mais ou menos...

— Eu não; eu... Todas as minhas atenções se concentravam em você.

— Hum...

— Sabe? — eu disse. — Eu tinha inveja de você.

— Inveja?...

— Engraçado, né? Mas é verdade; eu tinha inveja; inveja porque você podia ver o seu corpo, e eu não.

— Hum...

— Quando eu estava na sua casa e você ia tomar banho, eu ficava te imaginando lá dentro, você se olhando no espelho; e então... Puxa, eu ficava doido...

Ela sorriu um pouco.

— Era natural que isso acontecesse — eu continuei. — É que, com a educação que eu tive, muito rígida, como eu disse, parece que tudo o que se relacionava a sexo se concentrara em você, porque você era a menina que eu mais via; e, por azar, ou por sorte, você era uma menina muito bacana. Era e, aliás, continua sendo.

— Continua sendo... Como se nada tivesse mudado... Não tenho mais quinze anos, Guy: tenho trinta.

— Eu sei.

— Não sou mais uma adolescente: sou uma mulher; uma mulher casada e mãe de dois filhos.

— Eu sei; claro.

Houve um silêncio meio constrangedor entre nós. Peguei meu copo.

— Eu te avisei — eu disse; — certas coisas a gente não diz. Não avisei? Mas você insistiu para eu dizer...

— Eu achei bom você dizer.

— Achou? Por quê?

— Não sei — ela disse. — Achei bom.

Outro silêncio.

— E depois? — ela perguntou.

— Depois?

— Depois disso. Você disse que foi na adolescência. E depois? Você foi conhecendo outras meninas, e aí a coisa foi desaparecendo... Ou não desapareceu?...

Meu coração batia forte.

— Você quer mesmo saber? — eu perguntei.

— Quero — ela disse.

— Não desapareceu.

Ela pegou o copo de cerveja.

— Quer dizer que eu sou uma espécie de paixão oculta...

— "Uma espécie"; você disse bem.

Silêncio de novo

— Sabe? — eu disse. — Era uma coisa muito profunda para desaparecer. Mesmo com o tempo. Afinal de contas não são tantos anos assim...

Tomei um demorado gole da cerveja.

— Eu sofria com isso — continuei; — sofria porque era para mim uma coisa impossível: nunca aconteceria nada, eu nunca veria aquele corpo que estava ali, quase me encostando, oculto apenas por um pedaço de pano, e, no entanto, mais distante que a Lua.

Ela sorriu.

— Eu tinha quase raiva de você, sabe? Raiva porque você tinha aquele corpo.

— Hum...

— Por outro lado, é engraçado: eu, de algum modo, acreditava que o impossível ainda aconteceria, e é por isso que eu não desistia; como que a gente vai desistir daquilo que a gente mais deseja?

— É...

— De que modo aconteceria, eu não sabia. Acontecia muitas vezes nos sonhos; mas eu acordava, e era pior: aí é que eu via mesmo como era impossível, como aquilo jamais aconteceria, não tinha jeito de acontecer. Só se fosse por um acaso, por um milagre. A palavra é essa: milagre. Porque te dizer aquilo tudo, eu jamais diria. E, no entanto, estou dizendo agora. Estranho, não é?...

Olhei para ela; ela olhava fixo para o chão.

— E quando eu casei? — ela perguntou.

— Quando você casou? Quando você casou, eu pensei: agora acabou mesmo, agora o impossível ficou de fato impossível. Mas, mesmo assim, todas as vezes que eu te encontrava, tudo aquilo voltava, eu sentia tudo de novo: eu era o mesmo adolescente, e você a mesma Rosana, a Rosana sonhada e impossível...

Eu parei de falar. Peguei meu copo e bebi o resto da cerveja.

— Essa é que é a verdade — acrescentei; — por mais estranha que ela pareça...

— E agora? — ela perguntou.

— Agora?

— Agora que estamos aqui.

Não entendi bem o que ela quis dizer, mas meu coração começou a bater forte de novo.

— Você sente as coisas que você disse?

— Sinto — eu respondi.

— Tudo o que você disse?

— É.

Houve um silêncio imenso, enorme. Meu coração batia disparado.

— E se o impossível acontecesse? — ela disse, me olhando nos olhos.

Meu rosto latejava, eu não consegui dizer nada.

Ela não falou mais. Ficou em pé, à minha frente. Seus olhos me olharam muito, olharam profundamente, como se atravessassem toda a minha vida. E então, devagar, com gestos firmes, ela começou a desabotoar o vestido.

Mataram o rapaz do posto

Movimentada durante o dia por causa do comércio — raras são aqui as residências —, minha rua é, à noite, a imagem da placidez. Poucas pessoas passam, poucos carros; é uma rua quase bucólica. Às vezes um gato atravessa de um lado para o outro: devagar, tranquilo, olhando só para a frente...

Nesse quadro, qualquer barulho um pouco fora do normal logo chama a atenção — e foi o que aconteceu naquela noite de uma, até então, tranquila terça-feira.

Eram quase oito e meia, e eu via, na sala, o noticiário na televisão: uma extensa reportagem sobre o aumento da violência nas cidades do interior — assaltos, sequestros, homicídios...

Então ouvi, lá fora, um barulho de vozes entrecortadas, passos apressados na calçada, um certo frufru nervoso. "Aconteceu alguma coisa", pensei. Preocupado, resolvi ir ver o que era.

Antes de chegar ao portão, já vi duas pessoas, na calçada de lá, descendo afobadas; e, ao chegar ao portão, dei com o meu vizinho da esquina, o Tião, dono de um mercadinho, descendo também e também afobado.

Ele me viu e parou.

"O que aconteceu, Tião?", eu perguntei.

"O que aconteceu? Acabou, cara! Acabou!"

"Acabou o quê?", eu perguntei.

"Tudo! Acabou tudo!"

Eu, que já estava meio alarmado com a reportagem da televisão, mais ainda fiquei — o coração de repente acelerando.

"Você não está sabendo?", ele perguntou, num tom quase de irritação; não irritação comigo, mas...

"Sabendo do quê?", eu perguntei.

"Mataram o rapaz do posto!", ele disse.

"Do posto?..."

"Do posto de gasolina, o posto ali de baixo; aquele rapaz branquinho!"

"Branquinho?"

"O rapaz lá do posto!", ele disse, gesticulando nervoso.

Como eu não tinha carro, levei algum tempo para lembrar; mas aí lembrei, pois eu passava de vez em quando em frente ao posto e... Sim, o rapaz do posto, o branquinho...

"Três tiros", disse Tião; apontou o indicador para o lado e disparou: "Tá-tá-tá. Três tiros. E agora ele está lá no chão, numa poça de sangue."

"Que coisa...", eu disse.

Eu ia falar na reportagem da televisão, que, pelo jeito, Tião não vira; ia falar na espantosa coincidência — mas achei que ele, agitado como estava, nem me escutaria.

"Acabou, cara, acabou! Entendeu? Isso na nossa rua, nessa rua tranquila; nunca houve uma coisa dessas aqui antes..."

Eu ia dizer que muitas coisas que nunca tinham havido antes estavam havendo agora e que o mundo...

"Um rapazinho", ele continuou, "um menino quase, na flor da idade..."

Eu balancei a cabeça, mostrando consternação.

"E trabalhador; ele ganhava a vida com o suor de seu rosto. Além disso, diz que ele ainda sustentava a mãe — a mãe é doente — e um irmão, um irmão paralítico."

"Puxa..."

"E agora?, eu te pergunto. O que será desses dois? Hem? O que será desses coitados?"

"É...", eu disse, penalizado.

"Quem vai sustentar eles? Você? Eu?"

"É..."

"Eu vou lá", ele disse, retomando o embalo; "eu vou lá ver; você não vai?"

"Não", eu disse; "eu não posso sair daqui agora."

Eu até que podia, mas... Sair para ver um morto? E naquela circunstância?

"Acabou, cara, acabou", Tião tornou a dizer, já andando; "na nossa rua, nessa rua tranquila!..."

Eu voltei para dentro. O noticiário já havia terminado. Desliguei a televisão e sentei-me no sofá. Sozinho em casa, fiquei pensando naquilo tudo — a reportagem, o assassinato do rapaz e outras coisas mais, ligadas à violência no país.

E então foi me dando uma espécie de pavor, uma vontade de sair correndo para algum lugar bem longe. Mas que lugar? Que lugar, se ali, na nossa rua — que era, como eu disse, a imagem da placidez, uma rua quase bucólica —, um inocente era baleado?

Pensei nele, no rapaz, o branquinho; traços bem feitos, sempre sorrindo, o cabelo liso, partido ao meio e caindo para a frente... Agora lá no chão, inerte, sob o olhar curioso e assustado da multidão. “Pobre rapaz”, pensei; “pobres nós todos...”

Para fugir um pouco àqueles sentimentos opressivos, e em busca de companhia com que dividi-los, voltei ao portão, e — em mais uma coincidência naquela noite — lá vinha de volta o Tião, subindo a calçada. Vinha a passos lentos, mãos nos bolsos, a cabeça meio curvada — visivelmente afetado pelo que acabara de ver.

Aproximou-se e de novo parou diante de mim.

“E aí?”, eu perguntei.

Ele desviou o olhar para o lado, como que sem jeito de responder.

“O que houve?”, eu perguntei, estranhando.

“Esse povo...”, ele disse.

“Esse povo?”

“Você não há de ver que...”

“Que...”

Ele mexeu a cabeça:

“O rapaz está lá”, disse, com um ar desconsolado.

“Está lá?”, eu perguntei. “Está lá como?...”

“Está lá.”

“Vivo?”

“Vivo.”

“Uai, mas...”

“Vivinho; vivinho da silva.”

“Mas você disse que...”

“Disse”, ele me cortou, “eu disse mesmo; eu disse. Mas... Foi esse povo, esse povo é que...”

“E o que aconteceu então?”, eu perguntei.

“O que aconteceu?...”

Ele cuspiu para o lado um pedacinho de alguma coisa que vinha mascando.

"Não aconteceu nada", disse.

"Nada?"

"Bom: para não dizer que não aconteceu nada, aconteceu o tiro, né?"

"Tiro?"

"O tiro na perna."

"Na perna?"

Ele sacudiu a cabeça.

"E os caras?", eu perguntei.

"Que caras?"

"Os assaltantes", eu disse.

"Quem falou em assalto?"

"Não houve um assalto?", eu perguntei.

"Não, não houve nada", ele disse; "nem assalto nem nada; só o tiro."

"Mas então quem deu o tiro?", eu perguntei, já meio impaciente.

"O tiro?"

"É", eu disse. "Quem deu o tiro?"

"Você quer mesmo saber como foi?", ele perguntou.

"Quero", eu respondi; "você não está me contando?"

"Bom...", ele disse, pondo as mãos na cintura.

Olhou para um lado, para o outro, para o chão; e então, finalmente, para mim:

"Foi um gambá", disse.

"Gambá? Um gambá é que deu o tiro?", eu perguntei, por mais absurda que fosse a pergunta.

"Não", ele respondeu, calmamente, "não foi um gambá que deu o tiro... Só se ele fosse um gambá ensinado, né? Um gambá de circo."

"Às vezes era", eu disse, não querendo ficar por baixo.

"Não", ele disse, "esse não era, não; esse era um gambá do mato mesmo, um gambá vagabundo..."

"Hum..."

"Ele apareceu vindo não sei de onde e foi parar lá no posto, lá no fundo, onde eles lavam os carros."

"Ele talvez estivesse com sede..."

"Sede?"

"Tem vindo muito bicho para a cidade."

"É, pode ser... Eu não tinha pensado nisso..."

"Pois é..."

"Mas, veja só: aí o rapaz foi pegar o revólver do patrão — o revólver ficava lá na gaveta, né? —, foi pegar o revólver pra matar o bicho, e aí o que aconteceu?"

"O quê?"

"Aconteceu que, com o revólver já engatilhado, o rapaz tropeçou numa latinha de óleo que estava no chão, e aí o revólver caiu, disparou e acertou a perna dele."

"Quer dizer então que foi o chão que deu o tiro."

"É, foi o chão que deu o tiro..."

"E aí?", eu perguntei.

"Aí, à hora que o rapaz viu o sangue, ele aprontou o maior berreiro: 'Socorro! Eu tou morrendo! Me acode!'"

"Hum..."

"Agora eu te pergunto: um cara que está morrendo tem força pra aprontar um berreiro desses? Tem? Ah, vai tomar banho na soda, sô..."

Eu ri; agora já dava para rir. Ri com alívio, sabendo que não tinha acontecido nada — nada ou quase nada —, que ninguém tinha morrido, que nossa rua, pelo menos por enquanto, continuava a ser a rua tranquila que sempre fora, e que...

"Aí", Tião prosseguiu, "aí foi aquele corre-corre: gente escondendo, gente chamando a polícia, gente... Foi aquele frege..."

"E o rapaz, então, continua lá..."

"Continua; ele está lá. O Neco — o Neco da farmácia —, o Neco foi lá e fez um curativo nele. Saiu pouco sangue; foi um ferimentozinho mixuruca..."

Eu sacudi a cabeça.

"Agora imagina: você, ou eu, ou quem quer que seja, vai passando tranquilamente na calçada à noite, em frente ao posto; vai passando todo tranquilo, assobiando — e, de repente, sem mais aquela, pá! vem lá de dentro uma bala, e pronto: está lá você plantado no chão, sem nenhuma explicação."

"É...", eu disse.

"Se fosse um assalto", ele disse, "se fosse um assalto, está certo: o cara te assalta; você reage; aí o cara te dá um tiro. Está certo. Você reagiu e levou o tiro. Tem lógica. Às vezes você pode até morrer; mas tem lógica, tem explicação."

"É", eu disse.

"Agora imagina você passando todo tranquilo em frente ao posto, e aí vem lá de dentro uma bala e te acerta bem na orelha. Tem lógica? Tem explicação uma coisa dessas?"

"É..."

"Não tem."

"É verdade..."

"E se a bala acerta a bomba de gasolina? Já pensou?"
"É mesmo, hem?"
"E se a bala acerta a bomba de gasolina?..."
"Nem é bom pensar..."
"Seria uma tragédia!"
"Seria mesmo."
"Poderia pegar fogo no quarteirão inteiro!"
"No quarteirão eu não digo, mas..."
"É, no quarteirão não, mas pelo menos numa porção de casas."
"É..."
"Agora eu te pergunto: um rapaz desses serve pra trabalhar num posto de gasolina?"
"É..."
"Serve?"
"Parece que não, né?"
"Onde está a cabeça dele?"
"É mesmo..."
"Ele é um desmiolado; esse rapaz é um desmiolado. Essa bala devia ter acertado é a bunda dele ou então o saco, pra ele aprender a lição."
Eu ri.
"Vamos entrar", eu o convidei.
"Não", ele disse; "eu quero ver se ainda pego o resto da novela. Uma parte eu já perdi, por culpa daquele descabeceado..."
"E o gambá?", eu lembrei de perguntar, quando Tião já ia se afastando.
"O gambá?", ele respondeu. "Sei lá. O gambá uma hora dessas deve estar escondido em algum lugar, né? Deve estar escondido e dando gargalhada..."

Anjo, bengala, retrato

Eu tinha medo do retrato no escritório de Papai: rosto severo, bigode cerrado, bochechas caindo de lado feito buldogue. Mas Papai dizia que aquele era o melhor homem do mundo.

Doutor Rodrigues vinha jantar conosco quase todos os dias. Papai era pobre, mas fazia questão disso. Doutor Rodrigues dava gargalhadas altas, e o jantar era sempre alegre. Depois iam os dois para o escritório e lá ficavam muito tempo. Quando Doutor Rodrigues ia embora — no escritório ficava o cheiro do charuto —, Papai vinha ao nosso encontro, me suspendia nos braços e dizia: "O Doutor Rodrigues é um anjo para nós, meu filho, um anjo."

Ele sumiu durante alguns anos, e quando de novo apareceu, estava velho e usava bengala. Papai estava reformando a casa. Comprara um automóvel. Eu havia entrado para a escola.

Quando eu voltava da aula, à tarde, encontrava o Doutor Rodrigues sentado no alpendre, lendo jornal e esperando pela janta — as mangas do paletó esfiapando de velhas, o cheiro forte da roupa, igual ao da batina dos padres na escola.

Uma tarde cheguei, e ele, sozinho na copa, estava enfiando um pedaço de pão no bolso.

— Está roubando pão!

— Que isso, menino; é só de brincadeira.

Ele não me tapeava. Sorriu e me chamou para ir com ele ao quintal: disse que ia me contar uma história muito interessante...

Eu fui. Quando chegamos lá, peguei a bengala dele e saí correndo. Ele ficou abandonado no quintal até anoitecer. Mamãe ouviu seus gritos: ele veio apoiado no braço dela.

Falava de doentes:

— Pois é, a Antônia; forte daquele jeito... Quem diria? Câncer... É uma coisa terrível, câncer. E o Neca? Ontem eu fui lá visitá-lo; sabiam que ele está muito doente? Angina, coitado. Qualquer dia ele está aí fechando os olhos. E ele está novo ainda; quarenta anos é novo ainda...

Papai fumava, calado. Mamãe bordava; de repente deixava a sala, e lá do quarto, perguntava:

— Bem, quantas horas aí?

Papai olhava o relógio, fazia cara de espanto:

— Dez horas já? Quantas aí no seu, Doutor Rodrigues?

— Como?...

Andava meio surdo.

Queixava-se da vida:

— As coisas andam um absurdo, pela hora da morte. Imagine: fui comprar um xarope para tosse; quase que vai todo o dinheiro que eu tinha no bolso. E o pior é que, como você sabe, eu não posso mais trabalhar, o médico proibiu; terminantemente. Mesmo que pudesse; eu não aguento: é uma falta de ar... Não tenho ânimo. E ainda junta essa carestia. Ontem recebi um aviso da pensão, dizendo que vão aumentar o preço da boia: dobrar. Assim quem pode? Como que eu aguento?

No dia seguinte, às onze horas, passou lá em casa: para dar uma prosinha, se bem que a hora fosse imprópria — disse. Mamãe chamou-o para almoçar.

— Cidinha está ficando uma moça bonita; hem, Cidinha? Hem, Maria? Qualquer dia você está aí arranjando um genro...

Cidinha era a primeira a acabar: ia para o quarto e só tornava a aparecer depois que Doutor Rodrigues tinha ido embora.

Ele olhava para o quarto dela, de porta fechada.

— Cidinha deve pôr muito rapaz de cabeça tonta, hem, Alberto? Uma moça bonita assim... Puxou a mãe...

Mamãe sorriu. Parou de fazer tricô e foi para a cozinha.

Papai se levantou: disse que tinha um encontro.

Doutor Rodrigues disse que já estava quase indo. Papai disse que ele ficasse à vontade.

Ele ficou sozinho na sala, fazendo um cigarro. Pela janela eu o vi chegando ao quarto de Cidinha e olhar pelo buraco da fechadura.

Seus óculos se embaçavam quando Cidinha estava de calça comprida. Limpava as lentes com a ponta do paletó, dizendo: “Que dia quente...”

— Você gostava muito de conversar comigo, Cidinha; agora está ficando moça e não quer mais saber de mim? Senta aqui, eu hoje estou com vontade de conversar com uma moça bonita...

— Eu tenho de sair para a aula de piano, estou atrasada.

Ele trouxe uma caixa de bombons para ela: uma caixa em formato de coração, com uma fitinha vermelha.

— Você gostava muito de bombom quando era pequena; ainda gosta?

— Gosto.

A caixa ficou três dias no mesmo lugar, sem ser tocada. Até que eu pedi para mim. Ela deu. Não comeu nem um bombom.

Uma medalhinha de ouro, fora de sua avó, objeto de estimação: fazia questão que ela aceitasse. Ia fazer inveja nas amigas...

Mas ela não soubera pôr:

— Dá licença?

Levantou-se e foi arranjar a medalha no pescoço de Cidinha. Eu estava perto, mas não vi como foi: só ouvi o grito de Cidinha e o tapa. Papai tocou-o de casa como a um cachorro.

Doutor Rodrigues morreu alguns meses depois, do coração. Nessa época a reforma de nossa casa já havia acabado, e o retrato dele ido para a casinha de despejo, onde ainda está, num canto, debaixo de uma pilha de jornais e revistas velhos.

Com os seus próprios olhos

Houve um batido fraco na porta.

— Entre — disse o diretor.

A porta se abriu, e um menino entrou.

O diretor estava sentado à mesa, com um livro aberto.

— O senhor mandou me chamar?

— Mandei. Sente-se; pegue essa cadeira aí.

O menino pegou a cadeira e sentou-se.

— Como vão os estudos, Ivo?

— Bem, obrigado.

— Você vai ser, este mês, o primeiro outra vez?

— Quero ser... — o menino sorriu.

— Você será. Você é estudioso e, além disso, muito inteligente...

O menino olhou para o chão e ficou mexendo no tapete com a ponta do pé.

— Você sabe para que eu mandei te chamar?

— Não, senhor.

— Faz alguma ideia?

— Não.

— Nem imagina mais ou menos?

— Não, senhor.

O diretor ficou um instante em silêncio.

— Ou imagina e não quer dizer?

— Não; não imagino.

O menino olhava para o chão.

O diretor levantou-se e foi até a janela. Ficou olhando para fora, de costas para o menino.

— Tenho umas coisas para conversar com você, Ivo — disse, sem se voltar. — Foi para isso que eu mandei te chamar...

Sentado, o menino olhava atento para ele.

— Você foi sempre um menino muito sincero. Desde que você entrou para aqui, você foi um dos meninos que eu mais admirei; não só pela inteligência, mas também pela educação que você tem e pela coragem de dizer sempre a verdade, mesmo quando isso possa ser pior para você, te trazer algum castigo. Lembra aquela vez que vocês se esconderam no vestiário?

— Lembro sim, senhor.

— Quando eu disse que se eu descobrisse o autor daquilo, ele ia pagar caro...

— Lembro.

— E o que você fez?

— Eu confessei que era eu.

— E eu, o que eu fiz?

— O senhor me perdoou.

— E o que eu disse, você lembra?

— Lembro sim, senhor.

— O que eu disse?

— O senhor disse que o prêmio que eu merecia por ter dito a verdade era maior do que o castigo que eu merecia por aquela pilantragem.

— “Pilantragem”... — o diretor sorriu. — Você tem a memória boa...

Continuava imóvel, e o menino, sentado na cadeira, olhava para ele.

— Foi isso mesmo — disse, sacudindo a cabeça devagar; — foi isso mesmo...

O menino sorriu.

— Pois muito bem: e se eu te perguntasse agora algumas coisas? Você responderia só a verdade?

— Responderia.

— Você não mentiria nem um pouco?

— Não, senhor.

— Nem uma só vez?

— Não, senhor.

O diretor ficou em silêncio. Cruzou as mãos atrás.

O menino esperava, olhando atento para ele.

— Está bem. É o seguinte: você saiu de casa ontem, à noite?

— Saí sim, senhor.

— Aonde que você foi?

— Na minha avó.

— Ela mora perto da igreja, não é?

— É sim, senhor.

— Quer dizer que você tem de passar pelo Jardim Velho?

— Tenho.

— Então você passou lá ontem, à noite...

— Passei.

— Passou?

— Passei sim, senhor.

O diretor ficou em silêncio. Continuava de costas para o menino.

— Então era você mesmo — disse, numa voz mais baixa.

O menino não disse nada.

— Era?

— Senhor?...

— Era você mesmo que passou lá, ontem, à noite?

O diretor voltara-se para ele. O menino olhou para o chão.

— Era?

— Era sim, senhor.

— E você me viu, não viu?

O menino sacudiu a cabeça.

— Viu?

— Vi.

— Você reconheceu que era eu?

O menino sacudiu a cabeça.

— Sim; eu sei que você me reconheceu.

O diretor voltou a olhar para fora.

— E você viu com quem eu estava?

— Vi sim, senhor.

O menino, encolhido na cadeira, olhava para o chão.

— Com quem eu estava, Ivo?

O menino olhou para ele:

— Com quem? Não, com quem eu não reconheci, não.

— Não — disse o diretor, com um gesto de impaciência. — Não é isso. Não é isso que eu estou perguntando. Era uma mulher que estava comigo?

— Mulher?...
— Era uma mulher?
— Não, senhor.
— Quem era então?
— Quem?...
— Quem estava comigo?
— Um menino.
— Você tem certeza?
— Tenho; eu vi.
— Você viu. Quer dizer que você viu também o que eu estava fazendo com ele; o que nós estávamos fazendo...
— Como?...
— Você viu se nós estávamos fazendo alguma coisa?
O menino ficou olhando para o chão.
— Viu?
O menino não respondeu.
O diretor voltou-se para ele:
— Você não disse que responderia ao que eu perguntasse?...
O menino sacudiu a cabeça.
— Então: você viu ou não viu?
— Vi.
— O que era? Você sabe o que era aquilo?
— Sei.
— Sabe mesmo?
O menino sacudiu a cabeça.
— Jura que sabe, ou você está respondendo à toa?
— Não, senhor.
— Você sabe?
— Sei.

— Você entendeu o que era aquilo?

O menino sacudiu a cabeça.

— Quer dizer que você viu mesmo o que eu estava fazendo com ele?

Sacudiu a cabeça.

— Você viu que eu estava abraçado com ele?

— Vi.

— E que eu estava passando a mão nos cabelos dele e no rosto dele, você viu?

Sacudiu a cabeça.

— Viu?

Sacudiu a cabeça.

— Diga.

— Vi.

— Tudo isso que eu te disse?

O menino sacudiu a cabeça.

— Com os seus próprios olhos? Jura? Você quer cair morto aqui agora se estiver mentindo?

Sacudiu a cabeça.

O diretor parou de falar.

O menino ficou olhando para o chão, tentando fixar os olhos no tapete, que parecia se ondular e afundar-se.

O diretor voltara à janela. Agora tinha enfiado as mãos nos bolsos do paletó.

Lá fora ia escurecendo, e o gabinete já estava na penumbra. Gritos apagados vinham do campo de futebol, onde, àquela hora, os meninos treinavam.

— Você sabe o que significa isso, Ivo? Você pode imaginar o que significa para um homem como eu o fato de um menino como você ter visto o que viu ontem?

O menino estava olhando para o chão.

— Quantos anos você tem? Onze?

— Dez.

— Dez... Você acha que eu já tinha feito aquilo antes, Ivo? Que eu já tinha procedido outras vezes daquele jeito que você viu ontem?

— Não, senhor.

O diretor voltou-se para ele:

— Não mesmo? Ou acha? Pode dizer...

— Não, senhor.

— É verdade. Eu nunca tinha feito aquilo; nem uma só vez em toda a minha vida; nunca tinha feito...

O diretor ficou em silêncio.

— Você sabe que eu sou casado, não sabe? Que eu tenho três filhos. O menor, uma menina, é da sua idade...

— Eu sei.

— E a minha idade?

— Cinquenta anos, o senhor vai fazer; em setembro. Nós até vamos fazer uma festa para o senhor.

— Festa?

— É. O senhor não sabia? Todas as turmas juntas; vamos fazer uma festa para o senhor em setembro.

O diretor baixou a cabeça.

Caminhou de volta para a mesa e tornou a sentar-se.

Ficou olhando para o livro.

Então olhou para o menino:

— Vou te perguntar só mais uma coisa; depois você poderá ir embora.

— Sim, senhor.

— Você contou para alguém?

— A festa?

— Não; ontem.

— Não, senhor.

— Vai contar?

— Não, senhor.

— Por quê, Ivo?

O menino olhou para o chão.

— Por que você não vai contar?...

— Eu... Eu não quero...

— Sei; compreendo... Eu sabia que você não contaria. Você é um menino bom...

O diretor ficou algum tempo olhando para o livro. Olhou de novo para o menino:

— Mas você nunca vai esquecer isso, não é?

O menino não respondeu.

— Pode ir — disse o diretor. — Era só.

O menino despediu-se e saiu.

O diretor ficou sozinho no gabinete, os olhos fixos no ar.

Um peixe

Virou a capanga de cabeça para baixo, e os peixes se espalharam pela pia. Ele ficou olhando e — foi então que notou que a traíra ainda estava viva.

Era o maior peixe de todos ali, mas não chegava a ser grande: pouco mais de um palmo. Ela estava se mexendo, suas guelras mexiam-se devagar, quando todos os outros peixes já estavam mortos. Como que ela podia durar tanto tempo assim, fora da água?...

Teve então uma ideia: abrir a torneira, para ver o que acontecia. Tirou para fora os outros peixes: lambaris, chorões, piaus; dentro do tanque deixou só a traíra. E então abriu a torneira: a água se espalhou e, quando cobriu a traíra, ela deu uma rabanada e disparou — ele levou um susto. Ela estava muito mais viva do que ele pensara, muito mais viva...

Ele riu. Ficou, alegre e divertido, olhando a traíra, que agora tinha parado num canto, o rabo oscilando de leve, a água continuando a jorrar da torneira. Quando o tanque se encheu, ele fechou-a.

— E agora? — disse para o peixe. — O que eu faço com você?...

Enfiou o dedo na água: a traíra deu uma corrida, assustada, e ele tirou o dedo depressa.

— Você está com fome?... E as minhocas que você me roubou no rio? Eu sei que era você: devagarzinho, sem a gente sentir... Agora está aí, né?... Está vendo o resultado?...

O peixe, quieto num canto, parecia escutar.

Podia dar alguma coisa para ele comer. Talvez pão. Foi olhar na lata: havia acabado. Que mais? Se a mãe estivesse em casa, ela teria dado uma ideia — a mãe era boa para dar ideias. Mas ele estava sozinho. Não conseguia lembrar de outra coisa. O jeito era ir comprar um pão na padaria. Mas sujo assim de barro, a roupa molhada, imunda?...

— Dane-se — disse, e foi.

Era domingo, à noite, o quarteirão movimentado, rapazes no footing, bares cheios. Enquanto ele andava, foi pensando no que acontecera. No começo fora só curiosidade; mas depois foi bacana, ficou alegre quando viu a traíra bem viva de novo, correndo pela água, esperta.

Mas o que faria com ela agora? Matá-la, ele não ia; não, ele não faria isso. Se ela já estivesse morta, seria diferente; mas ela estava viva, e ele não queria matá-la. Mas o que faria com ela?...

Poderia criá-la; por que não? Havia o tanquinho do quintal, tanquinho que a mãe uma vez mandara fazer para criar patos. Estava entupido de terra, mas ele poderia desentupi-lo, arranjar tudo; ficaria cem por cento.

É, é isso o que faria. Deixaria a traíra numa lata com água até o dia seguinte e, de manhã, logo que se levantasse, iria mexer com isso.

Enquanto era atendido na padaria, ficou olhando para o movimento, os ruídos, o vozerio do bar em frente. E então pensou na traíra, sua trairinha, deslizando silenciosamente no tanque da pia, na casa escura. Era até meio besta como ele estava alegre com aquilo. E logo um peixe feio como traíra, isso é que era o mais engraçado...

Toda manhã — ia pensando, de volta para casa — ele desceria ao quintal, levando pedacinhos de pão para ela. Além disso, arrancaria minhocas e, de vez em quando, pegaria alguns insetos.

Uma coisa que podia fazer também era pescar depois mais uma traíra e trazer para fazer companhia a ela; um peixe sozinho num tanque era algo muito solitário.

A empregada já havia chegado e estava no portão, olhando o movimento.

— Que peixada bonita você pegou...

— Você viu?

— Uma beleza... Tem até uma trairinha...

— Ela foi difícil de pegar, quase que ela escapole; ela não estava bem fisgada.

— Traíra é duro de morrer, hem?

— Duro de morrer?...

Ele parou.

— Uai, essa que você pegou estava vivinha à hora que eu cheguei; e você ainda esqueceu o tanque cheio de água!...

— Hum.

— Quando eu cheguei, ela estava toda folgada, nadando. Você não está acreditando? Juro. Ela estava toda folgada, nadando.

— E aí?

— Aí? Uai, aí eu escorri a água para ela morrer. Mas você pensa que ela morreu? Morreu nada! Traíra é duro de morrer, nunca vi um peixe assim.

— Hum.

— Aí eu soquei a ponta da faca naquelas coisas que fazem o peixe nadar, sabe? Pois acredita que ela ainda ficou mexendo?

— É?

— Aí eu peguei o cabo da faca e esmaguei a cabeça dela, e foi aí que ela morreu. Mas custou. Ô peixinho duro de morrer! Por que você está me olhando?...

— Nada.

— Você não está acreditando? Juro; pode ir lá, na cozinha, ver: ela está lá, do jeitinho que eu deixei.

Ele foi caminhando para dentro.

— Eu vou ficar aqui mais um pouco — disse a empregada. — Depois vou arrumar os peixes, viu?

— Sei.

Acendeu a luz da sala. Deixou o pão em cima da mesa e sentou-se. Só então notou como estava cansado.

Essas meninas de boa família

Chamei para ir ao meu apartamento: "Outro dia." Uma esticada à boate: "Mamãe não gosta." Levei a mão à sua coxa: "Assim não."

Pô, qual é? O que é que há? Bem que meu amigo dissera: "Essas meninas assim, entende, essas meninas bonitinhas, educadinhas, comportadinhas — essas meninas de boa família —, essas meninas assim não são de nada, o cara não consegue nada, no máximo uns garras."

Mas nem uns garras eu estava conseguindo, nem uns garras: eram uns beijinhos, e só, mais nada. Qualquer tentativa além — sinal vermelho. Foda, tio. E já tinha uns bons dias que a gente se encontrava, já tinha uns bons dias. Pô, qual era a dela? Será que ela não gostava? Não, eu não podia acreditar; uma menina daquelas...

Que menina. Rapaz. Nem revista de mulher pelada. Ela era perfeita — dos pés à cabeça. E tinha só dezessete anos. Uma coisa incrível. Putz. Começava pelo rosto, que era uma gracinha: olhos castanhos, testa larga, narizinho arrebitado, beicinho saliente. Esse beicinho, então, era a minha loucura, me dava vontade de morder, arrancar pedaço. Os dentes, os dentes eram aquela brancura, propaganda de dentifrício na televisão. E os cabelos: loiros, macios, sedosos...

Os seios: no começo eu não tive boa impressão, achei que eram pequenos. Mas um dia a gente ia pela rua, e então ela se ergueu para apanhar uma flor numa árvore e aí eu vi: eram muito maiores do que eu pensava. E a elasticidade? Do jeitinho que eu gosto: uma elasticidade total. Mas fiquei doidão foi num outro dia, o dia que eu vi os bicos. Homem, eu nunca tinha visto coisa igual. Eram incríveis. Ela estava com uma blusa branca, de malha, era um dia meio frio: e então, uma hora que eu olhei para ela, vi aquelas coisas — era quase indecente —, aquelas pontonas aparecendo na blusa. Eu disse comigo: Nossa Senhora. Eu nunca tinha visto bicos daquele tamanho. Fiquei imaginando aquilo na minha boca e o que ela devia sentir: orgasmo em dois minutos, eu podia jurar.

E as pernas? As pernas e as coxas: pura estátua. Eram tão perfeitas, que davam a impressão de não serem de gente, de serem mesmo de estátua. A cor, aquela cor de doce de leite, um branco meio amorenado. E a grossura das coxas? Putisgrila. Como podiam ser assim, tão grossas? Pois ela não era gorda. Nem magra. Se fosse magra, eu já tinha me arrancado. Mulher magra não é comigo. Mulher magra é, como diria meu professor, uma incongruência. Mulher é carne. Mulher é curvas, morros e vales. Mulher é isso. Como aquela. Até os pés dela, entende, até os pés dela levantavam o meu moral. Eram deliciosos. O adjetivo é esse: deliciosos. Pé feio em mulher é uma desgraça, basta para arruinar todo o edifício. Os dela eram lindos. Me davam vontade de pegar, cheirar, esfregar na cara, enfiar na boca.

Pra terminar, o bumbum. Menino: sabe desses bumbuns redondos e arrebitados, desses que enrugam a blusa em cima? Pois é: o dela era desses. E como mexia o danado; nossa, como mexia! Parecia que ela tinha um troço elétrico nas ancas. Dava vontade de... Sei não... Dava vontade de — coisa que eu nunca fiz —, vontade de... Vocês sabem: afundar a cara ali e... Vão dizer que eu sou tarado. Não digo que eu não seja; mas eu gostaria de ver o que sentiriam outras pessoas diante daquela menina, o que passaria pela cabeça delas. Gostaria de ver...

Ela era tudo isso, meu, tudo isso e o mais que a gente adivinhava — o mais que eu ficava até meio tonto quando imaginava... Tudo isso. E — droga — o que eu já disse: cheia de dedos e medos. Não era bem medo: menina com medo, a gente vai na marra, dá o castigo e depois foda-se, seja o que Deus quiser. Não era medo. Era — sei lá o quê: eu não via como avançar, sentia-me sem jeito, constrangido.

Se ela fosse uma menina besta; se ela fosse uma dessas meninas ótimas, mas bem burrinhas; se ela fosse uma menina dessas... A questão é que ela não era. Ela tinha cuca. Tinha cuca e controle; ela era muito senhora de si. Isso é que atrapalhava. "Moça que não se faz respeitar", ela me dissera uma vez, citando uma frase, que não vale a pena concluir, de uma colunista a quem se deve atribuir, entre outros males, o de certamente ter empatado muita foda em várias gerações de meninas.

Era isso: ela se fazia respeitar. E eu a respeitava — com raiva, mas, devo confessar, com alguma admiração também, pois pouquíssimas vezes eu tinha encontrado meninas como aquela. Uma menina realmente rara. Rara e enervante.

Porra, o que ela queria afinal? Noivado, casamento, tudo direitinho, como manda a lei e a Santa Madre, para só então fazer o gostoso? Era isso? Bosta...

"Está uma noite linda, hem?..."

Olhei para ela. Veja só: eu puto, eu sentindo e pensando tudo aquilo, e ela vem e: noite linda. Nem respondi. Não dava para responder.

Ela então virou-se para mim:

"O que houve?"

"Nada", eu disse.

"Houve alguma coisa."

"Não, não houve nada."

A desgraça era isso mesmo: não ter havido nada, nós estarmos ali feito dois basbaques, sentados naquele barzinho, olhando para a rua lá fora.

"Você está chateado com alguma coisa?", ela perguntou.

Abri os braços: valia a pena responder? Será que ela não via? Eu perdera até a vontade de falar.

Ela voltou a olhar para fora, as mãos cruzadas sobre o regaço, o semblante calmo e suave — uma jovem madona.

"Quer ir embora?", ela perguntou.

"Tanto faz", eu respondi.

"Vamos então? Eu tenho de deitar mais cedo hoje; quero ir à missa das sete amanhã."

Vamos. Vá à sua missa. Vá. Vá e comungue. Receba a hóstia consagrada em seu coraçãozinho puro. Depois volte para casa e se masturbe. E se masturbe também na segunda, na terça e na quarta, na quinta e na sexta. E no sábado se confesse de novo. E no domingo... Caralho.

Íamos agora andando pela calçada, eu de mãos nos bolsos (na vinda viéramos de mãos dadas), para ela ver o tanto que eu já estava puto. Estava mesmo — estava entornando. De que adiantava ter ao lado uma menina daquelas, se não acontecia nada, se a gente não — porra, de que adiantava?

"Sabe a Júlia?", ela me pergunta, puxando conversa.

"Júlia?", eu respondo.

"Minha prima."

"Que prima?"

"Aquela que casou há pouco tempo; uma que eu te apresentei na lanchonete."

"Ah."

"Esses dias eu encontrei com ela. Sabe o que ela me disse? Que ela está pensando em desquitar-se."

E eu com aquilo? Que tinha eu com a Júlia ou com o desquite da Júlia?

"Por quê?", eu pergunto.

"Achei estranho...", ela diz, olhando para o chão, enquanto caminhamos.

"O que ela disse?"

"Ela tem muita liberdade comigo, sabe? A gente tem muita liberdade uma com a outra. Ela me disse que... que o marido dela queria ter relações antinaturais com ela."

"Antinaturais?"

"Anormais."

"Eu sei. E por causa disso..."

"É, por causa disso ela está pensando em desquitar-se. Você acha que... De que você está rindo?"

"De que poderia ser?"

"Você não acredita?"

"Não acredita em quê?... Que o marido dela quisesse..."

Eu ia dizendo um palavrão, mas me brequei: não conseguia dizer um, um só, na presença dela.

"Que ela pense em desquitar-se por isso", ela disse.

"Claro que não."

"Por quê?..."

"Ora, Sônia; você acha que..."

Ela me olhava atenta.

"Você não sabe que..."

Eu não via como dizer.

"Será que a Júlia não gosta?"

"Gosta?..."

"Disso, de... Como diz você: relações antinaturais."

Ela fica em silêncio.

"Ou será que você não sabia que a mulher também gosta?"

Ela não responde, e seu silêncio diz tudo.

"Você não sabia?..."

"Eu sabia que... O homem eu sabia, mas... a mulher..."

Ó ingenuidade! Às vésperas do século vinte e um! Ó maravilhosa educação burguesa! Ó puritanismo de nossos pais e mestres! Ó civilização ocidental cristã!

“Pois é, a mulher também”, eu digo.
“Mas então...”
“Hum.”
“Como que a empregada de uma amiga nossa... Essa amiga é que me contou: a empregada uma vez chegou em casa ensanguentada, tiveram de levá-la a um médico; um rapaz da vila que...”
“Deve ter havido violência. Aí é claro: violência. Mas quando é espontâneo, quando os dois querem... Algumas mulheres até preferem assim.”
“É? ”
Eu estava abrindo mil buracos na cacholinha dela — o que não deixava de me dar uma espécie de prazer.
“E ainda há uma vantagem para as mulheres: a de não se engravidarem.”
“Mas... a Júlia?...”
“É, a Júlia... Ou ela te mentiu, ou... Sei lá... Quem sabe ela também não sabia dessas coisas?”
“A Júlia?”
“Você não sabia.”
“Eu não, mas ela...”
Fica em silêncio.
Tínhamos chegado à sua casa. Atravessamos o caminho estreito do jardim, ela na frente e eu atrás — eu pensando: imagine só, um bumbum desses e não sabendo o que tem...
Ela abre a porta, entra. Eu fico esperando, para despedir-me.
Ela volta logo:
“Mamãe já está dormindo.”

Faz uma pausa.

"Você aceita um cafezinho?..."

Eu já ia embora, mas resolvo aceitar. Ela se vira para buscar. Num impulso repentino, eu a agarro pelos ombros:

"Você quer?..."

"O quê?"

"Experimentar..."

"Experimentar?"

"Atrás..."

"Você está doido?"

"Não tem perigo nenhum, só nos dois aqui, ninguém fica sabendo..."

"Você é doido."

Me encosto todo nela, e ela percebe como eu já estou.

"É a coisa mais gostosa", sopro em fogo no seu ouvido e vou levando-a para a saleta, ao lado da sala, um lugarzinho bem escondido.

"Você é doido, João", ela torna a dizer, e eu noto que ela já não se esforça tanto por se desvencilhar de mim.

Busco os seus seios sob a blusa, e que gostosura, os bicos, durinhos, dizendo mais que as palavras dela, e então eu tento tirar sua saia, e ela diz "não", mas eu forço e tiro, e ela fica só de calcinha, e eu enfio a mão, e ela já está encharcada e treme toda e suspira, e depois tiro a blusa e o soutien, e agora vou descendo a calcinha e descobrindo aquela fartura linda de carne, e ela diz "que loucura", e eu digo "é gostoso", e ela diz "vai machucar", e eu vou dizer não vai, não, amorzinho, eu vou fazer com todo o carinho, mas não sai mais voz, e ela então, aleluia!, ergue o pé e afasta a calcinha para o lado.

E ei-la, amigos: ei-la toda nua na minha frente, e até parece mentira, é bom demais, e agora é um desatino de mãos e uma sofreguidão e ai e oh e Jesus, e então abro as montanhas da mais maravilhosa lua e hã! vai tudo de uma vez, e eu paro, percebendo de repente toda a farsa, e vou dizer sua sacana, sua sacaninha, mas já não havia mais tempo, ela já estava a todo vapor, rebolando com uma rapidez incrível, e eu mal consigo prensá-la contra a parede para que não desabemos no chão — e assim ficamos, atrelados como cães, explodindo furiosamente numa sucessão de alucinantes galáxias.

Agora ela se veste, de costas para mim. Ao acabar, vira-se, o rosto muito vermelho, os olhos meio nublados, como se ela ainda não tivesse acabado de regressar.

"Que tal?", pergunto.

Ela balança a cabeça, num meio sorriso, as pálpebras baixando sobre os olhos:

"Eu não sabia que era assim..."

Seguro-lhe então o rosto e vou dizer: sua putinha pervertida e mentirosa, você acha que eu sou trouxa, você acha que você me engana? Mas eu era besta? Eu seria tão idiota de espantar as abelhas depois de ter provado de um mel daqueles?...

Não: que a farsa continue, irmão, e tiremos dela todo o proveito que pudermos.

Assim, eu digo para ela:

"Você foi ótima."

"Você também", ela diz, e me dá um beijinho na boca.

Enquanto dura a festa

Eles estão lá embaixo, na sala, chorando o morto: Mamãe, meu irmão, meus tios, meus primos primeiros, meus primos segundos, os caridosos, os curiosos, os que iam passando, os que souberam, os que gostam de ver defunto ou gente chorando — todo mundo.

Às vezes fica tudo tão silencioso, que começo a dormir. Mas logo alguém grita ou há um choro desatinado, e eu rolo na cama com o travesseiro grudado no rosto, xingando. Não se cansam? Desde a madrugada isso.

Na hora que ele morreu, minha irmã veio gritando pela casa como se fosse o fim do mundo; acordei com o coração na garganta, quase que eu morro também. Levantei do jeito que eu estava, só de cueca, e fui correndo ao quarto dele: Mamãe estava lá, na cabeceira da cama, desesperada. Corri ao telefone e chamei o médico.

O médico veio, examinou, abanou a cabeça. "Não! Não!", gritava Mamãe. Estava uma cena ridícula: o velho na cama, morto, de olhos arregalados e boca aberta; Mamãe, de camisola e descabelada, agarrando Papai e gritando; minha irmã, também só de camisola, agarrada à Mamãe e também gritando; o médico, de terno e gravata (afinal ele não correu tanto assim como disse: não teve tempo de pentear o cabelo e pôr a gravata?); e eu só de cueca.

Lembrei-me desses quadros: "À cabeceira do morto". Só que neles nunca aparece um sujeito de cueca, e os mortos têm sempre uma expressão bela e serena. A expressão de meu pai é a última coisa do mundo que se poderia chamar de bela e serena: era horrível, uma expressão de dor, pavor e desespero. Se eu acreditasse em inferno, diria que meu pai àquela hora estava vendo o inferno.

Depois arranjaram a cara dele: fecharam os olhos e amarraram um pano ao redor de seu rosto. Chamam isso de "respeito pelos mortos". Eu queria ver, num velório, um morto com aquela cara que tinha meu pai. Mas um morto não tem direito nem mais à própria cara...

Logo a casa se encheu de gente. Primeiro vieram os vizinhos, os parentes; depois os outros. Eles arranjaram tudo. Meu irmão casado veio logo e tomou as providencias necessárias. Na hora de botar o velho no caixão, eu ajudei, pegando nos pés dele. Depois vim para o quarto. Espero que ninguém venha aqui me chamar. Eu já avisei. Eles sabem como eu sou. A morte do velho não muda nada: eu não tinha nada com ele em vida; por que vou ter agora que ele esta morto?

"Meus sentidos pêsames" — os palhaços. Um chegou com a cara de pêsames mais caprichada do mundo e, na hora de me estender a mão: "Meus parabéns" — e nem deu pela coisa. Quase estourei numa risada. Há os que chegam e não dizem nada, só dão uns tapinhas e ficam um pouco abraçados com a gente. Nogueira foi um desses. Chegou e me deu uns tapinhas nas costas — mas eu não estendi um dedo para o filho da puta.

Nogueira devia um milhão para Papai, que vivia atrás dele, cobrando. Mas o desgraçado sumia, que ninguém achava; e quando ele dava o azar de ser encontrado, prometia que viria aqui em casa acertar tudo. Papai não acreditava, claro, mas já andava cansado e doente, não queria complicação. Um milhão. Agora o velho morreu, e Nogueira aparece, todo santinho, todo compungido, todo minhas-condolências.

"Evitem de ele ter aborrecimentos fortes", dizia o médico. Um milhão é um aborrecimento forte. Eu devia ter perguntado a Nogueira: "Cadê o dinheiro?" Devia ter perguntado isso a ele ali, diante dos outros, na vista de todo mundo. "Cadê o dinheiro? Cadê o milhão que você deve para Papai?" Envergonhá-lo, humilhá-lo, mostrar que ele foi um dos que ajudaram a matar o velho, fazê-lo ajoelhar-se diante do caixão e esfregar o nariz dele nos pés do defunto; fazê-lo pedir perdão, depois tocá-lo de casa a pontapés. Devia ter feito isso. Devia tê-lo arrasado, de tal modo que ele jamais se esquecesse disso, assim como os que tivessem visto a cena. Que isso ficasse em sua memória como um risco de faca na cara.

Bondade diante do caixão: o morto não precisa dela, ele está morto. Felizmente ele está morto. "Seu pai foi um santo homem", me disse o vizinho, o que Papai em casa chamava de crápula — como ele, em sua rodinha, chamaria Papai? Santo homem... Nunca, Papai nunca foi isso. Era um homem egoísta, às vezes cruel, um marido desconfiado, um pai sem carinho, um filho distante. Mas se durante a vida dele essas pessoas que estão lá embaixo agora tivessem chorado um pouco por ele, sido boas com ele, talvez ele tivesse sido melhor. Mas, vê-se, elas estavam esperando ele primeiro morrer. Ser bom com os vivos dá muito trabalho; amanhã ele estará morto, e iremos chorar sobre o seu cadáver — assim é mais fácil.

Santo homem (quem eles pensam que estão enganando? o morto? eles mesmos? os parentes do morto?): quando alguém diz isso, Mamãe chora, minha irmã chora, meu irmão chora, todo mundo chora. É como uma festa, uma festa fúnebre, em que, ao invés de rir, todo mundo chora e se embriaga com lágrimas, enquanto piedosas mentiras são ditas à meia-voz por rostos falsamente compungidos. E, no meio de tudo isso, o morto — a causa, o pretexto, o ornamento. Sua alma já descansou, mas seu corpo ainda deve permanecer, enquanto dura a festa.

Abismos

O carro viera subindo devagar, contornando a serra pela estrada de chão batido, e então parou diante de uma grande pedra negra: era o fim do caminho.

— É aqui? — ele perguntou.

— É — ela disse.

Ele apagou os faróis.

Os dois desceram.

— Não estou vendo nada do que você contou — ele disse, olhando ao redor e só vendo pedras por todo lado.

— É mais na frente — ela explicou; — a gente tem que pegar esse trilho. Vem...

Ela deu-lhe a mão, e ele seguiu-a.

Ficaram lado a lado, e ela abraçou-se ternamente a ele, olhando-o para que ele a beijasse: ele a beijou.

— Você nunca tinha mesmo vindo aqui? — ela perguntou.

— Não.

— Você vai ver como é lindo...

O trilho passava entre pedras altas, de formatos irregulares, a que o escuro da noite dava um aspecto algo assustador.

Separaram-se de novo por causa do exíguo espaço, ela à frente. Ele ia seguindo com os olhos aquele corpo, jovem e ágil, que parecia deslizar por entre as muralhas negras. De vez em quando ela o prevenia de alguma coisa no caminho; sua voz tinha um som estranho, como se surgisse não dela, mas do próprio ar.

Agora, depois de uma curva, o caminho descia em declive brusco, indo terminar numa faixa de terra onde havia uma vegetação rala.

Era ali o lugar — era dali que se via todo o panorama da cidade lá embaixo, um lago de luzes no meio do vale.

— Que tal? — ela perguntou. — Lindo, não é?...

Ele balançou a cabeça, concordando em silêncio.

Ficaram olhando.

Então, desviando o olhar para mais perto, ele viu a sombra negra do abismo: uma escuridão sem fundo. Sentiu um arrepio e um impulso de se afastar; mas não se afastou, ficou no lugar, olhando para baixo.

A alguns passos dele, indiferente ao abismo, ela continuava absorta na contemplação da cidade. Então, querendo completar a beleza e a felicidade daquele momento, voltou-se para abraçá-lo — mas se deteve diante de sua aparência: ele estava diferente, o rosto sério, os olhos muito fixos nela.

— O que houve? — ela perguntou. — Você não está se sentindo bem?

Ele não respondeu; ficou parado, os olhos fixos.

— O que é, Gil?

— Vamos embora — ele disse bruscamente, e deu-lhe as costas e foi entrando de volta no trilho entre as pedras.

Ela foi atrás. Nenhum dos dois disse nada, nem quando chegaram ao carro: entraram e sentaram-se.

Agora, mãos na direção, ele olhava pelo vidro, e ela o olhava, procurando entender o que havia.

— O que foi, Gil?

Ele não respondeu.

— Você se sentiu mal com o abismo? Tem gente que...

— Não é isso — ele cortou, mas não disse o que era, voltando ao silencio.

Acendeu os faróis e pôs o carro em movimento; deu marcha à ré com cuidado, por causa das pedras; e então foi descendo devagar a estrada. Ia atento ao caminho, que era meio perigoso. Ela, em silêncio, estava certa de que quando chegassem ao fim da descida e entrassem na rodovia, ele explicaria tudo.

Mas isso não aconteceu: chegaram, o carro entrou na rodovia, e ele continuou sem nada dizer.

Então ela perguntou de novo:

— O que foi que houve, Gil? Você sentiu alguma coisa lá?

— Não.

— Há pessoas que não podem ver abismos.

— Não é o meu caso; você — ele hesitou, mas concluiu: — você talvez é que não possa...

— Eu? — ela estranhou. — Você não viu lá em cima?

— Eu falo de outros abismos...

— Outros abismos? Que outros abismos?

Ele não respondeu.

— Não estou te entendendo... — ela disse.

— Nem talvez vá entender...

Ela o olhou, muito atenta, esperando que ele prosseguisse. Mas, outra vez, ele se calou.

— Você está muito estranho, Gil.

— Mais estranho ainda é o que você vai ver...

Ela sentiu medo.

— O que você está querendo me dizer?

— Estou querendo dizer que... — olhou para ela e deu um sorriso esquisito: — que eu ia te matar.

— Matar? — ela disse, acentuando as sílabas; mas a coisa era tão absurda que... — Você está brincando...

— Não, não estou.

— Mas...

— É verdade.

— Mas isso não tem nenhum sentido!

— Pode não ter, mas é verdade.

— Matar por quê?

— Eu ia te empurrar lá de cima, no abismo.

Ela o olhava, perplexa, sua memória revivendo, num pavor frio, aquele momento à beira do abismo.

— Mas pode ficar tranquila — ele disse, — não precisa ter medo. Eu só estou te contando o que aconteceu, uma coisa que eu senti. Afinal de contas eu não te empurrei, empurrei?

Ela sentiu uma súbita onda de calor no rosto:

— Pare o carro — disse.

— Parar?

— Eu vou descer.

— Você acha que eu vou te deixar aí, sozinha, na estrada?

— Eu quero descer.

— Eu não vou parar.

— Estou te pedindo, Gil.

— Pode pedir à vontade.

Ela ficou respirando forte.

— Poxa — ele disse, — só porque eu te contei isso? Eu não fiz nada, fiz? Eu só te contei uma coisa que eu senti. Se eu tivesse de fazer alguma coisa com você, eu já teria feito, não estaria aqui te falando. Saltar na estrada... Já imaginou você aí, sozinha, na estrada essa hora? Já imaginou?...

Ela pegou um cigarro e acendeu-o. Sua calma foi voltando.

— Por que você ia fazer isso? — ela perguntou.

— Já disse que não sei.

— Você deve saber; se você ia fazer, você deve saber.

— Como se a gente soubesse de tudo o que a gente faz...

— Pelo menos um motivo você deve ter.

— Não sei se tenho; só sei que...

Olhou para ela:

— Foi um impulso, entende? Uma coisa que eu senti de repente, uma vontade de te empurrar lá, fazer com que você sumisse.

— Para isso não era preciso me matar — ela disse, num tom magoado; — bastava você me dizer, que eu sumia.

— Mas não é isso; é que... Puxa, eu gosto de você, Virgínia, você sabe que eu gosto; gosto muito. E quem sabe, quem sabe se não seria por isso mesmo?

— Por isso?...

— Por eu gostar muito de você; quem sabe se não seria por isso que eu senti vontade de fazer aquilo?

— Não entendo.

— Não é mesmo fácil de entender. É que... Gostar muito de uma pessoa, entende? Sentir que a vida da gente está presa à dessa pessoa; que tudo o que a gente faça, tudo o que a gente pense, tudo o que a gente sinta, terá essa pessoa; que... Não sei; e então é aquela vontade de... de se livrar disso, acabar com isso, mas acabar de uma maneira total, jogando essa pessoa no abismo, fazendo com que ela desapareça para sempre.

— Gil, pare o carro.

Olhou para ela:

— O que há?

— Pare o carro.

— Eu já disse que não paro.

— Se você não parar, eu abro a porta e salto.

— Você quer morrer?

— Não é isso o que você quer?

— Não.

— Foi isso o que você disse.

— Não; o que eu disse é que foi isso que eu quis lá em cima.

— Lá em cima ou cá embaixo, qual a diferença?

— Puxa, Virgínia, será que você não entende? Eu te disse: foi uma coisa que eu senti. Eu não te matei, matei?

— Felizmente não.

— Então? Só te contei o que houve, uma coisa que eu senti. Ou você preferiria que eu mentisse?

— Talvez preferisse...

— É? Está bem, então da próxima vez eu minto. Mas fique sabendo: amor que precisa de mentira...

Ele não concluiu, pensando: haveria amor que não precisasse de mentira? Haveria amor sem mentira?

Na noite escura passavam espectros de serras e de árvores repentinas; de vez em quando a luzinha de alguma casa distante.

— O ser humano é muito complexo — ele disse; — o ser humano tem profundidades a que talvez ninguém ainda tenha descido. Por isso é que eu disse que você não iria entender...

— Não posso mesmo entender; não posso entender que uma pessoa que diz gostar de mim, que sempre disse isso, de repente queira me matar. Não posso entender uma coisa dessas.

— Você nunca sentiu vontade de me matar?

— Não.

— Então é porque você nunca me amou de verdade.

— Não?...

— Pelo menos como eu entendo o amor.

— Eu talvez entenda diferente de você.

— É...

— Pois eu nunca pensei em te matar.

— Você talvez ainda pense um dia.

— Pode ser.

— Nesse dia você vai entender o que é realmente o amor; o que é a felicidade e o inferno de sentir sua vida profundamente e talvez para sempre ligada à de alguém.

Houve um silêncio entre os dois.

— E se você tivesse mesmo me empurrado? — ela perguntou, certa agora de que não estava de fato correndo perigo. — Você estaria contente?

— Não sei; é provável que não.

— "Provável"...

— Não posso falar com certeza de uma coisa que não aconteceu; posso?

— Não — ela disse, — claro que não.

Olhou para ela:

— Acho bobagem você ficar com ironia, Virgínia.

— Deve ser mesmo. Aliás o que é que eu fiz até agora que não é bobagem?

— Eu não disse isso.

— Mas eu estou dizendo.

Ele balançou a cabeça, aborrecido:

— Eu disse que você não ia entender.

— Não tenho inteligência.

— Não é questão de inteligência, é questão de...

— Sou muito burra, eu só faço besteira. Está provado: sair de casa à noite, andar essa distância toda, machucar os pés nas pedras, só para te mostrar a porcaria de uma paisagem, e depois...

Ela então levou as mãos ao rosto, e toda a tensão contida se extravasou num choro nervoso, a cabeça mexendo para os lados, inconformadamente.

Ele desviou o carro para o acostamento e parou. Ficou olhando-a durante alguns minutos, esperando que ela se acalmasse.

Então pôs a mão em seu ombro:

— Virgínia, desculpe, mas eu...

Ela pegou um lenço na bolsa e ficou enxugando as lágrimas, doridamente.

— Olha, foi bom ter ido lá em cima, entende?

— Bom... — ela repetiu, com a voz engasgada.

— Foi, foi bom. Agora, você precisa entender que... Que o que eu te contei foi só uma coisa que houve e que passou. Nós estamos aqui juntos, do mesmo jeito de antes. Nada mudou...

— Nada mudou...

— Nada — ele repetiu. — Ou... Sabe? Talvez tenha mudado, sim; mas mudado para melhor, para uma coisa mais...

Não encontrou a palavra.

— Mais...

— Gil, eu quero ir embora.

— Embora? — olhou para ela, surpreso com aquele tom de voz, duro e quase hostil. — Mas nós estamos indo, não estamos?...

— Eu quero ir agora — ela disse, olhando só para a frente.

Ele não soube o que mais dizer. Ficou observando-a, examinando a expressão de seu rosto.

Então sacudiu a cabeça:

— Bom, se é assim...

Endireitou-se no assento, pegou de novo a direção e acendeu os faróis. O carro entrou na rodovia e seguiu.

Pouco depois, ao fim de uma reta, as primeiras luzes da cidade apareciam — aquelas mesmas luzes que haviam admirado lá do alto e que de perto nada mais tinham de extraordinário.

Boa de garfo

"Bom dia" foi, naturalmente, a primeira coisa que meu pai disse ao homem.

A segunda, só podia ser aquela:

"E essa fera aí?"

A fera, que estava junto ao homem, era um cachorro fila, rajado, de um tamanho que eu nunca tinha visto na vida: um cachorro enorme. A gente ficava frio só de olhar para ele — aquela cabeçona, com as beiçorras dependuradas.

Mas o homem disse que não precisávamos ter medo, não tinha perigo.

"O senhor tem certeza que ele não morde?", perguntou meu pai.

"É ela", disse o homem, com um sorriso meio envergonhado.

"Ela ou ele, a mordida dói do mesmo jeito", disse meu pai.

"O senhor pode ficar tranquilo", disse o homem: "ela, quando não gosta de uma pessoa, vai logo avançando."

"É?", disse meu pai. "Quer dizer que se ela não tivesse gostado de mim, ela já tinha avançado..."

"Tranquilamente", disse o homem.

"Tranquilamente", repetiu meu pai.

"Mas eu sabia que ela não ia avançar", disse o homem; "eu sei o tipo de gente que ela não gosta; bêbado, por exemplo, ela não pode nem sentir o cheiro."

"Ainda bem que eu não bebo", disse meu pai, com alívio.

"O senhor pode ficar tranquilo", tornou a dizer o homem; "ela é mansinha..."

Acho que meu pai não ficou tão tranquilo, mas precisava continuar a conversa e convidou o homem a sentar-se numa das cadeiras do alpendre.

O homem sentou-se. Depois meu pai sentou-se. Eu continuei em pé, no canto, olhando. A cachorra foi ficar ao lado do homem e sentou-se nas pernas de trás.

O homem era miúdo, franzino. Era mulato e tinha um bigodinho ralo e achinesado. Sua roupa estava com remendos, mas muito limpa — o que era bom sinal. Meu pai dizia: "Se o sujeito não tem cuidado nem com a própria roupa, como eu posso esperar que ele tenha cuidado com o serviço?" Ele devia ter gostado daquilo.

O de que ele visivelmente não estava gostando era aquele animalzão, parado ali na frente, de olhos fixos nele. Mas a cachorra não parecia estar vigiando-o: parecia ser apenas curiosidade — como se ela também estivesse interessada na conversa.

Mesmo assim, meu pai disse:

"Escuta, será que ela não gostaria de dar umas voltinhas por aí enquanto a gente conversa? Tem muito passarinho aí: ela não gosta de pegar?"

"Gostar, até que ela gosta; mas...", o homem pareceu sem jeito de dizer: "é que ela não se afasta de mim por nada desse mundo; ela é muito apegada..."

Olhou então para a cachorra e fez um carinho na cabeça dela: a cachorra retribuiu com um latido que fez tremer o ar no alpendre.

"Ela é muito afetuosa..."

"É", disse meu pai, um tanto quanto assustado; "eu estou vendo..."

Tentando esquecer a cachorra — o que não era muito fácil —, meu pai prosseguiu a conversa:

"Bom, como o senhor já sabe, meu negócio é hortaliça; comecei há pouco tempo e estou precisando de uma pessoa com bastante prática."

O homem sacudiu a cabeça. A cachorra, quieta, olhava para meu pai.

"Já tive boas informações sobre o senhor, fiquei sabendo de seu trabalho; agora nós precisamos conversar, ver se a gente combina; são várias coisas..."

Ao falar assim, "várias coisas", meu pai olhou para a cachorra; não sei se foi intencional, querendo dizer que a cachorra era uma das "coisas", mas estava claro que ela o preocupava. Quando ele mandou o recado para o homem vir ao nosso sítio, ele não sabia que o homem viria acompanhado daquele cachorrão — o mais certo seria dizer o cachorrão acompanhado daquele homem —, e era evidente agora que a cachorra tinha de ser levada em conta na combinação deles.

Houve uma curta pausa.

O homem tirou do bolso da camisa um cigarro de palha já começado. Acendeu-o em densas baforadas.

Depois ficou olhando para fora, à espera de que meu pai prosseguisse.

"Bem", meu pai prosseguiu: "por quanto o senhor viria?"

"Quanto de chão tem aqui?"

"É o que o senhor está vendo, mais o pedaço atrás da casa, que vai até o córrego. É pouca coisa", disse meu pai, com astúcia.

"É, o senhor tem um sítio bem ajeitado...", o homem disse, balançando a cabeça devagar; ele não era menos vivo... "O senhor planta o quê? Couve, alface, repolho..."

"E os tomates. A maior área é a de tomate: ela está lá atrás, no fundo."

"Tomate é que é mais encrencado."

"É; eu tenho tido azar com os meus. Eu soube que o senhor é muito bom para mexer com tomate."

"A gente entende alguma coisa..."

"Bom, a casa: a casa é aquela que está ali, no fundo; o senhor deve ter visto..."

"Eu vi; parece uma casinha até boa..."

"É, ela é muito boa", disse meu pai, animado com o andamento da conversa; "é uma casa nova."

"O senhor sabe que dá até pra uma família morar ali?"

"Dá, perfeitamente", disse meu pai. "Mas o senhor é solteiro..."

"Sou; pela graça de Deus."

Meu pai riu:

"É, às vezes ser solteiro é mesmo uma graça..."

O homem também riu.

Então os dois ficaram sérios de novo para prosseguirem com a conversa.

"A boia", perguntou o homem: "como que é?"

"A boia é por conta do empregado", disse meu pai.

"Sei", o homem balançou a cabeça, concordando.

Houve nova pausa.

"Então?", perguntou meu pai. "Por quanto o senhor viria?"

O homem olhou para o cigarro e limpou com o dedo a cinza na ponta; pareceu refletir. Então olhou para meu pai:

"Por quinhentos eu viria."

"Quinhentos?", meu pai quase caiu da cadeira.

Um outro empregado, em que ele estava também interessado e que aparecera lá em casa poucos dias atrás, pedira trezentos e cinquenta, e parecia tão bom quanto aquele, senão melhor — pelo menos era bem mais forte.

"O senhor está querendo demais", disse meu pai; "o senhor vê que a área é pequena, a variedade dos produtos pouca, a casa boa..."

"Quanto a isso não há dúvida", disse o homem.

"Eu soube que o senhor trabalha bem", continuou meu pai; "tive muito boas informações. Mas por esse preço, sinceramente... O senhor há de reconhecer que é demais..."

"Eu reconheço", disse o homem.

"Então?"

"A questão é que...", o homem se mexeu na cadeira, meio incomodado. "Eu vou dizer pro senhor: cobrar caro pelo meu serviço, eu até que não cobro. E vou dizer por quê: porque meu gasto é pequeno. Beber, eu não bebo; não sou enredado em saia; de vício, eu só tenho mesmo o cigarrinho. O senhor vê que é pouca coisa. A questão é que... A questão é a Bebé."

"Bebé? Quem que é a Bebé?"

"A cachorra."

"Ah, a cachorra; quer dizer que ela chama Bebé..."

"Bom, o nome mesmo não é esse; Bebé é apelido."

"E qual que é o nome?"

"Elizabete."

"Elizabete?...", meu pai arregalou os olhos. "É... É um nome bastante original para cachorro... Confesso que eu nunca tinha visto uma cachorra com esse nome..."

"Era o nome da madrinha", disse o homem.

"Madrinha da..."

"Minha madrinha."

"Ah", disse meu pai. "Ela deve ter ficado muito contente, sua madrinha..."

"Não, ela não chegou a conhecer a cachorra; ela morreu antes, que Deus a tenha", e o homem ergueu respeitosamente o chapéu. "Foi ela que me criou, minha madrinha. Era uma santa mulher. Devo muita gratidão a ela. E então eu disse que quando nascesse meu primeiro filho, se ele fosse mulher, eu ia batizar ele com o nome dela. Mas eu não casei; e aí, como eu gostava tanto dessa cachorra como de um filho, eu resolvi pôr o nome nela."

"Compreendo", disse meu pai.

"Muita gente acha que isso é abuso. Eu não acho. Segui meu coração, e, pra mim, tudo o que vem do coração é certo."

O homem olhou para a cachorra, depois para o cigarro, depois novamente para meu pai:

"Mas, como eu ia dizendo pro senhor, a questão é a cachorra: ela come muito."

"Quantos quilos ela come por dia?"

"Quilos? Não sei. Mas ela é boa de garfo."

"Boa de garfo? O senhor quer dizer que... que ela come muito; ou..."

"É; ela come pra danar."

"O senhor pode dar ração para ela."

"Ração? Ela não come; ela só come carne."

"O senhor dá carne para ela todo dia?"

"Dou. Quer dizer: dava, quando eu estava no emprego, quando eu tinha dinheiro. Agora... O senhor vê que ela está magra..."

"É", disse meu pai, olhando para a cachorra, que continuava olhando para ele: "gorda ela não está mesmo, não."

"Pois é."

"E como o senhor tem feito?"

"Tem feito?..."

"O que o senhor tem dado para ela?"

"Tenho dado abacate."

"Abacate? Ela come?"

"Come. Mas tem que ser do liso; do cascudo ela não come, não. Essa cachorra tem umas coisas que... eu vou dizer pro senhor: é igualzinho gente."

"Realmente", disse meu pai. "Até hoje eu nunca tinha ouvido falar que cachorro come abacate."

"Não sei se é qualquer um; essa come. Ela é compreensiva: eu expliquei pra ela que não tinha mais carne, e aí ela aceitou de comer abacate. Foi a sorte, sorte minha e dela, porque lá no rancho do meu irmão, onde eu estou agora, tem um pé de abacate, e ele fica tão carregado, que eu posso dar abacate pra ela o dia inteiro. Mas, não sei; acho que abacate não é bem comida de cachorro..."

"É o que eu sempre pensei", disse meu pai.

"Acho que ela já anda com saudade de uma boa carninha..."

"Por que o senhor não arranja um cachorro menor?"

"Um cachorro menor?... Eu vou explicar pro senhor: essa aí, quando eu peguei ela pra criar, era desse tamaninho", ele disse, mostrando com as mãos o tamanho. "Eu não sabia que ela ia ficar tão grande. Eu achei ela abandonada numa estrada e fiquei com dó; não sabia quem tinha abandonado, que raça que era, nem nada. Depois é que eu fui vendo: o bicho foi só crescendo, não parava mais de crescer, era aquela coisa. Quando eu vi, já era tarde. Quer dizer: eu já estava gostando dela. Aí..."

Meu pai sacudiu a cabeça.

"E ela não parou de crescer ainda, não", continuou o homem: "O senhor é que pensa: ela é criança ainda, ela tem só um ano."

"Ela é bem crescidinha para a idade, hem?"

"É... Mas, também, só tem tamanho essa danadona", e o homem fez outro carinho na cabeça da cachorra.

"O senhor algum dia já pensou o tanto que o senhor já gastou de carne com ela?"

"Não, não pensei; mas deve ter sido um despropósito."

"E se o senhor, em vez de dar para ela, tivesse comido essa carne?"

"Eu?"

"É; se em vez de dar para ela, o senhor tivesse comido essa carne?"

"É verdade", o homem baixou o olhar, parecendo refletir; então olhou novamente para meu pai: "Mas e ela, o que ela ia comer?"

Meu pai não soube o que responder.

"E depois", disse o homem, "eu não tenho problema: eu como pouco. Pra mim, tendo arroz, feijão e farinha de mandioca, não precisa mais nada; de vez em quando um ovinho frito. Ela é que é comilona. Come por três de mim essa cachorra. É por isso que eu peço esse ordenado. O senhor sabe que a carne não está pra brincadeira."

"É, mas por esse preço... O senhor não vai encontrar emprego fácil, não..."

"Eu sei", disse o homem, baixando a cabeça, "eu sei disso; mas...", e olhou para o lado, para a cachorra.

"O senhor não podia deixar ela com alguém?", meu pai perguntou. "Com o seu irmão, por exemplo..."

O homem fez uma expressão desolada:

"Só se fosse pra ela ficar lá comendo abacate todo dia..."

"É..."

"Mas também não ia adiantar: como eu já contei, ela não fica longe de mim; uma vez ela ficou uma semana e quase morreu de tristeza."

Meu pai passou a mão pelos cabelos:

"Se o senhor aceitasse por menos... Quinhentos é demais para mim; eu estou começando, luto com muita dificuldade... O senhor vê aí quanta coisa ainda há por fazer..."

"É verdade", disse o homem, de cabeça baixa, "isso eu não nego..."

Depois olhou para meu pai:

"Mas, também, eu vou dizer uma coisa pro senhor: a Bebé sabe ajudar, não é só comer, não; pra campear gado não tem cachorro igual no mundo."

"Mas eu não tenho gado", disse meu pai, já meio irritado.

"Às vezes o senhor ainda pode ter."

"Não, não penso em ter gado, não."

"Se o senhor tivesse, o senhor ia ver o tanto que ela é boa pra campear."

"Pode ser, mas eu nunca pensei em ter gado, nem estou pensando nisso."

Meu pai olhou para a cachorra, quieta no mesmo lugar e sempre com os olhos nele. Diabo, deve ter pensado, se não fosse aquela cachorra, tudo já estaria resolvido...

Nessa hora minha mãe o chamou lá de dentro. Ele pediu licença e foi. Eu fui junto.

"Eu estava escutando a conversa", disse minha mãe. "O que você ainda espera? Será que você está pensando em pegar esse sujeito? Onde que você está com a cabeça? O outro pediu trezentos e cinquenta: são cento e cinquenta cruzeiros de diferença; quanta coisa a gente não pode fazer com esse dinheiro, a gente que vive no aperto. E, além do mais, o outro homem é muito mais forte; o que esse tampinha aí aguenta?"

"Ele é mais competente."

"Mais competente... Você tem hora que me dá uma raiva... Você acredita em tudo o que os outros dizem. Você está acreditando nessa conversa mole? E ele ainda vem com essa história de cachorro..."

"Essa raça come muito mesmo."

"Que coma, que coma até uma tonelada; você acha que é para isso que ele quer o dinheiro? Ele está é te levando na conversa, fazendo você de bobo. E, depois, já pensou a gente com um cachorrão desses por perto? Ele é até capaz de comer a gente."

"É ela", disse meu pai, imitando o homem, enquanto abria a garrafa térmica para tomar uma xícara de café.

"Despache ele logo", disse minha mãe, "senão ele vai ficar aí até tarde, ensebando, e você ainda precisa consertar o moinho. Eu vou à cidade agora, fazer as compras."

Meu pai e eu voltamos ao alpendre. O homem e a cachorra estavam lá, na mesma posição, e olharam ao mesmo tempo para nós.

Meu pai sentou-se, franziu a testa, passou a mão na cabeça:

"Quer dizer que o senhor só viria mesmo por quinhentos..."

"É", disse o homem; "infelizmente... É como eu expliquei pro senhor..."

Minha mãe então veio e passou pelo alpendre: cumprimentou secamente o homem e olhou de um jeito nada amistoso para meu pai. Quando ela ficava com raiva, andava reta e dura como uma tábua. Lá fora, ela caminhou até o carro, entrou e, sem dar tiau, arrancou, numa zangada nuvem de poeira. Nós ficamos olhando, até o carro desaparecer na curva, por trás do milharal.

Eu já conhecia bem meu pai para saber que, quando o carro desapareceu, ele teve uma sensação de alívio. Ficou então olhando para a cachorra e, num tom em que não falara até aquela hora, disse:

"Ela não desprega os olhos de mim..."

"Ela gostou do senhor", disse o homem.

"Será?...", disse meu pai.

Para ver, ele se curvou um pouco para a frente e estralou os dedos: num segundo, com uma rapidez incrível, a cachorra estava sobre ele, as patas no seu peito, a língua lambendo-lhe o rosto, ele sumindo o quanto podia na cadeira.

"Cá, Bebé, cá", o homem chamou, e a cachorra obedeceu. "Eu não disse? Ela gostou do senhor..."

"É", disse meu pai, branco de susto.

"Ela é muito carinhosa", disse o homem.

"Eu vi", disse meu pai.

A cachorra olhava para ele, os olhos brilhantes, o rabo abanando fortemente, querendo se aproximar e só esperando que meu pai estralasse outra vez os dedos — o que, evidentemente, ele não fez.

"Sua cachorrinha é pesada..."

"É..."

"Que dirá quando ela está bem alimentada..."

"Ah, o senhor precisa ver: aí ela fica uma beleza; fica parecendo uma leoa."

"Eu imagino", disse meu pai.

"Fica parecendo uma daquelas leoas de circo."

"Eu imagino..."

Estávamos agora os três olhando para a cachorra, que continuava alegre, abanando o rabo, os olhos brilhantes.

"Uma pergunta", disse meu pai, sério de novo, e o homem olhou com atenção para ele: "o senhor não acha que ela poderia pisar nos canteiros?"

"Canteiros?... Não, ela é bem comportada; e só a gente falar, que ela obedece. O senhor pode ficar tranquilo."

"Outra coisa: e se ela gostar de tomate?"

"Tomate?", o homem ficou olhando meio confuso para meu pai; depois, vendo que ele ria, riu também. "O senhor esta é brincando, né?"

"Não sei. Ela não gosta de abacate? Quem me dirá que ela não goste também de tomate?..."

"Não, de tomate ela não gosta, não, o senhor pode ficar tranquilo...", o homem disse, rindo contente.

"O senhor me garante?"

"Garanto; o senhor pode ficar tranquilo."

"Bom", disse meu pai, "nesse caso, então, o senhor pode vir."

"Sim, senhor", disse o homem. "Quando?"

"Amanhã mesmo, se o senhor puder."

"Eu posso; amanhã o senhor pode me esperar, que eu venho."

“Combinado”, disse meu pai.

Ficaram um momento em silêncio, o homem olhando com ternura para a cachorra, e meu pai olhando para os dois.

O homem então se levantou:

“Vamos, Bebé?”

Olhou para meu pai:

“O senhor pode ficar tranquilo; o senhor não vai se arrepender.”

“Assim espero”, disse meu pai.

O homem despediu-se dele, depois despediu-se de mim, chamando-me de “mocinho”. E então foi andando para a estrada, a cachorra a seu lado. Pareciam ter um gingado alegre no andar. Eu disse isso para meu pai.

“É”, ele concordou, “eles estão alegres, todos dois.”

“Estão...”

“Você acha que ele me fez de bobo?”, meu pai me perguntou.

“Não”, eu disse.

“Eu também acho que não”, disse meu pai; “tenho certeza.”

“Eu também tenho certeza”, eu disse.

“Sua mãe é que não vai gostar.”

“Ih... Ela vai ficar uma fúria com o senhor...”

“Se vai...”, disse meu pai, rindo. “Eu não quero nem saber...”

Ele me pôs a mão no ombro:

“Vamos lá, consertar o moinho?”

“Vamos”, eu disse.

Comentários sobre Luiz Vilela

"Um dos grandes contistas brasileiros de todos os tempos."

Wilson Martins, *O Estado de S. Paulo.*

"A sua força está no diálogo, e também na absoluta pureza de sua linguagem."

Antonio Candido, *Jornal da Tarde.*

"Um dos poucos ficcionistas brasileiros que têm recebido o aplauso unânime da crítica desde a sua estreia. Ele renovou o conto brasileiro, deu-lhe um novo vigor e tem conseguido influenciar inúmeros escritores mais velhos."

Assis Brasil, *Dicionário Prático de Literatura Brasileira.*

"Vilela ganhou um espaço cativo na história da literatura brasileira ainda na década de 60, com alguns notáveis volumes de contos."

Sônia Coutinho, *O Globo.*

"Não resta dúvida de que é a maior revelação do conto no Brasil, depois de Dalton Trevisan e Rubem Fonseca, que o antecederam. Tem uma força impressionante, absoluto domínio do diálogo e uma capacidade rara de captar o cotidiano."

Fausto Cunha, *Jornal do Brasil.*

"Seus contos trazem profunda significação filosófica, apanham o homem mutilado pela sua incapacidade de comunicação. Os seres não transmitem a sua essência e sofrem, arruínam-se. A palavra torna-se um veículo imperfeito e enganador."

Fábio Lucas, *O Caráter Social da Literatura Brasileira.*

"O conto, de Machado de Assis a Luiz Vilela, sempre foi um dos componentes mais fortes da literatura brasileira."
Robert DiAntonio, *Romance Quarterly*, EUA.

"Seus contos têm marca própria, são muito humanos e construídos com um grande poder de apreensão da vida."
Jorge Medauar, *O Dia*.

"Vilela consegue fazer coisa rara na literatura brasileira atual: escrever boas histórias eróticas."
Geraldo Galvão Ferraz, *Playboy*.

"Embora a matéria-prima de sua ficção seja o cotidiano brasileiro, a sua temática é universal, pois ele fala de problemas que afetam o ser humano em qualquer parte do mundo."
Ute Hermanns, *Beihefte Lusorama*, Alemanha.

"Ele escreve aquilo que gostaríamos de escrever."
Macedo Miranda, *Jornal do Brasil*.

"Sua arte nada tem de óbvio, surpreendendo pelas soluções encontradas, pela linguagem sintética, capaz de desenhar em curto espaço o contorno geral da história, sem menosprezar a sutileza, certos detalhes mínimos mas importantes. Conhece muito bem a força e os limites do conto, velhos e novos modelos, para poder determinar o essencial e não se perder em veleidades de principiante."
Carlos Jorge Appel, *Correio do Povo*.

"Li os contos do homem. É bom sim."
Stanislaw Ponte Preta, *Última Hora*.

"Sua ficção trata principalmente do homem contemporâneo e de sua crise existencial."
Malcolm Silverman, *World Literature Today*, EUA.

"Vilela é bom, fora de série, quando põe gente conversando, amando e sofrendo, interrogando o seu destino ou libertando o seu instinto."

Hélio Pólvora, *A Força da Ficção*.

"E o curioso é que, embora pouco ou nada tenha mudado, de livro para livro não se repete e reafirma o grande escritor que é. Por dois motivos inegáveis e lógicos: sua simplicidade narrativa é personalíssima, e seu talento de ficcionista é notável."

Caio Porfírio Carneiro, *O Estado de S. Paulo*.

"Vilela, com sua prosa límpida e fluente, é mesmo um excelente contador de histórias. Será necessário mais do que isso?"

Mário Pereira, *Diário Catarinense*.

"Uma escrita linear, modelo de simplicidade e força, sem uma só palavra a mais, um estilo que não usa nenhum enfeite de linguagem, e no entanto é um estilo tão belo, com seu límpido vocabulário de todos os dias, capaz de transmitir o mais profundo e o mais superficial da vida, quando não é o profundo através do superficial."

Estela dos Santos, *Brasil/Cultura*, Argentina.

"Tudo emana daquilo que os personagens dizem ou calam."

Carlos Graieb, *Veja*.

"Seus contos sabem descer aos mistérios maiores da condição humana, sem abdicar da autenticidade imediata dos ingredientes de sua terra."

Mauro Gama, *Ele e Ela*.

"Através de um estilo conciso e direto, Luiz Vilela trata com naturalidade de coisas muitas vezes consideradas chocantes. As motivações de seus personagens nunca são reveladas, mesmo quando ele usa o monólogo interior, o que é raro. Luiz Vilela apenas constata, mas o faz de tal modo, que a sua constatação diz muito mais do que diria qualquer eloquente análise."

Pavla Lidmilová, *Svetova Literatura*, Tchecoslováquia.

"Um mestre do conto mundial."

Roberto Drummond, *Hoje em Dia*.

"Escrevendo muito, brilhante nos diálogos, ele já tratou de praticamente todas as situações que todos nós vivemos a cada dia."

César Prado Lima, *Nova*.

"Vilela é presença tão obrigatória em antologias — escolares ou não —, que seria difícil encontrar um brasileiro letrado que não tenha esbarrado pelo menos uma vez com suas histórias."

Sérgio Rodrigues, prefácio a *Três Histórias Fantásticas*, de Luiz Vilela.

"As histórias de Vilela giram principalmente em torno das tragicômicas relações humanas entre pessoas da classe média. Seu talento para o diálogo e um raro poder de dar aos fatos a sensação de absoluta proximidade permitem-lhe explorar ao máximo os acontecimentos do cotidiano, na aparência insignificantes e que são vistos por ele com uma leve ironia."

John Parker, *Portuguese Studies*, Inglaterra.

"Esta é uma das características de Luiz Vilela: fazer literatura sem vanguardismos estéreis e gratuitos."

Sérgio de Castro Pinto, *Correio das Artes*.

"Surgiu ainda nos anos 60, imperou na década seguinte, tempo da supremacia do conto no Brasil e dos contistas mineiros. Luiz Vilela, premiado em 1967, aos 24 anos, apareceu como escritor de pulso, estilo domado, capacidade de pintar sinteticamente uma temática pessoal."

Cremilda Medina, *O Estado de S. Paulo.*

"Seu trunfo maior é um ouvido apuradíssimo para o diálogo."

Fábio de Souza Andrade, *Folha de S.Paulo.*

"Vilela escreve sobre pessoas comuns, com uma combinação de ironia e simpatia. O mundo moderno, de que ele fala, é sem dúvida um mundo de solidão e perda, mas esse mundo é, ao menos em parte, redimido pela cuidadosa atenção e pelo contido amor do artista que o retrata."

Alexis Levitin, *Latin American Literature Today*, EUA.

"Esse mineiro é mesmo excelente e é, sem dúvida, um de nossos melhores e mais completos contistas."

Paulo Medeiros e Albuquerque, *Jornal de Letras.*

"De vez em quando surge um cara desses."

Flávio Rangel, *Pasquim.*

"Vilela não é intelectualizado, nem retorcido, escreve em linguagem direta, simples, sem psicologismos fáceis, e com uma enorme capacidade de transmitir essa coisa essencial (e tão difícil de fazer) que é: gente vivendo."

Clara Maduro, *O Cruzeiro.*

"Luiz Vilela é contista mineiro, fiel ao estilo literário de Minas, que faz do conto uma espécie de poesia em prosa."

Adinoel Motta Maia, *Jornal da Bahia.*

"Na linha de Dalton Trevisan, mas interessado numa exploração da realidade mais extensa que a do autor de 'O Vampiro de Curitiba', Luiz Vilela conhece todos os grandes segredos da arte difícil de contar um conto, arte que, aliás, praticava já, com brilho, na revista de que foi um dos fundadores, 'Estória'."

Arnaldo Saraiva, *Jornal do Fundão*, Portugal.

"Inovador do conto, tanto no estilo como na técnica e na temática."

Celuta Moreira Gomes, *O Conto Brasileiro e sua Crítica*.

"Como que por encanto — este o grande talento de Luiz Vilela —, ficamos tão próximos dos personagens, que falamos suas angústias, nos identificamos com eles."

Carlos Emílio Correia Lima, *Visão*.

"Herdeiro direto de Fernando Sabino, Rubem Braga e Graciliano Ramos — que Vilela assume como seus autores de formação —, o escritor mineiro alia a simplicidade de vocabulário e sintaxe ao mergulho profundo nos subterrâneos da alma, dali retirando o barro com que molda suas histórias."

Flávio Carneiro, *No País do Presente: Ficção Brasileira no Início do Século XXI*.

"Certos temas que pela sua informalidade, pela sua vulgaridade mesmo, seriam incolores e desinteressantes, na arte de Luiz Vilela se tornam atraentes pelo que neles vamos descobrir de profundamente humano, de pungente, de dramático."

Oscar Mendes, *Estado de Minas*.

"Admirável criador de textos instantâneos e vertiginosos."

Manuel Capetillo, *Uno Más Uno*, México.

"A principal contribuição de Vilela ao conto consiste no seu extraordinário domínio do diálogo. Na verdade, é difícil lembrar de algum outro escritor brasileiro contemporâneo que tenha usado de maneira tão eficaz essa técnica na caracterização dos personagens. Com ela, e dentro de um modelo narrativo despido de qualquer artifício, ele tem captado uma variedade de momentos e acontecimentos dramáticos que ocorrem, ou podem ocorrer, em qualquer circunstância, na vida de crianças e na de adultos de qualquer idade."

R. Anthony Castagnaro, *Vinte Contos Brasileiros*, EUA.

"Seus contos poderiam situar-se em qualquer lugar — em Minas, em qualquer metrópole, ou num *boulevard* parisiense. Constrói de maneira fácil os momentos mais difíceis, cômicos ou dramáticos, de qualquer ser humano. Mas essa simplicidade é só aparente. O conto, para ele, não é a construção da trama para um desfecho enigmático, mas a construção em si mesma, como em Rubem Fonseca e Dalton Trevisan, seus colegas de *santíssima trindade*."

Manoel Nascimento, *IstoÉ*.

"Luiz Vilela atinge o auge de universalidade na expressão de inquietações existenciais, na minha opinião, quando trata dos temas da morte, da velhice e da loucura."

Robert Herron, *Suplemento Literário de Minas Gerais*.

"O talento imenso deste mineiro calado, com um jeito muito discreto de ser afetuoso, de observar o detalhe, a sutileza das coisas, que fazem dele aquele autor que prende a gente e consegue agradar desde os mais chatos teóricos da literatura até o leitor mais inocente, aquele que compra o livro pra fugir um pouco da vida."

Luzilá Gonçalves Ferreira, *Diário de Pernambuco*.

"Luiz Vilela pratica a arte da insinuação, da obliquidade, do implícito, e não só em relação ao leitor, mas ainda entre os protagonistas."
Massaud Moisés, *História da Literatura Brasileira*.

"É um verdadeiro monstro do conto psicológico."
Antonio Arcela, *O Furo*.

"Ler Vilela? Indispensável."
Leo Gilson Ribeiro, *Jornal da Tarde*.

"Vilela não inventa um mundo diferente para inserir seus personagens; pelo contrário, apanha-os por aí, na rua, nos bares, nas casas, nos velórios. São pessoas vivas, que pensam, falam, andam como a gente. São seres reais, à espera do convívio com seus semelhantes: nós, os leitores."
Edla van Steen, *Mais*.

"O mais conhecido do grupo de escritores ['Brazilian Stories: 1956-1977'] é Luiz Vilela, cujo sutil retrato da vida interior de pessoas comuns o tornou famoso. Ele tem demonstrado, em sua obra, especial atenção às crianças, e é hoje talvez o melhor autor de diálogos do Brasil."
Jon M. Tolman, *The Literary Review*, EUA.

"O tema constante das histórias de Luiz Vilela é o da comunicação entre os homens. Cada uma das suas personagens está fechada em si mesma, sem possibilidades de abertura para as outras, o que lhes provoca uma sensação de absurdo das coisas e um fundo sentimento de angústia."
Maria Lúcia Lepecki, *A Capital*, Portugal.

"Todos são unânimes, em todo o caso, quanto à profundidade filosófica dos contos de Vilela."
Antonio Hohlfeldt, *O Conto Brasileiro Contemporâneo*.

"Ele conseguiu captar o mundo ao seu redor, daí o seu sucesso de público e de crítica."

Arsenio Cicero Sancristóbal, *Cultura y Revolución*, Cuba.

"Habitante de um território único em nossa ficção, o mineiro Luiz Vilela é dono de um estilo cristalino como a água de um rio de montanha."

Miguel Sanches Neto, *Rascunho*.

"Não se pode ver em Luiz Vilela um autor pessimista, angustiado, seco, na linha de um Dalton Trevisan, de um Rubem Fonseca. Ao contrário, de suas histórias ressuma uma garoa afetiva pelas coisas, brota muito amor pelos homens, se extrai um toque poético e lírico, que singulariza artisticamente sua expressão."

Hildeberto Barbosa Filho, *O Momento*.

"Trata-se de uma técnica [o diálogo] dificilmente sustentável em textos longos. Talvez por isso mesmo seja nos contos que ela funciona melhor. E, neles, Hemingway continua sendo o grande exemplo, assim como no Brasil o nosso contemporâneo Luiz Vilela, em livros como 'Tremor de Terra', onde há contos inteirinhos em diálogo."

Ligia Chiappini Moraes Leite, *O Foco Narrativo*.

"Um escritor que centrou fogo no registro da vida como ela é, bem longe das frases rebuscadas e vazias de música e sangue."

André Seffrin, *Entrelivros*.

"Vilela como que se propõe abrir olhos novos a cada manhã que desponta."

Temístocles Linhares, *O Estado de S. Paulo*.

“Um contista da vida urbana que, a exemplo de alguns mestres modernos norte-americanos, dos quais procede, pesquisa a exceção dentro da rotina, o lirismo sob o cotidiano, a beleza por trás da tela suja, e o faz de um modo preciso, veloz e objetivo.”

Ángel Rama, *Ángel Rama*.

“Luiz Vilela é um escritor sem medo de dizer. Que tem mensagem própria e a transmite, admiravelmente, em linguagem límpida, objetiva, simples. É um mestre do diálogo, que manipula sempre de forma eficaz e reveladora.”

Edilberto Coutinho, *O Globo*.

“Dentre suas características, inúmeras vezes reiteradas pela crítica, a capacidade de construir diálogos — dando-lhes vivacidade e pertinência —, a condução coesa da narrativa, a limpidez e fluência das frases, a tematização do cotidiano — em que os relacionamentos são barrados pela impossibilidade de comunicação ou vivência —, apontam um escritor que já conquistou seu espaço no campo literário. Com narrativas curtas, seguidamente apelando para o minimalismo, Vilela oferece a face de uma sociedade sem máscaras; preconceitos, dores, solidão, drama, crenças desesperadas, frustrações e desencantos expõem situações triviais que permeiam o dia a dia.”

Maria Beatriz Zanchet, *Saber e Sabor: o Lugar do Conto*.

“Seria exagero dizer que Vilela é um Tchekhov que se isolou em Ituiutaba e que, mesmo isolado, continua fazendo sua carreira em evolução?”

Ignácio de Loyola Brandão, *Leia Livros*.

“O maior fabricante de diálogos da literatura brasileira.”

Paulo Paniago, *Correio Braziliense*.

"Seu estilo, em geral fino e depurado, às vezes seco, traz sua marca, de forte simplicidade — essa simplicidade tão difícil aos contistas —, e diz com segurança o que pretende dizer, sem mais nem menos."

Jaime Prado Gouvêa, *Suplemento Literário de Minas Gerais*.

"Luiz Vilela não é apenas um contista do estado de Minas Gerais: é um dos melhores ficcionistas de história curta do país. Há muito tempo muita gente sabe disso."

Flávio Moreira da Costa, *IstoÉ*.

"Um contador de histórias de peso e medida, cabra de tutano nos ossos e sangue no olho, de pena de ouro."

Magalhães da Costa, *Jornal da Manhã*.

"Vilela, como antes dele Marques Rebelo, despreza enredos intrincados e inverossímeis, eliminando do texto tudo aquilo que não funciona: chavões, enfeites retóricos, descrições tediosas."

José Carlos Zamboni, *A Tribuna*.

"Se você não leu Luiz Vilela, não sabe o que está perdendo."

Duílio Gomes, *Estado de Minas*.

"Sua ficção mais recente fala de alguns aspectos sombrios, como a repressão, a agressividade, o suicídio, em narrativas sobre os desejos e os dilemas do homem, e, muitas vezes, da criança."

Irwin Stern, *Dictionary of Brazilian Literature*, EUA.

"Pode-se dizer que o leitor quase que ouve seus protagonistas em ação no palco do livro."

Heitor Ferraz, *Bravo!*

"Luiz Vilela, esse mineiro arredio, que vive em seu sítio de Ituiutaba, a criar vacas leiteiras e a escrever, surpreende a cada nova obra publicada."

Lauro Junkes, *A Gazeta*.

"Luiz Vilela é, desde a sua estreia, um dos nossos narradores mais eficientes. E, por isso mesmo, um dos nossos maiores escritores."

Raimundo Carrero, *Diário de Pernambuco*.

"O texto enxuto de Luiz Vilela lembra um pouco o de Graciliano. E salta aos olhos o cuidado com a construção e a elegância da frase."

Denise Santana, *Visão*.

"Luiz Vilela tem uma trajetória invejável na área da ficção."

Delso Renault, *Jornal de Letras*.

"Ao se elogiar a obra de Luiz Vilela, antes de mais nada é absolutamente necessário reafirmar sem descanso, com uma insistência que não tema ser excessiva, o grande, o maravilhoso mérito da sua simplicidade."

César Tozzi, *O Globo*.

"Um mestre na arte de construir diálogos impecáveis e personagens comoventes, ternamente trágicos na sua humanidade."

Luiz Fernando Emediato, *Veja*.

"Calado, silencioso, confirmando a fama de que 'mineiro não fala', Vilela conseguiu, na sua escrita, um tom suave e convincente, expressivo e nítido."

Eduardo Langagne, *Material de Lectura*, México.

"Vilela ocupa um indubitável lugar de destaque na literatura brasileira."

Regina Zilberman, *O Estado de S. Paulo*.

"O único escritor vivo importante de Minas é Luiz Vilela, o ermitão de Ituiutaba, um dos maiores contistas brasileiros."

Charles Magno Medeiros, *IstoÉ*.

"Luiz Vilela honra e respeita seus leitores. Merece-os aos cântaros."

Erorci Santana, *O Escritor*.

"As narrativas, aparentemente despretensiosas, são sofisticadas armadilhas, armadas pela ironia ou pelo humor, que prendem o leitor e o levam a refletir sobre a vida e sobre o que fazemos dela."

Francisco de Morais Mendes, *O Tempo*.

"Seus contos são escritos em diálogos secos, substantivos, que quase chegamos a ouvir em voz alta, tal a vivacidade e a nitidez das frases. Vilela é um mestre na arte do diálogo."

José Castello, *O Globo*.

"Um dos maiores prosadores do país, o mineiro Luiz Vilela coleciona títulos e prêmios."

Zaqueu Fogaça, *Pedaço da Vila*.

"É notável a maneira como passa da aparência para uma verdade, que germina daí como sombra: a essência, a significância."

Francisca Villas Boas, *Vozes*.

"É um mestre da estória curta."

Érico de Freitas Machado, *Semanário*.

"As personagens dos contos do escritor de Ituiutaba são seres acuados pela perversidade da existência, criaturas egressas do desespero, da solidão e da perplexidade de viver."
Luiz Carlos Junqueira Maciel, *Suplemento Literário de Minas Gerais*.

"Mestre do diálogo, Vilela se destaca pelo conto psicológico, situado principalmente num cenário urbano. Sua ficção inclui também retratos naturalistas, críticas sociais implícitas, e às vezes um poema em prosa."
William Myron Davis, *Dictionary of Contemporary Brazilian Authors*, EUA.

"Vilela é o exemplo incomparável de uma carreira literária marcada pela fidelidade a um estilo sóbrio, que se transformou em sua marca registrada."
Ronaldo Cagiano, *Hoje em Dia*.

"Sua visão da vida é pessimista, mas o dele é um pessimismo temperado pela indulgência diante do ser humano, um olhar de compaixão, rápido, encabulado, ligeiramente oblíquo, mas capaz daquela ternura que é, a meu ver, a própria salvação da arte. Vilela crê no humano."
Antonio Carlos Villaça, *Jornal do Brasil*.

"Vilela arrasta o leitor, que, mesmo que não queira ou tenha outra coisa a fazer, não tem como resistir. Esse mineiro comove sempre."
Márcia de Almeida, *Leia Livros*.

"Na busca da fluência de uma escrita enxuta, Vilela cria uma musicalidade que envolve o leitor aos poucos, à medida que seus personagens costuram conversas reveladoras."
Ivan Cláudio, *IstoÉ*.

"Com pleno domínio da técnica narrativa, [Vilela] constrói relatos que primam pelo dinamismo e síntese de elementos estruturais, numa concepção inovadora do conto, construindo um mosaico extremamente diversificado das possibilidades que o gênero possa oferecer. Suas personagens, geralmente inseridas no cenário urbano, surgem esmagadas pela civilização, condenadas a viver num mundo absurdo, em que as relações humanas são marcadas pela falsidade e jogo de aparências."

Edgar Pereira, *Mosaico Insólito*.

"Um ficcionista com uma força fora do comum para transfigurar o cotidiano."

Hermilo Borba Filho, *Diário de Pernambuco*.

"Seres humanos, relacionamentos, idas e vindas, encontros e desencontros, aparecem vivos nas páginas das narrativas de Luiz Vilela, um de nossos maiores prosadores."

Jaime Cimenti, *Jornal do Commercio*.

"Vilela, assim, mostra-se um contista absolutamente contemporâneo, revelador de recalques, temores e truculências que assustam e paralisam o nosso tempo, um tempo que parece não ter passado e que não se permite nenhum futuro."

Haroldo Ceravolo Sereza, *O Estado de S. Paulo*.

"Aí conta-se a história deste genial escritor de Ituiutaba, MG."

Afonso Borges, *O Globo*.

"O amor flui, a morte ronda, o sonho finda. Tem um sentido profundo das coisas que se vão. E nada se pode fazer para impedir."

Carlos Nejar, *História da Literatura Brasileira: da Carta de Caminha aos Contemporâneos*.

"Ele não sente falta de nada, além de uma conversa, mesmo a mais banal, para apresentar sua visão de mundo."
João Paulo Cunha, *Estado de Minas*.

"Em suma: ele chega àquele ponto em que o artista, testemunha do seu tempo, retrata também, de forma exemplar, o homem eterno, igual em todas as latitudes e épocas."
Ubiratan Machado, *Jornal do Brasil*.

"O mineiro Luiz Vilela é uma das raras unanimidades na literatura brasileira: agrada tanto aos eruditos, como ao grande público, aquele que muitas vezes busca na literatura um entretenimento, algo que o faça esquecer por algum tempo a monotonia do cotidiano."
Elias Fajardo, *O Globo*.

"Dalton [Trevisan]: Eu não me julgo um grande contista.
Status: Quem é, então?
Dalton: Bom, o Machado de Assis. Dos novos tem muitos: Rubem Fonseca, Luiz Vilela, Clarice Lispector. Pelo menos são três excelentes."
Marcos Barrero, *Status*.

"Basta dizer que é do Luiz Vilela, de quem a gente deve ler tudo que puder."
Nelson Vasconcelos, *Leitura de Bordo*.

Luiz Vilela nasceu em Ituiutaba, Minas Gerais, em 31 de dezembro de 1942. Começou a escrever aos 13 anos. Aos 14 publicou pela primeira vez um conto, num dos jornais da cidade, o *Correio do Pontal*. Aos 21 criou, com outros jovens escritores mineiros, em Belo Horizonte, a revista de contos *Estória* e o jornal literário de vanguarda *Texto*.

Em 1967, aos 24 anos, depois de recusado por vários editores, publicou à própria custa, em edição graficamente modesta e de apenas mil exemplares, seu primeiro livro, de contos, *Tremor de Terra*, e com ele ganhou, a seguir, em Brasília, o Prêmio Nacional de Ficção, derrotando 250 escritores, entre os quais vários já consagrados, e tornando-se conhecido em todo o Brasil.

Vilela ganhou também, em 1973, com *O Fim de Tudo*, o Prêmio Jabuti de melhor livro de contos do ano, e em 2012, com o romance *Perdição*, o Prêmio Literário Nacional PEN Clube do Brasil 2012. Em 2014 seu livro de contos *Você Verá* recebeu o Prêmio ABL de Ficção, concedido pela Academia Brasileira de Letras ao melhor livro de ficção publicado no Brasil em 2013, e o 2º lugar no Prêmio Jabuti.

Luiz Vilela é formado em Filosofia, pela Universidade Federal de Minas Gerais. Foi redator e repórter do *Jornal da Tarde*, de São Paulo. Viveu algum tempo nos Estados Unidos, em Iowa City, Iowa, como convidado do International Writing Program, e depois na Espanha, em Barcelona. De volta ao Brasil, comprou um sítio, onde passou a criar vacas leiteiras. Atualmente reside em sua cidade natal, dedicando todo o seu tempo à literatura. Num depoimento sobre sua vida e sua obra, disse ele: "Minha vida é escrever; escrever é minha vida."

Estudado em colégios e universidades do país, adaptado para o teatro, o cinema e a televisão, e traduzido para várias línguas, Luiz Vilela publicou até agora 16 livros, todos de ficção: os romances *Os Novos*, *O Inferno É Aqui Mesmo*, *Entre Amigos*, *Graça* e *Perdição*, as novelas *O Choro no Travesseiro*, *Te Amo Sobre Todas as Coisas*, *Bóris e Dóris* e *O Filho de Machado de Assis*, e as coletâneas de contos *Tremor de Terra*, *No Bar*, *Tarde da Noite*, *O Fim de Tudo*, *Lindas Pernas*, *A Cabeça* e *Você Verá*. Além deles, publicou também mais de uma dúzia de antologias de seus contos, como *Contos Escolhidos*, *Contos Eróticos*, e outros.

Este livro foi composto em EB Garamond,
e impresso em papel Polén soft 80g/m^2,
em agosto de 2021.

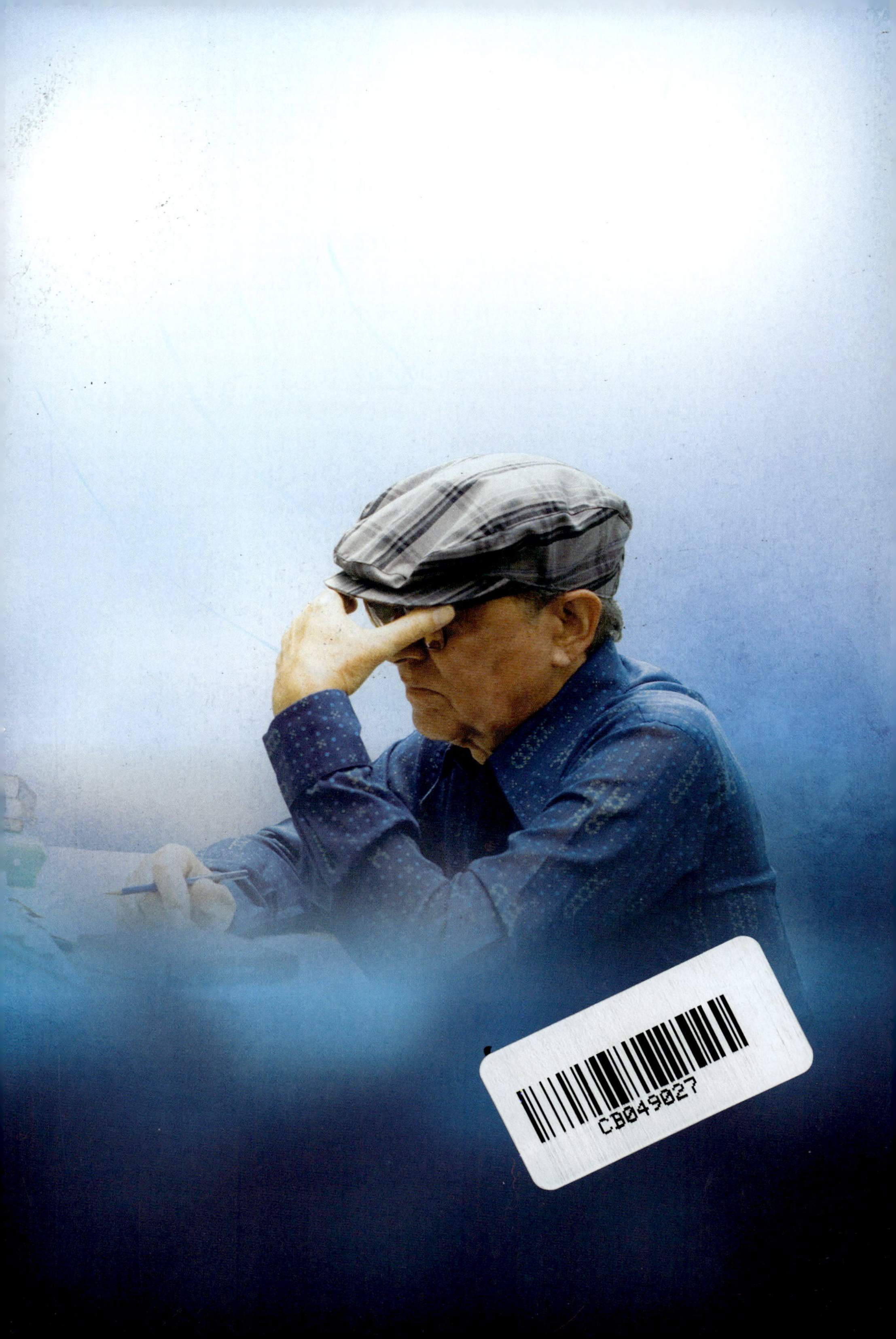

organização

SAULO GOMES

bastidores do filme

ANA KARLA DUBIELA
JÚLIO SONSOL

colaboradores

ABEL SIDNEY
CARLOS BACCELLI
CLEUNICE ORLANDI DE LIMA
DIVALDO FRANCO
RAUL TEIXEIRA
THEREZINHA OLIVEIRA
VILSON DISPOSTI

mensagens

CHICO XAVIER & EMMANUEL
CLAYTON LEVY & SCHEILLA
PLÍNIO OLIVEIRA
RICHARD SIMONETTI

entrevistados

CELSO AFONSO
EURÍPEDES HUMBERTO DOS REIS
NENA GALVES

fotos

ABRAHÃO OTOCH
SORAYA RAMALHO

InterVidas

AS MÃES DE Chico Xavier

Lições de vida sobre a morte, o aborto, as drogas e o suicídio.

dois mil e onze

CATANDUVA, SP

sumário

ROLL
A-119
SEQ
46
FPS
24
Dcode® TS-3
PROD
As Mães de Chic
DIR
GLAUBER - HA

3ONDF
CENA
1
TAKE
1
CAM
A
XAVIER
LIDER

PRÓLOGO

cena

ANTE OS QUE PARTIRAM

CHICO XAVIER e EMMANUEL

Nenhum sofrimento, na Terra, será talvez comparável ao daquele coração que se debruça sobre outro coração regelado e querido que o ataúde transporta para o grande silêncio.

Ver a névoa da morte estampar-se, inexorável, na fisionomia dos que mais amamos, e cerrar-lhes os olhos no adeus indescritível, é como despedaçar a própria alma e prosseguir vivendo.

Digam aqueles que já estreitaram de encontro ao peito um filhinho transfigurado em anjo da agonia; um esposo que se

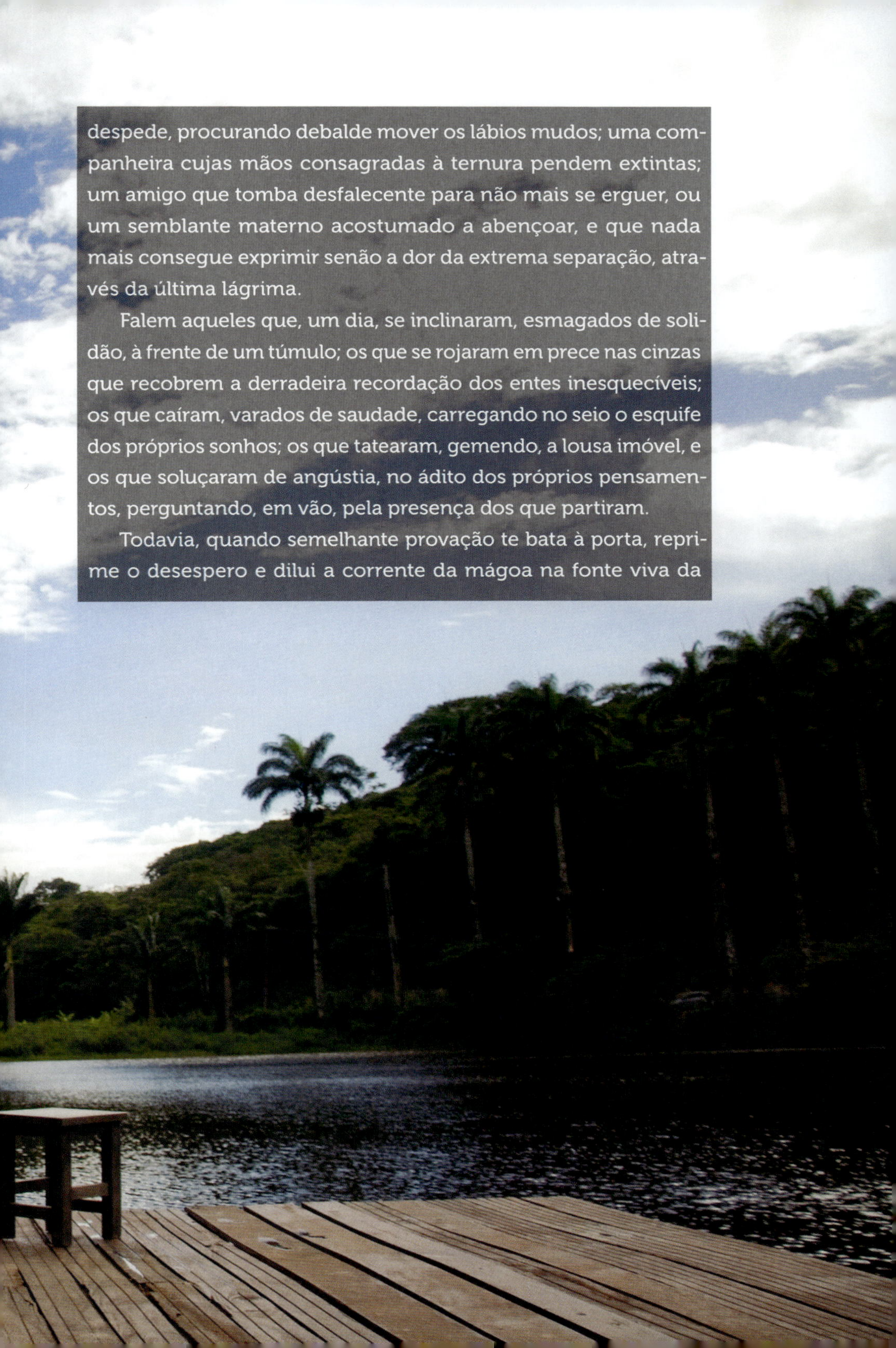

despede, procurando debalde mover os lábios mudos; uma companheira cujas mãos consagradas à ternura pendem extintas; um amigo que tomba desfalecente para não mais se erguer, ou um semblante materno acostumado a abençoar, e que nada mais consegue exprimir senão a dor da extrema separação, através da última lágrima.

Falem aqueles que, um dia, se inclinaram, esmagados de solidão, à frente de um túmulo; os que se rojaram em prece nas cinzas que recobrem a derradeira recordação dos entes inesquecíveis; os que caíram, varados de saudade, carregando no seio o esquife dos próprios sonhos; os que tatearam, gemendo, a lousa imóvel, e os que soluçaram de angústia, no ádito dos próprios pensamentos, perguntando, em vão, pela presença dos que partiram.

Todavia, quando semelhante provação te bata à porta, reprime o desespero e dilui a corrente da mágoa na fonte viva da

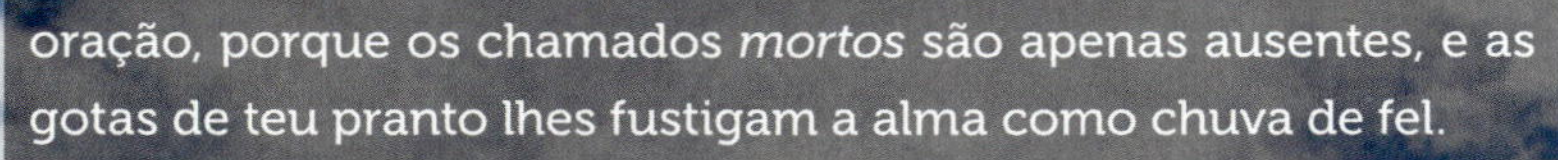

oração, porque os chamados *mortos* são apenas ausentes, e as gotas de teu pranto lhes fustigam a alma como chuva de fel.

Também eles pensam e lutam, sentem e choram.

Atravessam a faixa do sepulcro como quem se desvencilha da noite, mas, na madrugada do novo dia, inquietam-se pelos que ficaram... Ouvem-lhes os gritos e as súplicas, na onda mental que rompe a barreira da grande sombra, e tremem cada vez que os laços afetivos da retaguarda se rendem à inconformação ou se voltam para o suicídio.

Lamentam-se quanto aos erros praticados e trabalham, com afinco, na regeneração que lhes diz respeito.

Estimulam-te à prática do bem, partilhando-te as dores e as alegrias.

Rejubilam-se com as tuas vitórias no mundo interior e consolam-te nas horas amargas para que te não percas no frio do desencanto.

Tranquiliza, desse modo, os companheiros que demandam o além, suportando corajosamente a despedida temporária, e honra-lhes a memória, abraçando com nobreza os deveres que te legaram.

Recorda que, em futuro mais próximo que imaginas, respirarás entre eles, comungando-lhes as necessidades e os problemas, porquanto terminarás também a própria viagem no mar das provas redentoras.

E, vencendo para sempre o terror da morte, não nos será lícito esquecer que Jesus, o nosso divino mestre e herói do túmulo vazio, nasceu em noite escura, viveu entre os infortúnios da Terra e expirou na cruz, em tarde pardacenta, sobre o monte empedrado, mas ressuscitou aos cânticos da manhã, no fulgor de um jardim.

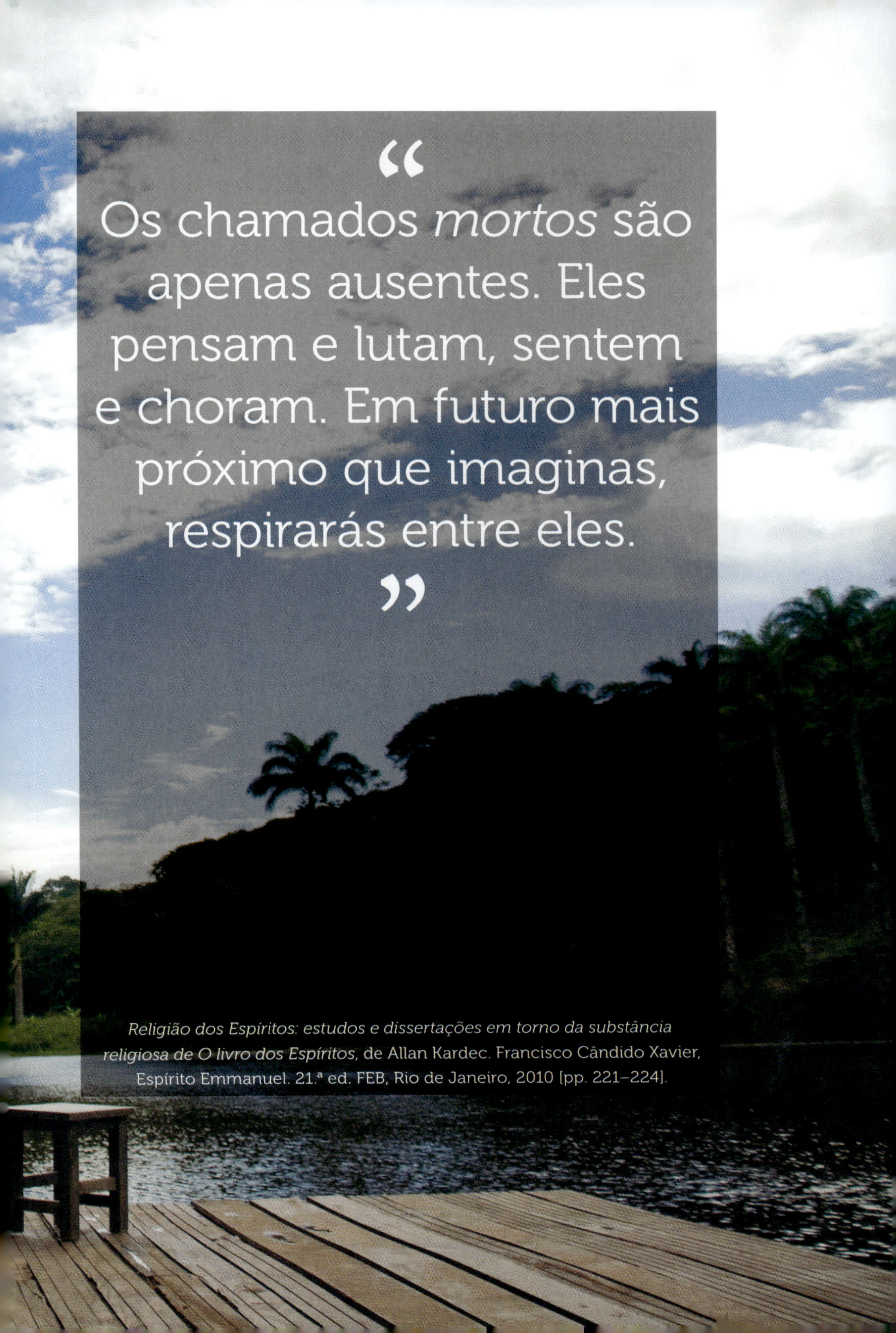

"

Os chamados *mortos* são apenas ausentes. Eles pensam e lutam, sentem e choram. Em futuro mais próximo que imaginas, respirarás entre eles.

"

Religião dos Espíritos: estudos e dissertações em torno da substância religiosa de O livro dos Espíritos, de Allan Kardec. Francisco Cândido Xavier, Espírito Emmanuel. 21.ª ed. FEB, Rio de Janeiro, 2010 [pp. 221–224].

APRESEN-TAÇÃO

1 cena

SAULO GOMES

Somente o puro e profundo amor materno para tornar real
uma das mais belas lições que a vida pode proporcionar:
"Só existe algo mais marcante do que perder um filho:
descobrir que ele continua vivo!"

Ao longo dos meus 55 anos de trabalho, sempre resolvi bem as situações inusitadas e raramente a emoção me tirou o foco do assunto a ser reportado.

Muito dificilmente eu me deixava contagiar pelo assunto jornalístico e nunca a matéria fugiu do meu controle. Quando Chico Xavier me recebeu pela primeira vez, tive que me esforçar para que esse "envolvimento" não acontecesse.

A partir de maio de 1968, data da minha primeira entrevista com Chico, na Comunhão Espírita Cristã (Uberaba, MG), e anos depois no Grupo Espírita da Prece, mais conhecido como Casa da Prece, eu documentei os mais impressionantes momentos da psicografia do extraordinário médium.

No momento em que Chico quebrava o silêncio e iniciava a leitura de mais uma psicografia, aguçava em cada um dos presentes a expectativa de ser o destinatário daquela mensagem.

Em cada reunião, das muitas a que assisti, havia a presença de mães, muitas oriundas de cidades distantes, na esperança de receber uma mensagem do filho.

Quando uma delas recebia a esperada mensagem, a emoção tomava conta de todas, e, muitas vezes, o próprio Chico chorava abraçado à mãe emocionada e agradecida, e sempre recomendava:

"Minha filha, procure os necessitados, dê sua colaboração aos asilos, creches, favelas, presídios e lares muito pobres. Assim, você estará homenageando seu filho através da caridade e do amor ao próximo."

Como sabemos, algumas dessas mensagens psicografadas, que sempre traziam conforto aos corações, tiveram importância na decisão de ações judiciais e na reconciliação de famílias.

Muitas dessas mensagens foram alvo de investigação por espíritas estudiosos do assunto, parapsicólogos, autoridades judiciais e muitos repórteres.

João Batista Machado

acervo pessoal

Existem hoje milhares de obras sociais inspiradas pelo nosso Chico, grande parte delas criadas por pais enlutados, os quais escolheram uma data significativa para uma vez por ano promover uma grande festa: no aniversário do filho, no Natal, no Dia das Crianças, no Dia das Mães, exercitando dessa maneira a caridade e o amor apregoados por Chico.

Centenas de mães receberam de Chico esse conselho e muitas já tiveram sua história contada em livros. Para registrar de maneira inesquecível comoventes experiências de "perda de filhos", o cinema transcendental levou para as telas a história de algumas dessas mães através do filme: *As mães de Chico Xavier.*

Fiquei surpreso e muito honrado com o convite de Luís Eduardo Girão, produtor de *As mães de Chico Xavier*, para organizar o livro sobre o filme que marcou o encerramento das homenagens ao centenário de nascimento de Chico Xavier.

Que felicidade me proporcionou esse convite!

Com o auxílio da competente equipe da editora InterVidas, concluímos este livro, no qual o leitor vai encontrar textos extraordinários de importantes autores focalizando os temas: morte, aborto, suicídio e drogas, propiciando uma análise impactante desses assuntos capitais.

Entrevistamos mães enlutadas, grandes companheiros de Chico Xavier e os atores que viveram, no cinema, com emoção e competência cada uma dessas histórias.

A jornalista e escritora Ana Karla Dubiela apresenta-nos momentos emocionantes e inusitados dos bastidores das filmagens, entrevistas com a equipe do filme e os desafios da sua produção.

Os fotógrafos Abrahão Otoch e Soraya Ramalho encantam-nos com suas imagens repletas de significado e sentimento.

A emoção renovada de cada uma das mães entrevistadas, a análise dos temas aqui abordados por notáveis líderes espíritas, tocantes casos reais, textos consoladores fazem parte desta obra.

A presença de Chico Xavier nos ensinamentos que nos legou, como homem exemplar e como medianeiro incomparável; a competência dos cineastas cearenses capitaneados por Glauber Filho e Halder Gomes oferecem-nos oportunidade para esclarecimento e reflexão sobre a vida além da morte.

Convido-o, amigo leitor, a uma análise extensa sobre esta obra; você vai perceber que também faz parte dela, se não como protagonista, ao menos como seu destacado coadjuvante. Vamos à leitura!

Afinal, somente o puro e profundo amor materno para tornar real uma das mais belas lições que a vida pode proporcionar:

"Só existe algo mais marcante do que perder um filho: descobrir que ele continua vivo!"

Convido-o, amigo leitor, a uma análise extensa sobre esta obra; você vai perceber que também faz parte dela, se não como protagonista, ao menos como seu destacado coadjuvante.

Saulo Gomes

SAULO GOMES

Nasceu no Rio de Janeiro, em 2 de maio de 1928. Mais experiente repórter investigativo do país, participou ativamente de alguns dos principais momentos da rádio e da TV brasileiras. Em mais de 50 anos de atuação profissional, gerou grandes "furos" jornalísticos e desvendou casos de imensa repercussão no Brasil e no exterior, tendo recebido dezenas de prêmios. Por sua coragem em encontrar e divulgar a melhor e mais confiável informação, foi o primeiro jornalista cassado pela revolução de 1964 e enfrentou mais de 100 processos criminais e cíveis. Sua lisura e fidelidade à verdade renderam-lhe a absolvição em todos os processos. Conquistou a confiança e a amizade de Chico Xavier, com quem conviveu por mais de 30 anos, tornando-se "o repórter do Chico". Idealizou e viabilizou a presença de Chico no programa "Pinga-Fogo" da TV *Tupi*, a maior audiência da história de uma produção nacional. Autor de livros e vídeos, organizador do sucesso editorial *Pinga-Fogo com Chico Xavier*.

ANA KARLA DUBIELA

A vida é bem mais do que se possa imaginar. Essa trilha pode ter início quando você assistir ao filme ou ler este livro, quem sabe? A minha busca começa agora, ao dividir com você o meu primeiro contato com Chico Xavier e com *As mães*...

UM FILME QUE QUEBRA PARADIGMAS E CERTAS REGRAS impostas ao mercado cinematográfico brasileiro. *As mães de Chico Xavier* sai do eixo Rio–São Paulo e tem o legítimo sotaque cearense. A data de lançamento, 1.º de abril, véspera do aniversário de Chico Xavier, marcou o último dia, o encerramento do ano em que se comemorou o centenário de nascimento do médium mineiro.

As mães de Chico Xavier foi adiado quatro vezes, para que não disputasse espaço com *Chico Xavier*, dirigido por Daniel Filho, ou com *Nosso Lar*. A bilheteria inesperada de *Bezerra de Menezes* impulsionou, no Brasil, os investimentos em cinema de cunho transcendental – seguindo uma tendência mundial de se fazer literatura, teatro e cinema sobre um assunto que, cada vez mais, interessa às pessoas de diversas religiões e profissões de fé.

As histórias do filme dirigido por Glauber Filho e Halder Gomes, com roteiro de Emmanuel Nogueira, não traz Chico Xavier, sua biografia ou a doutrina espírita como tema central, mas prioriza as histórias de três mães que buscam consolo nas cartas psicografadas por ele. Está no limiar entre ficção e realidade. São histórias tão próximas do nosso cotidiano, de nossas vivências contemporâneas, que bem poderiam ter acontecido com um vizinho nosso, um parente, um conhecido ou com nós mesmos.

Inquestionavelmente, há história nessas histórias. Inspiradas inicialmente pelo livro *Por trás do véu de Ísis*, de Marcel Souto Maior, jornalista, escritor e biógrafo de Chico Xavier, e em tantos outros títulos, que reúnem as cartas psicografadas por Chico Xavier, a principal fonte de pesquisa do roteirista foi, entretanto, o depoimento de mães que realmente sofreram a perda de um filho e procuraram ajuda no Grupo Espírita da Prece, fundado em 1975 por Chico. No filme, as mães Célia, Graciela e Neusa falam como se estivessem dando uma

Jarbas Oliveira

entrevista ao jornalista Karl (Caio Blat), mas estão ali revivendo suas dores e dizendo como foi possível renascer. É a história por trás da história. São exemplos reais de um dos maiores legados de Chico Xavier neste mundo: a psicografia, o amor de pai que ele dedicou às milhares de mulheres que buscavam um consolo, um sentido para seguir em frente.

Karl recebeu de Mário (Herson Capri) a tarefa de descobrir, em sua reportagem, se as cartas psicografadas são autênticas ou se tudo não passa de um grande e bem planejado engodo. Assim como fez, anteriormente, o repórter Marcel Souto. Por trás da tela, o espectador se faz a mesma pergunta. E questiona-se também sobre a violência urbana, as relações familiares, o aborto, o suicídio, o uso de drogas, o perdão, a espiritualidade, a fé.

Certamente, qualquer que seja sua crença, não encontrará respostas prontas. Mas poderá seguir alguns indícios de que a vida é bem mais do que possa imaginar. Essa trilha pode ter início quando assistir ao filme ou ler este livro, quem sabe? A minha busca começa agora, ao dividir com você o meu primeiro contato com Chico Xavier e com *As mães*...

Histórias tão próximas do nosso cotidiano que bem poderiam ter acontecido com um vizinho nosso, um parente, um conhecido ou com nós mesmos. Inquestionavelmente, há história nessas histórias.

Ana Karla Dubiela

ANA KARLA CORREIA TEIXEIRA DUBIELA

Nasceu em Iguatu, CE, em 22 de abril de 1964. Doutoranda em literatura comparada na Universidade Federal Fluminense (RJ). Possui graduação em comunicação social, especialização em estudos literários e culturais e mestrado em literatura brasileira, todos pela Universidade Federal do Ceará (UFC). É autora dos livros *A traição das elegantes pelos pobres homens ricos – uma leitura da crítica social em Rubem Braga* e *Um coração postiço – a formação da crônica de Rubem Braga*. Organizou, editou e revisou o livro *Segurança alimentar e nutricional: teoria e prática – a experiência da Vida Brasil.*

LUÍS EDUARDO GIRÃO

Nós chegamos a um momento de muitos questionamentos, de muitas dúvidas. A arte transcendental nos inspira a buscar uma nova trajetória de vida. A ter esperança, a acreditar no amor.

O PROJETO DE REALIZAÇÃO DO FILME *AS MÃES DE CHICO XAVIER* começou muitos anos antes da série de filmes transcendentais que impulsiona o mercado nacional de cinema. Em 2001 tive síndrome do pânico causado por um vazio existencial. Dedicado quase exclusivamente ao trabalho, com foco na acumulação de bens materiais, identifiquei uma inversão de valores: a família ficava em terceiro lugar e os amigos, em quarto. Não havia nenhuma preocupação com a espiritualidade, nem religioso me considerava, apesar de ter sido batizado e feito primeira comunhão.

Estava nos Estados Unidos e lá entrei em contato com o livro *Many times, many masters* (*Muitas vidas, muitos mestres*), do psiquiatra Brian Weiss, que desenvolveu a linha de terapia de vidas passadas. Nele percebi um bom senso na transcendência, uma lógica e coerência na reencarnação.

Ao retornar ao Brasil, assisti à peça *O cândido Chico Xavier*, em São Paulo. Era um musical, economicamente despojado, que me tocou profundamente. Foi o meu primeiro contato com o médium mineiro, que me levou a ler e pesquisar sobre o espiritismo e esse grande humanista brasileiro.

Chorei feito uma criança durante o espetáculo e senti o poder transformador da arte transcendental. Refleti muito e revi, dali em diante, meus valores e atitudes nesta abençoada escola chamada Terra.

Ainda impressionado com a peça do paraense Flávio Serra, já falecido, levei-a para Fortaleza, minha cidade natal. Mesmo, na época, sem nenhum conhecimento da indústria do entretenimento, a iniciativa foi um sucesso: em apenas um final de semana, 4 200 pessoas assistiram ao espetáculo no tradicional Theatro José de Alencar. Ali, vi as pessoas se emocionarem muito. Novas ideias vieram à minha cabeça.

Alex Regis | Tribuna do Norte

Em seguida, criamos a Mostra Brasileira de Teatro Transcendental e logo depois a ONG Estação da Luz. A mensagem de que há algo mais além da matéria está sendo passada e apreendida; de que o sentido da vida é a solidariedade e a fraternidade para com o próximo. É este o principal objetivo da Mostra que completou em 2011 a nona edição consecutiva. Se fosse só por lucro, com certeza não daria certo.

Do teatro, a Estação da Luz enveredou pelo mundo do cinema. Nazareno Feitosa, policial federal e voluntário das realizações da ONG, foi quem me sugeriu a realização de audiovisuais. O meio permitiria o acesso ainda maior de público. Então surgiu o filme *Bezerra de Menezes – o diário de um Espírito* que acabou sendo o precursor deste novo gênero do cinema brasileiro: o transcendental.

Dentro dos títulos que marcaram o centenário de Chico Xavier, o filme *As mães de Chico Xavier* também tem uma história singular: o orçamento de R$ 3,8 milhões está longe da produção dirigida por Daniel Filho, *Chico Xavier*, que custou R$ 11 milhões (coprodução da Estação Luz Filmes), e de *Nosso Lar*, cujos gastos chegaram a R$ 20 milhões, o maior orçamento da história do cinema nacional. A surpreendente aceitação de *Bezerra de Menezes*, com modesto orçamento de R$ 2 milhões, foi a deixa para que grandes produtores desengavetassem seus projetos (os já citados *Chico Xavier* e *Nosso Lar*), sem receio de prejuízos. O despretensioso documentário, com pinceladas de ficção, foi quase que totalmente ignorado pelos grandes distribuidores. Não havia ainda nenhuma expectativa comercial positiva sobre esse tipo de obra. Mas o sucesso de público para um longa que contou praticamente com o boca a boca e as listas de *e-mails* como meio de divulgação surpreendeu a todos: iniciando

"As Mães de Chico Xavier" retrata o mandato de amor dele. É o ser humano Chico Xavier próximo da gente.

Luís Eduardo Girão

com apenas 44 cópias lançadas simultaneamente em todas as capitais, mais de meio milhão de pessoas invadiram os cinemas do país para conhecer a vida do médico e espírita cearense. Estava nascendo – e com força – um novo gênero do cinema brasileiro.

A trilogia involuntária que homenageia Chico Xavier completa-se porque cada uma das obras aborda um aspecto diferente. O filme dirigido por Daniel Filho, lançado exatamente no dia do centenário do pacifista, é a sua biografia, sua vida; *Nosso Lar* é uma das principais obras psicografadas por Chico, e *As mães de Chico Xavier* aborda o que mais o gratificava como médium, por mais de 40 anos: consolar mães e parentes de pessoas que já partiram deste plano para o mundo espiritual, ou seja, o legado de amor que ele nos deixou. *As mães de Chico Xavier* retrata o mandato de amor dele. É o ser humano Chico Xavier próximo da gente.

A Estação Luz Filmes também definiu os temas a ser abordados no roteiro. Escolhemos essas histórias porque passam mensagens que esclarecem e educam o espírito das pessoas. O filme e este livro pretendem levantar as consequências espirituais do aborto, do consumo de drogas e do suicídio. A ONG Estação da Luz nasceu defendendo a vida desde a concepção e este é mais um trabalho pró-vida. Hoje integramos o Movimento Nacional da Cidadania pela Vida – Brasil Sem Aborto, presente em 12 estados, e fundamos o Movida – Movimento Internacional pela Vida e Não Violência.

LUÍS EDUARDO GRANGEIRO GIRÃO

Nasceu em Fortaleza, em 25 de setembro de 1972. Estudante de jornalismo e empresário (Servis Segurança, Ultralimpo, Life Defense e Porto D'Aldeia Resort). Fundou, junto com um grupo de amigos idealistas, a Associação Estação da Luz, entidade civil sem fins lucrativos com sede em Eusébio, CE, que mantém vários projetos que visam a semear a cultura da vida, da paz e da solidariedade. Produtor dos filmes *Bezerra de Menezes, o diário de um Espírito* e *As mães de Chico Xavier*, além dos documentários *Flores de Marcela* e *Quantos 'Eu te amo' eu teria escutado em 15 minutos*. Coprodutor do longa-metragem *Chico Xavier*, de Daniel Filho. Idealizador da Semana Chico Xavier, da Exposição Os Pacifistas (Expopaz) e da Exposição em Favor da Vida (Expovida). É vice-presidente do Movimento Nacional da Cidadania pela Vida – Brasil Sem Aborto e cofundador da Agência da Boa Notícia.

Com *As mães de Chico Xavier*, a expectativa da Estação da Luz, que já tem outros projetos em gestação, é dar mais um passo na promoção da paz e do bem.

Se *As mães de Chico Xavier* transformar a vida de apenas uma pessoa, já estará cumprida a tarefa dos que fazem a Estação da Luz, ou seja, todo o nosso esforço terá valido a pena.

Este é um trabalho pró-vida.
Se "As Mães de Chico Xavier"
transformar a vida de apenas
uma pessoa, todo o nosso
esforço terá valido a pena.

Luís Eduardo Girão

INVERSÃO DE CENA

2 cena

O FILME QUE INSPIROU O LIVRO

OS EDITORES

A LITERATURA APRESENTA INÚMERAS OBRAS CONSAGRADAS que foram adaptadas e transformadas em produções cinematográficas. Com o livro *As mães de Chico Xavier,* o caminho foi no sentido oposto: o filme inspirou a elaboração do livro.

Essa ideia partiu do produtor Luís Eduardo Girão, consolidando-se num livro que apresenta informações sobre os bastidores das filmagens e principalmente esclarece e consola aqueles que experimentaram ou que estejam vivenciando uma das mais terríveis dores: a perda de entes amados – tema central do filme.

Outros assuntos não menos importantes e igualmente delicados fizeram parte da produção audiovisual numa reflexão em prol da vida também abordada nesta obra: aborto, drogas e suicídio.

Este livro trata dessas questões por meio da filosofia espírita, respeitando as convicções religiosas de cada um, sem fazer proselitismo, apresentando verdades que transcendem rótulos.

Conheça as histórias reais vivenciadas por mães que "perderam" seus filhos queridos e os encontraram de volta nas mensagens psicografadas por Chico Xavier. Emocione-se com as lições de vida narradas por Divaldo Franco, Plínio Oliveira e Richard Simonetti. Encontre as respostas para os seus questionamentos nas explicações de Raul Teixeira, nas aulas de Therezinha Oliveira e nos esclarecimentos de Vilson Disposti. Sinta o conforto nos artigos de Abel Sidney e Cleunice Orlandi de Lima. Aprofunde-se com as reflexões dos benfeitores espirituais Emmanuel e Scheilla pela mediunidade de Chico Xavier e de Clayton Levy. Desfrute da vasta experiência nas participações especiais de Carlos Baccelli, Celso Afonso, Eurípedes Humberto dos Reis e Nena Galves. Encante-se com as declarações de atores que já impressionaram milhões de pessoas. E ainda perceba nas entrelinhas a presença viva dos seus queridos que o precederam na grande viagem...

Assim, esta leitura trará para você emoção, equilíbrio, bem-estar, segurança e esclarecimento, contribuindo para um relacionamento ainda mais feliz, harmonioso e duradouro com as pessoas que você ama e que fazem parte da sua vida... aqui e no além!

Nesta obra, conheça histórias reais, emocione-se com lições de vida, encontre respostas para os seus questionamentos, sinta o conforto nos textos, aprofunde-se com as mensagens reflexivas...

"EU NUNCA TIVE UMA EXPERIÊNCIA DRAMÁTICA, COMO ESTA. ULtrapassou os limites do drama e ficou existencial. Quando o ator faz o personagem, ele encarna, constrói, idealiza, interpreta, realiza e abandona. Evidentemente que eu abandonei a interpretação, mas eu não abandonei o que eu ganhei com ela. Sou uma pessoa diferente agora. Costumo brincar que sou um novo Nelson. Eu realmente acho que sou uma pessoa melhor.
PARA MIM, CHICO XAVIER É A PESSOA QUE CUMPRE O MANDAMENTO de Cristo: "Amar uns aos outros como eu vos amei." Eu nunca imaginei encontrar uma pessoa que vivesse isso.
NESTE FILME, CHICO XAVIER ESTÁ MAIS PRESENTE PORQUE ESTÁ mais descontraído. É uma coisa que eu resgatei e de que sentia falta na minha primeira interpretação. O Chico vivia alegre. Todas as pessoas santificadas são alegres, a santidade alegra. É alegria, é felicidade."
Nelson Xavier

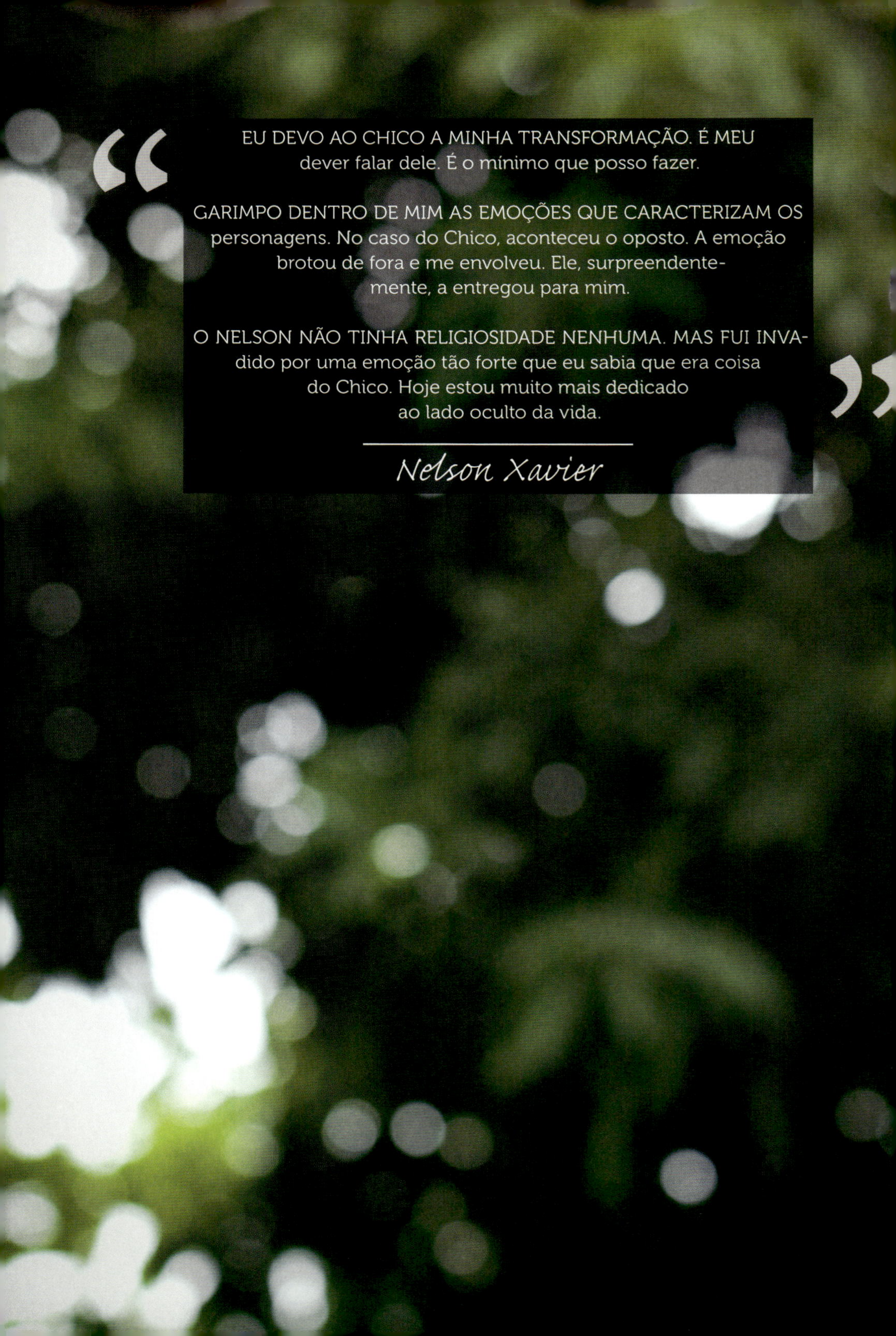
"
EU DEVO AO CHICO A MINHA TRANSFORMAÇÃO. É MEU dever falar dele. É o mínimo que posso fazer.
GARIMPO DENTRO DE MIM AS EMOÇÕES QUE CARACTERIZAM OS personagens. No caso do Chico, aconteceu o oposto. A emoção brotou de fora e me envolveu. Ele, surpreendentemente, a entregou para mim.
O NELSON NÃO TINHA RELIGIOSIDADE NENHUMA. MAS FUI INVADIDO por uma emoção tão forte que eu sabia que era coisa do Chico. Hoje estou muito mais dedicado ao lado oculto da vida.
"
Nelson Xavier

O FILME

3 cena

A HISTÓRIA POR TRÁS DA HISTÓRIA

ANA KARLA DUBIELA

A IDEIA INICIAL DO FILME NASCEU A PARTIR DO LIVRO *POR trás do véu de Ísis*, do jornalista Marcel Souto Maior. Assim como o livro, *As mães* é um mergulho num universo marcado por dor, saudade, esperança de mães e pais de que as mensagens psicografadas por Chico Xavier sejam a prova de que seus filhos continuam vivos. A vida após a morte, um tema tão universal quanto polêmico, divide opiniões de religiosos, céticos, agnósticos, ateus e todas as nuanças que vão além dos estereótipos que tentam delimitar e nomear a fé humana. *Por trás do véu de Ísis*, uma reportagem investigativa instigante, inspirou o tema geral do filme, a busca de consolo das mães que perderam seus filhos, e a criação do personagem Karl (Caio Blat), um jornalista que vive na ficção o que Marcel Souto Maior vivenciou em sua função de repórter investigativo.

Mas as semelhanças entre o livro e o filme encerram-se aí. As três histórias, que correm paralelas, foram criadas a partir de um propósito inicial da produção (Estação Luz Filmes): abordar, à luz do espiritismo, temas específicos gerados na difícil relação entre violência urbana e espiritualidade. Com foco nessas questões, o roteirista Emmanuel Nogueira debruçou-se sobre as tantas obras psicografadas por Chico Xavier e entrevistou as "mães verdadeiras", investigando detalhes que instigassem sua imaginação.

É interessante observar que, das legiões de mães, pais e parentes que procuravam o Grupo Espírita da Prece, em Uberaba, apenas uma pequena minoria recebeu a carta que esperava. Porém, a fé, a alegria, a emoção dos agraciados com uma mensagem do ente querido eram contagiantes. Segundo os depoimentos das mães, muitos saíam do Grupo Espírita da Prece com um só sentimento: de que há esperança, a vida continua. Outros, que não se confortavam com as mensagens alheias, voltavam vezes seguidas, em busca de um recado, um bilhete apenas.

NÚCLEO FAMILIAR 1

Um sol radiante, calmo rio, pai e filho pescam, um ao lado do outro. Cena um. A paisagem bucólica é um contraste com o desconforto de uma relação conflituosa entre o jornalista Mário (Herson Capri) e o jovem Raul (Daniel Dias), seu filho. À pouca distância, são observados por Ruth (Via Negromonte), artista plástica, que não esconde tensão e angústia. Nesse núcleo familiar, que identificaremos como 1, a história aborda o drama de um casal que já tentou de tudo para que o filho se curasse do seu vício. Como último recurso, o pai opta pelo artifício da mentira para conseguir interná-lo em uma clínica. A partir daí, culpa, medo, agressividade, insegurança, descontrole desmoronam a aparente tranquilidade da família. Como jornalista de televisão, Mário tem acesso a um vídeo que mostra Chico Xavier psicografando. Ele pauta o repórter Karl (Caio Blat), que viaja à Uberaba para fazer a reportagem.

Conhecendo mais

Ruth (Via Negromonte) – artista plástica, mãe de Raul, esposa de Mário;

Mário (Herson Capri) – jornalista de TV, pai de Raul, marido de Ruth, chefe de Karl;

Raul (Daniel Dias) – jovem viciado em drogas, filho de Ruth e Mário;

Temas abordados – drogas, suicídio, relacionamento de pais e filhos.

NÚCLEO FAMILIAR 2

A confirmação de um teste de gravidez, na sala de seu apartamento, faz Lara (Tainá Müller), uma jovem professora do ensino pré-escolar, tatear entre a dúvida sobre o futuro e a certeza do amor que sente por Santiago, seu namorado. Núcleo familiar 2. Santiago (Gustavo Falcão), professor de pintura, recebe a confirmação de uma bolsa de mestrado na Espanha e comemora com o amigo Karl (Caio Blat). Enquanto Lara planeja morar com ele, Santiago prepara-se para ir embora. Quando os dois contam um ao outro sobre a gravidez e a viagem, eles desentendem-se. Santiago corre atrás da namorada, mas algo inesperado o impede de encontrá-la. Decidida, Lara resolve abortar, mas adia o plano no momento em que Karl toca a campainha e conta o que aconteceu com Santiago.

Conhecendo mais

Lara (Tainá Müller) – professora da escola de Theo, namorada de Santiago;
Santiago (Gustavo Falcão) – professor de pintura, namorado de Lara, amigo de Karl;
Karl (Caio Blat) – repórter amigo do casal;
Temas abordados – gravidez indesejada, aborto, realização pessoal × relacionamento.

NÚCLEO FAMILIAR 3

No aconchego de uma cama de casal, mãe (Elisa) e filho (Theo) conversam carinhosamente. O aniversário de cinco anos dele está chegando e fazem planos. Elisa (Vanessa Gerbelli) procura compensar a ausência do marido Guilherme (Joelson Medeiros), viciado em trabalho, desdobrando-se em cuidados e amor ao filho. No primeiro dia de aula, Elisa e Theo (Gabriel Pontes) conhecem a professora dele, Lara. Certo dia, alegre e disposto, Theo vai passear de bicicleta com a babá, Lica (Christiane Góis), apesar dos protestos da governanta Donana (Neuza Borges). Núcleo familiar 3.

Conhecendo mais

Elisa (Vanessa Gerbelli) – dona de casa, mãe de Theo, esposa de Guilherme;

Guilherme (Joelson Medeiros) – empresário, *workaholic*, pai de Theo, marido de Elisa;

Theo (Gabriel Pontes) – filho de Elisa e Guilherme, cinco anos incompletos, estuda na escola em que Lara ensina;

Donana (Neuza Borges) – governanta da família;

Lica (Christiane Góis) – babá de Theo;

Temas abordados – ausência paterna, crise conjugal, fatalidade, descrença.

ELO 1

Ao contrário do primeiro filme que marcou a abertura das comemorações do centenário de nascimento do médium mineiro, *As mães de Chico Xavier* não coloca o personagem interpretado por Nelson Xavier em primeiro plano. Ele é o elo primordial da história, que reúne as três famílias no Grupo Espírita da Prece. A história por trás da história. Nela, confrontam-se claramente a fé e o ceticismo, a esperança e a dor, a revolta e a aceitação, amor e desalento. Ruth, Elisa e Lara retratam milhares de mães que, durante décadas, procuraram ter, por meio do médium, contato com o filho que partiu ou, ao menos, dividir a alegria com as outras mães que saíam de lá com uma carta na mão.

Conhecendo mais

Chico Xavier (Nelson Xavier) – médium mineiro que reúne as três mães no Grupo Espírita da Prece, conhece Elisa, recebe o jornalista Karl para uma entrevista, psicografa cartas de Theo e Raul, transmite a Lara recado de Santiago.

ELO 2

Karl (Caio Blat) recebe a notícia de que irá fazer uma matéria sobre "as cartas do além" que o médium Chico Xavier diz psicografar. Elo 2 da história. Ele trabalha com Mário, que é seu chefe de reportagem. É amigo de Santiago e conhece Lara. Curioso e cético, lê tudo o que pode sobre o médium e sai em busca de uma entrevista com ele. No início, irônico e brincalhão, Karl vai envolvendo-se com o que vê, baixa a guarda (e a câmera) e reconhece a importância e a veracidade daquele fato jornalístico, que conduz à Uberaba multidões de parentes ansiosos por notícias. Ele leva Lara a Chico e ela recebe, através do médium, um recado que a faz desistir do aborto. Impressionado com tudo o que viu, Karl grava a reportagem para Mário, que convence a esposa Ruth a visitar Chico Xavier.

Conhecendo mais

Karl (Caio Blat) – jornalista, amigo de Santiago, trabalha na TV; seu chefe é Mário; é pautado para fazer uma reportagem no Grupo Espírita da Prece.

OS DEPOIMENTOS

Em meio às histórias tornadas ficção, depoimentos de três mães, Célia, Maria Graciela e Neusa dão o toque de realidade. Na reportagem de Karl, elas contam o que vivenciaram no momento em que seus filhos morreram, como chegaram ao Grupo Espírita da Prece e o que aconteceu no instante do contato com o filho (por recado ou carta psicografada) e

depois da visita a Uberaba. Dentre as tragédias familiares que parecem destruir toda a possibilidade de esperança, os depoimentos reais são um sopro de vida, a rajada de vento fresco no rosto que, de repente, traz o sentido e a vontade de viver de novo.

ROTEIRO: A GESTAÇÃO, O PARTO, O NASCIMENTO

ANA KARLA DUBIELA

EMMANUEL, O MENTOR ESPIRITUAL DE CHICO XAVIER. Emmanuel, o jornalista e roteirista de cinema. Seu pai, espírita, escolheu o nome para homenagear o companheiro espiritual de Chico Xavier, de quem era admirador. A mãe católica, dona Irene, aceitou.

Décadas mais tarde, depois de concluir o roteiro do premiado *Homens com cheiro de flor*, Emmanuel é convidado pelo diretor Glauber Filho para escrever três histórias, em média metragem, para três diretores diferentes, sobre as cartas psicografadas por Chico Xavier. A proposta era contar casos de mães que perderam seus filhos e que envolvessem temas universais como o aborto, as drogas e o suicídio. O sucesso de filmes de temáticas espírita e espiritualista,

como *Bezerra de Menezes*, *Chico Xavier* e *Nosso Lar*, no Brasil, e *Além da vida*, produção norte-americana (direção de Clint Eastwood), lançados recentemente, era uma faca de dois gumes. Poderia confirmar uma tendência de expandir o público cativo de Chico Xavier para além do meio espírita, ou, ao contrário, exaurir o tema.

Além dessa, Emmanuel enfrentou ainda outra dificuldade: escrever histórias distintas, mas todas com o mesmo fechamento – o consolo espiritual das cartas psicografadas e lidas por Chico Xavier no Grupo Espírita da Prece. "Na construção do roteiro, a maior dificuldade era não levar logo essas mães para o Chico, porque ele é o ponto de solução, é o fechamento, é o fim do terceiro ato", explica Emmanuel Nogueira. A solução foi simples e eficaz: unir as três histórias em uma só. Vidas que correm paralelas e que finalmente se cruzam. O resultado é que o legado de amor e conforto do médium salta da tela. Chico Xavier, como personagem, não é a figura central, mas permanece como fio condutor, um elo entre as três narrativas. O marco temporal de todas elas é o mesmo: final dos anos 1980, começo dos 1990. "Eu quis pegar os últimos momentos das psicografias do Chico, anteriores a 2002, ano em que ele morreu e o Brasil ganhou a Copa."

O material de pesquisa sobre o tema é imenso. São dezenas de livros publicados com casos de mães que perderam seus filhos e receberam cartas psicografadas pelo médium mineiro. Segundo Emmanuel, eram cartas de conteúdo semelhante e tom resignado. "Então eu falei para o Glauber que só teríamos boas histórias se a gente conhecesse as mães", concluiu. Em fevereiro de 2009, o roteirista viajou a Pedro Leopoldo, cidade natal de Chico Xavier, e a Uberaba, onde ele fixara residência a partir de 1959. Em São Paulo, Emmanuel conviveu com espíritas durante um mês e conheceu melhor a fé espírita. Através de Eurípedes Humberto Higino Reis, filho de criação de Xavier, chegou ao livro *O evangelho de Chico Xavier*, que o ajudou a compor algumas falas do médium no filme: "Ele diz textualmente neste livro que uma das coisas que mais o gratificavam como médium eram as cartas. Então se dedicou diuturnamente à tarefa dessas cartas, de atender essas mães."

Com mais de 50 livros lidos e direcionado para escrever sobre três temas específicos (aborto, drogas e suicídio), Emmanuel conseguiu selecionar duas cartas que o inspiraram a criar a história de Santiago e Tainá e também a de Mário, Ruth e Raul. A primeira, inteiramente ficcional, foi criada a partir de uma carta[1] publicada no livro *A vida triunfa*,[2] pesquisa sobre uma coletânea de mensagens psicografadas por Chico. Na carta, apenas o acidente do rapaz que ocorreu logo após deixar sua namorada em casa inspirou a história de Santiago e Lara. No roteiro e na vida real, o personagem Santiago é pintor. E o nome do "irmão espiritual" que cuida de Santiago após sua morte é o mesmo: Cassiano. Entretanto, a gravidez da namorada, a bolsa de estudos, a amizade de Santiago com Karl, a profissão de Lara, tudo é criação do roteirista.

No núcleo de Mário, Ruth e Raul, os fatos reais que levaram Emmanuel a criar a trama estão na obra *Claramente vivos*, capítulos intitulados "Filho de volta" e "Suicídio e

1. Originalmente publicada em: *Filhos voltando*. Francisco Cândido Xavier, Espírito José Roberto Pereira da Silva, Espírito José Roberto Pereira Cassiano, Caio Ramacciotti (org.). 8.ª ed. GEEM, São Bernardo do Campo, SP, 2009 [pp. 88–96].

2. *A vida triunfa: pesquisa sobre mensagens que Chico Xavier recebeu*. Paulo Rossi Severino, equipe AME-SP. 2.ª ed. FE, São Paulo, 1992, caso n.º 8 [pp. 71–78].

responsabilidade".[3] Trechos das cartas reais, publicadas no livro, e da carta lida no filme trazem os mesmos sentimentos, os de um suicida arrependido. Um "turbilhão de sombras" que levam um jovem a apertar o gatilho e, depois da morte, arrepender-se da covardia, reconhecer a confusão mental e as perturbações que o levaram ao ato extremo. "A alegria de viver não fazia parte do meu espírito. Minha cabeça era um turbilhão de sombras governado por ideias confusas e contraditórias", diz a carta de Raul aos pais. A relação de Raul, Mário e Ruth, o envolvimento do filho com as drogas, as profissões de Mário e Ruth e a tentativa de suicídio de Ruth também foram criadas no roteiro, embora lembrem retalhos de muitas cartas psicografadas por Chico Xavier.

A terceira história – e a mais real delas, a de Elisa, seu marido Guilherme e seu filho Theo – foi baseada na vida de Célia Diniz, espírita, mineira e grande amiga de Chico Xavier. Na

3. *Claramente vivos*. Francisco Cândido Xavier, Espíritos diversos, Elias Barbosa (org.). 9.ª ed. IDE, Araras, SP, 2008 [pp. 89–107].

casa dela, Emmanuel colheu depoimentos, leu cartas, conversou sobre Chico e a dor da perda do filho de Célia, Rangel, de apenas três anos. "Tive a oportunidade de conversar com ela e saber como ela superou a perda. Então a história da Célia, a Elisa no filme, é a mais densa, a que bebe na fonte mais próxima do real. O filho dela tinha três anos quando morreu, e no filme o Theo vai fazer cinco anos. Mas o acidente, o passeio de bicicleta com a babá, está como tudo aconteceu. [...] As falas da Vanessa [Gerbelli], que faz a Elisa, têm muito das entrevistas que eu fiz com a Célia", diz o roteirista.

Na verdade, o roteiro foi sendo construído a quatro mãos, assim como a direção do filme. Glauber Filho, um dos diretores, foi lendo e recriando junto, revendo falas, rumos da história, o que soava mais verossímil ou com maior carga dramática. "O roteiro foi sendo construído com muito sacrifício, muito trabalho, porque não foi fácil compor todos esses elementos (as cartas, os temas, as entrevistas com as mães). O Glauber esteve o tempo todo acompanhando esse processo, ajudando nessa construção", afirma.

Depois de dez meses de pesquisa, criação e escrita, seis semanas de filmagem, quase dois anos entre a ideia e a pós-produção do filme *As mães de Chico Xavier*, a pergunta é inevitável: o roteirista acredita mesmo que as cartas são autênticas? "Sem dúvida. Inclusive tem um fato impressionante: cartas de um judeu de São Paulo, e partes das cartas estão escritas em hebraico ortodoxo.[4] Há um livro do Paulo Rossi Severino, *A vida triunfa*, em que o autor pegou 45 cartas

---

4. Ver *Quando se pretende falar da vida*. Francisco Cândido Xavier, Espírito Roberto Muszkat, David Muszkat, Caio Ramacciotti (org.). 7.ª ed. GEEM, São Bernardo do Campo, SP, 2010.

psicografadas por Chico Xavier e foi visitar os familiares um a um, e todas as informações que tinham nas cartas batiam com a realidade. Por mais que você seja cético, completamente ateu, há um traço ali fenomenal que você não consegue explicar racionalmente", garante.

Convicto de que estava trabalhando com algo real, mas que não conseguia explicar, o roteirista teve uma preocupação central: fugir do doutrinamento, de estabelecer uma "verdade" salvadora baseada na visão espírita da fé. "A intenção era que o filme dialogasse com o povo espírita, mas também dialogasse com o público mais amplo. E, sobretudo, trouxesse essa mensagem de amor, de conforto. Isso era uma coisa que eu sempre perseguia, porque você dialogar com quem conhece e aceita a doutrina é fácil. O difícil é você ampliar essa coisa além do espiritismo, porque Chico Xavier, o que ele deixou, ainda é um fenômeno a ser entendido por todos."

Com pouca, mas exitosa bagagem no currículo, Emmanuel Nogueira foi premiado com seu primeiro roteiro, *Homens com cheiro de flor*, antes mesmo de sua estreia: ganhou bolsa do Ministério da Cultura, edital da Secretaria de Cultura do Ceará e apoio do Banco do Nordeste do Brasil. Tornou-se roteirista no curso de dramaturgia do Instituto Dragão do Mar, em Fortaleza. E além de cartas, entrevistas, convívio espiritual, Emmanuel traz a visão de um atento cinéfilo. Para escrever *As mães de Chico Xavier*, uma referência sensível: a dor da perda retratada no filme *Desde que Otar partiu* (França, 2003, direção de Julie Bertucelli).

O ESPECIALISTA EM FAZER *TRAILER*, DA PARIS FILMES, ASSIM QUE viu o copião, disse: 'Sentimento mais forte do que perder o filho é saber que ele continua vivo.'

NA CONSTRUÇÃO DO ROTEIRO O DE QUE EU TINHA MAIS DIFICULdade era não levar logo essas mães para o Chico, porque ele é o ponto de solução, é o fechamento, é o fim do terceiro ato. Quando ele chega, é para resolver, apaziguar, acalmar os corações, dar amor e compreensão. Então, eu sabia que esse formato de três histórias separadas podia ser ótimo para os diretores, mas dramaturgicamente seria bastante complicado.

A CÉLIA É A ELISA, VIVIDA PELA VANESSA GERBELLI. EU FIQUEI HOSpedado sete dias na casa da Célia, em Pedro Leopoldo. Tive a oportunidade de conhecer toda a vida do Chico. Fui onde ele trabalhou aos dez anos, onde ele trabalhou como funcionário público, conheci sua casa. Então, eu comecei a conversar com a Célia, uma mulher guerreira, e vi como ela superou a perda de um filho.

A CARTA DE UM SUICIDA ACABOU ME INSPIRANDO A CRIAR A HIStória do Raul. Nela, ele se questionava: 'Como eu fui fraco, porque eu magoei tanto vocês dessa forma?' Havia um traço de humanidade mais presente nessa carta. Boa parte de ficção foi fundamental para explorar a questão das drogas e do suicídio.

NA HISTÓRIA DE LARA E SANTIAGO, EU ME INSPIREI NUMA CARTA verídica de um cara que trabalhava com arte, pintura. Ele está na casa dos pais, num domingo, sai para deixar a namorada em casa, quando volta sofre um acidente de ônibus e é dado como indigente. No roteiro, fica mais claro: ela está grávida. Essa é a história mais ficcional.

O MAIS IMPORTANTE NO CHICO É A MENSAGEM HUMANIZADORA que ele passou. Ele viveu a mensagem do cristianismo no ofício, espiritualmente. Por isso ele transcendeu... O Chico é amado, abraçado, idolatrado e respeitado por todas as tendências, categorias religiosas e não religiosas. ”

Emmanuel Nogueira

O JORNALISTA E O MÉDIUM

ANA KARLA DUBIELA

"QUER DIZER QUE ELE É UM COLEGA DE PROFISSÃO? É REDAtor da sucursal do céu?"

Vez ou outra o jornalista Karl, tão cético quanto foi o jornalista Marcel Souto Maior ao começar suas investigações sobre Chico Xavier, usa expressões irônicas. "Essa coisa de escrever cartas dos mortos... acha que é tapeação?", pergunta a um taxista, em Uberaba. Karl reforça o tom de brincadeira e desconfiança e recebe pauta de seu chefe, Mário. Karl apenas havia ouvido falar em Xavier e nunca o tinha visto e teria que pesquisar bastante para confirmar ou não o que tinha chamado de tapeação.

Para fundamentar sua pauta, Karl teve que ler, às pressas, obras psicografadas por Chico e outras fundamentais da doutrina espírita. Duas delas aparecem em cena: *Renúncia*, do Espírito Emmanuel, e *O livro dos Espíritos*, de Allan Kardec. "Li os livros do Marcel [Souto Maior], e fiquei encantado pela maneira como ele se transforma ao longo da sua pesquisa. Entrei em contato com ele e tentei reconstituir sua busca

e seu contato com Chico Xavier, suas dúvidas e descobertas. Tentei recriar a seriedade de um homem que tem pouco tempo para se inteirar de um assunto vasto, como a obra de Chico, e que está lendo tudo ao mesmo tempo. O Karl carrega sua câmera, e, pelas suas lentes, o filme tem uma narrativa quase documental, jornalística. É um homem que não pode deixar de acreditar no que seus olhos estão vendo", diz Caio Blat, que interpreta o Karl.

"Eu me reconheço bastante (no personagem Karl). Quando me aproximei de Chico Xavier há 15 anos, tinha o mesmo olhar 'desconfiado' de Karl. Caio conseguiu traduzir com muito equilíbrio a postura jornalística que tentei adotar, desde o início. Eu era cético, sim, mas respeitava o 'médium' capaz de atrair milhares de famílias todas as semanas para o interior de Minas. Eu me vi também – muito – na cena em que Karl se aproxima de Chico pela primeira vez para tentar entrevistá-lo e escuta o primeiro 'não'. Voltei no tempo, ao centro de Chico em Uberaba. Foi forte", afirma Marcel Souto Maior.

Uma cena que marca a passagem do ceticismo irônico à fé no que vê é a que Karl, com a câmera na mão, grava a leitura de uma carta e a reação emocionada e silenciosa dos que ouvem. De repente, ele esquece do fato jornalístico, baixa a

câmera lentamente e emociona-se. Cai, junto com a câmera, uma série de pré-conceitos que esperava confirmar em sua reportagem. "Acho lindo estar nessa homenagem. Acredito que este filme vai emocionar os espíritas, mas também vai atrair um público interessado em grandes histórias de amor. Não se trata de uma biografia ou de uma obra de Chico, mas de uma investigação, uma curiosidade, uma descoberta", revela Blat.

Espírita, o ator tentou transmitir, através de Karl, sua crença e a força de transformação pela fé: "Acredito que o contato com a obra de Kardec pode mudar a vida de uma pessoa. Tentei transmitir isso no filme, essa descoberta através dos olhos de um jornalista, que está ali para investigar, mas não pode deixar de acreditar naquilo que seus olhos veem."

Marcel ainda destaca: "Gosto muito também da cena em que um colega ironiza a 'pauta' de Karl e chama Chico Xavier de 'Chico Mendes', só para provocar. Na época, situações como essas se repetiam comigo na redação do *Jornal do Brasil*, quando amigos jornalistas descobriram que eu estava escrevendo a biografia de Chico Xavier. 'Não é o Chico Buarque, Chico Anysio, Chico Mendes?', perguntavam. Até o Chico Bento, do Maurício de Souza, servia, mas Chico Xavier... Esse preconceito também está representado com leveza e bom humor por Caio Blat."

Mesmo cansado de enfrentar alguns jornalistas mais interessados em apresentar notícias sensacionalistas, Chico Xavier não hesita em receber Karl. De certa maneira, ele sabe que o jovem repórter é uma oportunidade de desfazer uma série de equívocos e informações inverídicas. Ele concorda em receber Karl e deixar que ele filme um encontro com as mães, mas nega a "entrevista exclusiva" ao repórter:

KARL
Poderia me dar uma entrevista?

CHICO XAVIER nega com um meneio de cabeça.

KARL
É rápida. E o senhor marca o dia e a hora que quiser.

CHICO XAVIER
Você ainda não está convencido do que viu.

KARL
Estou!

Com um sorriso no rosto, CHICO XAVIER volta
a negar com outro meneio de cabeça.

KARL
Como pode ter tanta certeza disso?

CHICO XAVIER
Procure as mães, eu sou apenas um instrumento, nada mais.

Foi o que fez Karl, na ficção, e o roteirista Emmanuel, para escrever o filme: procurou a fonte e o foco da notícia – as mães de Chico Xavier.

“CHICO CONSOLOU MUITA GENTE PELA REVELAÇÃO. DEIXOU UMA obra vasta e impressionante. Viveu o espiritismo com fervor, emoção, com extrema simplicidade e caridade. Viveu o evangelho, foi um santo.”

Caio Blat

QUEM SÃO AS MÃES DE CHICO XAVIER

ANA KARLA DUBIELA

Ao contrário do que possa parecer à primeira leitura, o título do filme não se refere à Maria João de Deus, mãe de Chico Xavier, que desencarnou quando ele tinha cinco anos; nem à madrinha Rita de Cássia, que tanto o maltratou com varas de marmelo; nem à sua segunda mãe, a madrasta querida, Cidália Batista. *As mães de Chico Xavier* são na verdade todas as mães que perderam seus filhos e lotaram o Grupo Espírita da Prece na esperança de obter um contato, um recado, um alento, um bilhete. Ele as tratava com tanto carinho que poderíamos dizer que elas eram *as filhas de Chico Xavier.* Era como pai amoroso, compreensivo, cheio de compaixão que ele cuidava de todas aquelas mães, de lugares distintos, idades as mais diversas, unidas na dor, na perda e na superação.

A incessante e desgastante tarefa de psicografar, que aos poucos consumiu suas energias, madrugadas adentro, teria valido a pena se uma só Ruth, Elisa ou Lara voltasse a crer na vida novamente por força dessas cartas e do amparo espiritual do médium. E inúmeras delas receberam o que buscavam. As três personagens principais do filme *As mães de Chico Xavier* representam bem essa diversidade e também, conforme ele mesmo reconheceu, um dos mais importantes serviços que prestou, durante mais de 40 anos.

Uma jovem professora, uma dona de casa e uma artista plástica.

A primeira, Lara, namora Santiago, engravida e resolve abortar.

Elisa, mãe zelosa, enfrenta a ausência de Guilherme, o marido *workaholic*, e tenta compensar sua falta cuidando de Theo, o filho que vai fazer cinco anos.

Ruth, bem casada com o jornalista Mário, vê sua família desmoronar quando o filho Raul, viciado em drogas, é internado e foge da clínica.

VANESSA E ELISA

O amor materno, universal e sublime, aflora no trabalho das atrizes. “Elisa é uma mulher que inicia a história encarando uma crise no casamento, vendo no filho o único amparo e a única fonte de satisfação em sua vida. A perda de Theo é um golpe dolorosíssimo, quase insuportável. Como atriz, só me deixei levar por esses sentimentos, que são tão superlativos... tanto me deixei levar que me emocionei demais, chorei muito, foi bem catártico”, diz Vanessa Gerbelli, que algumas vezes teve que se afastar do tumulto do *set* para liberar as próprias emoções em relação à personagem.

“Na cena da morte do Theo, no hospital, o copo d’água realmente não conseguia parar na minha mão! Fiz três tentativas ou mais, até que Glauber [diretor] disse: ‘Deixa, pode deixar...’”

Ao ver o trabalho de Vanessa Gerbelli, Célia Diniz, a mãe mineira que inspirou a história, surpreendeu-se: "A Vanessa é maravilhosa! Ela faz com tanto carinho, com tanto respeito pela minha dor, que realmente me lembra tudo o que vivi na época." A atriz sentiu-se gratificada: "Fico muito feliz com a opinião da Célia porque realmente foi com muito carinho que fiz esse filme. Carinho e respeito pela dor dela e de quem sofre perdas como essa. Foi um trabalho profundo, um mergulho no amor imenso de mãe e na dor da perda. Encarar a morte nunca é fácil e não dá para ficar à margem do assunto. Sobretudo sabendo que o fato realmente aconteceu."

Preparar-se para viver uma mulher em crise no casamento e mãe afetuosa fez a atriz mergulhar em sua própria vida e lembrar-se do filho: "Eu sou mãe. Assim como Elisa, também tenho muito apego ao meu filho. Sei o que é um primeiro dia de aula, longe do bebê que está crescendo!... Sei o que é uma crise no casamento e se sentir só. Isso já é meio caminho andado na preparação do personagem... o amor que eu sinto pelo meu filho é gigantesco, pensei muito nele."

Vanessa Gerbelli adorou fazer o filme: "Acho uma bela homenagem ao Chico e a todas as mães. Convivi com pessoas talentosas, divertidíssimas e afetuosas, acessíveis, parceiras nos meus questionamentos, nas minhas inseguranças. Foi muito prazeroso 'rodar' no Ceará."

> UMA COISA QUE TAMBÉM ME EMOCIONAVA MUITO ERA PENSAR NO Chico Xavier e saber que o filme traria alento a quem teve que lidar com a morte alguma vez... Esse mistério que todos nós vamos ter que encarar. Eu sabia que estava fazendo um trabalho afetivamente importante.
>
> *Vanessa Gerbelli*

VIA E RUTH

Via Negromonte e sua personagem Ruth, a mãe de Raul, têm pelo menos uma coisa em comum: a convivência com as artes plásticas. "Minha mãe, Jô Negromonte, é artista plástica. Cresci vendo-a tecer nossas vidas, entre uma pincelada e outra... foi muito bom vivenciar o ofício dela no cinema." Via estudou na Índia ("onde tudo é corpo e alma integrados"), é católica praticante, espiritualizada por natureza, mestra e praticante de yoga e meditação, além de ter uma vida "repleta de experiências fortes". Por isso, não teve grande dificuldade em compor a Ruth e conviver com temas tão sombrios como o suicídio, as drogas, a violência familiar. "A preparação para fazer a Ruth foi árdua como todas. O parto de um personagem é sempre doloroso, mas a recompensa é fabulosa. Adorei ser Ruth, mesmo com toda a sua dor."

Os temas abordados no filme tornam-se ainda mais dolorosos e tocantes quando se sabe que milhares de casos semelhantes aconteceram e acontecem todos os dias, "histórias reais, que nos comovem profundamente", acrescenta a atriz. Para Via, as cenas mais marcantes são a reação de Ruth à morte de Raul, a tentativa de suicídio de Ruth e a recepção da carta psicografada. Um grande prazer foi trabalhar novamente com o marido, Nelson Xavier. "Trabalhar com Nelson foi, como sempre, um prazer, mesmo que tenha sido tão breve. Com Herson e Daniel foram estreias, diga-se de passagem, fantásticas."

Vermeer

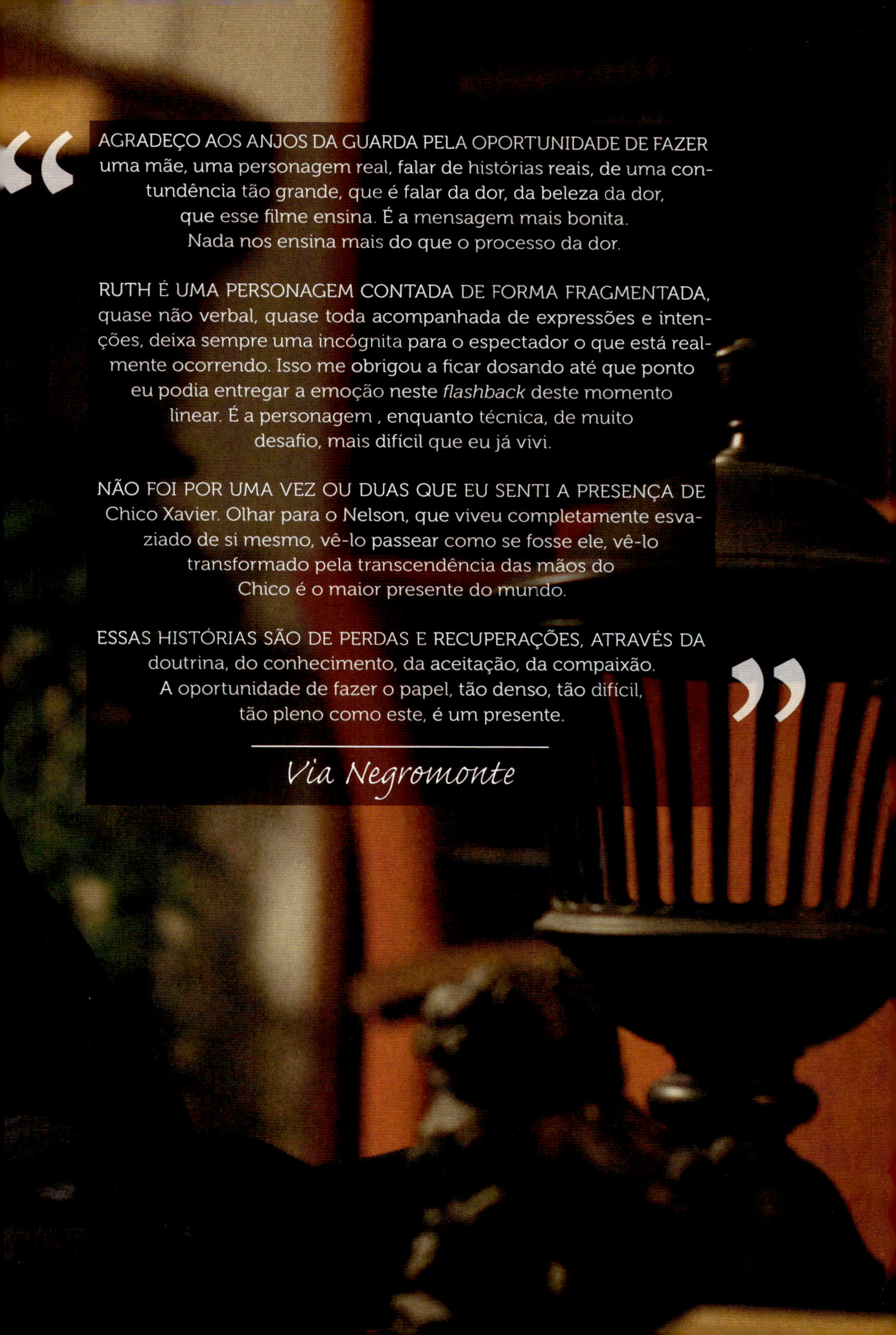

AGRADEÇO AOS ANJOS DA GUARDA PELA OPORTUNIDADE DE FAZER uma mãe, uma personagem real, falar de histórias reais, de uma contundência tão grande, que é falar da dor, da beleza da dor, que esse filme ensina. É a mensagem mais bonita. Nada nos ensina mais do que o processo da dor.

RUTH É UMA PERSONAGEM CONTADA DE FORMA FRAGMENTADA, quase não verbal, quase toda acompanhada de expressões e intenções, deixa sempre uma incógnita para o espectador o que está realmente ocorrendo. Isso me obrigou a ficar dosando até que ponto eu podia entregar a emoção neste *flashback* deste momento linear. É a personagem , enquanto técnica, de muito desafio, mais difícil que eu já vivi.

NÃO FOI POR UMA VEZ OU DUAS QUE EU SENTI A PRESENÇA DE Chico Xavier. Olhar para o Nelson, que viveu completamente esvaziado de si mesmo, vê-lo passear como se fosse ele, vê-lo transformado pela transcendência das mãos do Chico é o maior presente do mundo.

ESSAS HISTÓRIAS SÃO DE PERDAS E RECUPERAÇÕES, ATRAVÉS DA doutrina, do conhecimento, da aceitação, da compaixão. A oportunidade de fazer o papel, tão denso, tão difícil, tão pleno como este, é um presente.

Via Negromonte

TAINÁ E LARA

A jovem gaúcha Tainá Müller, destaque da novela *Insensato coração* (Globo), faz a professora Lara, que pensa em abortar seu filho com Santiago. Sua excelente interpretação rendeu-lhe o prêmio de melhor atriz coadjuvante no 4.º LABRFF – Festival de Filmes Brasileiros em Los Angeles. A atriz sentiu na pele as emoções d'*As mães de Chico Xavier*. "A Lara veio em um momento muito apropriado na minha vida, pois estava precisando aprofundar minha pesquisa sobre a morte, depois da experiência em *Tropa de elite 2*. Na época, minha avó estava doente e eu comentei sobre a possibilidade de fazer o filme. Ela me deu força, disse que eu ia gostar de fazer. Ela morreu durante as filmagens e isso foi muito marcante. Não sabia nada do espiritismo e encarei essa como uma oportunidade de conhecer uma doutrina que tem tantos seguidores no Brasil. Construí a personagem toda a partir das sensações que vivia naquele momento de descoberta, de reconexão com algo maior. E o mais importante: eu soube o que dizer à minha mãe quando minha avó faleceu. Só por isso, já valeu."

Jornalista por formação, Tainá chegou a trabalhar na MTV de Porto Alegre, cobrindo *shows* e a programação cultural da cidade. Mas preferiu ser atriz. "Não me considero mais jornalista, apesar de ser essa minha formação. Eu acho que qualquer coisa que a gente estuda ajuda a compor personagens, pois nosso material de trabalho é o comportamento humano, inserido em um contexto cultural. Logo, minha formação permitiu um conhecimento abrangente, mas também não é determinante. Interpretar uma personagem requer outro tipo de entrega. Eu amo fazer cinema, antes mesmo de ser atriz. Cheguei a trabalhar como assistente de direção e montagem."

Vivendo Lara, Tainá acabou "contaminando-se" pela personagem. "Eu sempre acabo me evolvendo com as personagens que faço, então durante o processo acabo me contaminando um pouco, sim. Só que, no caso da Lara, aproveitei a solidão de estar filmando em uma cidade que não era a minha e emprestei isso a ela. O dilema dela é muito solitário, pois ela se sente abandonada. Acho que a cena mais difícil foi a que ela descobre que a pessoa amada morreu."

A reflexão sobre o aborto, sobre os homens que abandonam a namorada grávida e sobre a fé, foi inevitável: "Não sigo dogmas, mas busco todos os dias minha própria religião. Acho bonito o significado da palavra 'religião', que vem de '*religare*', e sugere a reconexão à nossa origem mais profunda, à inteligência que rege todas as coisas. Por outro lado, passei a respeitar muito o espiritismo depois desse filme e acho que essa foi a maior herança que *As mães de Chico Xavier* me deixou. Acho que os livros de Allan Kardec dão um significado muito especial e coerente para a vida aqui na Terra, ao mesmo tempo que confortam a dor imensa dos que perdem pessoas queridas. Percebi que a doutrina espírita, assim como muitas outras, dá um senso de responsabilidade de se 'estar vivo', fundamental para que a humanidade evolua. Acho que levo essa responsabilidade para o meu trabalho. Considero meu ofício, no seu instante mais puro, um ato religioso. É preciso compaixão para sentir na própria pele a dor e a alegria de outro ser, ficcional ou não."

Sobre a possibilidade de ser mãe, a atriz é enfática: "É um grande sonho. Talvez o maior da minha vida, junto com a realização profissional. Estou aguardando o momento certo, mas espero que não demore muito."

"Acho importante o surgimento desse nicho de mercado, com foco na questão espírita, afinal de contas ele já garantiu

um espaço como gênero na literatura. Agora está levando esse público para as salas de exibição. Torço pelos próximos filmes e espero que cada vez mais gente assista ao nosso cinema, independente do tipo de história. Se o cinema transcendental conseguir promover o bem, melhor ainda para todos."

Além do lado religioso e espiritual, Tainá afirma que o clima de amizade e boa convivência no *set* estimularam o prazer de fazer a Lara. "Adorei ter filmado no Ceará. Acho o povo dessa terra muito espirituoso, com um senso de humor incrível. Então, mesmo com um tema pesado como esse, conseguimos ter leveza no *set*. O Halder e o Glauber são pessoas muito gentis e generosas, que me acolheram muito bem. Quanto aos atores, posso dizer que adorei todos e foi um privilégio ter contracenado e trocado experiências com cada um deles."

"NÃO SIGO DOGMAS, MAS BUSCO TODO DIA MINHA PRÓPRIA RELIGIÃO. Acho bonito o significado da palavra 'religião', que vem de *'religare'*, e sugere a reconexão à nossa origem mais profunda, à inteligência que rege todas as coisas.
PASSEI A RESPEITAR MUITO O ESPIRITISMO DEPOIS DESSE FILME. OS livros de Allan Kardec dão um significado muito especial e coerente para a vida aqui na Terra, ao mesmo tempo que confortam a dor imensa dos que perdem pessoas queridas.
CONSIDERO MEU OFÍCIO, NO SEU INSTANTE MAIS PURO, UM ATO religioso. É preciso compaixão para sentir na própria pele a dor e a alegria de outro ser, ficcional ou não."
Tainá Müller

AMOR DE PAI

JÚLIO SONSOL

O AMOR DE DUAS MÃES POR SEUS FILHOS E A NEGAÇÃO DESse sentimento em uma terceira mulher, grávida do primeiro filho, colocam em xeque a relação familiar após a morte de um de seus membros. Mas se, aparentemente, o amor dos pais tem um papel coadjuvante em *As mães de Chico Xavier*, as demonstrações masculinas de afeto, sofrimento e perda não passam despercebidas, mesmo para quem ainda não assumiu na vida a paternidade (como Santiago, o namorado de Lara).

O filme traz três histórias que envolvem problemas enfrentados universalmente. A maternidade indesejada, o envolvimento de um filho com as drogas, o suicídio e a perda aparentemente banal de um ente querido ainda na infância. Em cada situação, os "pais de Chico" assumem uma participação única e intransferível. Mário, o esteio da família, que toma as mais difíceis decisões e tenta encorajar a esposa Ruth, diante do drama do filho Raul. Guilherme, o pai ausente, *workaholic*, que foge dos laços e problemas familiares, usando o trabalho como válvula de escape. Santiago, jovem artista, cheio de sonhos, que se vê entre aceitar uma bolsa de mestrado no exterior e assumir seu amor por Lara, grávida de um filho seu. Homens capazes de cometer erros e, ao mesmo tempo, com potencial de transcendência, de encontrar o perdão para si mesmos a partir de suas descobertas pessoais.

~

Os três pais, mais ou menos amorosos, não conseguem lutar contra a morte, mas se posicionam claramente em favor da vida. Um deles tem de superar a culpa, o outro lutar contra a depressão suicida da esposa e o terceiro livra-se de sua omissão ao interceder pela vida do filho e assumir o amor pela namorada.

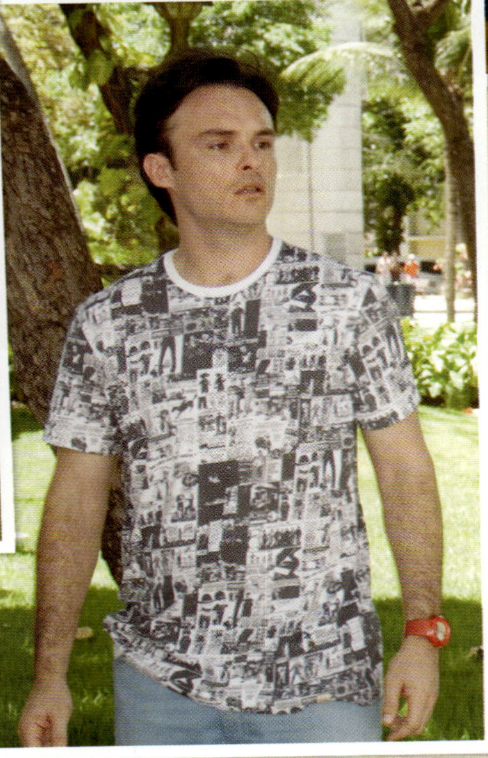

MÁRIO

Ter o filho Raul envolvido com as drogas é sentir a perda, ainda em vida, de quem ele ama. E esse sentimento de impotência leva-o a tomar atitudes que nem sempre são bem compreendidas, nem pelo filho, nem por Ruth, sua esposa. Principalmente porque os resultados obtidos podem ser inesperados e indesejados.

Mário está consciente do vício de seu filho e sabe que Raul vem sendo destruído, dia após dia, pelas drogas. O consumo de substâncias tóxicas está transformando Raul e empurrando-o para o abismo. Mário tem uma vida equilibrada, apesar das exigências de sua profissão de jornalista e dirigente de um veículo de comunicação. Mesmo assim, é capaz de colocar o trabalho em segundo plano, para dedicar mais atenção à esposa Ruth, demonstrando seu afeto e compromisso com a família.

Porém, sua decisão de internar o filho em uma clínica para desintoxicação e cura de dependentes químicos traz conflitos e dúvidas para a família. Ruth simplesmente cede à pressão e depois se arrepende, tomada pelo sentimento de culpa. O amor da mãe, mais emoção e menos razão, contrapõe-se ao amor paterno, que, da forma como pode, busca uma opção objetiva, mas dolorosa. Ele sente a urgência de encontrar uma saída, uma redenção para o filho, apostando num futuro a médio prazo que os olhos de Ruth não conseguem alcançar.

Por isso, Mário busca ludibriar o filho, com a cumplicidade de Ruth. A mãe convence Raul a acompanhar o pai em uma pescaria. Raul não sabe que está mordendo uma isca. E que o passeio, aparentemente uma reaproximação entre pai e filho, é uma espécie de armadilha. O verdadeiro motivo é levá-lo à internação em uma clínica, contra a sua própria vontade.

O desfecho desastroso na busca de uma solução para a situação de Raul gera sequelas que corroem a relação do casal. A angústia do jovem, além de suas dificuldades com as drogas, é acrescida pela perda de confiança na mãe que o levou ao "cárcere" na clínica. A dor da suposta traição assume proporções insuportáveis. Esse sofrimento leva-o a fugir da clínica, enfrentar a mãe ("A gente só conversa com quem confia!", diz Raul à mãe) e optar pelo pior.

O personagem Mário levanta questões difíceis, mas cada vez mais comuns no cotidiano das grandes cidades. O pai provedor e atento não é garantia de estabilidade e boas relações familiares. Acertando ou errando, Mário é proativo e continua tentando.

Com sua revolta, Raul leva a mãe a sentir-se culpada. Ruth entra em depressão, por se considerar responsável por tudo o

que aconteceu ao filho. A dor é tamanha que ela, por pouco, também não se suicida. Mário a impede, no último momento.

Novamente o amor de Mário aflora. É ele quem vê que não adianta buscar culpados pelo ato do filho. É preciso recompor o que restou do casamento. É preciso novamente descobrir a importância da vida e seguir em frente. É de Mário a iniciativa de buscar em Chico Xavier, que "aparentemente" surgiu no seu caminho por acaso, a possibilidade de se reconciliar com o passado e voltar a ter esperança.

O MÁRIO É UM PERSONAGEM INTERESSANTE, PORQUE VIVE BASTANTE conflito, é carregado de emoção. No caso do filho drogado, foi uma boa experiência. Na vida real tenho quatro filhos que felizmente nunca tiveram problemas nessa área, mas a gente sempre se preocupa e o filme foi uma forma de vivenciar isso.

AS FILMAGENS FORAM, PARA MIM, UMA TEMPORADA QUE correspondeu a um retiro espiritual.

MERGULHEI DE CABEÇA E ME ENTREGUEI TOTALMENTE. ACREDITEI no que o personagem acredita. Primeiro na busca da audiência para a matéria, depois na fé que o personagem adquire ao longo da história.

Herson Capri

GUILHERME

Não há transcendência no mundo. Tudo é uma relação de causa e efeito. Se acertarmos, seremos recompensados; se falharmos, conheceremos o castigo, sem nenhuma interferência de qualquer entidade superior. Essa é a crença de Guilherme, marido de Elisa e pai de Theo – um menino alegre e amoroso, que morre antes de completar cinco anos.

Guilherme é um *workaholic*. Sua vida é dedicada quase que integralmente ao trabalho, o que o faz negligenciar os cuidados com a família. Não participa de decisões mais simples como a escolha do tema de aniversário de seu filho e geralmente conversa com sua mulher por telefone. Guilherme não percebe o quanto isso incomoda a esposa e o quanto interfere no bem-estar da família.

Com o acidente do filho, a culpa bate à porta de Guilherme. Ele arrepende-se de tudo o que poderia ter feito e não

fez. Se ele tivesse estado mais presente, tudo poderia ter sido de outra forma e Theo ainda estaria protegido? estaria ao lado deles?

Guilherme nega a busca de qualquer conforto para a sua dor, quer purgar, através dela, os seus equívocos. Chega a dizer que quem busca a transcendência está apenas querendo livrar-se da culpa ou querendo ser melhor que os outros.

O conforto e a redenção do marido de Elisa vêm por meio de uma carta de seu filho, psicografada por Chico Xavier. Sua esposa recebe a mensagem do filho ao participar de uma reunião na Grupo Espírita da Prece. Na carta, são contados detalhes absolutamente particulares de Theo, que seriam impossíveis de ser descobertos pelo médium. Guilherme chora, aliviado: a partida do filho o fez enxergar a fé e o real valor da família em sua vida.

"O GUILHERME SURGE A PARTIR DA CENA EM QUE SE DÁ A NOTÍCIA da morte do filho. Mas uma das cenas que me marcaram é a cena em que a minha mulher, Elisa, decide que vai atrás do Chico Xavier e deixa meu personagem só, na casa. A sensação foi de perda total."

Joelson Medeiros

SANTIAGO

Como tantos jovens, Santiago está procurando aperfeiçoamento através do estudo, para garantir um bom futuro profissional. Consegue uma bolsa de pós-graduação em artes plásticas, na Espanha, a oportunidade que sempre quis. Isso seria simples, se não existisse Lara, sua namorada, que quer construir com ele uma vida a dois. E que, inesperadamente, diz a ele que está grávida.

Nenhum sentimento envolvido na relação de Santiago e Lara é ainda entendido como amor. Típicos de casais que estão conhecendo-se, os laços ainda não se firmaram e a possibilidade de rompimento é visível. Santiago esconde de Lara, até o último momento, que ganhou uma bolsa e pretende passar uma temporada na Espanha.

Lara também esconde a recente gravidez. Ignorando a viagem de Santiago, busca consolidar a relação, convidando-o para morar com ela. Santiago assusta-se. Acostumado a assumir as rédeas dos relacionamentos, por sua própria natureza de homem, vê-se acuado com a proposta de uma união estável. A notícia da gravidez de Lara, ao final da conversa, deixa-o ainda mais perplexo e confuso.

Rejeitada duplamente, por Santiago não ter dito a ela que ganhou a bolsa de estudos e por ele ter se recusado a morar em sua casa, Lara começa a pensar em abortar o filho. A atitude do namorado, "pai de primeira viagem", é crucial para reforçar sua decisão. Em seu desespero, Lara acreditava que a negação da maternidade traria de volta o equilíbrio e a sua condição de conforto.

O choque inicial de Santiago traz muitas reflexões, para ele e para Lara. Mas sua vida é abreviada em um acidente de trânsito, causado por um assaltante. Em um assalto à mão

armada, dentro de um ônibus, ele impede que o marginal vitime mais pessoas e paga um preço muito alto. Seus verdadeiros sentimentos só vêm a público através de um recado transmitido a Lara por Chico Xavier: ele a amava e pedia a ela que preservasse a vida do seu filho.

JÚLIO HENRIQUE SONSOL GONDIM
Nasceu em Fortaleza, em 4 de setembro de 1960. Especialista em jornalismo político pela Universidade de Fortaleza, graduado em comunicação social pela Universidade Federal do Ceará, com cursos de extensão nas áreas de cinema (UFC), roteiro de longa-metragem e roteiro de *sitcons* (Vilas das Artes/Secretaria de Cultura do Município de Fortaleza). Graduando em filosofia pela UFC. É redator da TV *Ceará*.

"A COMPOSIÇÃO DE SANTIAGO FOI UM DOS PROCESSOS MAIS ARriscados a que me propus. Senti que, de alguma forma, seria meu maior trabalho.

MAIS DO QUE UM ESPÍRITA, CHICO XAVIER FOI UM GRANDE HOMEM, que pregou sobretudo o bem, a ideia do amor ao próximo e da religião como instrumento para a cura do espírito. Em tudo isso, ele se consolida como um exemplo, uma referência espiritual, humana. Me senti honrado de ter tido a oportunidade de, além de contar uma linda história, poder ter lhe prestado essa homenagem.

CADA FILME É UMA EXPERIÊNCIA ÚNICA. NO *MÃES*, O QUE PUDE sentir foi uma conexão muito forte de todos com a história e os personagens, uma dedicação extrema, uma entrega plena de todos em prol da história que havíamos de contar e de suas mensagens."

Gustavo Falcão

A VIDA

4 cena

EM CENA, AS MÃES DA VIDA REAL

ANA KARLA DUBIELA

As mães de Chico Xavier não têm rosto, nem dá para contar quantas são, onde moram, o que fazem. São milhares de mulheres, de todas as idades, que chegavam a Uberaba em ônibus superlotados, de avião, em carros particulares, como fosse. As mães de Chico Xavier não são somente a pequena minoria que recebia cartas psicografadas dos filhos que já se foram. A grande maioria delas ia ao Grupo Espírita da Prece para receber o conforto através das cartas e das histórias de outras mães, voltando para casa ao menos com a sensação de que o filho estava vivo e também com o apoio e o carinho de Chico Xavier. Mães que ele adotou e aninhou no colo, dividindo com elas a dor, como se dele fosse. "Oh! minha filha, como está doendo em nós a saudade do nosso filhinho, não é?", conta uma das mães, Célia Diniz. E acrescenta ainda: "Ele colocava tanto amor nessas palavras e nos dava um abraço tão especial e com olhos tão lacrimejantes quanto os nossos que, como que por encanto, a nossa dor se dividia, agora numa intensidade mais suportável."

O filme *As mães de Chico Xavier* une realidade e ficção ao contar três histórias inspiradas em cartas psicografadas e três depoimentos de mães reais, que sofreram a perda de um filho e procuraram Chico Xavier em busca de consolo. Célia Diniz, 60, cuja história serviu de base para o drama de Elisa, Guilherme e Theo; Maria Graciela Farias Ferreira e Neusa Martinez Collis também dão seus depoimentos no filme. Além dessas, outras quatro foram entrevistadas e contarão suas histórias aqui: Lucy Ianez da Silva, Francisca Ruiz Dellalio, Neyde de Sá Cambôa Fava e Shirley Rodrigues.

acervo pessoal

Querido papai Ag
naldo e querida
Mamãe Celia,
vovó Lia.

CÉLIA DINIZ

Célia mora em Pedro Leopoldo, a 30 km de Belo Horizonte. É professora de química aposentada. Mãe de três filhos, mas somente um continua encarnado. Hoje, Célia faz palestras espíritas e conforta mães que viveram situações semelhantes à sua. Ela perdeu os filhos Rangel Diniz Rodrigues, o Teteo, quando ele tinha ainda três anos, e Mariana, com 27 anos. Célia conta com detalhes o acidente que culminou com a morte de Rangel e as semelhanças entre o que aconteceu e o roteiro do filme.

A bicicleta

Em 1983, como funcionária pública, eu tinha direito a uma licença-prêmio. Resolvi tirar esses dias de folga para curtir o Rangel antes que ele fosse para a escola. Parece que eu estava prevendo que algo aconteceria, como realmente aconteceu. Foi no dia 15 de agosto de 1983, ele tinha três anos. Naquela época, era muito comum as babás levarem as crianças para passear de bicicleta, com uma cadeirinha acoplada. Elas davam uma ou duas voltas no quarteirão, para tomar sol. Naquele dia, a bicicleta com cadeirinha furou o pneu e eles foram numa bicicleta maior. O Rangel ia na garupa da bicicleta. Pararam na padaria, ele e a Çãozinha [Conceição, a babá de 16 anos], para comprar picolé e quando voltaram para a bicicleta, antes mesmo de subir, o Rangel caiu e bateu a cabeça. Levou dois pontos. Depois, ele começou a ter convulsões. Foi entubado, para que investigassem a causa das convulsões, e teve uma parada cardiorrespiratória. Tive uma conversa com Chico, quatro meses depois, e ele disse que no momento da queda pequenos vasos se romperam, devido a um aneurisma que ele tinha, ou seja, com ou sem queda, esses vasos iriam romper-se de qualquer jeito. E isso já estava na programação reencarnatória dele, pois de acordo com as leis de Deus ele teria que evoluir dessa maneira, já que em outra vida ele fez mau uso da sua inteligência. Um ano depois, eu recebi a carta, cheia de detalhes da minha família e do nosso cotidiano.

Nidin Sanchez | Nitro

O filme

A Vanessa [Gerbelli], que faz a minha história, é maravilhosa! Ela faz com tanto carinho, com tanto respeito pela minha dor, que realmente me lembra tudo o que vivi na época. O roteiro é fiel à história do meu filho em muitos aspectos. O Chico realmente me perguntou se eu já havia perdoado a babá e também perguntou se eu já havia agradecido a ela, exatamente como está no filme. A explicação do acidente é muito semelhante. A participação do Aguinaldo, com relação ao Rangel, é de aprofundamento de sua fé, de esperança. A reação do Guilherme, pai do Theo, representa a de centenas de pais, colhidos pela dor de perdas quando estão distanciados da família e da religiosidade, pela dedicação excessiva ao trabalho: revolta, culpa e incredulidade diante da busca das esposas por notícia dos filhos. A doutrina espírita foi o que nos consolou quando o Rangel se foi, e que, de certo modo, nos preparou para uma segunda perda.

Chico Xavier

Meu pai trabalhava na Fazenda Modelo, junto com o Chico. Eu tenho uma foto nos braços do Chico, quando eu tinha oito meses de idade. O Chico era muito mais do que um simples intermediário entre nossos filhos e nós. A empatia que ele era capaz de sentir com a nossa dor, quando ele nos abraçava, ele nos envolvia numa aura de tanto amor que nós saíamos de lá reconfortadas. O amor com que ele nos recebia era algo inexplicável. A capacidade de amar era impressionante, com ou sem mensagem, a gente sempre voltava do Grupo Espírita da Prece muito melhor do que chegara. Ele literalmente nos colocava no colo. Era como estar tomando um banho de amor e luz. E complementando tudo isso, a carta cheia de particularidades que comprovavam a veracidade: era meu filho que estava ali, eu o reconhecia em cada detalhe. Apesar do Chico ter trabalhado com o meu pai na Fazenda Modelo e ainda que ele me conhecesse, ele não sabia do meu filho além do nome e da idade. E isso é extraordinário. Eu tinha ali naquela mensagem a prova de que meu filho estava bem. O espiritismo é o consolador prometido por Jesus, e o Chico com sua psicografia é a expressão máxima desse consolo.

O espiritismo desvendando essas verdades nos consola muito. A gente realmente muda a ótica, não é "o meu filho morreu, minha filha morreu, ela não está mais aqui", é "o meu filho vive lá, a minha filha vive lá", é alargar o limite da vida para além do túmulo. E isso nos consola muito.

"

A gente aprende o que é o verdadeiro amor quando nossos filhos voltam para casa antes de nós.

"

A saudade

Os primeiros meses, depois que meu filho voltou para casa [no plano espiritual], foi um trauma muito forte. A gente não tem nem tempo de pensar na saudade. E a saudade para mim chegou num momento muito conturbado, com duas crianças pequenas, a vida me solicitando ao trabalho, a família me solicitando, então eu posso dizer que passei vários meses com a sensação de que eu estava sem tempo para chorar, sem poder me entregar à dor. Meu coração queria que eu sentisse aquela saudade dentro de um quarto escuro, sem sair para fazer nada. Mas só existe uma maneira de não sucumbir diante dessa saudade: é não se entregar a ela. É perceber que, se eu havia perdido um filho, os meus outros dois filhos e o meu marido não poderiam me perder. Meu marido havia perdido um filho, ele não poderia me perder junto. Então, eu não poderia me entregar à dor. E eu aprendi isso sofrendo muito. Sem tempo para chorar.

Eu acho que a gente aprende o que é o verdadeiro amor quando nossos filhos voltam para casa antes de nós. O mesmo amor que me fazia sentir tanta saudade, sofrer tanto, era o amor que me fazia soerguer, levantar, levar a vida em frente, porque eu sabia que a morte não mata o amor que nos une aos nossos filhos e eles precisam da nossa força, eles precisam de nós. É naquele momento que você aprende a amar, esquecendo-se de si mesma.

“

Só existe uma maneira de não sucumbir diante dessa saudade: é não se entregar a ela. Se eu havia perdido um filho, os meus outros filhos e o meu marido não poderiam me perder.

”

“

O seu filhinho é um Espírito que voltou para casa para rever os velhos novos amigos.

”

Chico Buarque, o acalanto

No dia em que eu entrei no quarto da minha filha Mariana para tirar as coisas dela, tive uma dor que era como se eu a enterrasse de novo. Enterrei a “pessoa legal” quando dei baixa em todos os documentos dela. Enterrei a “pessoa digital” quando apaguei os arquivos do computador... Você vai enterrando seu filho várias vezes. No quarto, encontrei cartas de amigas da época da adolescência dela. Nessas cartinhas, estava escrito: “confidencial”. Peguei aquelas cartas e respeitei a privacidade da minha filha, mesmo ela já do outro lado. Arrumei o quarto, tirei toda aquela papelada e fui para a cozinha ajeitar o café. Mariana não almoçava em casa durante a semana em razão do trabalho, mas fazia questão de ficar conosco nos fins de semana. Lembrei-me dos nossos almoços e coloquei aleatoriamente um CD. A música que tocou foi *Pedaço de mim*, do Chico Buarque. Emocionei-me e refleti sobre a genialidade do poeta que consegue expressar um sentimento tão forte que eu jamais conseguiria descrever:

Pedaço de mim (Chico Buarque)

Oh, pedaço de mim
Oh, metade afastada de mim
Leva o teu olhar
Que a saudade é o pior tormento
É pior do que o esquecimento
É pior do que se entrevar

Oh, pedaço de mim
Oh, metade exilada de mim
Leva os teus sinais
Que a saudade dói como um barco
Que aos poucos descreve um arco
E evita atracar no cais

Oh, pedaço de mim
Oh, metade arrancada de mim
Leva o vulto teu
Que a saudade é o revés de um parto
A saudade é arrumar o quarto
Do filho que já morreu

Oh, pedaço de mim
Oh, metade amputada de mim
Leva o que há de ti
Que a saudade dói latejada
É assim como uma fisgada
No membro que já perdi

Oh, pedaço de mim
Oh, metade adorada de mim
Leva os olhos meus
Que a saudade é o pior castigo
E eu não quero levar comigo
A mortalha do amor
Adeus

Aprender com a dor

Eu fiquei imaginando o que eu aprendi com essa dor, porque a dor só acontece na nossa vida para nos ensinar alguma coisa. O espiritismo ensina que ninguém sofre um minuto a mais que a sua necessidade de aprender algo. E eu precisava aproveitar aquela dor toda para eu sair dali maior. Eu queria que aquela dor me ensinasse algo e eu aprendi a duras penas que é muito fácil arrumar o quarto do filho que chega. O espiritismo e as duas perdas que eu tive me ensinaram que o verdadeiro amor a gente só sente quando a gente entrega o filho a Deus de novo. Esse é o amor, é o que você entrega, acreditando que ele está melhor lá do que com você. Então, esse foi um aprendizado muito grande e foi aí que eu compreendi o que Moisés quis dizer no primeiro mandamento: "Amarás a Deus sobre todas as coisas." Só amando a Deus você consegue entregar dois filhos de volta, sem que essa dor destrua você e sem que você atrapalhe o seu filho do lado de lá.

Chico me disse: "O seu filhinho é um Espírito que voltou para casa para rever os velhos novos amigos." Isso me consolava, saber, na vivência, que meu filho era um Espírito universal. Que antes de ser meu filho, ele era filho de Deus, ele tinha outra vivência, ele tinha outros amigos e ele estava voltando para casa, que morrer era voltar para casa.

A morte não mata o amor aos nossos filhos.

”

"Só amando a Deus você consegue entregar dois filhos de volta, sem que essa dor destrua você e sem que você atrapalhe o seu filho do lado de lá."

As lágrimas

As nossas lágrimas não atrapalham os que se foram, pelo contrário. Já pensaram: o filho parte e a mãe nem chora? Uai, isso não existe! Pedir a uma mãe que não chore seu filho é pedir à água para não molhar, é contra a natureza. Então eu choro os meus filhos, sinto saudade deles até hoje, mas não são lágrimas de desespero, são lágrimas de saudade, só. Eu não agrego nenhuma dor a essa saudade, não fico inconformada. Quando a minha filha se foi, ela na UTI, pedindo a Deus que nos amparasse a todos, eu dizia: "Seja feita a vossa vontade, mas, meu Deus, tomara que seja a mesma minha vontade, que é ficar com minha filha aqui." Desta vez eu pensei: "Não, a minha filhinha não vai embora, 27 anos, noiva, linda." Mas o médico dizia que ela estava muito mal, e eu rezava e pensava: "Não! um raio não cai duas vezes no mesmo lugar!" Do alto da minha prepotência, eu pensava: "Não! eu já aprendi tudo o que eu tinha de aprender com a perda de um filho, eu não preciso passar por isso de novo." Porém, eu não havia aprendido tudo. E mais uma vez a sensação de que o mundo ia desmoronar nas minhas costas. Mas eu disse ao meu marido: nós sabemos o caminho que a gente vai percorrer, a gente já sabe que essa dor passa, como esquecer e amar de forma desprendida. E realmente eu consegui superar e sou feliz hoje – entendendo como felicidade essa paz que eu sinto por saber que os meus dois filhos do lado de lá estão mais felizes, mais tranquilos que o daqui.

"A dor só acontece na nossa vida para nos ensinar alguma coisa. Ninguém sofre um minuto a mais que a sua necessidade de aprender algo."

A carta

O Dr. Bezerra de Menezes, com sua extrema bondade, numa noite mandou um recado para mim: "Seu filhinho está aqui, está de volta, realmente ele foi aí para ficar pouco tempo e ele está estudando para escrever em breve." Quando eu voltei um ano depois, Chico disse: "O teu filhinho vai te mandar uma mensagem." E mandou. A carta era cheia de detalhes. Era meu filho que estava ali, eu o reconhecia em cada detalhe. Coisas que Chico não sabia sobre o Teteo (Rangel), e ali estava o nome da minha secretária, as circunstâncias em que ele foi carregado do quarto para o hospital, o nome dos irmãozinhos, o nome dos vizinhos mais chegados. Receber uma carta de um filho da gente é uma das emoções mais incríveis que a gente vivencia, porque é como ter o nosso filho de volta. Cada notícia dele cai no nosso coração como um bálsamo: "Eu estou vivo e vou crescer", "Papai, se eu estivesse aí, com a boca doente, você me trataria, pois os meninos e a gente grande que o procuram são como eu mesmo." Então, além da notícia, a gente encontra ali muitos motivos para sair do egoísmo da própria dor e tocar a vida em frente, reconstruir a vida. Quando a gente sepulta um filho, a gente não imagina que vai ter condições de reconstruir a vida, de ser feliz de novo. E a carta[5] nos traz a notícia que eles estão vivos e que estão reconstruindo a vida deles lá.

5. Mensagem psicografada por Chico Xavier em 30 de junho de 1984, no Grupo Espírita da Prece, em Uberaba, MG. Transcrita em: *Caravana de amor*. Francisco Cândido Xavier, Espíritos diversos, Hércio M.C. Arantes (org.). 7.ª ed. IDE, Araras, SP, 2009 [pp. 38–40].

Querido papai Aguinaldo e querida mamãe Célia, com vovó Lia.

Sou eu, o Teteo. Estou aqui com meu avô Lico e com minha tia Gilda.

Vovô me auxilia a escrever porque estou aprendendo.

Estou vendo tia Lé e nosso amigo Sérgio, e vovô me diz que um menino educado não deve esquecer os amigos.

Papai Aguinaldo e mamãe Célia, venho pedir para não chorarem tanto por mim.

Mamãe, eu já estava doente quando falava e brincava com a Cota. Depois bati com a cabeça no chão, mas fiquei forte. Mas a cabeça ficou pesada e você lembra a noite em que chorei com a cabeça doendo...

Vi que papai ficou assustado e depois lembro-me que saí carregado do quarto. Depois nada mais vi. Ficou tudo tão escuro; depois ouvi papai me chamar: "Meu filho, meu filho!" Quis responder, mas não consegui. Acho que dormi muito.

Quando acordei estava perto de mim a moça que me pedia para não chorar e chamar a ela minha tia Gilda. Depois o vovô Lico veio ao lugar onde eu estava e comecei a chorar pedindo a ele para me levar para casa. Ele me abraçou e me disse: Rangel, você não é um rapaz da moleza. Não chore assim, pois estamos em casa...

Procurei obedecer, mas estava com muitas saudades de Aguinaldinho e Mariana, do papai e da mamãe, da Cota, da vovó Lia, da vovó Dite, do vovô Totone, da tia Lé, do tio Neca e da tia Maria, mas não queria falar nisso porque o meu avô e a minha tia se mostravam tão bons para mim.

Muitos dias se passaram e vovô Lico me levou lá em casa. Papai, você estava pensando por que não me havia levado nos passeios com meus irmãozinhos e chorava... Expliquei que era muito doente e que você e mamãe não podiam sair sempre comigo. Não chore mais, meu pai, pensando que eu ficasse triste. Eu ficava sempre alegre esperando.

Aqui vovô Lico me disse que eu não fui para a nossa casa para ficar muito tempo, e que minha cabeça não me permitia passear muito. Estou dizendo isso para o papai e a mamãe não ficar preocupados.

Papai Aguinaldo, o vovô Lico pede para você não desanimar com o serviço e não deixe a tia Bete desmarcar as consultas. Papai, se eu estivesse aí, com a boca doente, você me trataria, pois os meninos e a gente grande que o procuram conforme penso hoje são como eu mesmo. Já vi você falando com a vovó Dite que está desanimado. Não fique assim, eu estou vivo e vou crescer.

Estou aprendendo a escrever só para dizer ao seu carinho e ao carinho da mamãe que não morri. Vou aprender muitas coisas e muitas lições para saber escrever melhor. Mas já estou mais adiantado do que Mariana e creio que Aguinaldinho ficará satisfeito.

Papai e mamãe, vovó Lia e tia Lé, não posso escrever mais, porque fiquei cansado de fazer letras. Mas, quando eu puder, voltarei. Estou com muitas saudades e isso vovô Lico me diz que posso escrever. Muitos abraços para os meus irmãos e digam a eles que o Teteo não desapareceu.

Mamãe Célia, estou feliz com a fé que as suas preces me oferecem.

Papai Aguinaldo, peço para que o seu coração esteja sorrindo. Vovó Lia abraçará a todos por mim.

E para meu pai e minha mãezinha, muitos beijos do filho que lhes pede a bênção,

Teteo

Rangel Diniz Rodrigues

“
Eu estou vivo e vou crescer. Papai, se eu estivesse aí, com a boca doente, você me trataria, pois os meninos e a gente grande que o procuram são como eu mesmo.
”

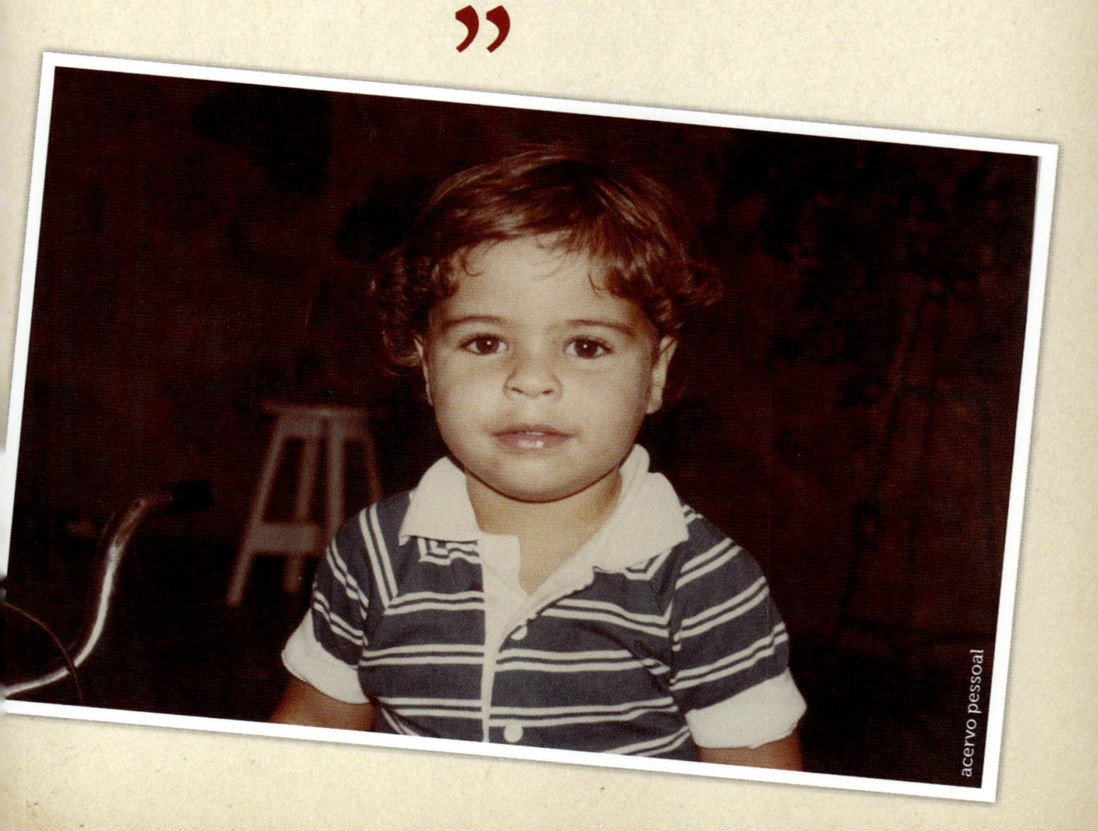

acervo pessoal

MARIA GRACIELA GOMES FARIAS FERREIRA

Maria Graciela, portuguesa, 79 anos, é mãe do Fernando Jorge, que faleceu em um acidente de carro, no dia 15 de dezembro de 1978, aos 18 anos. Seu marido, Francisco, teve um derrame em 1997 e faleceu em abril de 2010.

O acidente

Tínhamos acabado de almoçar. Ele pegou a moto e disse: "Cinco minutos só, daqui a pouco eu estou de volta. Eu só vou na casa da Fernanda", a esposa do meu filho mais velho. Olha as voltas que a vida dá: ele saiu às 14:10 h. Estava começando a chover. Quando eu voltei para a minha sala, senti parar um carro, abri a porta, um rapaz, dentro do carro, amigo deles, no Volks, meio tonto, veio a mim e agarrou-me dizendo: "Dona Graciela, o Fernando teve um acidente junto comigo." Corri para a avenida atrás da minha casa, ele já tinha ido para o pronto-socorro. Quando cheguei lá, ele já estava na sala de cirurgia. Fernando estava vindo para casa, encontrou um amigo, que começou a brincar com ele, dentro do carro e ele na moto. O amigo fechando e ele saindo. Numa das vezes que ele desviou, naquela chuvinha, a moto derrapou e havia um caminhão parado. Ele foi jogado para o caminhão e não estava com capacete. Com a batida, apartou o cerebelo. Eu acho que ele faleceu a caminho do hospital. O neurologista, meu amigo, disse: "Sei que a senhora tem uma fé muito grande. Do jeito que foi a pancada, se ele resistir, ele vai ficar vegetal." Mas eu acredito em milagre, ele não pode morrer, ele não vai morrer. Mas ele já estava morto.

Busca e encontro

O meu primeiro contato com o espiritismo foi quando o meu filho faleceu. Sou católica, mas a minha fé se abalou bastante, porque foi um acidente, uma coisa rápida, e eu queria saber o porquê. Eu procurei muitas pessoas, andei por todo lugar. E nós tínhamos uma família espírita muito amiga nossa. Eles foram a minha casa e disseram: "Graciela, vamos lhe apresentar uma amiga, que também perdeu um filho, e nós gostaríamos que você conversasse com ela." Então, fizemos um encontro na casa dessa minha amiga, a Lucy, e foi ela que me levou ao Chico Xavier. A minha família nunca se opôs, sempre me ajudou. Eu fui com a Lucy à casa do Chico Xavier pela primeira vez. Sempre tive respeito por ele, porque ele é uma pessoa que tem muita humildade. Acho que não havia ninguém que não tivesse respeito por aquele homem. Eu não falo no que ele fazia socialmente.

Ary Dourado

Isso todo mundo sabe. Eu falo como mãe, da tranquilidade e esperança que ele dá para as mães. O carinho com que ele tratava todo mundo. E aquilo fazia muito bem para a gente.

> "Tenha fé, trabalhe, e ajude o próximo. Nada é por acaso."

Trabalho como terapia

Em muitas das noites que eu não dormi, pegava um livro do Chico Xavier e lia. Li muito os livros do Chico. Mas depois vi que eu tinha de fazer alguma coisa pelos outros, porque era tanta gente que estava precisando, e eu ficava ali chorando, chorando, meus filhos já não sabiam mais o que fazer. Eles diziam que estavam aqui comigo, mas para mim parecia que Fernando era filho único. É uma coisa que a gente não sabe explicar. A minha terapia foi muito diferente, foi um trabalho. Eu nunca tinha trabalhado fora de casa, achava que eu não precisava trabalhar fora ou fazer qualquer outra coisa. Eu montei a minha creche, mas como não tinha condição financeira de manter, durante dois anos o meu marido pagou todas as despesas. A família que pudesse pagar alguma coisa pagava, só para cobrir as despesas, não tinha preço fixo. Eu não queria ir para terapia, não queria ir para psicólogo, não queria de maneira nenhuma. Esse berçário foi a minha terapia.

“

A minha terapia foi o trabalho. Eu montei a creche. O berçário foi a minha terapia.

”

Transformação

Uma vez minha filha falou: “Mãe, nós nunca reparamos que a mãe fizesse diferença conosco, mas afinal nos enganamos, ou a mãe nos enganava muito bem porque afinal de contas nós estamos aqui e a mãe só pensa no Fernando.” Aquilo me calou muito fundo. Eu pensei: “Não, eu não posso continuar assim, eu preciso fazer alguma coisa para continuar a minha vida com os meus filhos e com o meu marido.”

Recomendação às mães

Tenham fé, trabalhem, e ajudem o próximo, porque nós estamos aqui para isso mesmo. No começo eu tomei tudo por castigo, mas não foi. Hoje eu tenho uma fé muito grande e acredito plenamente que nada é por acaso.

Saudade

Eu tenho certeza que vou reencontrá-lo. Como mãe, apesar de tantas pessoas dizerem que ele está bem, está com Deus, eu queria que ele estivesse comigo.

"Uma vez minha filha falou: 'Nós estamos aqui e a mãe só pensa no Fernando.' Eu pensei: 'Eu não posso continuar assim, preciso fazer alguma coisa para continuar a minha vida com os meus filhos e com o meu marido.'"

“

Eu tenho certeza que vou reencontrá-lo.

”

A carta

A primeira vez que eu fui para Uberaba foi em janeiro de 1979. Em abril, eu recebi a primeira mensagem. Nesse dia em que fomos a Uberaba, o meu filho do meio, José Emídio, foi comigo. Foi a coisa mais emocionante que eu já senti. A mensagem[6] diz muita coisa sobre mim, fala de quem Fernando encontrou lá, o que foi realmente o acidente dele. Ele dizia para eu continuar firme como eu era, foi muito lindo. Era a primeira vez que eu tinha visto uma coisa daquelas, falava em pessoas com as quais ele não teve nenhum contato. Isso me faz acreditar. Depois que ele faleceu, eu tenho tido uma ajuda espiritual muito grande. Eu mesmo me pergunto como é que é possível.

6. Mensagem psicografada por Chico Xavier em 13 de abril de 1979, no Grupo Espírita da Prece, em Uberaba, MG.

Querida mãezinha, abençoe o seu filho. Vejo-a com o José Emídio e reconforto-me.

Mãezinha, sou trazido até aqui pelo vovô José Farias para dizer-lhes que o acidente foi apenas um estouro sem maior significação. Não culpem a ninguém. Rogo ao irmão querido, aqui presente, contar ao papai Francisco que vou quase bem. Esse 'quase' parece uma lei da vida. Quase que escapei da máquina pesada, quase que fiquei por aí mesmo, quase que tudo não passava de um mau sonho, quase que tudo seria diferente... Pois agora lhes afirmo que quase estou legal. O caso é que a falta de casa e a ausência dos meus entes mais queridos ainda me desajustam. Mas isso deve ser assim mesmo. O vovô Emídio me reassevera que vida e morte são ocorrências fatais. Há quem volte de moto, quem viaje para cá de automóvel, quem chegue por avião, quem apareça com certidões de hospitais e quem surja de maca, por mãos de excelentes padioleiros. O negócio é que todos os companheiros conhecidos ou desconhecidos do mundo terão de vir. E isso, se não me reconforta, me esclarece. É preciso erguer o polegar e dar o sinal de positivo e marchar para diante.

Mãezinha, rogo-lhe coragem. Não se deixe arrasar por estados de angústia. Angústia parece uma navalha invisível retalhando os tecidos da alma, sem acesso a tratamentos na Terra. Corte isso, querida mamãe. Outra vida nos espera por estas bandas, nas quais acordei, lembrando um sonâmbulo que suplicasse a todos os circunstantes para me acordarem. Choro, isso é inevitável. Chorei como acontece a qualquer garotão contrariado, mas percebi que precisava aprumar-me e estou aqui neste quadro de papel dando presença. O querido irmão me compreenderá e também não se deixará levar por tristeza sem significação. Meu avô José tem sido para mim um amigo em que as qualidades de pai e mãe se misturam. Já que me querem aqui em boa forma, peço-lhes em casa fazerem o mesmo. Tudo está clareando para nós. Papai se reconhecerá mais forte, e o querido irmão, que me ouve ao ler-me estas páginas, perceberá que estamos mais juntos.

Mãezinha, até o meu bisavô Amores veio ao meu lado. Deseja que eu lhe peça para viver e viver confiando em Deus. Todos nós precisamos de sua presença. Não permita que a aflição sem remédio lhe destrua as forças do coração. Nosso time deve reagir e as suas mãos sempre vibraram no comando de nossa turma doméstica. Meus avós e antepassados benfeitores lhes deixam lembranças. O mano presente receba os meus melhores pensamentos de carinho. E a senhora, querida mãezinha, com meu pai, recebam os dois todo o amor iluminado de reconhecimento do filho e companheiro que viverá sempre a fim de respeitá-los e amá-los cada vez mais.

Fernando Jorge Farias Ferreira

“Mãezinha, rogo-lhe, coragem. Não se deixe arrasar por estados de angústia.”

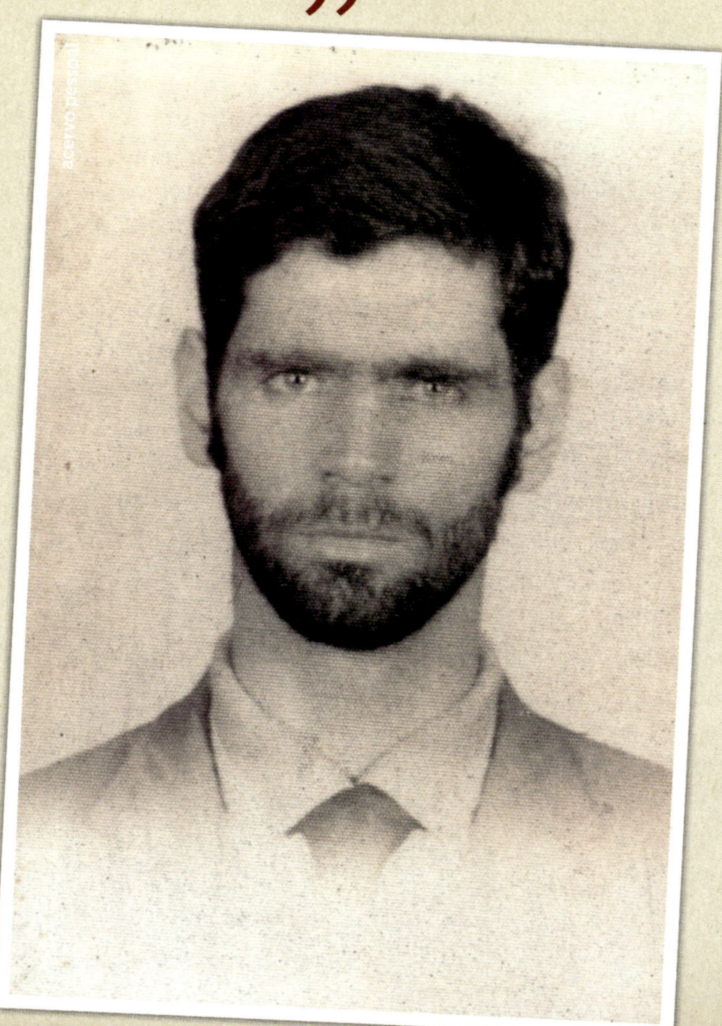

acervo pessoal

NEUSA MARTINEZ COLLIS

Dona Neusa Martinez Collis perdeu seu filho Antônio Martinez Collis, o Tico, de forma violenta, em 1984. Ele estava no último ano da faculdade de química. Sofreu um assalto.

Sobrevida

Se meu filho tivesse ficado vivo, ele ia ficar tetraplégico, porque sua medula seccionou. Ele ficou uma semana na UTI e não aguentou. Ele não ia se mexer nem comer. Seria tudo por sonda. Não ia ser vida. Foi muito difícil, é uma dor muito grande, mas Deus dá força. O espiritismo também ajudou muito.

Religião

Eu nem tinha religião. Batizei os filhos na Igreja, crismei os filhos, ia à missa de sétimo dia e casamento. Mas depois da partida do menino, eu comecei a frequentar o espiritismo. Foi o único lugar em que eu obtive resposta sobre o que aconteceu. Se não, a gente culpa muito Deus. E nós somos responsáveis por tudo o que nos acontece.

Notícias

Quando meu filho partiu, muitas mães que perderam os filhos vinham me visitar. A dona Adelaide e o marido dela iam muito ao Chico. Ele me levou à casa do Chico Xavier, a gente almoçou lá e tudo. Na primeira vez, o Chico me falou que ele estava com a minha avó dona Maria Del Carmem, a mãe do meu pai. A carta do meu menino veio na segunda vez que fomos lá, eu e meu marido. Foi reconfortante, havia muitas palavras bonitas ali. Meu filho era um rapaz bem sossegadinho, como é até hoje.

“

Meu filho vive em outro lugar que a gente não consegue ver, mas ele está vivo.

”

TraMa Produções

Força

Eu procurava meu filho e consolo porque eu estava desesperada, um conforto para continuar a minha vida. Daí eu aprendi também que a gente não pode nem parar de viver. É contra a lei de Deus. Então eu tinha que ter uma força para continuar vivendo. Em todo lugar que a gente vai, a gente vai em busca do filho da gente, não é da mensagem. Para mim era tão recente, tão novidade o espiritismo, que eu ia mesmo era em busca do meu filho. Foi reconfortante, foi bom, a gente começa a refletir sobre a mensagem: meu filho vive em outro lugar que a gente não consegue ver, mas ele está vivo.

> "É difícil continuar depois da perda de um filho, mas tem de continuar. Eles já fizeram a parte deles. Cada um acende a sua luz."

"Levante e viva a vida naturalmente, porque a dor está sempre no mesmo lugar, mas a gente aprende a conviver com a falta."

Continuar vivendo

Eu acho que ele era um Espírito que estava pronto para partir e o dom da mensagem foi permitido para ele porque ele estava bem. Se ele não estivesse bem, não teria como me mandar a mensagem. Eu só quero que isso chegue a alguma mãe ou algumas mães que trabalham. Que elas continuem. É difícil continuar depois da perda de um filho, mas tem de continuar, e fazendo as mesmas coisas. Trabalhar, passear e trabalhar é a melhor coisa que a gente faz. Muita gente pensa que está fazendo pelo filho, e não é. É pela gente. Eles já fizeram a parte deles ou vão fazer. Cada um acende a sua luz.

> "Nós somos os donos da nossa colheita. Se eles partiram dessa maneira, era uma necessidade deles. Eu não podia colher por ele nem ele por mim."

Singelo recado

Não façam o que eu fiz. Eu me fechei dentro de casa, não levantava. Eu falo para as mães: "Levantem e vivam a vida naturalmente, porque a dor está sempre no mesmo lugar, mas a gente aprende a conviver com a falta."

Colheita

Nós somos os donos da nossa colheita. Se eles partiram dessa maneira, era uma necessidade deles. Eu não podia colher por ele nem ele por mim.

“

Quando eu partir, ele vai falar para mim: ‘Vem mãe, vem que estou aqui.’

”

O maior sentimento

Ele está vivo em algum lugar, só que a única coisa muito triste é que a gente não consegue ver, e a saudade é muito grande. Que ele está vivo noutro lugar, eu tenho certeza. Quando eu partir, ele vai falar para mim: “Vem mãe, vem que estou aqui.”

A carta

Tive certeza de que era o Tico [na carta[7]] quando ele pede para perdoar o que fizeram. Pede para não ficarmos desesperados, porque o meu marido estava procurando quem tinha feito aquilo, para mandar fazer também. Mas o meu filho era um rapaz tranquilo, sereno, ele não ia permitir mais loucura além da que já tinha acontecido.

---

7. Mensagem psicografada por Chico Xavier em reunião pública da noite de 15 de fevereiro de 1985, no Grupo Espírita da Prece, em Uberaba, MG. Transcrita em: *Gratidão e paz*. Francisco Cândido Xavier, Espíritos diversos, Hércio M.C. Arantes (org.). 2.ª ed. IDE, Araras, SP, 1992 [pp. 66–68].

Querida mãezinha Neusa e meu querido pai abençoem-me.

Ainda me sinto chocado com o assalto de que a Jane e eu fomos vítimas. Esperávamos o documento de que precisava e dialogávamos com alegria, quando os nossos irmãos infelizes nos intimaram de armas na mão. O tiro partiu de um deles, alcançando-me um vaso importante ao longo da garganta e atravessando-me uma das vértebras, varando tecido delicado da medula.

Num relance, compreendi tudo, enquanto os assaltantes fugiram depressa, naturalmente receando represálias por parte de amigos que de imediato chegaram. Quis falar à Jane e fazer algumas recomendações, porque não me enganava quanto ao meu estado orgânico, mas foi impossível.

Conduzido ao socorro, ainda pude notar o olhar de comiseração dos médicos e amigos; no entanto, o meu pensamento esmoreceu no cérebro e dormi pesadamente no chamado torpor da morte.

Não sei precisar o tempo gasto no desmaio em que eu era visitado por pesadelos e mais pesadelos, quando despertei num lugar aprazível, cercado de árvores que o vento leve ensinava a cantar, qual se eu voltasse a ser criança embalada para o descanso.

Uma senhora velava ao meu lado, e, depois de mobilizar com muita dificuldade os recursos da fala, perguntei quem era para me dispensar tanta bondade, e em que casa de recuperação eu me achava, já que me lembrava claramente do projétil que me alcançou.

Cuidadosamente ela me disse que eu poderia chamá-la por vovó Maria Del Carmem. E, sem alarme, fez-me sentir que meu corpo fôra trocado sem que eu percebesse.

As belas palavras que ela pronunciava enfeixavam a imagem da separação pela morte do corpo físico. Chorei muito. Os meus sonhos de penetrar os domínios da química e desposar a querida Jane estavam desfeitos.

Ainda assim, aquela devotada benfeitora me conduziu à oração, e repetindo petições e preces adquiri forças para regressar à nossa casa e verificar a extensão dos sofrimentos a que involuntariamente dera causa.

Agora, depois de tantas semanas de esforço e luta para aceitar a compreensão da vida, peço-lhes perdão para os meus opressores, pedido que estendo à nossa querida Jane, a quem Jesus concederá a felicidade que ela merece.

Mãe Neusa, auxilie a nossa querida Jane a viver. Estamos hoje em faixas diferentes de vida, mas a vida nos trará o reencontro algum dia.

Os nossos destinos de criaturas humanas se parecem, a meu ver, com as ondas do oceano, que se fazem e se refazem constantemente.

Chegará um dia em que nos reuniremos todos num mundo sem adeus e sem morte.

Tudo, entendo agora, é questão de tempo na vida e paciência em nós.

Que a nossa Jane continue valorosa e paciente, e que nós todos aprendamos a desculpar os infelizes atacantes.

Quisera algo possuir que me expressasse o reconhecimento e o amor, mas, à vista de minha carência de quaisquer recursos para ofertar-lhes hoje o que desejo, entrego-lhes a própria alma saudosa e ainda dolorida pela separação forçada conquanto provisada, o filho amigo e companheiro que tanto lhes deve e que pede a Deus envolvê-los na luz da felicidade para hoje e sempre.

Tico

Antônio Martinez Collis

"Chegará um dia em que nos reuniremos todos num mundo sem adeus e sem morte."

acervo pessoal

LUCY IANEZ DA SILVA

Dona Lucy, 80 anos, é mãe de José Roberto Pereira da Silva, que faleceu com 18 anos, em um acidente de trem que levava estudantes que faziam faculdade em Mogi das Cruzes, em 1972. O trem era o único meio de transporte coletivo para a universidade, não tinha ônibus. Ele ia completar 19 anos no dia seis de agosto, mas partiu em oito de junho.

O acidente

Os estudantes iam no último vagão. Foi um acidente feio. Houve uma falha de energia elétrica: vinha o expresso do Rio e o sinaleiro tinha de desviar o trem, só que ele não desviou. Aí o expresso veio e pegou os dois últimos vagões, onde estavam os estudantes.

Infância

Desde pequeno, tudo para ele era um trem de ferro. Se ele ouvisse um apito de trem, ficava alucinado. Subia no muro para ver onde estava passando. Eu não morava perto do trilho, era em outro bairro.

Revolta

O pai dele ficou não sei quanto tempo sem trabalhar. Ele ia para o cemitério duas ou três vezes ao dia. Sempre trabalhei em prol do necessitado, antes de perder meu filho. Minha mãe me educou assim. Quando eu perdi meu filho, eu tive uma revolta grande. Eu pensei: "Por que eu?" Pensei: "De hoje em diante, não vou fazer mais nada em prol de ninguém! Por que eu perdi meu filho se a gente fazia o bem?" Por seis meses, não saí de casa. Um dia, pensei: "Meu Deus, por que eu estou fazendo isso? Eu tenho que mudar. Maria perdeu Jesus, então eu não posso me revoltar. Eu tenho que aceitar." Não tinha ainda ido ao Chico.

Primeiro contato

Eu vi o Chico no [programa de TV] "Pinga-Fogo" em 1971, que passou em duas etapas. Eu assisti todo o "Pinga-Fogo", mas eu jamais imaginava que um dia eu precisasse e fosse ver o Chico. Depois de 11 meses que o meu filho desencarnou, fui para Uberaba, levada por dona Yolanda Cézar, muito minha

TraMa Produções

amiga. Fui lá pela primeira vez no dia das mães, 10 de maio de 1973. Acontece que eu só recebi um bilhetinho do Dr. Bezerra [de Menezes]. Em abril, eu voltei lá. Outro bilhetinho. O Chico sempre dizia que o telefone não toca daqui para lá, ele toca de lá para cá. No dia 29 de setembro, recebi a mensagem. Eu fiquei em um estado emocional... a gente fica... a gente nem sabe onde está. Eu chorava... Foi uma alegria imensa. Até quem não estava fazendo parte daquilo, todo mundo ficou emocionado. Os amigos se emocionaram. Foi uma coisa muito bonita. Quando li a mensagem, o meu sentimento mudou, porque ele falava muito no reencontro.

Lembranças

Eu não fui ao velório do meu filho. Eu queria ter a lembrança dele saindo de manhã para a faculdade. Cinco e meia, ele saía. Todo dia levava ele até o portão, virava a esquina, dava tchau. A última vez que vi o meu filho foi essa vez. Eu não quis saber nem de ver televisão, jornal, ou conversa de como o meu filho tinha ficado. Não quis mesmo. Não vi nada, reportagem nenhuma.

Solidariedade

Fiquei amiga de muitos [que passaram por isso]. Um consolava o outro. Fim de semana, a gente ia para a casa de um, eles vinham à nossa casa. É uma amizade que a gente não esquece, como se eles fossem parentes da gente.

“

Por que eu perdi meu filho se a gente fazia o bem? Um dia, pensei: ‘Meu Deus, por que eu estou fazendo isso? Eu tenho que mudar. Maria perdeu Jesus, então eu não posso me revoltar. Eu tenho que aceitar.’

”

Conversão

O Chico é tudo. É amor, simplicidade, renúncia. Chico sempre recebeu a gente com aquele sorriso dele, aquilo representava muito para a gente. Transmitia uma paz. Não vai existir outra pessoa igual, nunca vi ninguém como Chico. Nem vou ver mais. Depois dessa experiência, assumi o espiritismo. Eu sei que meu filho está muito bem lá, melhor que nós aqui. E sei que ainda teremos um reencontro.

“
Sei que meu filho está muito bem lá e que ainda teremos um reencontro.
”

A carta

Roberto conta os mínimos detalhes do que aconteceu. Fala pormenores que nem eu mesma sabia. Tem uma parte muito triste, que fala do velório dele, que eu não fui. Meu marido foi à noite, um pouquinho, e disse que não conseguiu ver o filho, só as mãos dele. Meu filho tinha umas mãos muito bonitas. Lendo a mensagem[8] em casa, ele fala de uma faixa que tinha na cabeça, e eu não sabia. Perguntei a minha filha Sandra se ele tinha faixa na cabeça; ela disse que tinha. Quando era pequeno, ele sempre falou que ia ser médico para curar minha mãe, que era muito doente. Meu marido conversava muito com ele e dizia: “Se a gente tiver possibilidade, quero abrir um hospital para você.” Eu não sabia disso e ele fala tudo isso nas cartas.

---

8. Mensagem psicografada por Chico Xavier em 29 de setembro de 1973, na Comunhão Espírita Cristã, em Uberaba, MG. Transcrita em: *Filhos voltando*. Francisco Cândido Xavier, Espírito José Roberto Pereira da Silva, Espírito José Roberto Pereira Cassiano, Caio Ramacciotti (org.). 8.ª ed. GEEM, São Bernardo do Campo, SP, 2009 [pp. 23–30].

Querida Mamãe, peço a sua bênção comigo.

Dizer o que sinto agora, querida Mamãe, é impossível. Quem conseguirá descrever o que se sente entre duas vidas?

Eu não sei o que fazer nesta hora em que nos revemos assim, através das letras que seu filho vai escrevendo com o coração nos dedos, amparado pelas mãos de amigos e benfeitores que nos protegem.

O papel aqui me parece um espelho em que meu pensamento se reflete...

Entretanto, Mãezinha, o papel não retrata as lágrimas. As lágrimas de alegria e de gratidão que elevo a Jesus, agradecendo estes minutos de escrita.

Não chore mais, Mãezinha, e peça ao querido Papai me auxilie com a fortaleza que ele vai reconstruindo pouco a pouco...

Desde aquela manhã final de 8 de junho, a saudade ficou mesmo entre nós, mas o amor cresceu e cresce cada vez mais. E é no amor que vivemos, porque o amor é a presença de Deus.

Ajudem-me. Não lastimem mais a partida inesperada do filho, que desejaria ter ficado...

Entretanto, a lei de Deus sabe mais que os nossos desejos. Se pudesse, teria permanecido, permanecido sempre, até que pudéssemos avançar todos juntos no tempo, sem separação e sem morte.

Não creiam que o sofrimento do adeus não está igualmente aqui...

Estamos vivos e quase felizes, mas é preciso lembrar que este "quase" é a lâmina que a saudade significa em nosso coração firme na fé.

Estamos contentes e renovados, mas a despedida dói mais, porque o pranto dos que amamos é chuva de aflições sobre nós.

Lembro-me de que o Papai me pedia dar toda a atenção aos estudos, enquanto ele sonhava com um hospital em que a Medicina me aguardasse, para cumprir encargos de amor ao pé dos doentes...

Rogo a ele que não desanime nem se canse... Além de nossa querida Sandra, temos outros corações para auxiliar.

Tenho sofrido bastante com as inquietações dos familiares queridos.

Não fosse isso, Mãezinha, e tudo estaria melhor.

Não pensem – mas não pensem mesmo – em mim à maneira de alguém que fosse esmagado pelo acidente. O que se perdeu foi um retrato – um retrato que um dia, em verdade, deveria desaparecer. Eu mesmo estou forte, reanimado, a pedir-lhes para que vivam e lutem pelo bem de nós todos.

Papai, escute o meu grito.

Não morri, não!

Trabalhe, meu pai, guarde o seu ânimo de homem de bem. Não queira morrer para reencontrar-me, porque eu prossigo vivendo para reencontrá-lo, a cada dia, mais encorajado para a luta em favor do bem.

Não me procure chorando e clamando por mim no recanto de terra, onde meu retrato ficou arquivado!

Rogo-lhe viver e viver criando felicidade e progresso para nós todos.

O senhor queria que eu ficasse aí para realizar os seus ideais, no entanto, eu não estou morto, meu pai! Estou vivo! E trabalharei com as suas mãos.

Recordo as suas palavras, lembrando os dias de sua infância.

Você queria seu filho num hospital, para atender às crianças necessitadas e auxiliar os enfermos desvalidos, sem maiores recursos... E quem diz que não vou servir?

Depois de cair, como se houvesse sorvido um tranquilizante violento para dormir, apenas dormi pesadamente...

Acordei num leito de tranquila enfermaria, com uma faixa a me resguardar a cabeça.

Remédios vieram de mãos amigas, e dormi de novo, para depois acordar com mais calma...

Entretanto, aí foi a nossa casa a se revelar por dentro de mim.

O senhor e Mamãe chorando e clamando, sem que eu nada pudesse responder...

Deus não se afasta de nós, a vida continua, e estamos juntos, embora de outra forma.

Para mim é como se o trem de Mogi tivesse entrado num túnel... De um lado ficaram vocês, os meus entes amados, e de outro estou eu, continuando em nova forma...

A saudade deve ser para nós uma prece de esperança, e, com essa prece, trabalhando no bem aos nossos irmãos do caminho, seguimos para a luz do reencontro...

Não deixem que a nossa casa se transforme em recanto de sombras e lágrimas.

A vida é tesouro de Deus e todos estamos ricos de trabalho e esperança, fé e conhecimento.

Querido Papai, querida Mãezinha, querida Sandrinha, meus queridos avós e meus companheiros queridos, aqui, com toda a minha confiança, aquele abraço de meu coração reconhecido.

Beto

“

A saudade deve ser para nós uma prece de esperança. Seguimos para a luz do reencontro...

”

acervo pessoal

FRANCISCA RUIZ DELLALIO

Francisca Ruiz Dellalio, a dona Chiquinha, perdeu o filho Eduardo, 17 anos, em um acidente de moto perto de sua casa, em São Paulo, no ano de 1980. Ele ficou cinco dias no hospital, mas não resistiu. Era um homem de 1,93 m de altura, 85 kg, adorava esporte e jogava futebol diariamente.

Antecedentes

Tive dez gestações, cinco abortos espontâneos. Duas crianças natimortas, um menino morreu com uma semana de vida e Kátia faleceu de broncopneumonia, com quase um ano de idade. Ele foi o segundo dos meus filhos. Quando nasceu, ele ficou todo amarelo e eu fiquei desesperada, enlouqueci no hospital pensando que eu ia perder o segundo filho. Fez transfusão e graças a Deus ele se salvou. Foi um menino que deu só alegria, graças a Deus.

Família grande

O meu sonho era ter uma casa cheia de filhos. Adoro crianças, mas fiquei só com ele. A minha dor era tão grande porque eu achava que ter dez filhos e ficar com um filho só, eu já tinha sofrido tudo o que eu tinha para sofrer. Mas ao contrário, a dor maior era por ter perdido Eduardo.

Encontro

Fomos ao centro à noite, era uma sexta-feira. Na frente da casa do Chico tinha uma multidão tremenda. Eu chamava a atenção porque estava enfraquecida demais, um palito. Fazia três meses que o Chico não trabalhava. E eu com a foto do Eduardo, chorando, chorando. Nessa altura, saiu uma senhora de dentro do centro e fomos lá conversar com ela. Dona

Guiomar [de Oliveira Albanesi] perguntou: "Por que vocês estão aqui?" Respondi que tinha perdido o filho único da gente, depois de tantos. Ela falou: "Meu Deus, ele está aqui!" E ficou toda arrepiada. Entrou, falou com o Eurípedes [filho de criação de Chico] e depois de dez minutos eu já estava do lado do Chico. Foi a maior alegria da minha vida. Peguei a foto, pus na mão do Chico e ele disse: "Ei, Eduardo, o que você fez com a mamãe, hein?" Não precisava mais nada, foi aquela choradeira. Eu e meu esposo chorávamos demais. Ele era católico e tinha dúvidas. Mais tarde, o Chico chamou o meu esposo lá dentro e perguntou: "Quem é Wilson Dellalio?"

TraMa Produções

Meu marido falou: "Sou eu." Chico disse: "Eduardo está com José Dellalio e a vovó Chiquinha." José Dellalio foi praticamente um pai para ele, é um tio maravilhoso que fez tudo por ele. Era a paixão dele. Meu marido fala para todo mundo que se tivesse alguma dúvida, naquela hora não teve mais.

Apelido

Na ficha do Chico eu coloquei "Francisca Ruiz Dellalio". E na mensagem ele começa: "Querida mamãe Chiquinha". Eu adoro ser chamada de Chiquinha, não gosto de Francisca. O começo já foi uma emoção muito forte. Foram 13 mensagens.

As "mães de Chiquinha"

Logo depois de receber a mensagem, me recuperei muito. Aquilo me deu uma força, um ânimo de vida. Voltei aos meus trabalhos no centro. Depois, muitas mães me ligavam e eu pedia para elas virem à minha casa. Elas vinham, às vezes o casal, aí eu animava, levava para Uberaba, mandava vir para o meu "evangelho no lar" [reunião de leitura e reflexão evangélica], que eu faço toda semana. Chegou a um ponto que a minha casa lotava tanto que eu fiquei preocupada. Conversei com o Chico e disse que a minha casa já não cabia mais todo mundo. Ele disse: "Não se preocupe, atenda todas as mães, é a sua missão atender as mães."

Gratidão a Deus pelo tempo desfrutado com o filho

Muitas amigas admiravam quando eu agradecia a Deus por Ele ter permitido que eu convivesse com o meu filho quase 18 anos. Elas não se conformavam: "Você ainda agradece por Deus levar seu filho?" Eu agradeço porque não tive oportunidade com os outros, e com ele eu vivi 18 anos maravilhosos.

Ele me ensinou mais o que é o amor. E eu digo para as mães que agradeçam a Deus o tempo que Deus concedeu este filho para elas. E se elas não tivessem tido esta alegria? Não seria pior? A gente tem que agradecer por eles estarem conosco aquela temporada, porque nós temos a certeza do reencontro, então por que se desesperar?

“

'Você ainda agradece por Deus levar seu filho?' Eu agradeço porque com ele eu vivi anos maravilhosos.

”

A carta

Numa das mensagens,[9] mais emoção:

9. Mensagem psicografada por Chico Xavier em 16 de outubro de 1982, no Grupo Espírita da Prece, em Uberaba, MG. Transcrita em: *Correio do além*. Francisco Cândido Xavier, Espíritos diversos. 3.ª ed. CEU, São Paulo, 1983 [pp. 48-49].

Querida Mamãe Chiquinha e querido Papai Wilson, estamos no vigésimo ano de reencontro. Aniversário à vista. Festa recordada.

Rearticulo na imaginação aquela pressa tradicional das velas de quem guardou e não as encontrou. Os amigos, com os pais queridos à frente, cantam aquele famoso "Parabéns pra você".

Alegra-me pensar que estávamos todos reunidos, em torno de uma simples ideia, o natalício de um filho.

Tudo passou e não passou, porque nos achamos aqui, unidos sempre, rememorando o natalício em companhia de amigos diletos. Tanto amor se desprende da mesa que nos reúne que fico espantado!

Mamãe Chiquinha, tenho vontade de chorar, sob a emoção que me domina, mas me contenho para dizer a você, a meu pai, aos nossos amigos, muito obrigado. Não falta qualquer de nossos laços queridos a este rancho de carinho e de amor, no qual sou eu quem deve agradecer e estou desconhecendo a maneira de fazê-lo.

Os amigos estão conosco, pelas forças telepáticas da lembrança. Todos os que se me faziam irmãos pelo coração, se acham reunidos aqui, através das recordações. Cada qual tem uma ponta nesta novela de amor e luz que somente os pais amigos sabem entretecer,

A nossa convidada desta noite é a Carolina, que me herdou os carinhos caseiros. Deus nos ajude a construir-lhe a felicidade.

Mãezinha, muito grato por tudo a você e a meu Pai. Beije por mim a nossa Carolina pequenina. E fale com a irmãzinha que eu também a amo muito.

Agora, Mamãe, não posso continuar. As lágrimas me subiram do peito para os olhos. É uma vergonha chorar assim, quando a felicidade está conosco. Mas a sua festa me enterneceu.

Sinto-me unicamente capaz de agradecer e pedir-lhes me abençoem e não me esqueçam nas orações habituais.

Papai Wilson e Mamãe Chiquinha, este é o momento do "tchau". Quando eu puder voltarei e, quando pudermos, haveremos de fazer outra festa com tantos companheiros e tantos irmãos em derredor de nós.

Perdoem-me se termino aqui. Não sei molhar o lápis nas lágrimas para escrever. Desse modo, pais queridos, fiquemos todos com Deus e, no abraço de carinho com que me acolhem as palavras, sintam o pulsar de meu coração entre os dois.

Estivesse completando duzentos anos de idade física, minha emoção não seria menor. Recebam, assim, com tudo o que sinto e não escrevo, o carinho imenso repleto de muitas saudades do filho amigo, sempre com toda a gratidão que sou capaz de sentir.

Dudu

–

Eduardo Ruiz Dellalio

“Recebam, com tudo o que sinto e não escrevo, o carinho imenso repleto de muitas saudades.”

acervo pessoal

NEYDE DE SÁ CAMBÔA FAVA

Neyde de Sá é mãe de Sidney Fava, que sofreu um acidente de carro, quando desceu do ônibus, estava atravessando a rua, uma Variant atropelou-o. Foi no dia 4 de novembro de 1976; ele morreu três dias depois.

Esperança

Eu ouvia falar de Chico Xavier, mas nunca me interessei. Mas logo que aconteceu isso, em novembro mesmo, eu fui lá. Quem me levou foi uma amiga que já tinha perdido um filho, a Shirley. Na primeira vez que fui lá, o Chico falou que eu ia receber mensagem logo. Não era coisa que ele falava para todas as mães. Para muitas, ele dizia que ia demorar, que ele [o desencarnado] ainda não aceitou. Chico era um amor, se você chegasse chorando, ele chorava junto. Eu gostei de ir. Me fez bem.

Vizinho

Eu estava em casa e o Sidney já trabalhava. Aí vieram dois moços da firma aqui e falaram que meu filho sofreu um acidente. Eu pensei que não ia conseguir dirigir, quando soube. Aí eles falaram que eram eles que iam me levar para o pronto-socorro no Tatuapé. Só soube que tinha sido o vizinho [que atropelou o Sidney] depois, no domingo de manhã.

Dor maior que a minha

Um caso me marcou muito, naquele dia até parei de chorar, porque aquela mãe estava com mais dor que eu. Ela tinha uma sobrinha que tinha vindo para passar uns dias na casa dela e as meninas sentaram encostadas no muro, uma enrolando o cabelo da outra. O muro caiu e matou as três. As duas dela e a sobrinha. Isso serve de consolo para a gente entender que não acontece só com a gente. Todo mundo sofre. Então, lá [no Grupo Espírita da Prece] havia muita tristeza, muitos casos assim.

“

Aquela mãe estava com mais dor que eu. O muro caiu e matou as duas filhas e a sobrinha. Isso serve de consolo para a gente entender que não acontece só com a gente. Todo mundo sofre.

”

A carta

A primeira carta,[10] para mim, é uma confirmação grande da verdade das mensagens psicografadas. O Chico é maravilhoso para dizer as coisas. Ele dá nomes, ele dizia que o Sidney vinha com o vovô Manuel e a tia Cândida. "Mas, Chico, a tia Cândida está viva, é minha irmã, eu falei tchau para ela agora. É outra Cândida", e fui dando os nomes de todas as minhas tias mortas. Falei que tinha uma tia que eu não sabia o nome, eu chamava ela de tia Doné. Ele falou: "O nome dela é Cândida." Aí, quando eu cheguei em São Paulo, peguei o carro e fui na minha mãe e falei: "Mãe, como se chama a tia Doné?" Ela falou: "Ela chama Cândida." Eu não sabia! O Sidney fala que ficou preocupado com o Derly, o vizinho que o atropelou. Ele queria que a gente perdoasse o Derly.

---

10. Mensagem psicografada por Chico Xavier em 17 de abril de 1977, no Grupo Espírita da Prece, em Uberaba, MG. Transcrita em: *Adeus solidão*. Francisco Cândido Xavier, Espíritos diversos, Caio Ramacciotti (org.). 5.ª ed. GEEM, São Bernardo do Campo, SP, 2010 [pp. 160-165].

Querida mãezinha, sou seu Sidney, pedindo a sua bênção.

Mamãe, venho com a tia Cândida e com o vô Manuel. Estou ligado à sua dor e à sua saudade como a chama numa vela. Seu sofrimento é meu, suas lágrimas estão em meus olhos desde novembro, quando acordei na escola-hospital onde vivo.

Eu não sei se sou a senhora ou se a senhora se transformou em seu filho, porque não desejo vê-la sofrer tanto, porque não desejo ver o meu pai com tanto vazio no coração.

Mãe, perdoe tudo, ninguém teve culpa; se eu pudesse, queria ajoelhar-me aos seus pés e aos pés de meu pai e pedir pelo nosso amigo Derly.

Mamãe, eu estava distraído, pensando nos estudos e, com certeza, não vi que o veículo se aproximava.

Mamãe, tudo foi rápido.

Os que me ensinam aqui a necessidade de esquecimento me dizem que tudo devia acontecer como aconteceu.

Escuto seus pedidos nas orações: "Se você existe, conte meu filho, conte à sua mãe o que houve! Venha falar-me, Sidney, você sabe que tudo esperávamos de você."

Mãe, se me fosse possível, nestas horas de sua luta maior, eu queria entrar em seu coração querido para refazer a sua paz.

Existo, sim!

Mas estou sem meios de seguir adiante, porque eu preciso, mãezinha, que você e meu pai perdoem a vida e perdoem a todos os que estiveram no caso de minha provação.

Nossos amigos do Tatuapé não tiveram culpa, e, se o nosso irmão Derly não aparece tanto como desejávamos que ele estivesse ao seu lado, ao lado de papai e de nossa Elizabeth, é porque ele também sofre.

Mãezinha querida, pense que poderia ser eu, seu filho, no volante...

Se tivesse acontecido a ocorrência sob minha responsabilidade, você teria a certeza de que eu nada teria feito conscientemente.

Peço-lhe de joelhos! Perdoe e perdoe sempre, o mesmo rogo a meu pai, porque temos muito a fazer.

A saudade com a sua mágoa em torno de alguém é uma carga que pesa muito.

Mãe, eu preciso de sua alegria e de sua saúde; eu queria escrever muito, mas estou ainda quase como naqueles dias de nossa separação.

Ouço suas preces, os seus pedidos a Deus, escuto o que você pergunta:

— Por quê, por quê?

Mas, muitas respostas da vida, eu creio que só teremos com o tempo; no entanto, mãezinha, sabemos que Deus é amor e providência, que Deus não nos abandona.

Às vezes, sinto a sua mágoa envolvendo meu coração, como se eu tivesse dentro de mim uma nuvem de lágrimas.

Mãezinha, suas forças e sua compreensão serão fé e existência em meu pai. Não me sintam ausente para sempre, não creiam que houve um adeus entre nós.

Rasgou-se o corpo, como se estraga um uniforme para a vida escolar, mas eu mesmo estou vivo e partilhando as suas preces e tentando respondê-las.

Mãezinha, lembre-se de que a sua alegria será nossa alegria.

E saiba que seu filho lhe guarda as mãos com carinho, como sempre, em minhas próprias mãos, e abraço a sua ternura de mãe com um beijo de todos os dias em que beijava Deus em você.

Seu filho, sempre seu, sempre seu,

Sidney

“

'Se você existe, conte meu filho!' Mãe, se me fosse possível, eu queria entrar em seu coração querido para refazer a sua paz. Existo, sim!

”

divulgação

SHIRLEY RODRIGUES

Shirley Rodrigues, 74, conheceu a dor da perda do filho Sidney, o Sid, que desencarnou aos 19 anos incompletos, vítima de disparo acidental de arma de fogo antes do Natal de 1976. Naquela época, ela tinha 40 anos e o filho estava servindo à Aeronáutica.

A dor da morte e a dor da dúvida

Naquele dia, ele estava de plantão no quartel da Aeronáutica em São Paulo. Ao polir a arma, deixou cair e houve o disparo. A bala ricocheteou e o acertou na base do crânio. As autoridades interpretaram como suicídio, então eles queriam que a gente assinasse o laudo. Eu não me conformava.

Chico

Ele era muito humilde, antes que a gente beijasse a mão dele, ele beijava a nossa primeiro, e muito carinhoso. Ele dava muita força para a gente. Só de estar perto dele, já revigorava.

Forças para continuar vivendo

Olha, acho que só o que ajuda e dá forças para a gente é o espiritismo mesmo. Se não fosse isso, eu não teria aguentado.

Não cometi suicídio

Na carta, o Sidney informou que não cometeu suicídio. Mas ele pediu que assinássemos os laudos oficiais que indicavam suicídio, mesmo sendo inverdade. Sidney dizia que dessa forma o assunto estaria encerrado e poderia voltar a ter a tranquilidade de que tanto necessitava.

A carta

Após a primeira mensagem[11] de nosso querido filho, começamos a encontrar novamente um pouco de paz, e com o recebimento da segunda, algum tempo depois, sentimo-nos bem mais fortalecidos espiritualmente, encontrando forças para continuar a viver e para concentrar nos outros filhos todo o nosso amor.

Gabriel Chiarastelli | Ag. IstoÉ

11. Mensagem psicografada por Chico Xavier em 30 de junho de 1978, no Grupo Espírita da Prece, em Uberaba, MG. Transcrita em: *Entes queridos*. Francisco Cândido Xavier, Espíritos diversos, Caio Ramacciotti (org.). 5.ª ed. GEEM, São Bernardo do Campo, SP, 2010 [pp. 130–133].

Querida mamãe, querido papai, meu querido José Carlos, venho, com meu avô José Rodrigues, para comunicar-lhes que estou melhor.

Não fossem as dúvidas complicadas que acompanharam a minha despedida involuntária do corpo físico, estaria mais forte. Vejo-me, porém, no círculo das indagações que não posso responder.

Querido irmão, levante seu pensamento a meu respeito, estude, trabalhe e ame a vida.

Ninguém me ofendeu nem pratiquei o suicídio, uma tese que ainda me esfogueia a cabeça fatigada.

Efetivamente me achava na intimidade do quartel, mas procurava limpar a arma com excesso de atenção que passou a desatenção. Buscava lustrar o instrumento em minhas mãos, quando no silêncio do gabinete alguma coisa explodiu.

O projétil escapou, sem que eu percebesse, da arma que me caíra das mãos, num movimento impensado de minha parte, e a bala ricocheteada me alcançou à esquerda, na base do crânio.

Apaguei-me, sem gritar. De momento, compreendi tudo.

Acordei com o assombro de quem se recompõe depois de se haver suposto extinto para sempre, mas, a breves minutos, vim a saber da realidade, entre aflições e lágrimas que não conseguia evitar.

Ouvia as lamentações que me vinham de casa, mas até hoje, quando estamos na véspera do dia em que se completarão dezenove meses sobre a infeliz ocorrência, estou emaranhado nos pensamentos contraditórios, sobre o que me aconteceu.

Papai, se o senhor puder, explique o que confesso aos oficiais que me dirigiam com distinção e bondade, mas, se minhas explicações não forem aceitas, em vista de estar escrevendo de uma outra existência em novas dimensões, rogo ao senhor, à mãezinha e a meu irmão concordarem com as teses que foram apresentadas, para que se tenha o encerramento definitivo da questão.

Creio que minhas informações são válidas, porquanto, em consciência limpa, não posso deixar meus antigos chefes e companheiros enleados numa teia de desconfianças e dúvidas, sem razão de ser.

Entretanto, para que a paz venha morar conosco outra vez, peço que assinem os laudos que vierem à nossa consideração, sem qualquer ressentimento.

Rogo isso porque sempre recebi atenções e gentilezas de todo o pessoal da Aeronáutica, que prossigo reverenciando com o máximo respeito.

E, feito isso, espero retomar-me na tranquilidade de que necessito, a fim de estar em segurança. Referências a nós outros, neste mundo em que hoje vivo, com pontos de interrogação e notas de reticências sempre no ar, como que asfixiam a pessoa em minha situação. Agradeço o que conseguirem fazer por minha paz.

José Carlos, reanime-se, irmão, a vida é grande e bela demais para que se possa pensar em abandono das obrigações com que somos honrados. Confio em você, no abraço de sempre.

E aos pais queridos, aos quais rogo perdão por uma falta que não cometi conscientemente, deixo aqui estampado, nestas letras pobres, todo o coração do filho que continua a viver para ambos, cada vez mais reconhecidamente,

Sidney

“Deixo aqui estampado, nestas letras pobres, todo o coração do filho que continua a viver para os pais queridos.”

divulgação

JOIAS DEVOLVIDAS

RICHARD SIMONETTI

Existe uma palavra-chave para enfrentarmos com serenidade e equilíbrio a morte de um ente querido: submissão.

Ela exprime a disposição de aceitar o inevitável, considerando que, acima dos desejos humanos, prevalece a vontade soberana de Deus, que nos oferece a experiência da morte em favor do aprimoramento de nossa vida.

A esse propósito, oportuno recordar antiga história oriental sobre um rabi, pregador religioso judeu que vivia muito feliz com sua virtuosa esposa e dois filhos admiráveis, rapazes inteligentes e ativos, amorosos e disciplinados.

Por força de suas atividades, certa vez o rabi se ausentou por vários dias, em longa viagem. Nesse ínterim, um grave acidente provocou a morte dos dois moços.

Podemos imaginar a dor daquela mãe!... Não obstante, era uma mulher forte. Apoiada na fé e na inabalável confiança em Deus, suportou valorosamente o impacto. Sua preocupação maior era o marido. Como transmitir-lhe a terrível notícia?!... Temia que uma comoção forte tivesse funestas consequências, porquanto ele era portador de perigosa insuficiência cardíaca. Orou muito, implorando a Deus uma inspiração. O Senhor não a deixou sem resposta...

Passados alguns dias, o rabi retomou ao lar. Chegou à tarde, cansado após longa viagem, mas muito feliz. Abraçou carinhosamente a esposa e foi logo perguntando pelos filhos...

— Não se preocupe, meu querido. Eles virão depois. Vá banhar-se, enquanto preparo o lanche.

Pouco depois, sentados à mesa, permutavam comentários do cotidiano, naquele doce enlevo de cônjuges amorosos, após breve separação.

— E os meninos? estão demorando!...

— Deixe os filhos... Quero que você me ajude a resolver um grave problema...

— O que aconteceu? Notei que você está abatida!... Fale! Resolveremos juntos, com a ajuda de Deus!...

— Quando você viajou, um amigo nosso me procurou e confiou à minha guarda duas joias de incalculável valor. São extraordinariamente preciosas! Nunca vi nada igual! O problema é esse: ele vem buscá-las e não estou com disposição para efetuar a devolução.

— Que é isso, mulher! Estou estranhando seu comportamento! Você nunca cultivou vaidades!...

— É que jamais vira joias assim. São divinas, maravilhosas!

— Mas não lhe pertencem...

— Não consigo aceitar a perspectiva de perdê-las!...

— Ninguém perde o que não possui. Retê-las equivaleria a roubo!

— Ajude-me!...

— Claro que o farei. Iremos juntos devolvê-las, hoje mesmo!

— Pois bem, meu querido, seja feita sua vontade. O tesouro será devolvido. Na verdade, isso já foi feito. As joias eram nossos filhos. Deus, que no-los concedeu por empréstimo, à nossa guarda, veio buscá-los!...

O rabi compreendeu a mensagem e, embora experimentando a angústia que aquela separação lhe impunha, superou reações mais fortes, passíveis de prejudicá-lo.

Marido e mulher se abraçaram emocionados, misturando lágrimas que se derramavam por suas faces mansamente, sem burburinhos de revolta ou desespero, e pronunciaram, em unís-sono, as santas palavras de Jó:

"Deus deu, Deus tirou. Bendito seja o Seu santo nome."

"Existe uma palavra-chave para enfrentarmos com serenidade e equilíbrio a morte de um ente querido: submissão. Deus nos oferece a experiência da morte em favor do aprimoramento de nossa vida."

Quem tem medo da morte? Richard Simonetti. 42.ª ed. CEAC, Bauru, SP, 2010 [pp. 145–148].

NÃO EXISTE SOFRIMENTO MAIOR DO QUE A DOR DE PERDER UM filho... Não raro, são os próprios filhos desencarnados que atraem os seus pais aos centros espíritas: desejam dizer que não morreram, que continuam vivos na outra dimensão, que os amam e que haverão de amá-los sempre...
Chico Xavier

PERDA DE ENTES QUERIDOS

5 cena

AS MÃES, CHICO XAVIER E ESTA PERSONAGEM A QUEM CHAMAM MORTE

ABEL SIDNEY

NESTE FILME HÁ UMA PERSONAGEM QUE, AMEAÇADORA, deseja conduzir as narrativas, cortando o fio da vida e interferindo dolorosamente no drama de cada um...

Associada a um assaltante, a Morte interrompe a existência do namorado de Lara, Santiago, justamente no momento em que uma nova etapa de vida anuncia-se ao rapaz. Em meio à confusão e ao prazer de saber-se pai, ele terá que decidir entre fazer o tão sonhado mestrado no exterior ou permanecer no Brasil e aceitar o convite da namorada, possível esposa e mãe do bebê que ela gera e que sente ser seu filho...

Na trama desse destino, abruptamente atropelado pela Morte, tem-se alguém que se deslocará para outra dimensão de vida, mas que permanecerá estreitamente vinculado à existência interrompida!

O espectador irá acompanhar o seu despertar neste além-aqui-tão-próximo, em que Santiago, desorientado, continuará participando da vida da namorada e do filho, em meio às dúvidas de Lara quanto a interromper ou não a gestação.

A Morte, em meio aos fios de suspense da trama, cortará o fio de vida do feto ou ele se desvencilhará dela?! Chico Xavier se manifestará, intervindo decisivamente ao convidar Lara a prosseguir com a sua gestação, a pedido do próprio Santiago.

O impedimento ao retorno à vida física não se concretiza. A Morte, que se manifestaria por meio do aborto, é vencida.

Em outro núcleo deste filme, Theo, filho de Elisa, morrerá prematuramente, antes de completar cinco anos, em consequência do traumatismo causado pelo tombo da bicicleta.

A ideia da Morte como ceifadora de vidas, muitas ainda em tenra idade, tem aqui perfeita expressão. O espectador torna-se solidário com a perda e a dor decorrente, experimentada pelos pais, em meio ao sentimento de culpa e aos desajustes que isso causa se não extirpado... Felizmente o processo terapêutico iniciou-se em tempo, após a ida de Elisa e do seu esposo a Uberaba. A revelação da vida *post mortem* ajudará a curar as feridas abertas.

A carta de Theo, psicografada por Chico Xavier, trouxe alento novo à família, além do esclarecimento quanto à estadia do menino aqui na Terra, que já tinha sido programada para ser breve. De qualquer modo, a Morte teria sido convocada a promover a sua *desencarnação*. Se não fosse pelas *mãos da babá*, poderia ser por meio de uma doença grave, que traria, possivelmente, mais sofrimento à criança.

Se Theo pudesse ser agora entrevistado quanto à participação da Morte no episódio que lhe tirou a vida corporal, ele diria:

> "Ah, não foi nada! A Morte só cumpriu o seu dever, na hora certa e da melhor maneira... Poderia ter sido pior. Morrer não dói. O que dói mesmo é a saudade da separação temporária. Mas isso também

> não é assim tão terrível, pois a gente pode se reencontrar durante o sono e eu tenho visitado a minha família, quando me é permitido!!"

No terceiro núcleo, de Raul e seus pais, a Morte teve uma atuação extra e fora do roteiro original, pois não havia necessidade de sua participação – nem naquele momento, nem daquele modo – nas tramas do destino daquela família.

Se a própria Morte, essa enigmática personagem, fosse convocada a prestar seu depoimento, ela diria:

> "Em um caso como este, minha participação é sempre involuntária. Ninguém renasce para sair do palco da existência terrena por decisão própria... Os homens, ainda imaturos, por desconhecerem a própria imortalidade, enganam-se ao tentar sumir para sempre do cenário existencial. Isso é impossível! Os resultados, desastrosos, exigem a intervenção do Diretor da Vida, para auxiliar os que assim procedem..."

Para as mães que receberam as cartas psicografadas por esse agente do *Correio-entre-Dois-Mundos*, que foi Chico Xavier, a personagem Morte ganhou outro perfil, tornando-se um fenômeno biológico cuja ocorrência, mesmo que inesperada e carregada de surpresas dolorosas, não é mais portadora do anúncio do irremediável *para sempre*, do doloroso *adeus irreversível* ou do trágico *nunca mais*...

ABEL SIDNEY SOUZA

Nasceu em Apucarana, PR, em 11 de janeiro de 1964. Escritor, editor e professor universitário. Diretor de Criação da Temática Produções Editoriais. Autor das obras *Lições de um suicida – um estudo do clássico Memórias de um suicida* e *Esboço da obra-da-vida-inteira*.

“
Só existe algo mais
marcante do que perder
um filho: descobrir que
ele continua vivo.
”

BEBETE

DIVALDO FRANCO

"MINHA FILHA CHAMAVA-SE ELIZABETE, NOSSA QUERIDA Bebete viveu muito bem.

Meu marido viajava ao exterior, e quando ela completou quatro anos, ele disse:

— Temos que nos transferir para a capital, porque essas viagens do interior para pegar aviões para os voos internacionais exaurem-me. Você se incomodaria se fôssemos morar na capital?

— Claro que não, onde quer que esteja a família, estarei bem.

Meu marido construiu uma verdadeira mansão em um bairro distinto desta cidade.

Nós nos transferimos para aqui, e quando Bebete completou cinco anos, ela estava no pré-primário, continuação do jardim. Foi quando nossa vida começou a sofrer alterações.

Eu e meu marido nos damos muito bem, nós estabelecemos um código de ética, não temos segredos.

O nosso amor deve resistir a qualquer situação ou é uma fantasia. E um dia ele me disse:

— Você necessita de cuidar mais de mim porque eu estou sendo muito perturbado por uma outra mulher, e como eu a amo, eu desejo continuar no meu lar.

Eu comecei a examinar em que estaria falhando e finalmente tomei providências. Procurei cuidar mais de mim, procurei estar mais presente no salão de estética, procurei dialogar com meu marido, viajar... Mas, menos de três semanas depois, ele disse:

— Fulana, eu estive num psicólogo e narrei o meu drama, e o psicólogo me disse que eu só tenho duas alternativas: ou eu enlouqueço ou eu assumo a outra mulher. Será que você pode entender o drama que estou passando?

Eu disse:

— Eu posso entender porque eu também sou psicóloga, mas isso em realidade não é afeição. É que nós vivemos num contexto corrompido. As pessoas... Há mais liberdade. Naturalmente, você está mais perturbado pela tentação sexual, pela libido do que por interesse qualquer.

Ele me disse:

— É claro, mas eu temo suicidar-me; ou enlouquecer. Eu queria lhe fazer uma proposta: eu gostaria de visitar essa senhora, sábados e domingos, e na segunda-feira eu voltaria para casa. Que lhe parece?

Eu olhei para ele e disse:

— Não tenho nada a opor, porque o amor a gente não impõe, mas eu amo você e o desejo de destruir nosso lar é loucura.

— Eu sei que é uma loucura, mas é o desequilíbrio que toma conta de mim, eu estou numa situação deplorável.

Eu disse:

— Pois não, você pode assumi-la aos fins de semana, mas você não contará com meu apoio afetivo. Você volta para casa como pai dos nossos filhos. Nós nos separaremos no leito, você ficará em outro quarto.

— Mas não quero que nossos filhos saibam, porque isso vai passar, e quando passar eu desejo reconstituir o meu lar.

Eu lhe disse:

— Com outra mulher, porque eu não o aceitarei mais, continuarei sua amiga.

Ele passou a visitar a mulher aos fins de semana, e Bebete percebeu, aos cinco anos.

Certo dia quando ele voltava, ela perguntou:

— Papai, por que você não fica mais em casa?

— Negócios, minha filha. Eu tive que viajar no fim de semana.

Eu disse:

— É claro que o papai tem que viajar, você sabe que ele viaja muito.

Depois ele passou a ficar com ela a semana inteira, e vinha para casa nos sábados e domingos. Nossos filhos adolescentes, de 14 e 15 anos perceberam, e certo dia um dos filhos disse-me:

— Mamãe, eu vi o papai com uma sujeita no carro.

Eu disse:

— Você não viu, seu pai está viajando.

— Mamãe, eu vi! Será que eu não conheço o papai?

— Você não pode ter visto, meu filho. Seu pai está viajando. Ele me disse que está viajando e ele não mente.

— Mamãe, você precisa ir ao médico.

— Não, não. Você é que precisa, você está equivocado. Seu pai está viajando, e aqui em casa ninguém censura a conduta de seu pai.

Até que ele pediu para ir morar com ela!

O senhor imagina o que se passou em mim, em nossa família, porque ele pediu para não dizer nada? Numa das visitas que ele fez à nossa casa, Bebete atirou-se aos braços dele e perguntou:

— Quando é que você vai voltar, por que você abandonou nossa família?

Ele chorando pôs a filha no regaço e disse:

— Bebete, eu quero dizer uma coisa que você vai guardar para sempre. Se algum dia você souber de alguma desgraça, uma tragédia, de alguma coisa cruel que não possa perdoar, eu lhe peço: desculpe, minha filha.

Imagine, pedir a uma criança de cinco anos para entender a diferença entre desculpar e perdoar. Bebete disse:

— Eu desculpo e perdoo se você voltar para casa. Você vai voltar, papai?

— Vou minha filha, é que eu estou viajando.

Ele saiu chorando e nós ficamos piores. Eu havia pedido a ele que nunca me dissesse quem era a outra, não me interessava, já que ele havia elegido, eu não queria saber.

Três meses depois dos primeiros sintomas, ele voltou um dia e disse:

— Fiquei curado, passou a onda de loucura, voltei ao normal.

Constataria depois que foi uma obsessão, mas ele não tinha nenhuma ideia.

— Eu não sei, estou bom. Você me aceita de volta?

Eu olhei para ele magoada e disse:

— Bem, eu aceito o pai dos meus filhos, o homem que toma conta da casa e que nos sustenta. Volte para casa e vamos ver.

Ele começou a reconquistar-me, eu estava ofendida, mas o amava. Lentamente, a esponja da carícia e do tempo foi diminuindo a profundidade da nossa amargura.

Um dia a ama foi buscar Bebete no jardim e voltou desesperada.

— Senhora, ela não está lá, saiu!

— Mas como saiu? A escola tem ordem expressa de não entregar a menina a ninguém.

Então fui desesperada. Quando cheguei lá, a atendente disse:

— Senhora, nós temos aqui o bilhete do Dr. Fulano de tal mandando que Bebete fosse com sua madrinha, uma senhora que veio buscá-la. Nós entregamos!

— Mas a madrinha dela não mora aqui na cidade!

Ficamos desesperados, percebemos que Bebete havia sido roubada, era uma trama. Imediatamente fomos à polícia, que correu os postos rodoviários, rodovias, aeroportos, estações de trem. Nós de imediato colocamos anúncio na TV e nas rádios:

'Devolvam nossa filha, peçam o que quiserem. É um sequestro, mas não torturem nossa filha.'

Nada. Ninguém sabe o que é esperar um telefonema que não chega. No segundo dia, eu tive uma crise nervosa e fui internada. Então passei a receber soroterapia. Quatro dias depois, crianças que brincavam num matagal encontraram um corpo, um corpo despedaçado. Quando a polícia foi ver, era uma criança. Meu marido foi ver, e era Bebete, havia sido despedaçada com um machado, havia sido assassinada. Eu não tomei conhecimento. Depois do reconhecimento, ela foi colocada em um saco e jogada em uma cova rasa, e quando eu voltei a mim soube da tragédia, não pude acreditar!

Mas quem faria isso? Não havia vestígio de estupro e não era por interesse, era um crime sórdido.

Um detetive particular ao investigar descobriu que meu marido havia tido um caso extraconjugal e foi até a mulher, ameaçou-a e ela confessou:

— Fui eu que a matou. Mas não matei uma criança, e sim uma competidora. Eu matei uma mulher que roubou o homem que eu amava, e eu mataria mil vezes, não tenho arrependimentos.

Claro que foi um horror, ela foi levada para a cadeia com reforço policial, houve movimento de linchamento. Eu me neguei a assistir TV... nem jornais.

Eu soube, então disse para ele:

— Você que matou nossa filha, você é um infanticida, porque, se você não fosse atrás de uma mulher vulgar e miserável, nossa filha estaria viva.

Somávamos agora a profunda dor da perda e a amargura imensa da consciência de culpa. Nesse momento, vieram os sacerdotes da crença que eu esposo. 'Foi a vontade de Deus', disse-me um deles, eu botei para fora. Que deus monstruoso é este, cuja vontade de assassinar uma criança de cinco anos é para punir um bandido adúltero? Se deus fosse Deus, faria que a criminosa matasse a machado o bandido que com ela se amasiou, não minha filha."

~

Ela me contou tudo isso na frente do marido e do grupo, e ele de vistas baixas. Ela nervosa narrava:

"Abandonei a religião e blasfemei o que pude contra Deus. Então, eu recebi um dia a visita de uma amiga. Dez, doze dias depois, e ela me perguntou:

— Você conhece Francisco Cândido Xavier?

— Eu nunca tinha ouvido falar desse homem, mas por quê?

— Ele pode consolar você.

— Mas como? Ele vai devolver minha filha?

— Vai, ele vai devolver sua filha.

— Mas ela está morta.

— Não, ela está viva. Você se lembra que meu filho morreu num acidente de motocicleta, meu filho único. Você ainda tem cinco filhos varões. Então, eu fui a Uberaba e meu filho voltou, escreveu para mim, eu conheço meu filho. Por que você não vai lá?

— Para quê? Eu não acredito em Deus, não acredito em nada.

— Não faz mal, Deus acredita em você.

Então ela falou comigo e com meu marido, que alugou um avião, e fomos para Uberaba numa sexta-feira. Quando nós chegamos à porta do Grupo Espírita da Prece, já havia uma fila enorme. Chico Xavier atendia quarenta pessoas. As fichas foram distribuídas antes. Eu estava ali, mas não tive acesso a ele. Assim, na minha loucura, eu olhei uma senhora e disse:

— Venda-me sua ficha, eu lhe darei dez milhões de cruzeiros.

Ela disse:

— Você é muito petulante, o seu dinheiro não compra tudo minha senhora. Eu estou aqui porque meu filho morreu de acidente. Não há dinheiro que me arranque daqui.

— A sua dor é menor que a minha. Seu filho morreu de acidente, mas a minha filha de cinco anos foi assassinada.

Ela me olhou e disse:

— Eu lhe darei meu lugar gratuitamente.

Quando eu cheguei junto a Chico Xavier, ele ergueu a cabeça e perguntou assim:

— Pois não, minha filha, qual é o seu problema?

Eu não pude falar, havia tanta ternura, tanta compaixão. Eu disse:

— Minha filha, Chico.

Ele perguntou:

— Bebete? Ela está aqui com sua mãezinha que está me dizendo que morreu dois meses antes e recebeu Bebete, e que Bebete está muito bem. Que a senhora não deve chorar tanto. Bebete está viva. Agora sente-se ali, minha filha.

Era demais para o meu raciocínio. Como aquele homem poderia saber disso. Eu sentei-me e aguardei as horas que se passaram. Acompanhei aquela experiência da escrita que eu não entendia. Aquele povo que falava. Estava louca para me ver livre deles, até que começaram as leituras pela madrugada. A primeira carta, a terceira carta, a quarta carta era dirigida à Sra. Fulana de tal. Ela levantou-se. Foi a mulher que me cedeu lugar na fila, e a carta disse:

— Mamãe, eu vim porque você cedeu seu lugar na fila para outrem. Se você se tivesse negado, eu não viria, porque é fazendo o bem que a gente recebe o bem. Eu estou vivo!

Todos nós chorávamos.

A quinta carta era dirigida nominalmente a mim e a meu marido. Nós não declinamos o nome! 'Mãezinha fulana, meu querido papai beltrano.' Levantamos.

Chico Xavier disse:

— A carta é de Bebete.

Então, nós nos acercamos ébrios e ele leu:

> 'Mãezinha querida, se você pensa que alguém nos fez mal, está enganada mamãe. Ninguém nos fez mal. Eu vou contar para você como foi que aconteceu. Eu estava lá na escola. Parou um carro azul e uma senhora muito bonita deu um bilhete e disse:
>
> — Bebete, seu pai me mandou buscá-la.
>
> Eu me sentei com ela. Estava tagarelando quando ela me disse:
>
> — Coma esse chocolate!

Eu comi e dormi. Dormi mamãe, eu não sei o que aconteceu. Quando eu acordei, eu estava numa sala. Então vovó estava junto de mim. Eu disse:

— Vovó, a senhora já morreu.

Ela disse:

— Não, Bebete, estou viva. Você também está viva. Morreu seu corpinho, ficou cortado lá embaixo, mas você está viva.

Eu chorei tanto, mamãe. Você não faz ideia. Eu chorei tanto! Então, eu vi entrar uma senhora como essas professoras de antigamente e ela disse assim:

— Bebete, eu sou sua tia Brígida. Eu vim buscá-la para visitar papai e mamãe que estão desesperados.

Então, eu fui lá em casa. Papai, quando cheguei, mamãe estava caída na cama, você estava dobrado sobre a cômoda, a gaveta aberta e lá dentro uma machadinha, e você dizia:

— Vou amputar as mãos daquela miserável. Irei ao cárcere, arrancar-lhe-ei as mãos.

Papai, você não pode fazer isso.

Você lembra, papai: 'Bebete, se você não puder perdoar pelo menos desculpe, minha filha.'

Papai, eu lhe peço que a desculpe. Ela não fez por mal, paizinho. Ela é louca. Todos estávamos loucos naqueles dias. Desculpe-a, papai. Você está me dizendo que é necessário perdoar.

Eu voltarei depois. Eu beijo você, mãezinha querida, eu abraço meus irmãos.'

Naquele momento, declinava os nomes dos irmãos, um a um."

~

Eu agora estou lendo a mensagem, as lágrimas estão presas nos olhos, e embaixo está assinado: Bebete.

Eu então lhe devolvi a mensagem. Ela disse:

— Ah, Sr. Divaldo, eu perdoei meu marido, nós nos perdoamos. Então hoje é um dia muito especial.

Eu vi entrar uma menina parecida com uma gravura grega. Ela chegou e:

— Diga à mamãe que hoje é o dia do meu aniversário e eu quero pedir a ela um presente, que ela perdoe a mulher que nos fez tanto sofrer.

Eu disse:

— Senhora, eu estou vendo a sua filha e ela diz que hoje é o aniversário dela. Ela pede que perdoe a mulher que a vitimou. Ela lhe pede isso de presente.

Na mensagem, Bebete dizia:

— Há tantas crianças órfãs, tantas crianças ao abandono. Não chore por mim, mamãe, cuide de meus irmãos, cuide das crianças que não têm um lar.

A senhora disse:

— Mas o presente que estou dando à minha filha... eu estou construindo um lar para as crianças que não têm um lar.

Ela disse:

— É muito nobre, mamãe, mas é mais nobre a caridade moral. Perdoe-a!

Ela me disse:

— Não a perdoarei nunca, Sr. Divaldo. Se eu puder matá-la, eu a matarei. E saiu.

Encerramos a entrevista.

Passaram-se os meses, quase um ano. Um dia o telefone chama-me e uma voz tranquila diz-me do outro lado:

— Sr. Divaldo, eu sou a mãe de Bebete. O senhor se lembra de mim?

— A senhora é inolvidável.

— Sr. Divaldo, eu quero lhe dar uma notícia. Ontem, domingo, eu fui ao cárcere visitar a mulher que matou a minha filha. Eu sou espírita agora. Eu estou frequentando... eu estou aliviando minha alma com o evangelho. Elucidei minha mente com *O livro dos Espíritos*. Eu entrei com um dos meus advogados e permissão do juiz, e levei na minha bolsa um exemplar de *O evangelho segundo o espiritismo* e a mensagem da minha filha. Quando entrei e ela me viu, eu abri a bolsa. Ela disse: 'Não me mate, não me mate!'

Sr. Divaldo, eu fiquei estarrecida. Era uma amiga minha, que frequentava minha casa, quem tomou de mim meu marido, que fez esta tragédia. Não era nenhuma inimiga, nenhuma desconhecida, era uma pessoa da minha casa. Eu então me recompuz e disse: 'Não lhe venho trazer a morte, eu venho lhe trazer a vida. Eu a perdoo.'

Coloquei a mensagem dentro do *Evangelho* e disse: 'Leia, e que a você faça o bem que a mim faz.'

Atirei o *Evangelho* pelas grades, saí quase a correr ante o novo golpe. Então, eu quero que o senhor diga à minha filha que eu já a perdoei. Agora eu tenho somente que apagar as lembranças negativas. Que a minha filha me ajude.

~

Superando a dor da morte [VHS]. Divaldo Franco. Leal, Salvador.

Nessa noite, Bebete veio à nossa reunião, fez uma mensagem, escreveu a seus pais, agradecendo e pedindo que ela continuasse amando, porque o amor é o elixir da longa vida de todas as almas.

Mandei a mensagem.

Hoje na sua cidade natal existe o Lar de Elizabete. Existe também um grupo de assistência a meninas de rua em homenagem a Bebete. Ele está dedicado à obra de amor porque o objetivo essencial do espiritismo é a transformação moral da criatura provando a imortalidade da alma.

DIVALDO PEREIRA FRANCO

Nasceu em Feira de Santana, BA, em 5 de maio de 1927. Eminente educador de almas, é um dos mais respeitados oradores e médiuns da atualidade. Recebeu pelo mundo afora mais de 600 homenagens de diversas organizações, incluindo governos e universidades. Extraordinário autor mediúnico com mais de 250 livros e 1000 produtos audiovisuais publicados em vários idiomas, seus mais de 10 milhões de exemplares vendidos tiveram os direitos autorais integralmente cedidos para instituições filantrópicas. Fiel mensageiro da palavra do Cristo, mantém uma intensa atividade de divulgação do evangelho, já tendo superado 13 mil conferências em 2 mil cidades de 64 países nos 5 continentes. Fundou em 1952, junto com Nilson de Souza Pereira e Joanna de Ângelis (Espírito), a Mansão do Caminho na cidade de Salvador, honorável entidade educacional e assistencial que atende diariamente milhares de pessoas carentes, incluindo 3 mil crianças e jovens. Em suas atividades de desenvolvimento do ser, adotou mais de 600 filhos que já lhe deram mais de 200 netos e bisnetos.

"MEU MEDO ORIGINAL ERA: "SOU CAPAZ MESMO DE INTERPRETAR uma mãe que perdeu um filho?" Tenho uma filha de 19 anos, sou capaz de sentir esta dor? Onde eu vou buscar este poço de dor? Não há nada igual, não pode haver nada mais forte que amor de mãe e filho, disso eu sei, e me recusava a fazer laboratório interpessoal. Foi um poço absurdo, só de pensar nela eu chorava e choro de tão dolorido que foi."
Via Negromonte

MORRER É MUDAR CONTINUANDO EM ESSÊNCIA O MESMO

THEREZINHA OLIVEIRA

COSTUMA-SE SIMBOLIZAR A MORTE POR UM ESQUELETO chacoalhante (o que restaria do corpo), armado de foice (com que cortaria o fio da vida), portando uma ampulheta (para contar o tempo de vida das criaturas) e vestindo um manto preto (em que a pessoa que morreu seria escondida para sempre de nós).

Será a morte feia e terrível assim?

O que a morte parece ser

Para os materialistas, que somente acreditam na matéria, a morte é o fim da vida nos seres, a completa e irresistível desorganização dos corpos, o fim de tudo.

Mesmo entre os espiritualistas, grande parte encara a morte com temor. Creem em algo além do corpo, mas apenas de modo teórico. Como não se utilizam do intercâmbio mediúnico, falta-lhes a experiência pessoal, as provas quanto à sobrevivência do Espírito. Em consequência, a morte parece-lhes porta de entrada para o desconhecido. E nada mais assustador do que aquilo que não se conhece.

O que a morte realmente é

A morte é apenas o processo pelo qual o Espírito se desliga do corpo que perdeu a vitalidade e não lhe pode mais servir para a sua manifestação no mundo terreno.

O Espírito não morre quando o corpo morre. Não depende dele para existir. Antes de encarnar neste mundo, o Espírito já existia e vai continuar existindo depois que o corpo morrer.

Desligado do corpo que morreu, o Espírito continuará a viver, em condições diferentes de manifestação, em outro plano de atividades: o mundo espiritual, sua pátria de origem.

Para entendermos bem isso, recordemos como é que encarnamos e desencarnamos.

Como encarnamos

A ligação do espírito com a matéria dá-se por meio do perispírito (corpo espiritual) e faz-se desde a concepção.

Ligado ao ovo, o perispírito vai servir de molde para a formação do corpo material, sendo utilizados nessa formação os elementos hereditários fornecidos por pai e mãe. As células multiplicam-se em obediência às leis da matéria e em conformidade com a influência que o perispírito do reencarnante exerce.

Quando o corpo apresenta condições de vida independente do organismo materno, dá-se o nascimento físico.

A DESENCARNAÇÃO

A carga vital, que havíamos haurido ao encarnar, um dia se esgotará, acarretando a morte física. Esse esgotamento ocorre por velhice, por excessos e desregramentos ou porque uma doença ou acidente danifiquem o corpo material de modo irrecuperável.

Morto o corpo, vem o desprendimento perispiritual, que começa a fazer sentir seus efeitos pelas extremidades do organismo. Desatam-se os laços fluídicos nos centros de força, sendo o centro cerebral o último a se desligar.

Às vezes, médiuns veem o desprendimento dos fluidos perispirituais, que vão formando um outro corpo – o fluídico – acima dos agonizantes.

Por que temos de morrer? Não poderíamos ficar vivendo para sempre na Terra?

O objetivo do Espírito não é permanecer no plano terreno. Seu ambiente natural e definitivo é o plano espiritual.

O Espírito encarna em mundos corpóreos para cumprir desígnios divinos. Deus quer que o Espírito cumpra uma função na vida universal e, ao mesmo tempo, vá desenvolvendo-se intelectual e moralmente.

Cada encarnação só deve durar o tempo suficiente para que o Espírito cumpra a tarefa que lhe foi designada e enfrente as provas e expiações que mais sejam necessárias à sua evolução, no momento.

Depois de cada encarnação, o Espírito desliga-se da vida terrena e retoma o seu estado natural, que é o de Espírito liberto.

No intervalo entre duas encarnações, o Espírito vive de modo muito mais amplo do que quando encarnado, porque o corpo lhe limitava um tanto as percepções e atividades espirituais.

Então, avalia os resultados da encarnação que findou e prossegue aperfeiçoando-se espiritualmente na vida do além.

Encarnará novamente, quando isso se fizer necessário e oportuno para a continuidade de seu progresso intelectual e moral e para o cumprimento da função que Deus lhe designar na vida universal.

Desencarnar é um processo doloroso?

Não mais do que as dores e dificuldades que muitas vezes experimentamos aqui na Terra. Depende muito de como a pessoa encara os acontecimentos e das condições que ela tenha para os solucionar ou suportar.

É comum o recém-desencarnado sentir inicialmente uma certa perturbação.

Por que a perturbação? Não estamos voltando ao nosso verdadeiro mundo? Tudo deveria ser muito natural

Deveria e assim acontece com os Espíritos mais evoluídos. Mas, geralmente, prendemo-nos demais às sensações físicas durante a vida do corpo, canalizamos muito as sensações em nossos órgãos dos sentidos. Desencarnados, ainda queremos continuar a ver com os olhos, ouvir com os ouvidos, sentidos corpóreos que já não temos. Por isso, de início não percebemos bem o novo plano em que passamos a viver. Temos de habituar-nos às percepções perispirituais em vez das percepções dos sentidos materiais.

É uma readaptação ao plano do espírito. Quando nascemos na Terra, levamos algum tempo adaptando-nos ao novo corpo. Ao desencarnar, também precisamos de uma fase de readaptação ao plano espiritual.

Demora muito essa readaptação ao mundo espiritual?
A duração vai depender da evolução do Espírito. Para alguns, breves instantes bastam. Para outros, demora até o equivalente a muitos dos nossos anos terrenos.

Quem não se preparou para a vida espiritual sentirá maior dificuldade em se readaptar ao novo plano de vida, razão por que há Espíritos que se comunicam dizendo estarem perturbados, desorientados.

Quem se preparou bem passa rapidamente pela fase e logo se sente readaptado ao plano espiritual.

O preparo para a vida espiritual vem do cultivo de nossas faculdades de espírito e da busca do equilíbrio com as leis da vida. Para isso, nada melhor do que manter a conduta moral cristã.

O PROCESSO DA DESENCARNAÇÃO

O processo todo da desencarnação e reintegração à vida espírita dependerá:

1. Das circunstâncias da morte do corpo

Nas mortes por velhice, a carga vital foi esgotando-se pouco a pouco e, por isso, o desligamento tende a ser natural e fácil, e o Espírito poderá superar logo a fase de perturbação.

Nas mortes por doença prolongada, o processo de desligamento também é feito pouco a pouco, com o esgotamento paulatino da vitalidade orgânica, e o Espírito vai preparando-se psicologicamente para a desencarnação e ambientando-se com o mundo espiritual que, às vezes, até começa a entrever, porque suas percepções estão transcendendo ao corpo.

Nas mortes violentas (acidente, desastre, assassinato, suicídio etc.), o rompimento dos laços que ligam o Espírito ao corpo é brusco e o Espírito pode sofrer com isso, e a perturbação tende a ser maior. Em casos excepcionais (como o de alguns suicidas), o Espírito poderá sentir-se temporariamente "preso" ao corpo que se decompõe, o que lhe causará dolorosas impressões.

2. Do grau de evolução do Espírito desencarnante

De modo geral, quanto mais espiritualizado o desencarnante, mais facilmente consegue desvencilhar-se do corpo físico já sem vida. Quanto mais material e sensual tiver sido sua existência, mais difícil e demorado é o desprendimento.

A perturbação natural por se sentir desencarnado é menos demorada e menos dolorosa para o Espírito evoluído. Quase que imediatamente ele reconhece sua situação, porque, de certa forma, já vinha libertando-se da matéria antes mesmo de cessar a vida orgânica (vivia mais pelo e para o espírito). Logo retoma a consciência de si mesmo, percebe o ambiente em que se encontra e vê os Espíritos ao seu redor. Para o Espírito pouco evoluído, apegado à matéria, sem cultivo das suas faculdades espirituais, a perturbação é difícil, demorada, sendo acompanhada de ansiedade, angústia, e podendo durar dias, meses e até anos.

A ajuda espiritual

A bondade divina, que sempre prevê e provê o de que precisamos, também não nos falta na desencarnação.

Por toda parte há bons Espíritos que, cumprindo os desígnios divinos, dedicam-se à tarefa de auxiliar na desencarnação os que retornam à vida espírita.

Alguns amigos e familiares (desencarnados antes) costumam vir receber e ajudar o desencarnante na sua passagem para o outro lado da vida, o que lhe dá muita confiança, calma e também alegria pelo reencontro.

Todos receberão essa ajuda normalmente, se não apresentarem problemas pessoais e comprometimento com Espíritos inferiores. Em caso contrário, o desencarnante às vezes não percebe nem assimila a ajuda, ou é privado dessa assistência, ficando à mercê de Espíritos inimigos e inferiores, até que os limites da lei divina imponham um basta à ação destes e o Espírito rogue e possa receber e perceber a ajuda espiritual.

DEPOIS DA MORTE

Após desligar-se do corpo material, o Espírito conserva sua individualidade, continua sendo ele mesmo, com seus defeitos e virtudes.

Sua situação, feliz ou não, na vida espírita será consequência da sua existência terrena e de suas obras. Os bons sentem-se felizes e no convívio de amigos; os maus sofrem a consequência de seus atos; os medianos experimentam as situações de seu pouco preparo espiritual.

Através do perispírito conserva a aparência da última encarnação, já que assim se mentaliza. Mais tarde, se o puder e desejar, a modificará.

Depois da fase de transição, poderá estudar e trabalhar na vida do além e preparar-se para nova existência terrena, a fim de continuar evoluindo.

O conhecimento espírita garante uma boa situação no além, ao desencarnarmos?

O conhecimento espírita ajuda-nos muito a entender a questão da desencarnação e pode fazer com que o Espírito, ao desencarnar, compreenda rapidamente o que lhe está acontecendo e saiba o que deve fazer para se readaptar melhor ao plano espiritual.

Mas não nos assegura uma boa situação no além, se a ela não fizermos jus por nossos pensamentos, sentimentos e atos.

Somente a prática do bem assegura ao Espírito um despertar pacífico e sereno na pátria espiritual.

Os que ficam na Terra não podem ajudar?

Podem, sim. As atitudes e ações de quem fica, em relação ao desencarnado, influem muito sobre ele.

Revolta, desespero, angústia pela partida do desencarnado podem repercutir nele de modo triste, desfavorável, deprimente, desanimador.

É por não entendermos a morte, o seu porquê e os seus efeitos, que agimos assim? Convém, então, estudarmos as informações espirituais quanto à desencarnação, para sabermos como nos comportar ante esse fato inevitável.

Sentir saudade é natural e, por vezes, não há como evitar o pranto. Mas que não resvalemos para o choro excessivo, exigente e inconformado.

Ante os que nos antecederam na grande viagem, podemos e devemos:

- orar por eles, com resignação e esperança no futuro espiritual;

› não guardar demais objetos e coisas da pessoa que desencarnou, nem os ficar contemplando e acariciando indefinidamente;
› ocupar-se de seus deveres e da prática de ações boas, do auxílio ao próximo, em vez de ficar remoendo improdutivamente sua dor e saudade;
› procurar fazer o bem que a pessoa desejaria ou deveria ter feito quando estava aqui na Terra.

Podemos ter notícias de quem desencarnou?

Podemos rogar a Deus que nos conceda essa bênção, essa misericórdia.

Se vierem notícias por via mediúnica, analisemos as mensagens e informações recebidas. Condizem com a realidade espiritual e a boa orientação cristã? Em caso afirmativo, agradeçamos a Deus o consolo recebido. Não correspondem à identidade do nosso querido desencarnado? Com tranquilidade, sem revolta nem desanimar na fé, ignoremos a mensagem recebida.

Do ponto de vista espiritual, nem sempre é considerado útil e oportuno que tenhamos notícias sobre os desencarnados. Nesse caso, é preciso saber aceitar a ausência de notícias, continuando a confiar na sabedoria e no amor de Deus por todos nós, seus filhos.

Por vezes, as notícias vêm por meio de sonhos especiais, porque, ao dormir, desdobramo-nos espiritualmente e então podemos encontrar-nos com outros Espíritos no plano invisível.

A CRIANÇA APÓS A MORTE

Que significado ou valor espiritual pode ter a vida de alguém que desencarnou ainda bebê?

Essa curta vida teve também sua finalidade e proveito, do ponto de vista espiritual. Pode ter sido, por exemplo:

- uma complementação de encarnação anterior não aproveitada integralmente;
- uma tentativa de encarnação que encontrou obstáculos no organismo materno, nas condições ambientes ou no desajuste perispiritual do próprio reencarnante; serviu, assim, para alertar quanto às dificuldades e ensejar melhor preparo em nova tentativa de encarnação;
- uma prova para os pais (a fim de darem maior valor à função geradora, testemunharem humildade e resignação), ou para o reencarnante (a fim de valorizar a reencarnação como bênção).

Qual é, no além, a situação espiritual de quem desencarnou criança?

É a mesma que merecia com a existência anterior ou que já tinha na vida espiritual, porque, na curta vida como criança, nada pôde fazer de bom ou de mau que alterasse a evolução, que representasse um desenvolvimento, um progresso.

Mas pode estar melhor na sua conscientização e no seu equilíbrio espiritual e também ter reajustado, no processo de ligamento e desligamento com o corpo, algum problema espiritual de que fosse portador.

Como é visto o corpo espiritual de quem desencarnou criança?

Uns se apresentam "crescidos" perispiritualmente e até já em forma adulta, pois, como Espíritos, não têm a idade do corpo.

Se desejam fazer-se reconhecidos pelas pessoas com quem conviveram, podem apresentar-se com a forma infantil que tiveram.

Se vão ter de reencarnar brevemente, poderão conservar a forma infantil do seu perispírito, que facilitará o processo de nova ligação à matéria.

E assim como há, para o Espírito de adultos, moradas no mundo fluídico, também há ali, para os Espíritos que ainda conservam a forma infantil, as chamadas "colônias", em que são carinhosamente acolhidos e auxiliados por "tios" e "tias" benfeitores e onde permanecerão, enquanto necessitarem.

Ante os que partiram. Therezinha Oliveira.
8.ª ed. Allan Kardec, Campinas, SP, 2009 [pp. 3–17].

THEREZINHA OLIVEIRA

Nasceu em Cravinhos, SP, em 3 de outubro de 1930. Autora de sucesso com dezenas de livros e produtos audiovisuais publicados, já tendo superado 600 mil exemplares. Com mais de 50 anos de atividades ininterruptas na seara espírita, já presidiu o Centro Espírita "Allan Kardec" e a USE de Campinas, SP. Oradora brilhante, proferiu mais de duas mil palestras em todo o Brasil e até nos EUA.

À FRENTE DA MORTE

CHICO XAVIER e EMMANUEL

Não olvides que, além da morte, continua vivendo e lutando o Espírito amado que partiu...

Tuas lágrimas são gotas de fel em sua taça de esperança.

Tuas aflições são espinhos a se lhe implantarem no coração.

Tua mágoa destrutiva é como neve de angústia a congelar-lhe os sonhos.

Tua tristeza inerte é sombra a escurecer-lhe a nova senda.

Por mais que a separação te lacere a alma sensível, levanta-te e segue para a frente, honrando-lhe a confiança com a fiel execução das tarefas que o mundo te reservou.

Não vale a deserção do sofrimento, porque a fuga é sempre a dilatação do labirinto em que nos arroja a invigilância, compelindo-nos a despender longo tempo na recuperação do rumo certo.

Recorda que a lei de renovação atinge a todos e ajuda quem te antecedeu na grande viagem, com o valor de tua renúncia e com a fortaleza de tua fé, sem esmorecer no trabalho – nosso invariável caminho para o triunfo.

Converte a dor em lição e a saudade em consolo, porque, de outros domínios vibratórios, as afeições inesquecíveis te acompanham os passos, regozijando-se com as tuas vitórias solitárias, portas adentro de teu mundo interior.

Todas as provas objetivam o aperfeiçoamento do aprendiz e, por enquanto, não passamos de meros aprendizes na Terra, amealhando conhecimento e virtude, em gradativa e laboriosa ascensão para a vida eterna.

Deus, a Suprema Sabedoria e a Suprema Bondade, não cria-ria a inteligência e o amor, a beleza e a vida, para arremessá-los às trevas.

Repara em torno dos próprios passos.

A cada noite no mundo segue-se o esplendor do alvorecer.

O inverno áspero é sucedido pela primavera estuante de re-nascimento e floração.

A lagarta, que hoje se arrasta no solo, amanhã librará em pleno espaço com asas multicolores de borboleta.

Nada perece.

Tudo se transforma na direção do infinito bem.

Compreendendo, assim, a verdade, entesourando-lhe as bên-çãos, aprendamos a encontrar na morte o grande portal da vida e estaremos incorporando, em nosso próprio espírito, a luz inex-tinguível da gloriosa imortalidade.

“Não olvides que, além da morte, continua vivendo e lutando o Espírito amado que partiu...”

Escrínio de luz. Francisco Cândido Xavier, Espírito Emmanuel. O Clarim, Matão, SP, 1973 [pp. 169–171].

“FOI COM MUITO CARINHO QUE FIZ ESSE FILME. CARINHO E RESPEITO pela dor de quem sofre perdas como essa. Foi um trabalho profundo, um mergulho no amor imenso de mãe e na dor da perda. Encarar a morte nunca é fácil e não dá para ficar à margem do assunto.”

Vanessa Gerbelli

ABORTO

cena 6

O MAIOR ROUBO

ABEL SIDNEY

NÃO HÁ TEMA QUE DESPERTE MAIS CONTROVÉRSIAS DO QUE o aborto. Em razão disso, longas discussões travam-se para condená-lo ou defendê-lo.

Mário Quintana, nosso conhecido poeta, certamente não desejou polemizar, mas expressou sem meias palavras sua opinião:

> "O aborto... é um roubo... Nem pode haver roubo maior. Porque, ao malogrado nascituro, rouba-se-lhe este mundo, o céu, as estrelas, o universo, tudo."

Esta ideia de *roubo de oportunidade* aproxima-se do que o espiritismo propõe sobre o assunto. Pudéssemos entrevistar hoje Chico Xavier, ele mansamente diria:

> "Não se deve impedir a volta do Espírito à vida corporal. Esse impedimento traz consequências muito negativas. Renascer é uma oportunidade de aprendizado e reajuste, de refazimento e recomeço neste planeta, que é escola, hospital, oficina de trabalho e, por vezes, prisão. Qualquer que seja a condição dos que renascem, esta é sempre melhor do que a situação em que viviam no mundo espiritual. Não podemos negar a ninguém o ensejo de recomeçar, sob as bênçãos de Deus..."

Lara, como sabemos, viveu a difícil decisão de manter ou interromper sua gravidez. Tal como ela, muitas mães tiveram oportunidade de receber orientações como esta:

"Em apenas um caso é permitido o abortamento. É quando se decide dentre preservar a vida de um ser já existente – a mãe – e a vida daquele que ainda não retornou a mais uma existência. A vida da mãe deve prevalecer sempre."

Para entender melhor o pensamento espírita, anotemos alguns pontos:

› existe um Ser Superior que estabeleceu meios de "cuidar, manter e ajustar tudo" no reino dos homens e da natureza;
› essa divindade, "soberanamente justa e boa", governa mediante leis igualmente equânimes e misericordiosas;
› uma dessas leis, a da *reencarnação*, estabelece que para aprendermos e nos aperfeiçoarmos se faz necessário sempre "nascer, viver, morrer e renascer";
› todo ser é *imortal*; perde-se o corpo físico com a *desencarnação*, mas se permanece com o *corpo espiritual*, após o encerramento da vida física;
› o *Espírito*, portanto, já existiu, segue existindo no *corpo físico* e continua vivo e atuante no seu retorno ao *mundo espiritual*.

O aborto torna-se, assim, um impedimento do retorno do Espírito a uma nova etapa de aprendizado.

Em qualquer período da gestação está presente *aquele ser* que ingressará em um novo corpo, para mais uma jornada.

Seja na fase zigótica, embrionária ou fetal, o *Espírito reencarnante* encontra-se vinculado à mãe e interferindo, de modo direto ou indireto, na formação do próprio corpo físico.

Este *ser* que nascerá novamente está vinculado de alguma forma aos seus futuros pais, mesmo que seja fruto de relacionamentos ocasionais. Não existem, portanto, laços instantâneos, principalmente entre mães e filhos, como que feitos ao sabor do acaso. As circunstâncias mais fortuitas são integralmente aproveitadas para revincular, reaproximar todos os que precisam tornar a conviver juntos...

E se o aborto já tiver sido praticado? Há *salvação* neste caso? O espiritismo demonstra que não há inferno ou penas eternas, mas chances sempre renovadas, por isso é sempre possível recomeçar. Chico Xavier, se chamado a esclarecer esses casos, diria consolando:

> "Ninguém aborta sozinho. A mãe nem sempre é a maior responsável pela decisão tomada. Muitos exercem pressão sobre a gestante, que se vê forçada a praticar o ato abortivo. Pesa muito também na decisão as ideias que a sociedade criou de que ter filho é muito custoso, seja pelos gastos financeiros, seja pelos cuidados que ele exige... Em qualquer tempo, no entanto, pode a mulher que abortou retomar os laços com a maternidade, seja novamente como mãe, seja como professora, profissional da saúde ou como deseje servir amparando as crianças."

Se o próprio sentido da vida é *progredir sempre*, o aborto é um acidente de percurso, que impedirá momentaneamente o Espírito de retornar, mas as portas da reencarnação continuarão abertas.

Deus permite-nos sempre recomeçar. Quem já criou barreiras ao nascimento de um filho seu ou alheio, terá oportunidade de reparar esse erro, de uma forma ou de outra... O amor cobre uma multidão de pecados e não haverá mal algum, por mais grave, que não seja possível de ser reparado, para o bem de todos.

DR. THADEU MERLIN

DIVALDO FRANCO

Ele era jovem e era sonhador, como todo jovem. Estava concluindo seu curso de medicina na universidade de Los Angeles, na Califórnia, EUA. Havia se apresentado como um excelente estudante. As suas eram notas relevantes, respeitável a sua cultura.

No entanto, adotava um comportamento esdrúxulo para a época. Asseverava o estudante Thadeu Merlin que a eutanásia era o melhor processo terapêutico para os doentes irrecuperáveis. Aplicar a eutanásia representava um ato de compaixão, uma atitude de misericórdia para aqueles que se encontravam em estágio mais agônico da sua existência.

É óbvio que essa tese absurda provocava nos mestres e nos colegas compreensível reação. E todos diziam-lhe:

— Mas, Thadeu, a função da medicina, claro, não é impedir a morte que é um fenômeno biológico. Mas é tornar a vida mais digna. Prolongar a existência, ensejar uma sobrevida de acordo com os processos terapêuticos defluentes das conquistas científicas.

Mas o jovem era obstinado e dizia:

— Quando eu receber o diploma legal e enfrentar um paciente que seja vítima de uma enfermidade degenerativa, de um processo para o qual não há a mais mínima esperança, no silêncio da noite, eu praticarei a medicina da compaixão, a eutanásia, e evitarei que a pessoa sofra; ao mesmo tempo aliviarei a família de uma carga insuportável.

Os amigos teimavam, porém Thadeu Merlin mantinha a sua teoria. Não podemos modificar a estrutura do pensamento das demais pessoas.

A Califórnia periodicamente é vítima de duas tragédias anuais.

As cheias que acontecem no verão e as grandes queimadas – a combustão espontânea das florestas que se encontram em derredor das cidades.

Foi numa dessas calamidades, uma grande tempestade que se abateu sobre Los Angeles, que a vida de Thadeu Merlin deveria modificar o seu roteiro completamente.

Vários desabamentos, pedidos de socorro para o hospital de clínicas, os hospitais particulares sobrecarregados, e por fim uma chamada estranha.

Era uma chamada que vinha de um bairro de pessoas miseráveis. Imigrantes europeus que ali se encontravam homiziados, sem receber qualquer assistência governamental. Mas aquele apelo era muito peculiar. Tratava-se de uma senhora visivelmente ignorante que era aparadeira.

Ela dizia que estava tentando salvar duas vidas – uma gestante no ato do parto, um parto que não se consumava. Apesar das dores lancinantes e das largas horas em que a gestante estava para a *délivrance* [dar à luz], tudo indicava que a vida da criança seria impossível e consequentemente também de sua mãe.

Ela pedia que fosse de imediato uma ambulância para levá-la ao hospital para um parto, talvez uma cesariana, fosse lá o que fosse.

A atendente explicou que era impossível. Não apenas pelos alagamentos, pelas casas que haviam ruído, as estradas intransitáveis, as avenidas... mas também porque o hospital estava superlotado.

Todos os centros cirúrgicos estavam com fila de espera. Os corredores abarrotados de pessoas colocadas de qualquer forma, vítimas dos acidentes de vária natureza.

Mas a pessoa insistiu de tal forma...

— Vocês não têm um médico disponível? Uma pessoa que pelo menos possa vir dar-nos... socorrer-nos... Uma pessoa qualquer do hospital?!

A atendente olhou a lista do plantão e, depois de examiná-la toda, percebeu embaixo o nome do estudante Thadeu Merlin.

Era ainda quintanista de medicina. Não tinha muita experiência, estava ali também de plantão.

Ela o chamou pelo serviço interno do hospital e explicou-lhe a condição de emergência.

Apesar da teoria de Thadeu Merlin, ele era um jovem de sentimentos elevados. Era uma distorção de interpretação das propostas da medicina. Quando ele soube do drama:

— Pois não, poderei visitar.

E ofereceu-se com o maior prazer, a mais ampla disponibilidade.

Foi encaminhado a um obstetra, levado a um lugar próprio. Recebeu instrução apressada, foram-lhe oferecidos alguns medicamentos de emergência e ele partiu numa ambulância.

Thadeu Merlin era socialista e lutava contra as injustiças sociais. À medida que ele saía daquela Los Angeles dos astros de cinema, das personalidades poderosas do petróleo, dos grandes executivos, e acercava-se da periferia, dos bairros miseráveis que são iguais no mundo inteiro, e adentrava-se mais aos pardieiros prestes a ruir, não pôde sopitar uma revolta surda contra as leis injustas.

Então chegou ao local cujo endereço ele carregava. Era um pardieiro de três andares. Thadeu Merlin com a sua mala de instrumentos e medicamentos subiu a escadaria. Encontrou em cada vão das escadarias sujas, de madeira velha, crianças esfarrapadas, miseráveis sociais, miseráveis por desnutrição, e quando chegou ao andar indicado a porta estava aberta. Era um velho apartamento, uma cama de ferro, uma mulher sobre ela, quase desmaiada, e uma senhora que dizia:

— Doutor, não há jeito para essa mulher. Desde ontem à noite. Note, já é quase noite, já se passaram mais de vinte horas, ela com dores insuportáveis e a criança não está localizada. Mas ela é culpada. Imagine que é mãe de sete e ainda se atreveu ter mais outra gestação. O marido não aguentou, é claro. Pediu que ela abortasse. A solução era o aborto, mas ela se negou. O marido disse: "Não conseguimos alimento para nove. Como vamos conseguir para dez? Ou você opta pelo seu filho, ou por mim!" Ela resolveu pelo filho, e ele se foi. Aí está, desnutrida, miserável e agora vai morrer e a criança também.

Thadeu Merlin não ouviu direito essa arenga. Acercou-se da mulher, examinou-a.

Realmente a criança não estava em posição de parto. Ele olhou para aquela mulher muito pálida, suarenta, com colapso periférico.

Aplicou-lhe uma injeção para provocar a reação orgânica para as contrações. Não tinha outra alternativa, senão aguardar.

A chuva havia parado e aparecia longe um crepúsculo de fogo.

As nobres palmeiras de Los Angeles. A cidade monumental, e, a certa distância da montanha, a legenda “Hollywood”, o mundo de sonhos e de fantasias.

Ali era a realidade!

Ele aproximou-se da janela e contemplou Los Angeles iluminada. Era um céu de estrelas e a terra de estrelas elétricas. Então, ele se lembrou de Deus.

Fazia tempos que ele estava de mal com Deus. Desde quando ele se adentrara pela universidade, que se divorciara de Deus.

Mas agora que ele se encontrava ali, olhando aquela mulher que estava morrendo e a criança que ia morrer fatalmente, ele resolveu conversar com Deus, e disse-Lhe:

— Se Você quiser, os dois serão salvos. É opção Sua! Eu aqui estou, utilize-se de mim.

Uma emoção irrompeu-lhe e ele começou a balbuciar o “Pai Nosso”.

Quando estava naquela frase “perdoa as nossas dívidas”, a mulher gemeu. Ele voltou-se. A mulher estava com as marcas do parto.

Ele acercou-se e, é claro, daí a alguns minutos a criança nascia.

Ele estava emocionado. Foi Deus que o atendeu ou foi a injeção que ele aplicou? Talvez as duas coisas. Elas conjugam-se.

Então ele pegou a criança, limpou-a, seccionou o cordão umbilical, colocou ao lado da mãe, sobre jornais.

Ia ser um miserável a mais. Tirou da caderneta o lápis e começou a anotar o que seria o prontuário quando chegasse ao hospital de clínicas.

Calculou o peso da criança, anotou a hora, a data e, quando ele foi medir, deteve-se porque a criança trazia uma problemática congênita. O pé direito era voltado para trás.

Ele então blasfemou:

— Tanto esforço para salvar um coxo! Será um desgraçado. Ao frequentar as escolas ou a escola, caso vá, ou no meio da rua irá experimentar o opróbrio, a chacota das crianças. A criança tem instinto zombeteiro. Sempre coloca apelidos deformantes. Irão chamá-lo de "o coxo", "o rengo". Irão gargalhar e ele vai se tornar um bandido, porque vai querer desforçar-se, vai terminar cometendo um crime. Eu poderei salvá-lo aplicando a eutanásia. A mulher será testemunha – ela havia subido ao seu piso para atender à família imensa. Eu vou lhe aplicar uma injeção e direi que morreu em consequência do parto.

A criança estava adormecida e a mãe também.

Thadeu Merlin preparou uma substância letal. Segurou o braço magro da criança e disse:

— Sou agora um deus. Tenho o direito de vida ou de morte.

E quando ia aplicar, a consciência, que parecia anestesiada, despertou e gritou-lhe:

— Que tens tu com isso? Se ele vai ser um rengo, problema dele. Se o vão chamar de coxo, problema dele. A tua tarefa está cumprida, sai daqui.

Era a velha consciência!

Ele olhou para ver se era alguém que lhe falava sobre isso. Atirou fora a substância, fechou a mala, desceu a escadaria, voltou ao hospital, doutorou-se, foi morar no centro-oeste, especializou-se em pediatria, casou-se, amealhou uma boa fortuna, teve uma filha.

A filha de Thadeu Merlin eram os olhos da família. Podia-se dizer que ele e a esposa viviam em função da filha idolatrada, que cresceu, foi estudar medicina, casou-se com um médico e tornou-se mãe.

A verdadeira felicidade não é ser pai, é ser avô. Há até um ditado que diz: "Avô é um jumento que o filho adestra para o neto montar."

Assim era Thadeu Merlin. A grande verdade é que aquele homem rígido, severo, agora era um avô meigo. Era ainda um homem de cinquenta e poucos anos, mas era gentil.

Sempre diziam: "Os pais de hoje não sabem educar. Porque a função do avô é deseducar o neto que o filho pretende educar."

Fazia todas as vontades à menina, que era um sonho de criança. Era loura, de olhos azuis, gentil e amorosa. O casal Thadeu e senhora Merlin eram os dois apaixonados pela netinha.

Quando Bárbara, a netinha, completou quatro anos, a família estava morando em Los Angeles porque os pais foram concluir o doutorado. Dr. Thadeu e senhora Merlin não podiam viver sem Bárbara. A vida não tinha mais sentido. Já tinham uma certa fortuna. Mandaram construir duas mansões e foram residir próximos (Thadeu e senhora Merlin; a filha, o genro e a neta) para poderem vigiar a educação da criança. Era essa a confiança.

Numa nova tempestade de verão, pela madrugada o telefone soou na casa do Dr. Merlin. Ele atendeu automaticamente, hábito de médico, e uma voz, com tom quase soturno, perguntou se era realmente a residência do Dr. Merlin. Ele anuiu. E a voz dizia:

— Por favor, venha depressa ao necrotério da universidade, na área da faculdade de medicina, porque houve um acidente. Um carro derrapou, bateu nas encostas e caiu num grande vale. Explodiu o tanque de gasolina e os que estavam nele morreram queimados. Nós encontramos alguns papéis, este telefone e o número do senhor.

Ele largou o telefone, pegou o automóvel, porque conhecia perfeitamente aquele necrotério, dirigiu-se para lá em desespero na madrugada. Ao adentrar-se, alguém disse:

— Doutor, não temos a certeza...

Mas ele foi de imediato para o reconhecimento. Quando levantaram os lençóis, Dr. Merlin entrou naquilo que Dante Aligheri chama "a selva selvagem do sofrimento".

Não há palavras que possam definir a dor. Só a poesia porque fica muito longe da realidade.

Não se descrevem dores. Sofrem-nas aqueles que as experimentam.

Ele encostou-se na parede. Eram sua filha e seu genro que morreram carbonizados.

Dr. Thadeu Merlin voltou para casa. A vida nunca mais seria a mesma porque Bárbara, com quase cinco anos, estava órfã de pai e de mãe, e ela perguntava:

— E papai, e mamãe?

— Estão além do arco-íris. Um dia, que não está muito longe, eles virão num carro de luz, passarão por debaixo do arco-íris e nos levarão, Bárbara!

— E vai demorar?

— Sim! vai demorar muito.

Bárbara chorava não ter pai, não ter mãe.

Muita gente diz: "Substituem-se!"

Afetos não preenchem vazios de afetos. Cada afeto é especial.

Quando Bárbara completou cinco anos e terminou sua fase de jardim de infância, os avós resolveram preparar o *garden park*, uma festa no jardim.

Convidaram os coleguinhas de Bárbara, seus pais. Naquele domingo que deveria ser um domingo festivo, às quatro horas da manhã, Bárbara começou a choramingar. Dr. Merlin acordou assustado. Quando segurou a neta, ela estava sendo devorada por febre, dessas febrículas que se tornam pavorosas, próprias do mundo infantil, perversas, devastadoras, e era natural que isso fosse um sintoma de preocupação. Mas ele deu antitérmico, ficou ao lado da netinha, que dormiu.

Às sete horas, ela estava sem febre, pálida, com algumas manchas nas articulações. Às nove horas, a febre voltou e chegou a 38º. Ele preocupou-se. Meia hora depois estava em 39º, e a sua preocupação era muito maior. Ele deu um antitérmico mais forte, e a uma hora Bárbara estava sem febre, muito pálida, parecia debilitada.

Começou o *garden park*. Chegaram as mães principalmente e as crianças, porque em festa de crianças quem se diverte mesmo são as mães, que levam normalmente sacos plásticos nas bolsas, com uma finalidade: a hora da mesa, tanto comem como... "Vou levar para fulano que não pôde vir"... e vai botando nos sacos plásticos, nas bolsas...

Às dezessete horas, o Dr. Merlin estava jovial e procurou Bárbara. Não a viu no meio das outras crianças. Saiu pelo imenso jardim. Bárbara estava embaixo de um caramanchão tremendo de febre e de frio.

Ele tomou da criança, levou-a para o aposento. A festa terminou e ele resolveu chamar um colega.

O colega veio, ficou muito sério. Aqueles sinais nas articulações eram preocupantes. Ele chamou um colega para exames complementares de emergência, exames de sangue, e às duas horas da manhã chegou o resultado. Bárbara era portadora de uma virose não identificada. Àquela época, o vírus ainda não havia sido identificado, e Bárbara ia morrer.

Não havia nenhuma terapêutica porque somente se estudavam aqueles vírus em laboratório em ratos da Índia. Era raro atacar uma criança. Era um vírus que perturbava a vida infantil e atacava uma criança em um milhão. Então, os técnicos estavam estudando para ver se encontravam uma vacina ou qualquer recurso terapêutico para poder liberar as futuras vítimas.

Começa a tragédia do Dr. Merlin. Bárbara começa a sentir dores nas articulações. A febre constante.

Ele levou-a às clínicas Mayo, as mais famosas do mundo. O próprio Dr. Mayo foi quem o recebeu. Pegou o prontuário, examinou a criança e disse:

— Não há dúvida, ela vai morrer, de uma morte cruel, porque este vírus ataca as articulações, os tendões, os músculos, e a criança morre por dificuldade respiratória. Os pulmões não conseguem mover-se para a entrada e saída do ar que mantém a vida. Leve-a de volta para casa. Ela não terá sequer dez dias de vida.

O Dr. Merlin disse:

— Mas ela não pode morrer. Eu sou um homem rico, eu posso fazer tudo pela minha neta.

O Dr. Mayo disse-lhe:

— Se fosse minha neta, eu lhe aplicaria a eutanásia, porque o sofrimento dela vai ser insuportável, e os avós que estarão acompanhando-a irão sofrer demasiadamente. Então, a eutanásia eliminaria as dores da criança e da família.

— Eutanásia!? matar a minha neta? Jamais! eu jamais faria isso. Mande-me a outro médico.

— Mas, colega, não há outro médico!

— Mande-me, minta-me! Não posso ficar olhando-a morrer. Manda-me a alguém, a outrem, a qualquer. Eu tenho que estar de um lado a outro até que ela morra, mas eu quero ter a tranquilidade de que fiz além do possível!

— Bem...

O Dr. Mayo olhou seu fichário e encontrou o nome de um médico da Alemanha, na cidade de Hamburgo. Recomendou-lhe. Disse:

— Talvez ela não chegue viva lá. Cada dia estará pior, com mais dores. Comecemos a aplicar agora analgésicos, depois teremos que aplicar substâncias mais rigorosas, até a morfina.

Ele foi à Alemanha.

Bárbara piorava a olhos vistos. Quando ele chegou uma semana depois – os voos eram feitos com muitas escalas naquela época –, o colega em Hamburgo examinou o prontuário todo e disse:

— Mas é uma viagem inútil. Ela já está morrendo. É até falta de compaixão. Leve-a para morrer em casa. Interne-a no hospital. Ela não pode estar de um lugar para outro.

— Mande-me a outro! Eu tenho que tentar.

— Mas não existe outro.

— Arranje, sugira. Eu tenho que tentar senão enlouqueço.

Ele abriu o fichário e disse:

— Bem, eu tenho um colega com quem me correspondo lá na América e ele está estudando vários vírus. Talvez esse.

— Dê-me o endereço! Dê-me o endereço!

— Dr. T.J. Müller...

Dr. Merlin fez a viagem de volta. Bárbara estava agora um farrapo. Contratou avião especial de Nova York até o lugar perdido numa zona miserável, do centro do país.

Quando ele chegou ao aeroporto, arrependeu-se de imediato. Era um lugarejo. A ambulância era uma carroça que o esperava. O calor, a poeira, e ele percebeu que Bárbara ia morrer com todo desconforto.

Mas já estava ali... resolveu ir até a clínica, se é que se podia chamar aquela casa de madeiras, de pau a pique, como uma clínica.

Quando ele saltou, e a porta foi empurrada, e Bárbara carregada em uma maca, ele recuou... era o pátio dos milagres de Paris: aleijados, deformados, crianças marcadas por terríveis fenômenos teratológicos. Ele então virou o rosto e disse:

— Enfermeira, sou o Dr. Merlin. Eu tenho uma consulta marcada com Dr. Müller, imediata, para minha neta.

— O senhor sente-se por favor.

Mas não havia onde se sentar. Ele ficou de pé com a esposa. A netinha na maca nas mãos de dois enfermeiros fortes.

A auxiliar adentrou-se e quando voltou respondeu-lhe:

— Dr. Müller está esperando.

A menina foi colocada num carro de rodas.

O Dr. Müller era jovem simpático. Um homem talvez de trinta anos. Distendeu a mão generosamente e o Dr. Merlin disse-lhe:

— Aqui está o prontuário.

— Não quero! Eu não gosto de ouvir a opinião dos outros antes de fazer o meu diagnóstico.

Deu sinal, o enfermeiro trouxe-a à mesa, ele levantou-se e perguntou:

— Seu nome?

— Bárbara.

— Vai doer, Bárbara, mas você vai voltar a montar em bicicleta.

E apertou-lhe as articulações, os músculos. Ela gemia.

— Bárbara, você vai voltar a nadar. Você vai jogar a bola, Bárbara.

Então ele parou e disse:

— É exatamente o que eu penso. É uma virose. Agora eu vou olhar os exames complementares e as opiniões dos meus colegas. Porque esse vírus é cruel. Ainda não foi identificado. Mas faz dez anos que eu estou no seu encalço. Eu impliquei com ele. E faz dez anos que eu estou cultuando a sua realidade e estou realizando experiências aqui no meu laboratório.

Confirmava o diagnóstico. Ele disse ao Dr. Merlin:

— É muito grave. Eu fiz uma vacina e tenho uma terapia. Também consegui desenvolver uma terapia alternativa. Não garanto nada! Ela terá 5 % de possibilidades. Tudo indica que ela vai morrer antes.

O Dr. Merlin juntou as mãos e disse-lhe:

— Pelo amor de Deus, eu suplico: Salve a minha neta! Se ela tem 5 possibilidades em 100, para quem não tinha nenhuma, isto é uma felicidade incomparável. Por favor!

O Dr. Müller chamou a enfermeira e disse:

— Prepare-a! Depois de aplicar a vacina, faço banhos de choques térmicos: água quente, água fria. Esforços, natação, fisioterapia... Vamos tentar.

Menos de dez minutos, a enfermeira abriu a porta que dava para a piscina de água morna e disse:

— Doutor, a paciente está preparada.

Ouvia-se Bárbara chorando.

Os avós estavam despedaçados. O Dr. Müller levantou-se e, quando saiu do birô, o Dr. Merlin olhou para a perna direita dele e empalideceu – era aleijado, usava uma bota ortopédica. Havia uma diferença de alguns centímetros. Ele claudicava.

O Dr. Merlin olhou demoradamente e o Dr. Müller percebeu.

— Ah, está olhando o meu pé? Pois é! aqui é assim. Eles me chamam Dr. Manco. Aqui todo mundo é aleijado. O médico, os pacientes, os enfermeiros. Cada um está na sua área. Então aqui ninguém ri de ninguém porque somos todos deficientes físicos, mas admiráveis sonhadores mentais.

O Dr. Merlin ficou um pouco desconcertado e perguntou:

— Como é o nome do colega?

— Ah, meu nome é muito importante. Eu tenho vergonha de usá-lo. Imagine que sou filho de imigrantes alemães. Eu sou o oitavo filho. Quando mamãe teve sete, eu teimosamente bati à porta e ela me deixou entrar. Mas papai recusou-se. Abandonou mamãe e abandonou-me com cinco meses no ventre materno. Mamãe teimou e eu cheguei até o momento do parto. Mas não havia jeito de sair da clausura. Tinha medo do mundo. Então a nossa aparadeira, lá do edifício, telefonou para o hospital e o hospital mandou um extraordinário médico que fez o parto de mamãe, que lhe salvou a vida e salvou-me também.

Dias depois, quando mamãe se recuperou, ela foi ao hospital para saber o nome do médico. Mas isso não é permitido, a ética não deixa. Ela foi ao setor social e pediu à enfermeira:

"— Eu quero saber o nome do médico. Ele salvou a minha vida e a vida do meu filho."

A moça disse:

"— Impossível senhora.

— Impossível coisa nenhuma!

— Mas é um segredo do hospital.

— E você já viu mulher guardar segredo, coisa nenhuma?! Traga-me o nome deste médico.

— Olha, minha senhora, eu vou pegar o prontuário, vou deixar no balcão e vou tomar café. O que a senhora fizer eu não sou responsável."

~

Ela foi e mamãe olhou, é claro. Quando ela voltou, mamãe disse:

"— Devolvo como recebi!"

E aí colocou o meu nome, o nome dele, Thadeu! Meu nome é Thadeu Johann Müller. Mas é um nome muito nobre, aí eu não uso o nome! Eu prefiro o sobrenome de papai, Müller, Dr. Müller, o manco.

~

Então o Dr. Merlin lembrou-se daquela tarde, fazia tantos anos! Quando ele estava para aplicar a eutanásia, a voz que ele ouviu da consciência... ele lembrou-se de Deus outra vez. Estava de mal, estava rico. Havia se esquecido de Deus.

Então ele começou a balbuciar com lágrimas:

— Pai nosso, que estás nos céus...

E quando chegou naquela frase "perdoa as nossas dívidas", ele disse:

— Perdoa-me! Se Tu quiseres, salva a minha netinha! Eu sei que Tu podes!

O Dr. Müller começou a terapia.

Dois meses depois, Bárbara teve alta.

E dois meses depois, o Dr. Müller apresentava a um grupo de cientistas americanos uma vacina para esse terrível adversário da vida infantil.

Eutanásia [DVD]. Divaldo Franco. Leal, Salvador, 2005.

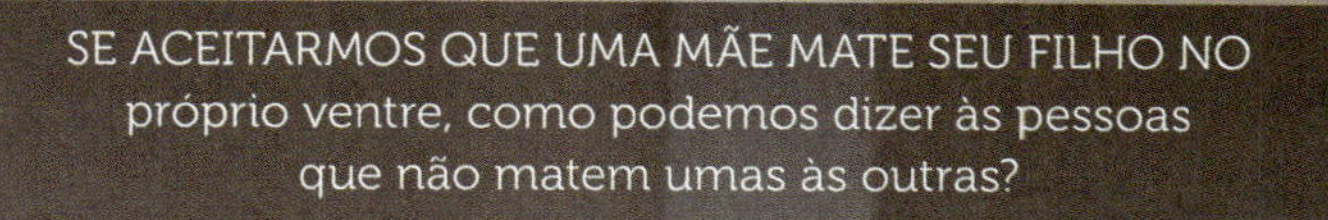
"SE ACEITARMOS QUE UMA MÃE MATE SEU FILHO NO próprio ventre, como podemos dizer às pessoas que não matem umas às outras?"
Madre Teresa de Calcutá

DEIXEM-ME VIVER

THEREZINHA OLIVEIRA

O CONHECIMENTO ESPÍRITA É COMPLETAMENTE ESCLARE-cedor e consolador:

1. Viver é o primeiro de todos os direitos naturais do homem.

   Ninguém tem o direito de atentar contra a vida do seu semelhante, nem de fazer o que quer que possa comprometer-lhe a existência. (*O livro dos Espíritos*, questão 880)

2. A matéria é o instrumento de que o Espírito se serve e sobre o qual simultaneamente exerce a sua ação. (*O livro dos Espíritos*, questão 22.a)

   O Espírito encarna para cumprir desígnios divinos e, ao mesmo tempo, vai desenvolvendo-se intelectual e moralmente, através das provas e expiações que a vida terrena lhe enseja. (*O livro dos Espíritos*, questão 132)

   Pela reencarnação, a justiça divina concede ao Espírito realizar, em novas existências, aquilo que não pôde fazer ou concluir nas existências anteriores. (*O livro dos Espíritos*, questão 171, nota)

3. A ligação do Espírito à matéria com que irá formar seu corpo físico se dá desde a concepção (*O livro dos Espíritos*, questão 344) e é feita através do perispírito, o seu corpo espiritual, fluídico. (*O livro dos Espíritos*, questão 135)

4. É crime a provocação do aborto, em qualquer período da gestação, porque impede uma alma de passar pelas provas a que serviria de instrumento o corpo que se estava formando. Quem induz ou obriga ao aborto ou o executa é igualmente responsável espiritualmente. (*O livro dos Espíritos*, questão 358)

5. O aborto só é aceitável quando o nascimento da criança puser em perigo a vida de sua mãe. (*O livro dos Espíritos*, questão 359)

6. O aborto eugênico é um erro porque o corpo, deficiente ou não, é sempre valioso instrumento para a evolução do Espírito. (*O livro dos Espíritos*, questões 196 e 372)

7. O aborto não se justifica nem mesmo na gestação ocasionada por estupro. Espiritualmente, o reencarnante é filho de Deus e não do estuprador, que apenas contribuiu para a formação de seu corpo físico. É inocente da ação agressora. Não deve ser responsabilizado por ela nem vir a sofrer em consequência dela. Muito menos perder seu direito à vida. (*O livro dos Espíritos*, questões 203 a 207)

   Se, após nascida a criança, a mãe não puder ou não quiser criá-la, poderá oferecê-la à adoção. Muitos desejam perfilhar uma criança.

8. Além dos prejuízos físicos e psíquicos que costuma trazer à gestante, o aborto delituoso acarreta ainda consequências espirituais. Exemplos:

› o Espírito que sofreu o abortamento pode ficar imantado à gestante em clima de mágoa e angústia ou desejando vingar-se da agressão que não o deixou viver;
› ficar lesada no perispírito, na região correspondente ao centro reprodutor não usado corretamente;
› perda da oportunidade de receber como filho um Espírito amigo e benévolo que viria ajudá-la na encarnação, ou alguém a quem devia ajuda e recomposição por erros anteriores.

9. Quem já praticou aborto, ou foi por ele responsável, e quer se recuperar ante as leis divinas, não reincida mais nessa prática e procure fazer o bem. Ex.: favorecer a vida de outras crianças, ajudar outros a viver.

"[...] a caridade cobre a multidão dos pecados [...]" (1Pd 4:8)

Deixem-me viver. Autores diversos, Therezinha Oliveira (org.). 16.ª ed. Allan Kardec, Campinas, SP, 2007 [pp. 29-32].

A QUEM JÁ ABORTOU

CLEUNICE ORLANDI DE LIMA

"O mal não é uma necessidade fatal para ninguém, e não parece irresistível senão àqueles que a ele se abandonam com satisfação. Se temos a vontade de fazê-lo, podemos ter também a de fazer o bem [...]"

ALLAN KARDEC

(*O evangelho segundo o espiritismo*. Allan Kardec. IDE, Araras, SP [cap. XXVIII, item 3.VI])

DIZ O DR. DI BERNARDI SOBRE A COMUNICAÇÃO ACERCA DA prática do aborto:

"Cartazes acusando: 'Aborto é crime!' só teriam valor se fossem lidos, exclusivamente, por quem ainda não tenha cometido nenhum ato desta natureza. Mas os cartazes estão lá, com finalidade preventiva, como que dizendo: 'Se você não praticou o aborto, não o faça, porque é crime matar bebês não nascidos!'"

Mas... e a quem já tenha abortado? O que dizer àquelas que já estão nas malhas do remorso, curtindo sufocante sentimento de culpa? O que dizer às parteiras e médicos aborteiros? O que dizer a quem tenha propiciado a interrupção de uma gravidez ou tenha induzido outra pessoa ao aborto? Essas, ao esbarrar em tais cartazes, têm seus sofrimentos muito mais agravados.

Há religiões e movimentos que infundem culpa em quem, por ignorância ou necessidade, tenha expulsado algum filho das entranhas. Essas religiões e esses movimentos devem ser arquivados nas empoeiradas prisões medievais, junto a outros instrumentos de tortura. Não vamos repetir erros passados. Esclarecimento associado a consolo carinhoso devem fazer parte do conteúdo de qualquer doutrina contrária ao aborto.

É preciso apresentar soluções – e não cobrança.

Em vez de apontar o inferno às mães que desprezaram seus filhos, é preciso ter a mesma postura de Pedro, o Apóstolo:

> "[...] tendo antes de tudo ardente caridade uns para com os outros, porque a caridade cobre a multidão dos pecados [...]" (1Pd 4:8)

Já há dois mil anos, Pedro ensinava que, em lugar da opção da dor, podemos fazer a opção pelo amor. Construir muito mais do que já destruímos. Voltar pelos pântanos da vida para semear flores onde plantamos dores e, quando voltarmos a transitar pelos mesmos pântanos, encontraremos milhares de lírios resultantes da nossa semeadura.

A postura estática do remorso e culpa desarmoniza-nos e, cada vez mais, projeta-nos para o desconsolo das companhias trevosas.

Segundo um Espírito amigo, de nome François Villon,

> "não se pode abrir as portas da culpa àqueles que estão perdidos no corredor escuro do erro, para que eles não caiam no fosso do sofrimento. É necessário iluminá-los com a tocha do esclarecimento e do consolo, para que enxerguem mais adiante, a opção do trabalho e do amor."

Errar é aprender. Em vez de se fixar no remorso, aproveitar a experiência como uma boa aquisição para discernimento futuro.

Agir na mesma área para crescer em créditos espirituais.

As amargas consequências pelos crimes não são castigos infligidos pela espiritualidade – e sim reparações para com as leis universais objetivando o necessário equilíbrio das almas endividadas. Já foi dito que ninguém chega aos pés de Deus carregando uma mochila de erros.

É preciso também saber que a lei de causa e efeito não é uma estrada de mão única. É uma lei que admite reparações; que oferece oportunidades ilimitadas para que todos possam expiar seus enganos.

O débito cármico ocasionado pelo aborto provocado precisa ser desfeito por qualquer modo, e quem não o desfizer através do amor terá de desfazê-lo através da dor.

Os meios através da *dor* podemos resumi-los rapidamente: arrependimentos, remorsos, dores morais; doenças adquiridas que não conseguem ser detectadas pela medicina comum; morte prematura que será considerada suicídio; longo tempo em profundo sofrimento na vida após a morte; difícil reencarnação, geralmente se tornando um Espírito abortável; ao reencarnar, é possível não ter filhos, ou perdê-los ainda pequeninos ou ainda ter filhos portadores de anomalias graves.

Através do *amor* é muito mais fácil o reequilíbrio de uma alma.

Segundo Pedro, "a caridade cobre a multidão dos pecados".

A *caridade* pura e simples, portanto, é o caminho para estas mães.

Não apenas para a mãe que buscou o aborto.

Mas também ao pai do mesmo bebê abortado.

Também ao "fazedor de anjo".

Também às amigas e aos parentes que induziram ou facilitaram o ato.

Também aos pais que obrigaram a filha ou a nora a cometê-lo.

A todos os que se viram, de uma maneira ou outra, envolvidos criminosamente na rejeição e expulsão de um Espírito reencarnante.

O antídoto contra o mal do aborto é a caridade.

Mas não aquela caridade humilhante que faz o recebedor sentir-se ainda mais diminuído do que já é, e sim aquela que eleva quem oferece e não envergonha quem recebe.

Não aquela caridade de levar uma cesta à favela, regada à reclamação.

Não aquela caridade de fim de ano, quando, para aliviar a própria consciência e poder festejar sem remorsos, distribui presentinhos às crianças – e pronto! sua obrigação está feita até o ano que vem!

Não aquela caridade vaidosa que convida jornal e TV para que o mundo saiba o quanto se é "bonzinho".

A caridade que cobre uma multidão de pecados é aquela que arregaça as mangas e vai trabalhar, de verdade, em benefício de pessoas necessitadas e em silêncio.

E, como o erro foi em consequência de um aborto provocado, onde se rejeitou uma *criança*, então a dívida poderá ser melhor e mais rapidamente saldada através de ajuda a *crianças*.

Mesmo que se tenha provocado um aborto, é possível quitar os débitos ainda nesta existência corporal, sem ter de passar pelos sofrimentos dos umbrais ou vales espirituais de dores, sem precisar passar pelas amarguras todas já descritas.

Por que não tentar?

Por que esperar a vida do lado de lá para, em sofrimentos superlativos, apagar uma mancha que poderá ser apagada de forma mais branda se for de maneira espontânea?

Por que não começar agora, já, aqui, nesta existência, e reparar o erro, de maneira mais suave, à sua escolha?

Veja como:

1. Oração

Oração significa: luz em ação.

Quem ora em benefício de alguém está mandando luz para esta pessoa. Luz é o contrário de trevas.

Quem ora também anda dentro da luz, porque é impossível acender uma fogueira e não sentir o seu calor, não se iluminar também.

Comece orando a Deus por seu filho – aquele que você rejeitou e que poderá estar em sofrimento, cheio de dores nalgum lugar do espaço. E poderá estar odiando você. Ele está precisando de orações para sentir alívio pelas dores morais e físicas que você lhe propiciou.

Ore também por outros bebês abortados.

Ore também por mulheres grávidas, para que não recorram ao aborto.

Ore a Deus, pedindo perdão pelo seu ato.

Ore pelas crianças abandonadas pelas ruas, enquanto não se decidir qual tipo de atividade deseja exercer em benefício delas.

Ore por todos os filhos do mundo inteiro: crianças, adolescentes, drogados, doentes, presidiários – e pelas mães doentes, pelas mães dos presidiários, pelas mães dos drogados, por todas as mães sofredoras.

Ore com sentimento, com calor no coração, evitando a frieza das preces decoradas.

E continuar orando pela vida afora por seu filho e por todos os filhos.

2. Atividade benfeitora

Fazer opção por uma atividade onde possa estar em contato direto, corpo a corpo com crianças necessitadas de carinho, de amparo, de colo, de cuidados pessoais em creche, em escola, em APAE, em hospital, em orfanato ou em quaisquer outras instituições que cuidam de crianças pobres, abandonadas ou doentes.

Mas é enfiar a mão na massa e não apenas construir um orfanato e deixar para outros a tarefa de lidar com aquela gente pequenina.

A atividade voluntária nesse sentido, sem remuneração, fará com que os erros sejam reparados muito mais rapidamente. De acordo com certo autor espiritual, as horas de trabalho com crianças são contadas em dobro.

3. Adoção

Não há obrigatoriedade, mas, se houver oportunidade, adote uma ou mais crianças e trate-as como verdadeiros filhos, sem diferença alguma entre eles e os seus filhos de sangue. Doe-se a uma criança abandonada ou sem mãe.

Muitas vezes, com a adoção, está abrindo-se a mesma porta que foi fechada pelo aborto.

Por vezes, volta pelos inesperados caminhos da vida, ao mesmo lar, aquele que foi ontem rejeitado.

Se você, mesmo não tendo praticado aborto algum nesta vida, sentir-se inclinada à adoção, adote!

A adoção é, talvez, a maior obra de amor que alguém pode praticar.

4. Amparo às mães

Outras atividades que reequilibram carmicamente a quem tenha errado no sentido de desprezar um bebê não nascido é no amparo às mães solteiras, mães miseráveis, mães que não têm condições de criar seus filhinhos.

Quantas mãezinhas estão necessitando de um carinho? de uma palavra de afeto? de um auxílio em forma de enxovalzinho? em forma de comida?

Converse com elas. Oriente. Evite que elas abortem...

Costure, borde, faça enxovaizinhos a quem não tem como fazê-los.

Ampare uma dessas criaturas. Ou mais de uma, de acordo com suas possibilidades.

Amparando mães você estará automaticamente propiciando vida melhor para uma porção de crianças.

5. Votos

Faça votos de nunca mais vir a praticar algum aborto.

E cumpra esses votos!

Depois do aborto... Cleunice Orlandi de Lima. DPL, São Paulo, 1999.

Numa próxima gravidez, ame seu filho em dobro, para compensar aquele que, por ignorância, não soube valorizar.

É difícil a reconquista da paz interior ainda nesta existência, através da caridade? através do trabalho cansativo em benefício de crianças necessitadas?

Não, não é!

É muito mais difícil a reconquista dessa mesma paz através do sofrimento ainda nesta existência e em existências futuras.

Portanto, se você tiver débito a ser saldado, comece hoje!

Comece agora para que a morte não a encontre desprevenida.

A morte poderá estar por perto e você ainda não fez nada para se reequilibrar espiritualmente.

Enquanto não se decide, comece a orar.

Ore com entrega total.

E seja feliz tendo a consciência tranquila.

CLEUNICE ORLANDI DE LIMA

Nasceu em Monte Aprazível, SP, em 17 de janeiro de 1943. Professora, escritora, palestrante. Autora dos livros *Depois do aborto...*, *Depois do suicídio...*, *Festa na escola*, *O guarda-noturno*, *Professora de papel – histórias para alfabetizar* (volumes *Manual da professora* e *Manual do aluno*) e *Professora de papel – novas leituras*; autora do livreto *Depois do suicídio...* com distribuição gratuita; coautora do livro *19 contos*; autora de diversos produtos didáticos nos formatos audiovisual e impresso.

SÍLVIA

PLÍNIO OLIVEIRA

Sílvia era uma menininha de 7 anos quando a mãe dela cometeu suicídio. Então, ela foi morar com a avó, porque o pai alcoólico tinha sumido no mundo.

Mas a avó era esquizofrênica, daquelas de tirar a roupa e perambular pelas ruas da cidade. Às vezes, Sílvia estava no banco escolar e a diretora da escola chamava para ir socorrer a avó correndo nua em torno da escola.

Vivia com a avó e com um tio. Quando fez 9 anos de idade, o tio a violentou.

Sem aguentar aquela situação de pobreza e dificuldade, ela preferiu fugir. Aos 12 anos morava na rua.

Aos 13 para 14 anos, ela se apaixonou. Conheceu um rapaz e acabou engravidando. Mas ele não tinha certeza que o filho era dele. Ele dizia: "Você anda com tantos... Como é que eu vou saber?"

Se fosse uma época em que – alguns sonham com uma época assim! – as pessoas descartassem os seus problemas, uma gravidez indesejada, "vai lá e tira", ela certamente teria sido estimulada a isso.

Só que, se ela fizesse isso, eu não estaria aqui cantando, porque eu sou o filho de Sílvia.

•

Eu ando por aí falando para as pessoas para meditar melhor acerca das escolhas, até porque optar pelo aborto não é optar pelo direito do seu corpo, é optar pela morte de alguém que deveria ser protegido.

Eu compus esta canção para aqueles como eu, que sonho com uma sociedade em que o que incomoda não seja descartado; seja amado e transformado. Eu sou a prova viva de que, se você disser sim para o amor, por mais difícil que seja a situação, tudo fica bem no final.

•

Quando eu tinha 8 meses de idade, minha mãe Sílvia entregou-me para minha avó paterna, que me cuidou o resto da vida. Aos 30 anos, eu conheci minha mãe Sílvia e pude agradecer a ela por ter me dado a chance de um dia estar aqui com meu piano, perto de vocês dizendo que "O amor cobre a multidão dos pecados." (1Pd 4:8)

"

Se você disser sim para o amor, por mais difícil que seja a situação, tudo fica bem no final.

"

Sim pro amor

Plínio Oliveira

Essa voz
De onde vem
Você não sabe e não saberá
Essa luz
Pra onde vai
Só quem ama consegue enxergar
Não se arranca uma flor de um jardim
Só pra não ter que proteger
Que regar
Uma vida é mais que um bem
É um dom
Quem é capaz de explicar?

É pra cuidar
E zelar por seu destino
Pelo mundo
É pra amar
Nem que seja pra viver
Só um segundo

Seja o que for
Eu digo sim pro amor

Universo paralelo – Episódio 2 – Sim para o amor [DVD].
Plínio Oliveira. Transcender, Curitiba, 2007.

NUM INTERVALO DE FILMAGEM, CONVERSAVA COM RENATA, UMA moça paulista, médium vidente. Ela tinha curiosidade de saber como tinha sido esta experiência e num certo momento ela disse: 'Ele está ao seu lado.' Nossa, faltou eu desabar ali! Porque isso para mim foi marcante.

EU NÃO SEI DEFINIR O SENTIMENTO QUE ME ENVOLVE AO INTERpretar o Chico. É só uma emoção muito forte. Eu fico comovidíssimo! Normalmente eu choro! Eu passei a identificar como sendo ele. Pode ser uma presença ou uma luz que ele me lança.

APÓS A EXIBIÇÃO DO FILME EM PEDRO LEOPOLDO, NA SAÍDA APROximou-se uma pessoa usando uma bengala e falou assim:, 'Eu vou mandar um presente bonito para você.' Algum tempo depois eu recebi uma carta. Ele era sobrinho do Chico e contava uma história de que ele bem menino, o Chico chamava-o para assistir episódios de Lampião na televisão. Eu fiquei muito impressionado com isso porque de repente ele era meu fã! Quem chamava: 'Vamos lá, chegou a hora, vamos assistir.' Isso me comoveu profundamente. Ele sabia quem eu era! Quando eu comecei este trabalho de interpretação, na primeira entrevista que eu dei lá em Uberaba, eu disse: 'Estou grato por ter sido escolhido.'

Nelson Xavier

DROGAS

7 cena

ONDE FOI QUE ERRAMOS?

ABEL SIDNEY

RAUL É UM USUÁRIO DE DROGAS. ESSE É UM FATO. OUTRO É a sua internação em uma clínica, contra a sua vontade, como sabemos.

Embora parecendo mais uma pousada, é possível perceber que o modo como o Raul foi tratado na clínica, pelos enfermeiros que o receberam, não se distancia muito dos antigos *sanatórios*, em que a medicação pesada e os maus tratos eram uma constante.

Transferir para uma instituição de saúde um problema tão complexo quanto o das drogas, aliás, tem sido um equívoco dos pais e demais familiares, que desejam colocar em mãos de terceiros uma situação que deve ser resolvida com o apoio da família, pois o drogadicto, o dependente químico ou simplesmente o doente, está a ela vinculado e junto com ela adoeceu.

Ruth e Mário, assim como milhares de outros pais, perguntam-se hoje "a partir de que momento" começaram a perder os seus filhos "para as drogas".

O "onde foi que erramos?", outro questionamento comum, pode ser indício do grau de responsabilidade que os pais (ou a família) devem assumir diante do fato de se ter um filho ou filha às voltas com a dependência química. O que pode ser positivo inicialmente – a noção de responsabilidade e o desejo de agir para buscar a solução – pode degenerar-se rapidamente, lançando todos em um infernal círculo vicioso de culpa, de autopunição e de busca de bodes expiatórios.

Questões como essas podem conduzir-nos a labirintos, a becos sem saída, se não estivermos em condições de buscar respostas adequadas.

Sabemos hoje, por meio de muitos especialistas, que a dependência química é uma doença com componentes biológicos, psicológicos e sociais. E o seu tratamento exigirá uma abordagem que envolva todos esses elementos. Buscar tão somente na *fraqueza* ou nas *falhas de caráter* dos drogados a causa da dependência é um grave erro, tanto quanto apontar como culpado o *mundo de hoje*, permissivo e indutor ao vício.

Haveria também um componente espiritual nessa questão? Os Espíritos ou os espíritas teriam algo a dizer sobre esse tema?

A experiência das dezenas de hospitais psiquiátricos mantidos e coordenados pelo movimento espírita, principalmente nos estados de São Paulo e Minas Gerais, aponta que sim. Além de fazerem uso da medicina e da psicologia, de buscar a colaboração da família e dos grupos de ajuda mútua no tratamento, eles tratam da questão espiritual – que não se limita à possível interferência de *Espíritos desencarnados* no caso, mas buscam cuidar do próprio paciente como um "*Espírito encarnado* enfermo" necessitado de reeducação moral, de reorientação.

Chico Xavier situa o combate à "influência dos tóxicos" por meio da "intensificação do amor, na assistência afetiva mais intensa junto de nossos filhos".

O amor, a afetividade não se confundirá, é certo, com pieguice, com proteção excessiva, mas se identifica com a presença paterna e materna que dialoga, acompanha, corrige e vivencia junto com os filhos os valores éticos que elegem como orientadores em suas vidas.

Sabemos, no entanto, que o esforço dos pais nem sempre é determinante nas escolhas dos filhos, que chegando à maioridade tomarão decisões que os afetarão profundamente, sem que se possa impedi-los.

Há várias atenuantes e agravantes nos dramas da dependência química e das tragédias, como o suicídio de Raul. O certo é que o assunto comporta muitas reflexões e exigirá de nós os sentimentos de compaixão, de solidariedade e da tentativa de compreensão deste tão intricado problema.

RICHARD

DIVALDO FRANCO

"QUANDO ELE NASCEU, EU SENTI UMA EMOÇÃO INCOMPArável, porque a paternidade era o anseio máximo dos meus sentimentos [...]"

~

É assim que começa uma reportagem na revista *Seleções Reader's Digest* dos anos 1970.

"[...] Meu filho recebeu o nome de Richard e tornou-se para mim a razão primordial da minha vida. Eu morava em uma cidade próxima a Manhattan, [estado de] New York, era corretor de seguros. Para proporcionar uma vida digna ao meu filho, eu lutei tenazmente para conseguir promoções que me levassem a postos de responsabilidades com remuneração à altura dos meus méritos.

Meu filho era gorducho e cresceu com a espontaneidade da flor-do-campo. Quando ele completou cinco anos, mudamo-nos da cidade em que residíamos para uma outra que poderia oferecer melhores condições culturais e recursos sociológicos para o meu filho. Nessa época, eu já era encarregado da corretagem, e o dinheiro entrava na minha vida com facilidade.

Richard era a razão da minha alegria. Eu viajava a semana inteira, e quando chegava ao lar no sábado à noite, procurava o meu filho. Passava com ele todo o domingo e na segunda-feira eu voltava às atividades estafantes da corretagem de seguros privados.

Quando ele estava com cinco anos, nasceu o meu segundo filho. A emoção não foi a mesma.

Richard desenvolveu-se de uma forma tão brilhante que aos 14 anos era um exímio jogar de beisebol, um jovem com 1,75 m de altura, era um jovem portador de um corpo sarado conforme os padrões da época. Ele havia dito a mim e a minha mulher que desejava estudar oceanografia, penetrar nos segredos do mar, descobrir a fauna e a flora marítima, especialmente nas Bermudas, na região em que as águas abissais atingem profundidade inigualável.

Meu filho continuou crescendo, brilhando.

O seu quarto era quase uma sala de investigação marinha, vários aquários, peixes variados, conchas trazidas do Hawaí e também de outras praias norte-americanas.

De repente, tudo aconteceu, aconteceu de uma maneira cruel. Quando voltei um dia de uma viagem, a minha mulher estava muito preocupada e ela me disse:

— Você necessita ter uma conversa com Richard, tenho a impressão que nosso filho esta fumando marijuana. Porque, fazendo a limpeza de seu quarto, eu encontrei um saco de supermercado com essa erva de odor desagradável. Esperei que ele viesse, e quando lhe perguntei o que era aquilo, ele respondeu que pertencia a um amigo, um amigo usuário, mas como os pais dele eram muito severos, o amigo tinha medo de guardar em casa e pediu-lhe o favor de trazer para nossa casa. Não sei porque eu não acreditei. Então, eu resolvi enterrar a erva em nosso quintal. Você deve ter uma conversa de homem para homem com nosso filho, porque a droga está tomando conta da América e ninguém tem o sinal da droga para a drogadição.

Mas eu olhei para o meu filho, aquele porte de 1,78 m agora, a sua compleição saudável, o seu rosto másculo, eu não tive coragem de lhe criar qualquer embaraço. Silenciei e deixei que o tempo se encarregasse de me proporcionar a oportunidade que eu adiava. Isto aconteceu voltando de uma viagem um mês depois, a minha mulher me disse:

— Um raio terrível e fulminante desceu sobre a nossa casa e a noite de ontem destruiu a minha vida. Richard está usando drogas. Eu recebi um telefonema na sexta-feira à noite do hospital regional pedindo que eu me apresentasse em caráter de urgência. Quando eu lá cheguei, encontrei o nosso filho vitimado por overdose. Fizeram-lhe uma lavagem estomacal, conseguiram trazê-lo de volta à vida. Mas então eu olhei o meu filho desfalecido e pálido e perguntei: 'Meu Deus, o que é isso?' Uma enfermeira acostumada a lidar com jovens nos fins de semana disse: 'Minha senhora, isto é droga. Seu filho é usuário de droga pesada. Eu conheço todos eles.' Uma ira terrível tomou conta de mim contra aquela mulher cínica que acusava o meu filho, mas era verdade. Trouxe-o para nossa casa no dia de hoje, sábado, mas ele não está em boas condições. Converse com ele.

Eu meditei muito, eu amava o meu filho e não tive coragem de conversar com ele.

Menos de um mês depois, eu estava em casa no domingo quando de repente o telefone soou e eu fui atender. Era o xerife do bairro. Meu filho havia saído com o meu carro. Ele ainda não tem condições legais para dirigir. Bateu em uma garagem, derrubando-a. Então, eu disse ao xerife:

— Não se preocupe, eu pagarei todos os danos materiais.

Ele me disse:

— Não se trata disso. É que seu filho não tem carteira para dirigir, ademais ele estava fora da razão para dirigir. O senhor deve comparecer à corte para explicar o seu descaso na educação do seu filho.

Eu fiquei arrasado, então peguei o carro da minha mulher e fui buscar o meu filho, que estava agitado, visivelmente drogado. Fora da razão, ele blasfemava e ostentava o seu status, classe média alta... Eu consegui acalmá-lo, trouxe-o para casa. Era um quadro desolador. Aquele filho que era minha esperança, a quem eu havia dado tudo de melhor, e minha mulher também, agora era um réprobo, era alguém que dependia de drogas químicas. Mas isso não foi tudo!

Naquele domingo pela manhã, ele amanheceu alterado. Devia ter usado droga. O telefone tocou e ele atendeu. Era o colega. Ele disse:

— Irei dentro de dez minutos.

Então, minha mulher conversou com ele:

— Rick, você não tem condições para dirigir nesse estado.

— Mulher, dê-me a chave do carro.

— Não posso, meu filho, você há poucos dias destruiu o carro do seu pai. Como ficaremos? Você não está em condições de conduzir.

— Mulher, dê-me a chave do carro!

Para evitar um choque, eu resolvi descer ao porão para fazer qualquer trabalho que me distraísse. Quando eu estava ali, minha mulher desceu correndo e disse-me:

— Nosso filho enlouqueceu.

Então ele apareceu e disse:

— Mulher, dê-me a chave.

Para poder tranquilizá-lo, eu disse:

— Rick, meu filho.

— Eu não sou seu filho! Eu sou o resultado daquela noite que você a procurou, então eu nasci, mas eu não sou seu filho.

Então intempestivamente me aproximei e lhe dei uma bofetada na cara. Ele não reagiu, abriu os braços numa postura crística e disse-me:

— Bata mais, seu covarde, bata mais.

Eu então disse:

— Rick, vamos resolver isso da melhor maneira possível.

— Eu quero o carro e essa mulher vai me dar o carro.

Ele subiu ao primeiro piso e eu vi que ele arrancava a gaveta dos móveis da cozinha e atirava ao chão. Eu fui ao meu quarto e peguei um revólver. Eu tinha permissão de usar armas porque eu carregava importâncias elevadas em cada viagem. Coloquei a arma no coldre e desci. A minha mulher tremia como vara verde e ficou atrás de mim. Então meu filho apareceu na porta com uma faca de destrinçar pernil e erguia a faca. Eu disse:

— Rick, não avance, meu filho.

— Essa mulher irá dar-me a chave.

Desceu o primeiro degrau, eu saquei o revólver.

— Rick, não avance.

— Atire covarde, atire.

Quando ele ergueu aquele destrinçador de pernil e avançou, eu não tive dúvidas, disparei uma bala, ela se alojou no peito do lado esquerdo e ele derreou da escada. Então passou a mão, viu o sangue e pareceu voltar ao normal. Olhou para mim com uma expressão terrível e disse:

— Papai, papai!

Eu pedi à minha mulher que subisse correndo e chamasse uma ambulância, chamasse a policia. Coloquei o meu filho no colo, fiquei acariciando-lhe a ferida do projétil, quando ele morreu em meus braços.

O médico chegou com a ambulância e o xerife também. O xerife examinou a cena do crime e perguntou-me:

— O senhor atirou para matar?

— Sim, eu atirei para matar. Eu não me incomodava que ele a mim me matasse ou à minha mulher, mas eu imaginei ele tresloucado dirigindo o automóvel por um bairro residencial podendo matar crianças, pessoas idosas, deficientes. Isto eu não podia permitir. Atirei para matar.

O processo foi instaurado, abalou os Estados Unidos. No dia do julgamento em júri popular, eu estava no banco dos réus. A cidade inteira estava ali presente: emissoras de rádio, televisão, periódicos, todos estavam olhando o homem que assassinou seu filho.

O juiz, depois de todas as indagações, havia recebido dos jurados o veredicto. Ele olhou, dobrou o papel e perguntou-me:

— Eu gostaria de saber se você atirou para matar. A sua resposta não vai mais influir no julgamento porque eu já tenho aqui o resultado do seu julgamento.

Eu disse:

— Meritíssimo, lamento muito, mas quando vi meu filho tresloucado, eu matei o monstro que estava dentro dele. Não foi a ele a quem matei, foi a esse monstro que se chama droga química que alucina. Eu não podia deixar que esse selvagem saísse pela rua matando, então eu o matei.

O juiz abriu o papel e leu a sentença: inocente por unanimidade de votos.

Todos os que acompanhavam o julgamento asseveravam que, se o caso fosse com eles, fariam o mesmo, porque não era o filho que estavam matando, estariam matando um monstro que se apossara dele, que lhe tomara a vida, reduzindo-o a um farrapo.

Eu fui posto em liberdade.

Ao escrever essa crônica, eu faço um pedido: se alguém puder me dizer uma palavra, consolar-me, eu agradeço. E gostaria de dizer que eu não errei na educação do meu filho, eu dei ao meu filho a melhor sociedade, dei-lhe um clube, dei-lhe educação nos colégios mais caros da nossa cidade. Em que falhei?"

~

Então quando terminei de ler a crônica, eu me senti encorajado a escrever uma carta a esse cavalheiro de *Seleções Reader's Digest*, na sua sede de New York. Escrevi uma carta dizendo que ele se referia a tudo que fez ao filho, mas não se referia à educação religiosa para com o filho. Em nenhum momento de sua narrativa, ele teve ocasião de falar sobre Deus, de dizer que incutiu no filho o sentimento cristão. Falou de valores, falou dos presentes que lhe davam, das casas, cada uma melhor que a outra para as quais se mudou, mas ele havia esquecido de oferecer ao filho na educação algo fundamental: a presença de Deus no coração.

Ademais, permitia-me dizer-lhe que a educação que ele ministrou ao filho foi deficiente. Ele não era um pai, era um fornecedor, dava tudo que o filho queria, mas não dava assistência pessoal, não conversava com o filho.

O filho, naturalmente no período de transição dos hormônios para a formação do caráter e a conquista da identidade, deve ter tido conflito sexual e começou a iniciação na marijuana, depois nas drogas químicas mais perversas.

E, porque ele tinha outro filho que era mais jovem cinco anos, permitia-me mandar-lhe *O livro dos Espíritos* traduzido ao inglês, para que ele pudesse salvar o segundo filho educando-o, estabelecendo que a família não é apenas um núcleo de constelação do qual os genitores fornecem tudo e não exigem nada.

Se ele por acaso desejasse mais outros esclarecimentos, eu estava inteiramente às suas ordens, conforme endereço informado.

Mandei traduzir a carta para o inglês, postei-a. Até hoje, trinta anos depois, não obtive qualquer resposta.

Adaptação de palestra realizada por Divaldo Franco
em Anápolis, GO, em 8 de março de 2011.

“ME CHAMA A ATENÇÃO A FORMA COMO O ESPIRITISMO VÊ A EVOLUÇÃO do ser humano, a construção do Espírito através dos seus atos e de como isso influencia o mundo à sua volta. Independentemente de crenças, o Chico Xavier era um ser iluminado e defendia o amor, o respeito ao ser humano, à vida. Por isso, sua mensagem chega a todas as pessoas.”
Daniel Dias

DROGADIÇÃO

RAUL TEIXEIRA

A DROGA TEM VÁRIAS BASES PARA SUA INSTALAÇÃO. EM PRINcípio, é uma fragilidade, um anseio, uma busca seja do que for. Qualquer pessoa que procure usar um produto que o tire da sua lucidez é alguém que deseja fugir de si mesmo por qualquer motivo, quase sempre fruto de seus conflitos interiores. No entanto, há indivíduos que acabam tornando-se dependentes químicos não porque tenham vivido conflitos interiores que desejam deles fugir, mas porque se acostumaram desde criança no meio social em que viviam e acabaram por se tornar usuários de produtos que eram usados em sua casa, na sua vizinhança, no seu meio social, de modo que a droga tem vários elementos que lhe dão sustentação. Doentes que começaram a tomar drogas como remédio e acostumaram-se com elas, passando a se tornar dependentes químicos dessas drogas. Há muitos matizes para a questão da droga.

Efeitos no espírito

É muito interessante acompanharmos o que se sabe muito dos efeitos somáticos em *petit comité* [pequeno grupo]. A massa não sabe, a massa ouve dizer e não presta atenção, porque é impossível, é inconcebível acreditar-se que uma pessoa que saiba da tragédia que a dependência química produz sobre o organismo continue a usá-la ou passe a usá-la. Então, muitas vezes a criatura não acredita que seja tanto assim:

"Eu sou forte, comigo não vai acontecer, eu saio na hora em que eu quiser." Essa é uma fragilidade do autojulgamento, da autoavaliação. Muita gente não sabe de fato dos malefícios que certas substâncias químicas, principalmente de tropismo neurológico, neuropsíquico, podem provocar sobre o corpo.

Contudo, sobre o elemento espiritual, sobre a alma, os efeitos são mais devastadores porque há certas drogas que têm uma penetração direta na nossa estrutura energética. Nós somos seres energéticos, o nosso corpo espiritual é estruturado em linhas de força, em linhas elétricas, eletromagnéticas. É sobre essa malha eletromagnética que se situam as células físicas. Qualquer produto que alcance essas células físicas tem acesso à nossa trama eletromagnética. Se jogarmos um pano molhado sobre uma rede de alta tensão, fecha-se um circuito e essa rede estoura porque passam elementos de um fio para o outro. Aquilo que alcançar o corpo vai causar repercussão sobre a alma em linhas gerais. Toda pessoa que se embriaga com qualquer tipo de droga promove um desajuste na sua frequência vibratória, nos seus centros energéticos, nas suas linhas de força. Em síntese, no seu circuito eletroeletrônico, e é esse circuito eletroeletrônico que dá sustentabilidade ao corpo físico.

Qualquer desarranjo nessa malha eletroeletrônica – chamada de perispírito na linguagem espírita, corpo espiritual na linguagem de Paulo de Tarso, *ka* na linguagem dos egípcios – desestrutura o corpo físico. É muito grave que muitas vezes as pessoas usam drogas com essas características encharcam a mente, o sistema energético, e depois elas passam a apresentar patologias fisiológicas, doenças orgânicas. Às vezes, elas dizem: "Mas eu já deixei o cigarro há tanto tempo!", "Mas eu deixei de usar maconha há tanto tempo!", "Já não cheiro cocaína!"– entretanto, a mazela ficou no campo vibratório e continua passando gradativamente para o corpo físico.

Então é muito importante que se tenha cuidado com o corpo e com o espírito, como propõe *O evangelho segundo o espiritismo*, cuidar do corpo e do espírito, porque uma coisa depende da outra. Enquanto estamos na Terra, somos dependentes do nosso corpo físico. Como dizia Francisco de Assis, ele é o nosso jumentinho que nos leva para onde a gente quiser ir. Se eu mutilá-lo, eu não poderei ir para onde eu quiser, porque ele não me poderá levar. Tratar esse corpo físico como o animal amigo de São Francisco significa dar-lhe um bom pasto, alimentação saudável, saber o que estamos ingerindo, para manter-lhe a saúde; que tipo de repouso a gente dá, se o nosso repouso já não se converteu em preguiça; que tipo de trabalho a gente dá, se esse trabalho já não nos fez *workaholics*, pessoas que trabalham loucamente sem dar descanso ao corpo? Portanto, cabe destacarmos que há drogas de variados níveis que impomos ao corpo e que acabamos por enfermá-lo.

Efeitos depois da morte

Primeiro é importante lembrar-nos que qualquer usuário de qualquer droga já é um suicida potencial. Ele não está querendo matar-se, mas está fazendo uso de produtos que estão diminuindo-lhe a vitalidade, queimando o seu fluido vital, se assim pode-se dizer, estão diminuindo a sua vitalidade, estão diminuindo o tempo de vida. Obviamente, se eu faço uso de qualquer coisa que diminua o meu tempo de vida na Terra, eu sou um suicida, ainda que eu não tenha consciência disso. Essa desencarnação já será complicada por conta disso e no mundo dos Espíritos, na pátria espiritual, estarei sob as junções desse produto químico que encharca o meu perispírito, que encharca o meu corpo espiritual, que encharca o meu *ochéma*, meu *ka* – de acordo com o lugar, a forma de chamar é diferente.

Esse corpo astral deve ser bem cuidado, porque tudo vai acabar por alcançá-lo, por atingi-lo. Quando desencarnamos, sofremos as consequências dos nossos excessos, dos nossos descuidos sobre o corpo, sobre todos os efeitos. Verifiquemos que é preciso usar o nosso discernimento, a razão de que fomos dotados pela vida, a capacidade de raciocinar, de refletir para fazer um uso mais decente do nosso organismo biológico.

Consequências em existências futuras

Obviamente, se o nosso corpo físico é desenvolvido na intimidade da mãe a partir das linhas de força do corpo energético, do corpo perispirítico, a partir do momento que entendemos que o corpinho do bebê é formado por essa maquete energética que o Espírito carrega em si, a desarmonia que foi impressa sobre esse corpo energético será desarmonia repassada ao corpo celular. Não foi à toa que Jesus Cristo disse assim, conforme o *Evangelho de Mateus*: “Se o teu olho é motivo de escândalo, arranca-o. É melhor que entres na vida sem ele, do que, tendo-o, percas a alma. Se tua mão é motivo de escândalo, corta-a, põe-na fora.” Quando lemos o *Evangelho* dizendo essas coisas, ficamos pensando por que Jesus disse isso. É uma questão de causa e efeito, aquilo que não usamos bem, volta no futuro com má qualidade, com mau funcionamento ou inexistente.

Desse modo, quando vemos muitas crianças, e eu me incluo no meio delas, que nascem com asma, bronquite, de onde é que essa criatura trouxe essa asma, essa bronquite? Ali estamos tendo quase sempre um tabagista do passado, temos ali um fumante inveterado do passado. Isso determina sofrimento para o seu futuro. Quando encontramos crianças carregando problemas gastrointestinais, problemas neurológicos, temos ali o alcoólico do passado, alguém que fez uso indevido de substâncias químicas, que desestruturaram sua estrutura física ontem, e essa desestruturação repassada ao campo energético hoje chega ao novo corpo.

Atentemos que a cada um é dado conforme suas obras, como alegou Jesus, e desse modo nossas obras determinam nosso futuro, conforme as consequências que elas trazem. Se eu trato bem do meu corpo, naturalmente terei no futuro um corpo mais saudável do que eu tenho hoje. Se eu trato mal do meu corpo, fatalmente terei no futuro um corpo com anomalias, com dificuldades.

Avaliemos as crianças, os bebezinhos que nascem com enfermidades. Por mais que a gente queira dizer, não é porque nasceu em uma sociedade tal, porque a mãe passava fome, não é somente por isso. Então perguntamos: por que é que este Espírito nasceu filho desta mãe que passa fome? Por que este Espírito reencarnou nesta sociedade comprometida, complicada? Por causa das suas necessidades expiatórias. Suas necessidades provacionais. Por que reencarnou numa família que tem câncer aos 40 anos de idade? Por que reencarnou numa família que tem problema de cegueira genética? Exatamente porque esse ser espiritual está incurso nessa faixa de precisar perder a mão, perder o olho, conforme o *Evangelho* prescreve. E, quando perde, perde desta maneira.

O órgão nasce lesionado, o órgão nasce sem funcionar, o órgão nasce com mal funcionamento ou sem existir, como os anencéfalos, crianças que nascem descerebradas.

Somos responsáveis por aquilo que carregamos em nós. Nossas lesões e as benfeitorias do nosso corpo, nossa felicidade orgânica. Aqueles indivíduos que não se resfriam, não se gripam nunca; passam uma vida sem saber o que é uma dor de cabeça, uma cefaleia. Isto é mérito. É produto do bom uso que fizeram da saúde de seu corpo. Mas há outras pessoas que basta que a nuvem passe que elas se resfriam. Bastou que a temperatura caia um grau, elas estão doentes com pneumonia. Quer dizer, elas estão fragilizadas no seu campo energético. Dessa maneira, esse campo energético fragilizado é uma construção dessa criatura do passado. Por isso é que pensamos no quanto seria importante se aprendêssemos que droga se chama droga porque é uma coisa que não presta.

Álcool

Quando falamos em drogas, costumeiramente estamos pensando no *crack*, na cocaína, na marijuana, na maconha, mas não nos lembramos do álcool que temos em casa, nos barezinhos enfeitados, adornados das donas de casa. Quantas vezes nossos filhos aprendem a beber produtos alcoólicos dentro de sua própria casa, dentro de seu lar. Estamos falando de drogas consentidas legalmente, no tabagismo do pai de família que está ensinando seu pequeno a fumar, que está fumando no ambiente em que sua mulher está grávida, está gestando. Estamos falando desta droga que a mulher grávida toma em forma de bebida alcoólica e converte o feto em um bebê alcoólico, que quando nasce está cheio de cólicas, cheio de dores. É a síndrome de abstinência. Então ela dá para ele um elixir, um remédio que tem álcool e passa a cólica, a dor da criança, satisfeita na sua necessidade alcoólica. Quantas tragédias que vão desenrolar-se mais tarde e que têm começo agora, dentro do lar.

Nunca pensamos na droga que temos dentro de casa. O parente que fuma na frente das nossas crianças, o pai e a mãe que fumam junto a seus filhos, que têm bebidas alcoólicas em casa, que se embriagam em casa. Quantas são as mães e esposas que dizem: "Eu prefiro que ele beba em casa." Como se o álcool tivesse o poder diferente de quando bebido em casa do que quando bebido no boteco.

Aprendamos a usar nosso discernimento. O álcool não presta jamais. Não podemos imaginar que o tabaco tenha alguma validade em algum momento para a criatura. Não podemos supor isso. Temos que admitir que quando enchemos os pulmões de nicotina, de alcatrão, estamos infelicitando-nos. Quando enchemos nosso sistema nervoso de álcool, estamos infelicitando-nos. Daí para outros tipos e níveis de drogadição, estamos a um passo muito curto. Desse modo, vale a pena que tenhamos cuidado com o uso para nós e o exemplo que damos para os outros. Eu não posso ser um *show room* de tragédias para que os outros aprendam, eu não posso converter minha casa em um *show room* de viciações.

Obsessão

Acreditamos piamente que toda criatura que desencarnou, que morreu carregando determinado vício, como o vício não era do corpo, era da mente, essa mente desencarnada continua viciosa, continua viciada. Por não ter mais o seu corpo para satisfazer o vício, a tendência é procurar alguém de cujo corpo ele possa tirar proveito. Então induz esse alguém, muitas vezes conhecendo suas tendências, suas inclinações ao vício, induz ao vício que ele deseja, e esse indivíduo começa a usar a droga que o desencarnado deseja. E a entidade liga-se a essa criatura incauta para tirar proveito via terceiros daquilo que ela gosta. É como se fosse uma ventosa psíquica que se gruda, que se agarra sobre o outro encarnado e tira proveito, absorve através do outro aquilo que o desencarnado deseja.

Sabemos, por exemplo, que o álcool não é digerido, vai diretamente para a corrente sanguínea. A gente toma uma dose de alcoólico e já se sente alterado no momento seguinte. Logo isso está no sangue e as entidades espirituais vampirizadoras, obsessoras, vinculam-se ao nosso centro de força para absorver essas substâncias que estão no nosso organismo. Vemos muita gente em certos cultos mediúnicos que bebem bastante quando incorporados por algum Espírito. Quando esse Espírito desliga-se, elas estão sóbrias porque ele absorveu o álcool, o teor alcoólico que estava na bebida. Ficou no estômago do médium o líquido da bebida, mas a essência etílica foi absorvida pelo Espírito para sentir-se por algum tempo humanizado, como qualquer usuário de drogas que as usa para sentir-se mais forte, mais macho, mais corajoso, enquanto durar o efeito do estupefaciente, enquanto durar o efeito da droga. Muitos Espíritos se valem dessa possibilidade perispiritual de absorver, o corpo espiritual tem esse poder de absorver, então eles se utilizam de pessoas que ingerem drogas e absorvem através do corpo delas aquilo que lhes interessa, aí criamos um vínculo de difícil erradicação.

Auxílio nas instituições espíritas

O tratamento começa pelo esclarecimento. Toda instituição religiosa, sejam as casas espíritas, sejam as igrejas católicas, evangélicas, os templos budistas, onde quer que a criatura vá buscar o apoio divino, deve começar por orientar seus seguidores, seus profitentes, seu rebanho, pelo esclarecimento.

Depois, no caso específico do espiritismo, dado que não sabemos como as outras crenças agem, temos o trabalho de diálogo fraterno, temos o trabalho dos passes, fluidoterapia através da imposição das mãos, da emissão dos fluidos de energias biopsíquicas, temos os trabalhos de atendimento aos desencarnados sofredores, que chamamos de reunião de desobsessão ou de atendimento aos sofredores, exatamente para que se socorram os dois lados: desencarnados que estão aflitos pelos vícios que portam; e encarnados, vivos, que estão desesperados pelos vícios que portam, muitas vezes induzidos pelos mortos, pelos desencarnados de má índole, ou que estão enfermos igualmente. O centro espírita pode orientá-los nesse sentido, desde o esclarecimento, a informação, até o tratamento: terapia fluídica, terapia mediúnica.

Adaptação de entrevista de Raul Teixeira
realizada por Del Mar Franco no programa de TV "Transição", n.º 100.

Vale a pena nos prevenirmos, nada de querermos experimentar, argumentando que na hora que a gente quiser sair sai. É importante que antes de expormos nossa vontade, analisemos nossas capacidades. Ainda aí, o autoconhecimento é fundamental, é a chave do progresso individual, conhecermo-nos. Se eu não sei qual é a minha resistência, eu não devo me expor aos perigos cotidianos.

JOSÉ RAUL TEIXEIRA

Nasceu em Niterói, RJ, em 7 de outubro de 1949. Licenciado em física, mestre e doutor em educação. Professor aposentado da Universidade Federal Fluminense. Conferencista dos mais requisitados no Brasil e no exterior, já levou a mensagem espírita a 45 países, tendo servido como médium na recepção de 35 livros, alguns traduzidos para outros idiomas. É um dos fundadores da Sociedade Espírita Fraternidade (SEF), localizada em Niterói. A instituição, por meio do seu departamento de assistência social espírita Remanso Fraterno, atende a crianças e a seus familiares socialmente carentes, apoiando-os no soerguimento material e espiritual.

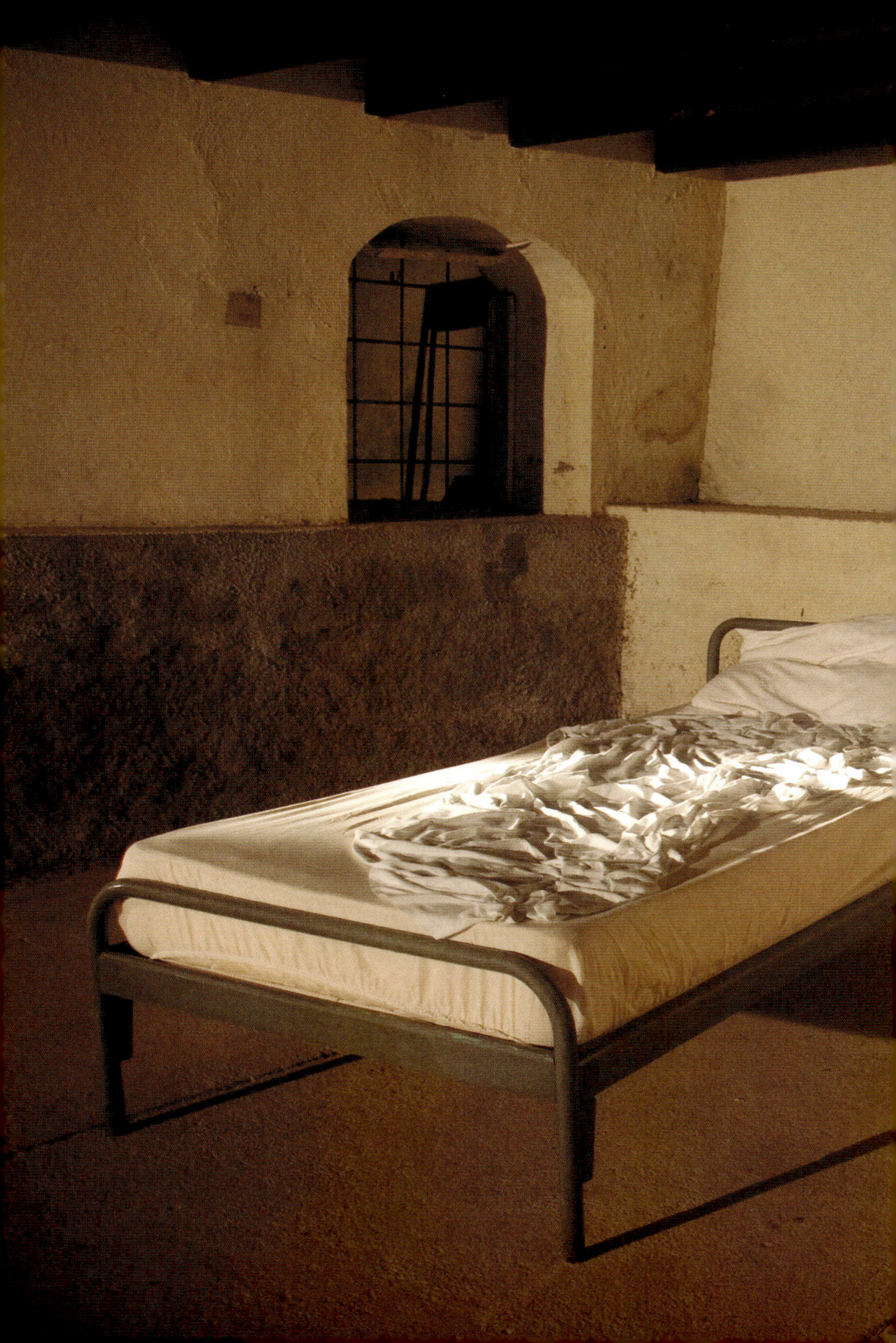

“Ó! MINHA FILHA, COMO ESTÁ DOENDO EM NÓS A SAUDADE DO nosso filhinho, não é? Mas vamos pedir a Nossa Mãe Santíssima que nos proteja para que possamos suportar. Ajude os filhos alheios, contemos com Jesus, mas que ele também possa contar conosco.”
Chico Xavier

COMO CONQUISTAR A CURA DA DEPENDÊNCIA

VILSON DISPOSTI

O paciente é que deve desejar honestamente sair da droga. Ninguém pode curar-se no lugar dele.

EDUARDO KALINA

A psicologia poderá conduzir o homem no caminho do autoconhecimento, mas somente o evangelho lhe dará condições de superar-se.

CHICO XAVIER

A CURA DAS ENFERMIDADES, QUANDO POSSÍVEL, NECESSITA, antes de tudo, do interesse do doente. Ninguém pode se curar no lugar dele. Embora seja óbvia essa ponderação, há pessoas que, apesar de doentes, não demonstram interesse em recuperar a saúde, não aceitando o tratamento indicado.

A vontade de se curar ganha relevância quando o paciente a ser tratado é o dependente químico. Não se pode esquecer que a descoberta do problema poderá se deparar com um obstáculo a ser vencido: "Não sou viciado, paro quando quero", é o que dizem. Mas, caso se insista, poderá dizer um enérgico: "Não me aborreça!"

Nesse caso, será exigida dos familiares compreensão e paciência, com reaproximação afetiva e discreta do jovem sob tormenta, sob o cuidado de não assumir de um momento para o outro o controle de sua vida. Isso irá afastá-lo mais.

O importante é estabelecer um clima de confiança, com um diálogo amigo e respeitoso, capaz de levar ao entendimento. A partir daí, haverá menos dificuldades em aceitar o tratamento. É evidente que, se desde logo houver o reconhecimento da dependência, as possibilidades de reabilitação se ampliam.

Todavia, é preciso ficar claro que o tratamento da dependência de drogas não significa a "internação do paciente". São as constatações acerca da frequência e espécie de droga consumida que ajudarão a definir a espécie de tratamento a ser buscado, como visto.

Quando se tratar da dependência do álcool, com o consumo diário, haverá necessidade de internação hospitalar para se atenuar os sintomas da crise de abstinência, provocados pela falta da bebida no organismo, que reagirá intensamente durante o período de desintoxicação.

Essa internação é apenas preparatória para o ingresso em programa de reabilitação de longa duração, que poderá ser em regime de internato ou não, dependendo das condições físicas, psicológicas e sociais do paciente. Em todo caso, será importante integrá-lo em grupos de autoajuda. Porém, o maior desafio no tratamento do alcoolismo, sem a internação, está na mistura que o paciente costuma fazer ao tomar os remédios recomendados e beber escondido.

Se o consumo for somente de maconha, ainda que diário, é importante que se tente inicialmente o tratamento com psicólogos, grupos de autoajuda, e por fim avaliação psiquiátrica, sem internação.

No entanto, se a "dependência instalada" for de cocaína ou *crack*, associadas ou não a outras drogas, somente com a internação será possível tratar o paciente, pelas graves consequências que essas drogas produzem no corpo e na mente. Só não se justifica a internação se o consumo dessas drogas for esporádico.

Deve-se levar em conta ainda o histórico de vida do paciente que, apesar da dependência, tem conseguido trabalhar e cumprir os horários. Sendo importante, nesse caso, tentar o tratamento sem internação, a fim de que não se rompa seu vínculo com a disciplina imposta por atividades estudantis ou profissionais, caso não representem perigos para o paciente nem para os outros.

Em qualquer caso, não se pode desconsiderar que, internado ou não, a adoção de atividades que despertem a espiritualidade e permitam a ocupação útil do paciente contribui significativamente para elevar a sua autoestima, que, por sua vez, enseja a motivação para se avançar no tratamento.

Quando o paciente solicita a internação com insistência, é muito provável que esteja sob grave ameaça a sua integridade física, em virtude de dívidas contraídas com a compra de drogas. Pressionada e com medo, a pessoa ameaçada tende a esconder esse fato de seus familiares, o que poderá resultar em agressões físicas ou morte.

No curso das avaliações, o paciente sob ameaça tem prioridade no ingresso para ser colocado o quanto antes sob proteção especial. Os pais costumam omitir tais ameaças, porque sofrem a coação das cobranças à porta de casa, exercidas diretamente pelos traficantes, mas não têm a coragem de denunciá-los à polícia, porque temem pela represália desses criminosos. Não são poucos os jovens que, em decorrência do sofrimento, buscam com determinação a terapia.

As experiências indicam que o tratamento da dependência é procurado pela maioria somente quando a família não suporta a situação, inclusive por acreditar nas promessas difíceis de serem cumpridas pelo dependente. Quando não de uma grande confusão, como a prisão em flagrante, porque o dependente foi surpreendido furtando bens para conseguir a droga, ou um acidente de trânsito sob o efeito de bebidas ou drogas ilícitas.

Todavia, nem sempre o toxicômano tem o tempo a seu favor, para realizar o caminho de volta. Algo muito trágico pode surpreendê-lo de maneira irremediável, seja quando assassinado pelas mãos ávidas de vingança dos narcotraficantes, ou pela morte em acidentes com veículos, ou, ainda, quando vítima de overdose. Alguns jovens foram, lamentavelmente, assassinados poucos dias antes da data marcada para a internação.

Crescem os casos de adolescentes drogaditos que são apresentados para o tratamento pelos avós, porque os pais são igualmente dependentes. As avós nos surgem como verdadeiros anjos de ternura, cujos semblantes, apesar de vincados pela angústia e pelas marcas do tempo, seguem saturados de bondade e paciência, enquanto relatam, resignadas, os seus padecimentos, demonstrando que sublimaram a dor. Não se rebelam ante o problema, parecem preparadas para suportar tudo, ante a força do amor incondicional que nutrem pelos netos. Corajosas, não escondem o que sentem, deixam que as lágrimas corram dos olhos para o coração.

Certo dia, uma avó nos disse:

> "Preciso salvar o meu neto, porque os pais já não têm mais jeito. Estão perdidos no *crack* e, sem rumo, saíram pelo mundo afora. Agora somente eu e ele moramos juntos. Necessito tirar o meu neto das drogas. Mas eu sou pobre, vivo de minha pequena aposentadoria. Às vezes, nos faltam dos remédios à comida porque meu neto leva o pouco dinheiro que tenho."

A idosa senhora, embora de pouca instrução escolar, havia adquirido a sabedoria na universidade da vida. Resoluta, preocupava-se com a saúde e a educação do neto. Mas reclamava que, com as drogas, o neto deixara de lhe obedecer. Sentia que o perdia, dia após dia, porque passara a chegar em casa às altas horas da madrugada. Estava viciado em cocaína.

A seguir, falamos com Theo, 16 anos, que demonstrando tristeza e emoção disse:

> "Meu pai deixou minha mãe quando eu tinha 12 anos. Pouco depois, ela passou a beber e a consumir *crack*. Ela se fechava no quarto e consumia drogas em casa mesmo. Muitas vezes, a vi deitada no chão de bruços. Se eu tentasse ajudá-la, ela gritava para eu não me aproximar. Um dia arrumou as malas e disse que iria atrás de meu pai, e nunca voltou. Por isso, estou morando com a minha avó há dois anos. Minha mãe nunca mais nos procurou. Farei o tratamento, não por mim, mas pela minha avó. Já não suporto mais vê-la chorar e rezar de joelhos, em frente à imagem de Nossa Senhora..."

Em razão das emoções que foi levado a sentir ao recordar do sofrimento de sua avó, Theo não conseguiu prosseguir. Repentinamente, as lágrimas inundaram seus olhos, momento em que cuidamos de reanimá-lo, relacionando suas reais possibilidades de vencer as drogas. Menos fragilizado, perguntou: "Então, quando posso começar?"

Assim, chamamos a avó para integrar o momento final do encontro, informando-lhe quais providências teriam de ser adotadas para o breve ingresso.

No entanto, cinco dias depois, a avó telefonou aflita, informando que o seu neto havia desaparecido, mas que estava providenciando os exames solicitados, porque aquela não era a primeira vez que ele se ausentava de casa.

No dia seguinte, o jornal noticiava que o corpo de Theo havia sido encontrado em um canavial, alvejado por muitos disparos de arma de fogo.

A notícia trouxe enorme frustração à nossa equipe, porque não foi possível alcançar a tempo a vida de Theo, sequestrado que fora por mãos homicidas. Não foi possível saber se, quando da entrevista, Theo já estava sob ameaça. Se eventualmente soubesse, não a revelou por medo ou porque não deu importância ao fato.

O crime abriu profunda ferida no coração de sua avó, enquanto ampliava o número de homicídios de adolescentes, decorrentes da dependência química.

A melhor prevenção da dependência, ou a sua cura, começa pela ação da família, ao se equipar de conhecimentos a respeito do assunto, frequentar os grupos de autoajuda e adotar práticas que despertem os sentimentos de espiritualidade.

Introduzir no lar o estudo do evangelho do Cristo, apertar ou reatar os laços com a religião da família são providências que não passarão despercebidas pelo filho envolvido com as drogas. Pouco a pouco ele aceitará o tratamento, ao ver a mobilização dos familiares em torno da oração e da fé. Essas demonstrações de amor o sensibilizarão com certeza, e produzirão em tempo os resultados desejados, especialmente pela eficácia da atuação das forças do invisível.

Ainda que o dependente olhe, com desdém, a movimentação dos familiares, esse cerco afetivo o ajudará a aceitar ajuda. O desejo de se curar, embora seja extremamente subjetivo, é percebido através de alguns indícios.

Nas entrevistas avaliativas, busca-se realizar uma leitura emocional do dependente, avaliando suas reações durante a conversa, com o intuito de se examinar o grau de complexidade de cada situação.

Esse desejo, quando inexistente, há de ser conquistado pelo grupo familiar, porque o quanto antes se iniciar a terapia, melhor. Ninguém ignora os permanentes riscos a que o dependente estará exposto, enquanto não se liberar do vício.

Há um momento em que o somatório de padecimentos físicos e morais lhe pesam tanto que levam o dependente à intensa saturação do problema, surgindo, senão o desejo, a necessidade imperiosa de abandonar os becos do tráfico, para a retomada dos caminhos que o levem a uma vida saudável.

Por distração ou espírito de aventura, ou mesmo para completar seus vazios emocionais ou, ainda, para calar suas angústias, derivadas de conflitos psicológicos, transtornos neurológicos ou por processo obsessivo, ninguém consegue deixar os tóxicos para continuar sendo o mesmo.

Abandonar as drogas e se curar exige uma ampla transformação pessoal. Significa romper com o "modelo de vida" que não deu certo. Se houve coragem para se lançar às drogas,

Filhos da dor – prevenção e tratamento da dependência de drogas – relatos e casos reais. Vilson Disposti. Intelítera, São Paulo, 2010 [pp. 267-274].

o agora reclama igualmente ousadia, esforço e perseverança para a adoção de um novo paradigma, a se constituir em um Projeto de Vida.

Se após a terapia a pessoa retoma os velhos hábitos e volta aos mesmos ambientes no convívio com as mesmas companhias, em pouco tempo poderá se contaminar de novo com as fragilidades, com as circunstâncias e a convivência que cuidarão de atraí-lo de volta às drogas.

Isso não significa que, após a terapia, a família deva mudar de endereço, porque as drogas lamentavelmente estão presentes em quase todos os bairros e cidades.

A mudança há de ser pessoal e intransferível. A cura real será o resultado da transformação interior, uma vez que o ser humano é o que pensa e realiza, não o que ele diz e deseja.

> "A verdadeira saúde não se restringe apenas à harmonia e ao funcionamento dos órgãos, possuindo maior extensão, que abrange a serenidade íntima, o equilíbrio emocional e as aspirações estéticas, artísticas, culturais, religiosas."[12]

---

12. *Autodescobrimento – uma busca interior.* Divaldo P. Franco, Espírito Joanna de Ângelis. 16.ª ed. Leal, Salvador, 2010 [p. 84].

VILSON APARECIDO DISPOSTI

Nasceu em Braúna, SP, em 28 de setembro de 1959. Delegado de polícia, professor e mestre em direito penal, escritor e palestrante. Fundou e preside a Casa do Caminho Ave Cristo, centro de reabilitação para dependentes de drogas estabelecido em 1991, em Birigui, SP. Autor do livro *Filhos da dor – prevenção e tratamento da dependência de drogas – relatos e casos reais.*

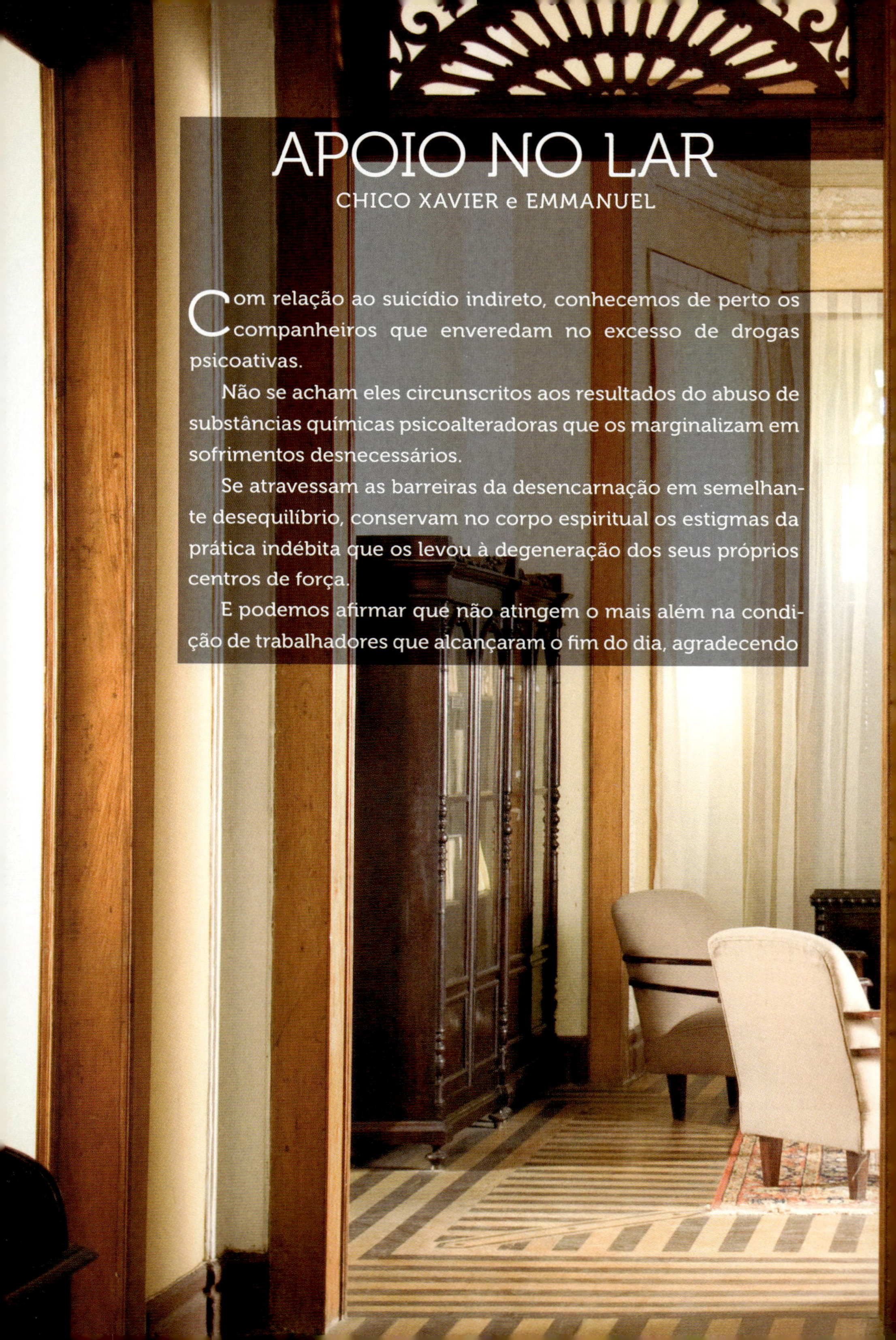

APOIO NO LAR

CHICO XAVIER e EMMANUEL

Com relação ao suicídio indireto, conhecemos de perto os companheiros que enveredam no excesso de drogas psicoativas.

Não se acham eles circunscritos aos resultados do abuso de substâncias químicas psicoalteradoras que os marginalizam em sofrimentos desnecessários.

Se atravessam as barreiras da desencarnação em semelhante desequilíbrio, conservam no corpo espiritual os estigmas da prática indébita que os levou à degeneração dos seus próprios centros de força.

E podemos afirmar que não atingem o mais além na condição de trabalhadores que alcançaram o fim do dia, agradecendo

a pausa de descanso, e sim na posição dos trânsfugas de sanatórios em que lhes cabia assistência mais longa.

Alucinados e dependentes das drogas, demoram-se em regimes de reajuste e, quando recobram a própria harmonia, reconhecem-se dilapidados por si mesmos nos mecanismos e estruturas do veículo espiritual, preparando-se para reencarnações difíceis em que o berço terrestre lhes servirá de cela hospitalar.

Este é o quadro que se nos oferece hoje, na Terra, quase como sendo catástrofe mundial nos dois lados da vida humana.

Todos sabemos disso e todos estamos procurando os melhores meios de erradicar a calamidade:

› preceitos de justiça que controlem com segurança o fornecimento de psicotrópicos;
› apelos à medicina para que se lhes dificulte a indicação;
› combate às plantações de vegetais determinados, quando essas plantações lhes facultam a origem;

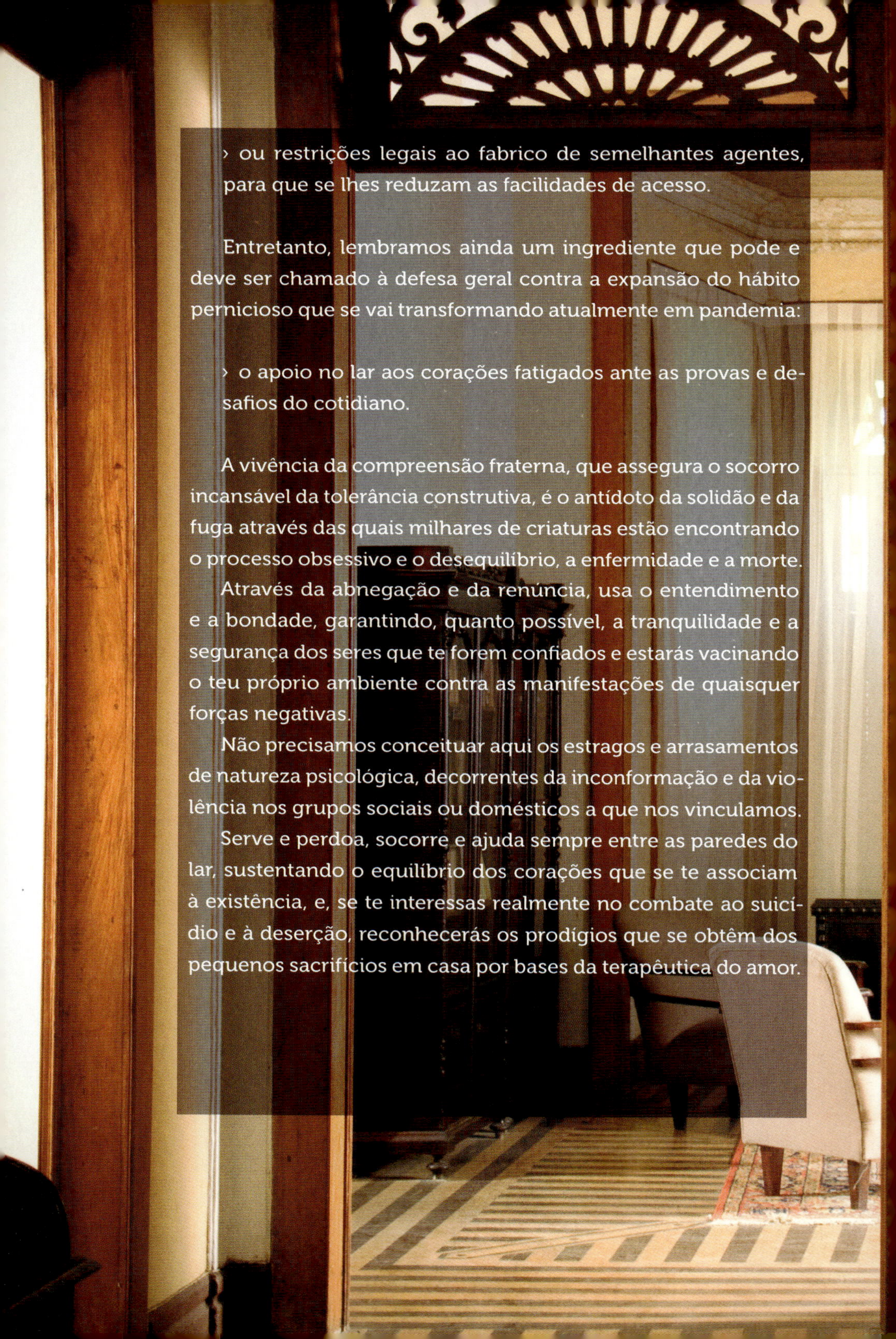

› ou restrições legais ao fabrico de semelhantes agentes, para que se lhes reduzam as facilidades de acesso.

Entretanto, lembramos ainda um ingrediente que pode e deve ser chamado à defesa geral contra a expansão do hábito pernicioso que se vai transformando atualmente em pandemia:

› o apoio no lar aos corações fatigados ante as provas e desafios do cotidiano.

A vivência da compreensão fraterna, que assegura o socorro incansável da tolerância construtiva, é o antídoto da solidão e da fuga através das quais milhares de criaturas estão encontrando o processo obsessivo e o desequilíbrio, a enfermidade e a morte.

Através da abnegação e da renúncia, usa o entendimento e a bondade, garantindo, quanto possível, a tranquilidade e a segurança dos seres que te forem confiados e estarás vacinando o teu próprio ambiente contra as manifestações de quaisquer forças negativas.

Não precisamos conceituar aqui os estragos e arrasamentos de natureza psicológica, decorrentes da inconformação e da violência nos grupos sociais ou domésticos a que nos vinculamos.

Serve e perdoa, socorre e ajuda sempre entre as paredes do lar, sustentando o equilíbrio dos corações que se te associam à existência, e, se te interessas realmente no combate ao suicídio e à deserção, reconhecerás os prodígios que se obtêm dos pequenos sacrifícios em casa por bases da terapêutica do amor.

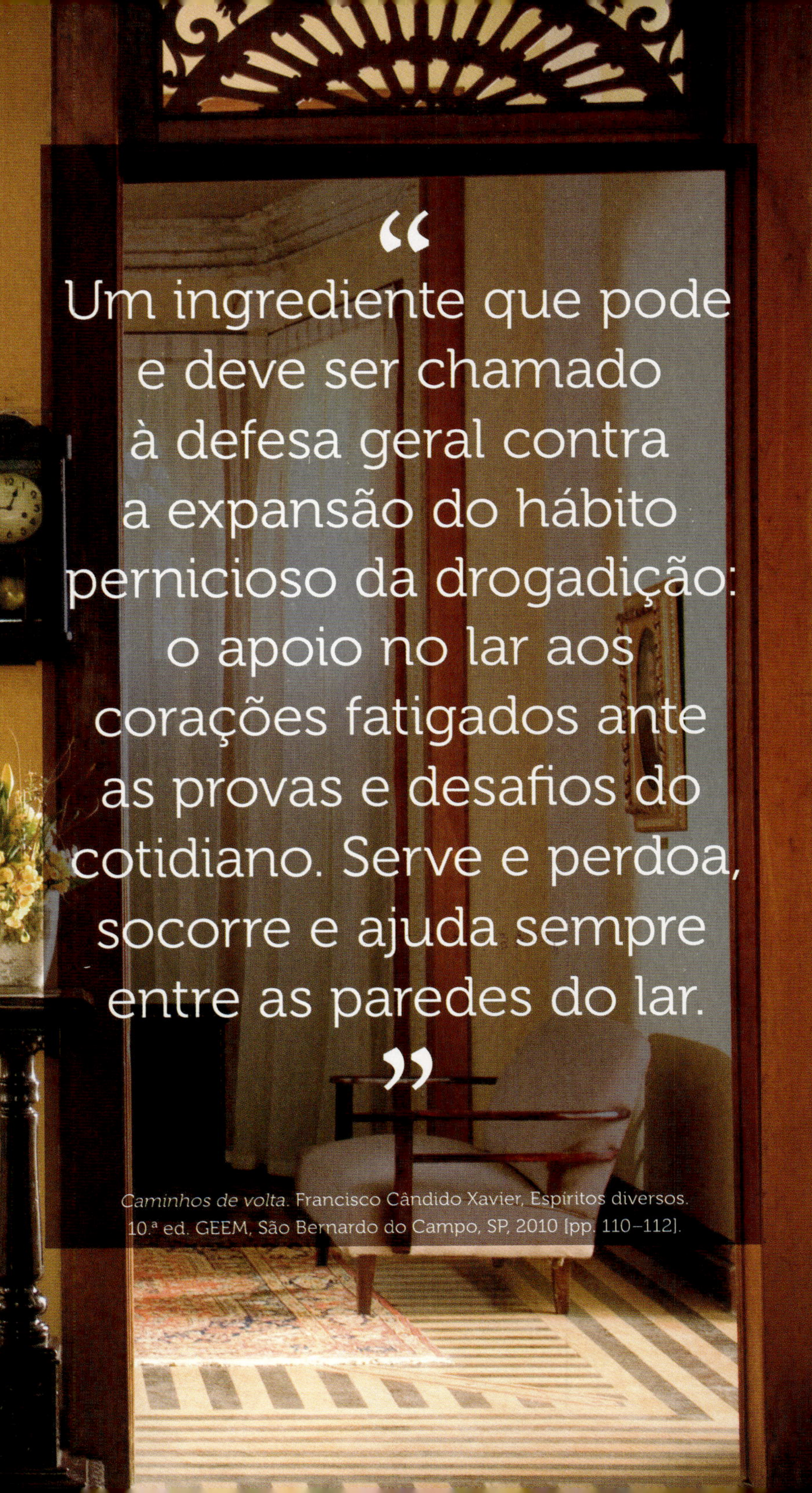

> "Um ingrediente que pode e deve ser chamado à defesa geral contra a expansão do hábito pernicioso da drogadição: o apoio no lar aos corações fatigados ante as provas e desafios do cotidiano. Serve e perdoa, socorre e ajuda sempre entre as paredes do lar."

Caminhos de volta. Francisco Cândido Xavier, Espíritos diversos. 10.ª ed. GEEM, São Bernardo do Campo, SP, 2010 [pp. 110–112].

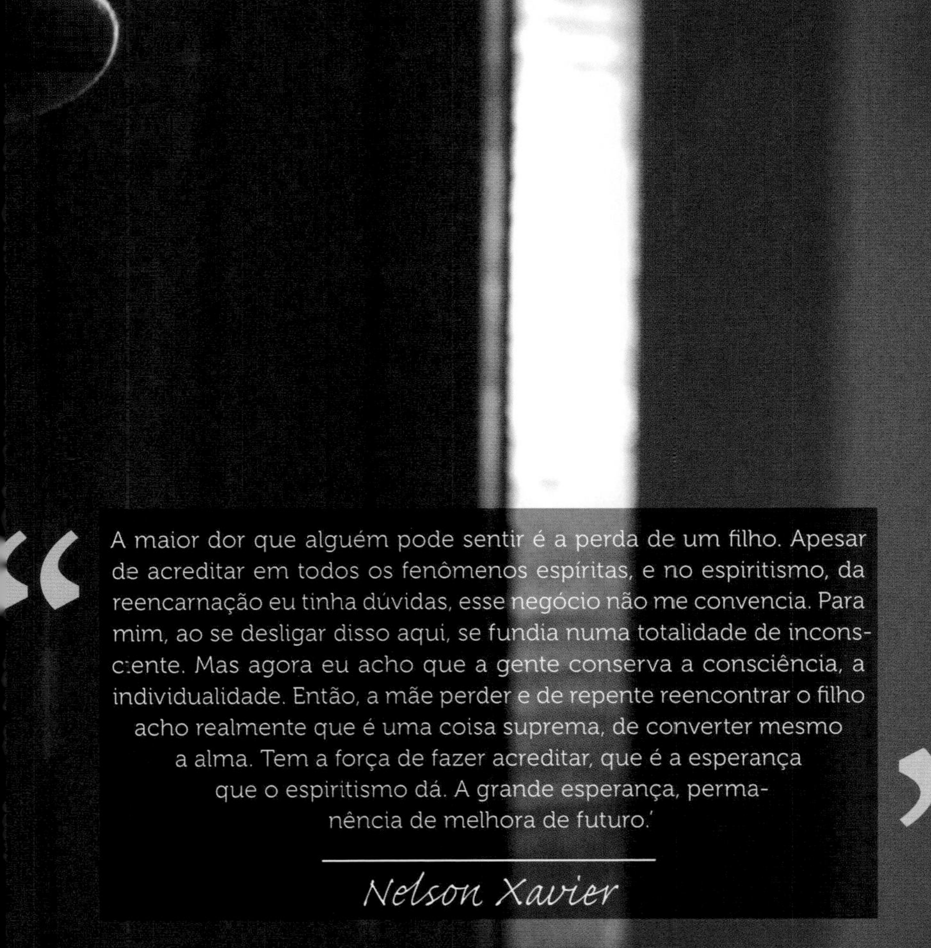

"A maior dor que alguém pode sentir é a perda de um filho. Apesar de acreditar em todos os fenômenos espíritas, e no espiritismo, da reencarnação eu tinha dúvidas, esse negócio não me convencia. Para mim, ao se desligar disso aqui, se fundia numa totalidade de incons-ciente. Mas agora eu acho que a gente conserva a consciência, a individualidade. Então, a mãe perder e de repente reencontrar o filho acho realmente que é uma coisa suprema, de converter mesmo a alma. Tem a força de fazer acreditar, que é a esperança que o espiritismo dá. A grande esperança, perma-nência de melhora de futuro.'"

Nelson Xavier

SUICÍDIO

cena 8

O MORTO QUE CONTINUA VIVO

ABEL SIDNEY

O ESPECTADOR POR LONGOS MINUTOS AGUARDA NOTÍCIAS do jovem Raul, que, viciado em drogas, está em tratamento *forçado* em uma clínica de recuperação.

Qual a razão da profunda tristeza de sua mãe, Ruth, e do desejo do seu pai, Mário, de "não falar mais sobre o assunto", que diz respeito à vida do próprio filho?

Imagina-se, em razão desses fatos, que Raul ainda esteja, após possível fuga da clínica, envolvido de modo irremediável com as drogas – daí possivelmente o motivo da sua desaparição, pensa o espectador.

Surpreendemo-nos, no desfecho da história, ao assistirmos em retrospectiva o que realmente ocorreu.

Passamos, então, a entender as causas e a dimensão da dor de sua mãe e do desconforto do pai, que parecia ter sepultado a memória do filho.

A culpa, a perturbação que se faz visível naquela mãe e o estado depressivo que a envolve culminam em sua própria tentativa de suicídio, que descobriremos mais tarde ser uma imitação do ato do filho...

O filme retrata bem um fenômeno infelizmente comum – o contágio que o suicídio causa nos familiares, amigos e demais pessoas vinculadas de alguma forma ao suicida. A imitação é a culminância do contágio sofrido.

O contágio, dentre outras sequelas, chama-nos a atenção para o fato de que o suicídio é um assunto sério, que exige um maior enfrentamento, para que ao conhecê-lo em sua complexidade possamos tanto nos prevenir quanto ajudar os nossos "próximos mais próximos" a fazer o mesmo.

Ruth fechou-se e não conseguiu vivenciar as suas fases do *luto*, isto é, não lidou emocionalmente com as angústias decorrentes da perda, que ajudam nas cicatrizações das feridas da alma, tão necessárias para se seguir adiante...

Caso as fases do luto (choque, negação, raiva, depressão e aceitação) fossem vivenciadas ou ela fizesse uma terapia adequada ao momento e à intensidade do drama vivido, outro seria o caso.

Felizmente, Ruth, como outras mães, conseguiu manter contato com Chico Xavier e dele recebeu uma mensagem de seu filho. Ficção ou não, no contexto do filme, o certo é que mães como essas, fragilizadas, eram as quem mais recebiam mensagens de seus filhos, pelas mãos de Chico, durante as sessões de psicografia em Uberaba. O critério da escolha das mães a receber alento e força por meio dos *recados do além* era a profundidade da dor, principalmente a dor que poderia levar ao suicídio.

O fato de que os suicidas continuam *vivos* no além e dão mostras de sua identidade e sobrevivência, é um claro indício de que o suicídio é tratado de modo bastante diferenciado pelos espíritas, diferentemente de outras religiões, que costumam severamente condená-los.

Nas mensagens que os suicidas trazem, como a de Raul aos seus pais, fica claro que, a despeito da condição de *clandestinos* (chegaram antes da hora e por meios não permitidos), eles são acolhidos e amparados. Isto não elimina as consequências do ato violento que encerrou abruptamente a existência, mas ameniza a situação do *morto que continua vivo.*

Leva-se tão a sério o atendimento aos suicidas no espiritismo que há mesmo grupos que se dedicam exclusivamente ao trabalho de assistência a eles, seja por meio de reuniões mediúnicas destinadas a atendê-los, seja por meio de preces em seu favor e daqueles que podem ser afetados por meio do contágio.

A crença na sobrevivência após a morte pode tornar-se um bálsamo para os sobreviventes de suicídio (pessoas vinculadas ao falecido). Não são poucos os motivos desse reconforto: acena-se com a possibilidade de se manter o vínculo constante por meio das orações, do pensamento, da lembrança; abrem-se perspectivas para o reencontro após a morte; e o fato de se saber que eles podem contar com assistência e amparo no além é muito confortador, pois eles não estariam nem condenados, nem abandonados à própria sorte e risco.

Se evocássemos, mais uma vez, Chico Xavier para comentar sobre o suicídio, ele certamente nos diria:

> "Como temos aprendido, a vida é uma bênção inesgotável. Devemos vivê-la plenamente todos os dias, aproveitando cada minuto para usufruirmos de alegria e paz, em meio às nossas lutas e embaraços. Não devíamos, nunca, nos entregarmos a pensamentos doentios de autoextermínio quando às voltas com nossas dificuldades e dores... Diante, no entanto, daqueles que escolheram abreviar a existência, oremos por eles, tendo a certeza de que eles continuam vivos e um dia retornarão para recomeçar e vencer a si mesmos. Deus sempre confia em nós e no poder de autossuperação que todos temos!"

O SUICIDA DO TREM

DIVALDO FRANCO

Eu nunca me esquecerei que um dia havia lido num jornal acerca de um suicídio terrível que me impactou: um homem jogou-se sobre a linha férrea, sob os vagões da locomotiva, e foi triturado. E o jornal, com todo o estardalhaço, contava a tragédia, dizendo que aquele era um pai de dez filhos, um operário modesto.

Aquilo me impressionou tanto que resolvi orar por esse homem.

Tenho uma cadernetinha para anotar nomes de pessoas necessitadas. Eu vou orando por elas e, de vez em quando, digo: "Se este aqui já não evoluiu, vou dar o seu lugar para outro; não posso fazer mais."

Assim, coloquei-lhe o nome na minha caderneta de preces especiais – as preces que eu faço pela madrugada. Da minha janela, eu vejo uma estrela e acompanho o seu ciclo; então, fico orando, olhando para ela, conversando. Somos muito amigos, já faz muitos anos. Ela é paciente, sempre aparece no mesmo lugar e desaparece num outro.

Comecei a orar por esse homem desconhecido. Fazia a minha prece, intercedia, dava uma de advogado, e dizia:

— Meu Jesus, quem se mata (como dizia minha mãe) "não está com o juízo no lugar". Vai ver que ele nem quis se matar; foram as circunstâncias. Orava e pedia, dedicando-lhe mais de cinco minutos (e eu tenho uma fila bem grande), mas esse era especial.

Passaram-se quase quinze anos e eu orando por ele diariamente, onde quer que estivesse.

Um dia, eu tive um problema que me fez sofrer muito. Nessa noite cheguei à janela para conversar com a minha estrela e não pude orar. Não estava em condições de interceder pelos outros. Encontrava-me com uma grande vontade de chorar; mas sou muito difícil de fazê-lo por fora, aprendi a chorar para dentro. Fico aflito, experimento a dor, e as lágrimas não saem. (Eu tenho uma grande inveja de quem chora aquelas lágrimas enormes, volumosas, que não consigo verter.)

Daí a pouco a emoção foi-me tomando, e, quando me dei conta, chorava.

Nesse ínterim, entrou um Espírito e me perguntou:

— Por que você está chorando?

— Ah, meu irmão – respondi – hoje estou com muita vontade de chorar, porque sofro um problema grave e, como não tenho a quem me queixar, porquanto eu vivo para consolar os outros, não lhes posso contar os meus sofrimentos. Além do mais, não tenho esse direito; aprendi a não reclamar e não me estou queixando.

O Espírito retrucou:

— Divaldo, e se eu lhe pedir para que você não chore, o que é que você fará?

— Hoje nem me peça. Porque é o único dia que eu consegui fazê-lo. Deixe-me chorar!

— Não faça isso – pediu. — Se você chorar eu também chorarei muito.

— Mas por que você vai chorar? – perguntei-lhe.

— Porque eu gosto muito de você. Eu amo muito a você e amo por amor.

Como é natural, fiquei muito contente com o que ele me dizia.

— Você me inspira muita ternura – prosseguiu – e o amor por gratidão. Há muitos anos eu me joguei embaixo das rodas de um trem. E não há como definir a sensação *eterna* da tragédia. Eu ouvia o trem apitar, via-o crescer ao meu encontro e sentia-lhe as rodas me triturando, sem terminar nunca e sem nunca morrer. Quando acabava de passar, quando eu ia respirar, escutava o apito e começava tudo outra vez, *eternamente*. Até que um dia escutei alguém chamar pelo meu nome. Fê-lo com tanto amor que aquilo me aliviou por um segundo, pois o sofrimento logo voltou. Mais tarde, novamente, ouvi alguém chamar por mim. Passei a ter interregnos em que alguém me chamava, eu conseguia respirar, para aguentar aquele morrer que nunca morria, e não sei lhe dizer o tempo que passou. Transcorreu muito tempo mesmo, até o momento em que deixei de ouvir o apito do trem, para escutar a pessoa que me chamava. Dei-me conta, então, que a morte não me matara e que alguém pedia a Deus por mim. Lembrei-me de Deus, de minha mãe, que já havia morrido. Comecei a refletir que eu não tinha o direito de ter feito aquilo, passei a ouvir alguém dizendo: "Ele não fez por mal. Ele não quis matar-se." Até que um dia esta força foi tão grande que me atraiu; aí eu vi você nesta janela, chamando por mim. Eu perguntei: "Quem é? Quem está pedindo a Deus por mim, com tanto carinho, com tanta misericórdia?" Mamãe surgiu e esclareceu-me:

— É uma alma que ora pelos desgraçados.

— Comovi-me, chorei muito e a partir daí passei a vir aqui, sempre que você me chamava pelo nome.

(Note que eu nunca o vira, em face das diferenças vibratórias.)

— Quando adquiri a consciência total – prosseguiu ele –, já se haviam passado mais de catorze anos. Lembrei-me de minha família e fui à minha casa. Encontrei a esposa blasfemando, injuriando-me: "Aquele desgraçado desertou, reduzindo-nos à mais terrível miséria. A minha filha é hoje uma *perdida*, porque não teve comida nem paz e foi vender-se para tê-las. Meu filho é um bandido, porque teve um pai egoísta, que se matou para não enfrentar a responsabilidade. Deixando-nos, ele nos reduziu a esse estado." Senti-lhe o ódio terrível. Depois, fui atraído à minha filha, num destes lugares miseráveis, onde ela estava exposta como mercadoria. Fui visitar meu filho na cadeia.

Falou-me, emocionado:

— Divaldo, aí eu comecei a somar às "dores físicas" a dor moral, dos danos que o meu suicídio trouxe. Porque o suicida não responde só pelo gesto, pelo ato de autodestruição, mas, também, por toda uma onda de efeitos que decorrem do seu ato insensato, sendo tudo isso lançado a seu débito na lei de responsabilidades. Além de você, mais ninguém orava, ninguém tinha dó de mim, só você, um estranho. Então hoje, que você está sofrendo, eu lhe venho pedir: Em nome de todos nós, os infelizes, não sofra! Porque se você se entristecer, o que será de nós, os que somos permanentemente tristes? Se você agora chora, que será de nós, que estamos aprendendo a sorrir com a sua alegria? Você não tem o *direito de sofrer.* Pelo menos por nós, e por amor a nós, não sofra mais.

Aproximou-se, me deu um abraço, encostou a cabeça no meu ombro e chorou demoradamente. Doridamente, ele chorou.

Igualmente emocionado, falei-lhe:

— Perdoe-me, mas eu não esperava comovê-lo.

— São lágrimas de felicidade. Pela primeira vez, eu sou feliz, porque agora eu me posso reabilitar. Estou aprendendo a consolar alguém. E a primeira pessoa a quem eu consolo é você.

O semeador de estrelas. Suely Caldas Schubert.
7.ª ed. Leal, Salvador, 2010 [pp. 87–90].

NÃO DÁ PARA FAZER UM PAPEL TÃO INTENSO SEM MEXER DENTRO de você. Não dá para apontar uma arma para a cabeça e apertar o gatilho sem que o coração bata mais forte. A cena do suicídio exigiu bastante de todos nós e a gente percebia que mexia com a equipe, incomodava. Mas fazia minhas orações e pedia proteção a Deus.
Daniel Dias

SUICÍDIO? UM DOLOROSO ENGANO

THEREZINHA OLIVEIRA

Uma pessoa matar-se é um fato muito triste, lamentável e indesejável.

Com o suicídio, perde-se desnecessariamente uma vida humana, com todo seu admirável valor potencial, intrínseco.

E pensar que esse mal pode inesperadamente atingir a qualquer um de nós, ou a nossos familiares ou amigos!...

Antes que isso aconteça, examinemos o assunto, meditemos a respeito, buscando na doutrina espírita o conhecimento seguro que previne males, consola sofredores e oferece rumos de libertação.

Tem o ser humano o direito de dispor de sua vida?

> "Não; só a Deus assiste esse direito. O suicídio voluntário importa numa transgressão desta lei." (*O livro dos Espíritos*, questão 944)

A vida é de Deus e não nossa.

Não a demos a nós mesmos. Apenas a usamos, usufruímos.

Ele é que a criou, a mantém e sustenta no universo.

Se destruirmos a vida orgânica, saberemos recompô-la? Poderemos recriá-la?

No que dependesse de nós, a perda seria definitiva.

Não creio em Deus

Isso é fácil de dizer, mas não modifica coisa alguma.

Deus não deixa de existir, porque o neguemos.

Podemos negar o universo que aí está?

Não veio do nada, não se formou a si mesmo; nem é produto do acaso, pois revela ordem e harmonia.

Tem que haver uma causa primeira, supremamente inteligente, para produzir tudo isso: É o Criador, Deus!

O único com direito soberano sobre tudo que criou.

Vá lá que exista! Sou obrigado a suportar a vida que Ele me deu, mesmo não gostando dela? Para mim, a vida não tem nenhum significado ou valia e é muito difícil de aguentar. Acho que o melhor é acabar com a minha vida. Por que não posso fazer isso?

Você pode, sim, acabar com a vida do seu corpo.

Deus nos deu relativo livre-arbítrio sobre muitas coisas.

Uma delas é o que podemos fazer com o nosso corpo.

Podemos até mesmo provocar a sua desorganização, levando-o à morte e à decomposição (como se puxássemos o fio de uma malha).

Mas não devemos fazer isso.

Por que não devo me suicidar?

Pelo que lhe acontecerá em seguida, como ainda iremos comentar.

As consequências irão mostrar que o suicídio não é o melhor, nem para você nem para a vida universal.

Deus não apenas existe e é poderoso.

É também sabedoria e bondade no mais alto grau.

Nada faz de inútil nem mau.

Se criou a vida, ela é útil, tem finalidade boa, visa a um propósito superior, desígnios divinos.

Vivendo, você está cumprindo o programa de Deus.

Destruir voluntariamente a vida orgânica é querer interferir nesse processo, modificando-o ou impedindo-o.

A que título queremos fazer isso:

Sabemos mais que Deus? Somos mais bondosos do que Ele?

Nem sabemos ao que isso nos pode conduzir!...

Ignorando o fundamental sobre a vida, querer anulá-la, destruí-la é, pelo menos, temeridade, imprudência e imprevidência nossa.

O SOFRIMENTO DOS SUICIDAS NO ALÉM

As consequências do suicídio no mundo espiritual variam muito.

Não há penas determinadas e, em todos os casos, as consequências correspondem sempre às causas que o produziram, com agravantes ou atenuantes.

A literatura espírita é muito rica e esclarecedora quanto à situação dos Espíritos no pós-morte, porque a mediunidade permite observar e colher informações sobre o que se passa nesse outro lado da vida.

Verificamos, então, que o suicídio, quando praticado em pleno uso da razão e por livre vontade, sem nenhuma das atenuantes aceitáveis, acarreta para o Espírito grandes e demorados sofrimentos.

Que venham esses outros sofrimentos!
Serão diferentes da situação que não quero,
não posso suportar. Dela escaparei!

Quem fala assim desconhece como são esses sofrimentos, a natureza e intensidade deles, apesar de não serem eternos.

O sofrimento, para o suicida, começa logo após a morte do corpo.

Vê que não se acabou, como esperava.

Constata que não deixou de sofrer nem resolveu seu problema, pelo contrário, complicou mais.

Para ele, a perturbação espiritual da desencarnação, em vez de ser natural e rápida, prolonga-se. Ex.: Pode sentir-se sempre caindo, sufocando, sangrando etc., conforme a maneira pela qual se suicidou.

Seu perispírito, lesado pela sua própria intenção destrutiva, é um segundo corpo a lhe causar sofrimentos.

Como a vitalidade ainda não se esgotara no corpo, a ligação do perispírito com ele perdura algum tempo, o que às vezes leva o suicida desencarnado a assistir à decomposição e senti-la, sofrendo impressões de "dor", asco, horror.

Se consegue perceber a vida na Terra, o suicida sofre:

- › por ver os seres queridos sofrendo, em decorrência do seu suicídio;
- › por nem lhe prestarem atenção aqueles a quem queria ferir;
- › por ver desperdiçadas as oportunidades e bênçãos que tinha e a que não soube dar valor.

Pela afinidade fluídica e sintonia mental que oferece, o suicida pode ser arrastado a planos espirituais inferiores, onde tem de conviver com Espíritos malévolos, ou com os que são tão infelizes como ele mesmo.

Não sabendo divisar um termo para os seus sofrimentos, estes podem parecer-lhe eternos, não terem fim...

CONHECIMENTO ESPÍRITA É ANTÍDOTO PARA A TENDÊNCIA SUICIDA

Com os esclarecimentos que oferece sobre quem somos, de onde viemos e para onde iremos, o espiritismo ajuda-nos a ter calma, paciência e resignação ante os problemas da vida, constituindo, assim, um antídoto para a tendência suicida.

Esclarece-nos o espiritismo que:

› estamos no mundo para progredir intelectual e moralmente;

› as tribulações da vida são as *provas* que nos fazem progredir; enfrentando-as, às vezes acertamos, às vezes erramos;

› quando acertamos, aprendemos e progredimos, usufruindo os bons resultados de nossos atos;

› quando erramos, acarretamos consequências infelizes e, então, temos de enfrentar as expiações, sofrimentos físicos e morais, até nos reajustarmos ante a lei divina;

› bem compreendidos, suportados ou superados, todos os sofrimentos resultam em benefícios para o Espírito;

› o suicídio traz consequências indesejáveis para o Espírito; não resolve problemas e ainda complica a situação espiritual.

Informa-nos também o espiritismo que os Espíritos exercem influência mental e fluídica sobre nós e é preciso saber reconhecer o tipo de influência que nos chega, aceitando as boas e recusando as más.

Quem está com ideias de suicídio poderá estar sofrendo a influência má de Espíritos adversários seus, que lhe querem fazer perder a oportunidade da presente reencarnação.

E ainda nos ensina, o espiritismo, como prevenir ou superar a tendência suicida:

› vigiar nossos pensamentos e sentimentos ante o que nos acontece, para não acolher o que for mau;
› orar sempre, em busca de amparo e forças contra os impulsos inferiores;
› ocupar mente e mãos em atividades dignas e úteis.

Se, infelizmente, o suicídio já foi cometido, o espiritismo orienta-nos como enfrentar e superar suas tristes consequências, de modo que nos recuperemos perante a justiça divina.

SUICIDAS INCONSCIENTES OU INVOLUNTÁRIOS

"O louco que se mata não sabe o que faz."
(*O livro dos Espíritos*, questão 944.a)

Estava fora de si, não o fez voluntariamente.

Não deixou de sofrer a perda da vida corpórea e experimentou a perturbação da morte brusca, mas logo recebeu ajuda misericordiosa no plano espiritual.

O ébrio ou o drogado

Não foi um suicídio consciente ou voluntário.

Recebe também ajuda o mais breve possível.

Mas é responsável por se ter prejudicado com a bebida ou com a droga.

Além de perder a vida corpórea e passar pela perturbação da morte brusca, sofre efeitos do vício no seu corpo espiritual e na vida futura.

O obsidiado que se suicida sob domínio do Espírito obsessor.

Não dispunha de vontade livre, no momento em que se matou, atenuante que lhe assegura amparo misericordioso.

Mas a falha que deu origem à obsessão foi sua.

Por isso perdeu a oportunidade da encarnação, sofreu a perturbação da morte brusca e experimentou outros prejuízos.

Atendamos, pois, ao conselho de Jesus:

> "Vigiai e orai para não cairdes em tentação [...]" (Mt 26:41)

Evitar acolher pensamentos malévolos, insistentes.

Resistir às sugestões do mal, ocupar-se no bem, orar.

O conhecimento espírita e a assistência espiritual podem ajudar muito na prevenção e no reequilíbrio, nos casos de obsessão.

O imprudente

"Será condenável uma imprudência que compromete a vida sem necessidade?

— Não há culpabilidade, em não havendo intenção, ou consciência perfeita da prática do mal." (*O livro dos Espíritos*, questão 954)

Culpabilidade maior, não; mas consequências, sempre há, de prejuízo ou sofrimento, exigindo o esforço da recomposição.

Que acontece a quem conduziu alguém ao suicídio?

Responderá ante as leis divinas como por um assassínio. (*O livro dos Espíritos*, questão 946.a)

A RECUPERAÇÃO ESPIRITUAL DOS SUICIDAS

Os suicidas não estão condenados para sempre, como, às vezes, eles mesmos ou outros pensam

O que sofrem no além promove em seu íntimo modificações espirituais necessárias e benéficas.

Esgotados os efeitos que provocaram, poderão começar a recuperação.

As caravanas de socorro no mundo espiritual

Espíritos benévolos organizam excursões de ajuda e vão aos planos infelizes, a fim de recolher os sofredores que já apresentem condições de recuperação e levá-los a planos melhores, onde possam reequilibrar-se e preparar-se para novas e redentoras encarnações.

A ajuda dos encarnados

Familiares, amigos ou simplesmente pessoas fraternas podem ajudar no alívio e recuperação dos suicidas que se encontram em sofrimento no além.

Fazem isso com preces e vibrando com amor em favor deles, enviando-lhes pensamentos de fé, coragem, esperança, realizando reuniões mediúnicas em que esses sofredores recebam despertamento e encaminhamento na vida espiritual.

Quanto consolo e esperança para os suicidas e seus familiares, à luz destes esclarecimentos espíritas!

Entretanto, *apesar de toda a ajuda recebida para se recuperarem*, os suicidas terão pela frente *um longo trabalho* até conseguirem fazer cessar os efeitos que provocaram e gerarem para si mesmos novas e melhores condições de vida (tanto no plano espiritual como em nova encarnação na Terra).

Isso porque:

› como seu perispírito ficou lesado e vai ser molde para o novo corpo físico, enfrentará deficiências orgânicas na nova encarnação;

› passará novamente por situações difíceis, porque a vida reapresentará as dificuldades e dores, que não soube ou não quis enfrentar e superar na existência anterior e das quais tentou fugir pela porta falsa do suicídio. Isso não acontece como castigo divino, mas como condição necessária para o seu progresso espiritual;

› precisará testar sua nova disposição, superar a tendência suicida.

ANTE AS LUTAS DA VIDA

Enquanto não aprendermos a prevenir, suportar e superá-los, os problemas da vida sempre nos parecerão difíceis, insuportáveis, onde, como, quando e com quem estivermos, porque continuamos ignorantes, fracos, intolerantes.

Se esgotarmos pacientemente o nosso "cálice de amarguras" aprendendo com as experiências, realizando o bem ao nosso alcance, progrediremos intelectual e moralmente.

Uma vez evoluídos, nenhum obstáculo mais será insuperável ou insuportável, nas coisas, situações ou pessoas que a vida nos apresente.

Então, estaremos verdadeiramente livres. Não porque a vida nos poupe de suas naturais contingências, mas porque:

- compreenderemos a razão e a utilidade das lutas e dos sofrimentos;
- sabendo como a tudo prevenir e superar ou suportar;
- e ainda divisaremos o futuro melhor, que virá após a luta e a dor.

À vista desses esclarecimentos espíritas (verdadeiros, lógicos, baseados em fatos), qualquer um entenderá que o melhor é não se suicidar, para não cair em maiores e desnecessários sofrimentos e ter de recomeçar tudo, com situação mais agravada.

Para os que estão sofrendo muito, neste mundo, o espiritismo repete fielmente o amoroso convite de Jesus:

"Vinde a mim os que estais aflitos sob o fardo, e eu vos aliviarei.

Tomai sobre vós o meu jugo e aprendei comigo que sou brando e humilde de coração, e achareis repouso para as vossas almas, pois é suave o meu jugo e leve o meu fardo." (Mt 11:29–30)

Esclarecidos e sustentados pela doutrina espírita, entendamos o valor da existência na Terra, este abençoado planeta de provas e expiações, de lutas e dores tão apropriadas para nossa redenção e progresso!

Vivamos, corajosa e pacientemente, a vida que o Senhor nos concede.

Perseveremos na fé, guardemos a esperança, pratiquemos a caridade, ajudando-nos uns aos outros.

Façamos o melhor ao nosso alcance, oremos e confiemos em Deus.

O amparo espiritual nunca nos faltará, o melhor sempre será feito em nosso favor.

Ativos no bem, superemos lutas e dores, provas e expiações.

Assim, desenvolveremos as potencialidades de nosso espírito, e conquistaremos o direito de viver em paz e amor.

CONCLUSÃO

O suicídio é realmente um doloroso engano. Os esclarecimentos e aconselhamentos do plano espiritual misericordiosamente procuram evitar que o cometamos. Ouçamos essas vozes divinas, enquanto é tempo!

Oremos por aqueles que se suicidaram e estão em sofrimento no além. Que recebam, o mais breve possível, a ajuda da bondade divina, trazendo-lhes o alívio de suas dores e o refazimento de suas vidas!

Suicídio? Um doloroso engano. Therezinha Oliveira.
3.ª ed. Allan Kardec, Campinas, SP, 2006 [pp. 4–18, 33].

PARA E PENSA

CLAYTON LEVY E SCHEILLA

A um passo do ato desesperado, para e pensa:

O suicídio não trará solução para o momento aflitivo que atravessas.

A precipitação é trampolim que arroja os incautos no abismo do remorso.

•

Dispões de outras opções para superar a situação-problema com a qual deparaste.

Recorre à prece, a fim de te elevares acima das nuvens que te impedem de enxergar a realidade.

Procura alguém para aliviares o coração através da conversa amiga.

Tenta a leitura edificante.

•

Contas com o amparo invisível de teus mentores espirituais.

O conflito que vivencias agora, talvez seja um convite da vida para despertares.

•

Arrima-te na fé e segue adiante.

Hoje, talvez o desespero te cerque os pensamentos.

Amanhã, porém, a paz retornará, como resultado do teu trabalho no bem.

Novas mensagens: de Scheilla para você. Clayton Levy, Espírito Scheilla. 3.ª ed. Allan Kardec, Campinas, SP, 2009 [pp. 44–46].

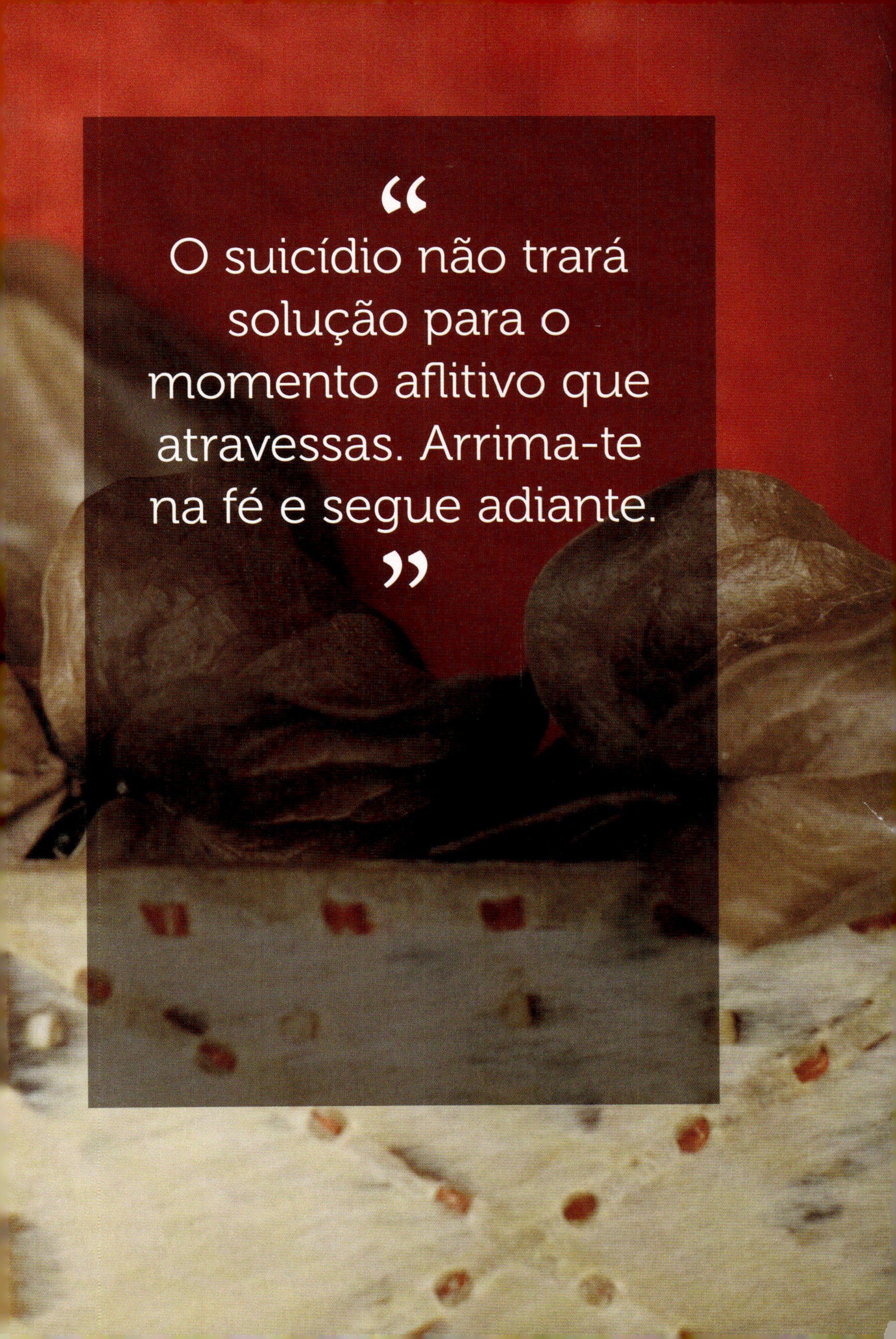
“
O suicídio não trará
solução para o
momento aflitivo que
atravessas. Arrima-te
na fé e segue adiante.
”

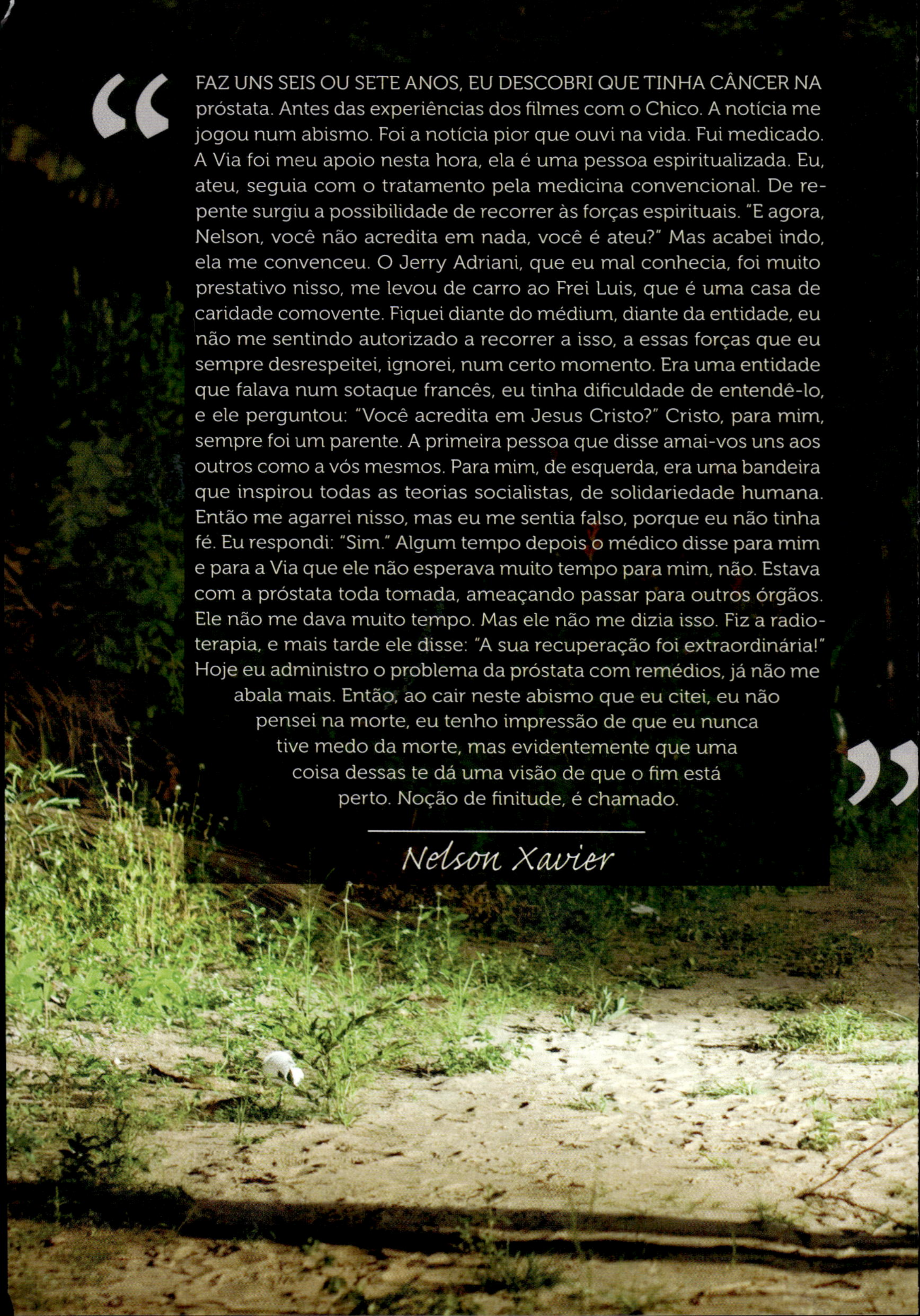

“FAZ UNS SEIS OU SETE ANOS, EU DESCOBRI QUE TINHA CÂNCER NA próstata. Antes das experiências dos filmes com o Chico. A notícia me jogou num abismo. Foi a notícia pior que ouvi na vida. Fui medicado. A Via foi meu apoio nesta hora, ela é uma pessoa espiritualizada. Eu, ateu, seguia com o tratamento pela medicina convencional. De repente surgiu a possibilidade de recorrer às forças espirituais. "E agora, Nelson, você não acredita em nada, você é ateu?" Mas acabei indo, ela me convenceu. O Jerry Adriani, que eu mal conhecia, foi muito prestativo nisso, me levou de carro ao Frei Luis, que é uma casa de caridade comovente. Fiquei diante do médium, diante da entidade, eu não me sentindo autorizado a recorrer a isso, a essas forças que eu sempre desrespeitei, ignorei, num certo momento. Era uma entidade que falava num sotaque francês, eu tinha dificuldade de entendê-lo, e ele perguntou: "Você acredita em Jesus Cristo?" Cristo, para mim, sempre foi um parente. A primeira pessoa que disse amai-vos uns aos outros como a vós mesmos. Para mim, de esquerda, era uma bandeira que inspirou todas as teorias socialistas, de solidariedade humana. Então me agarrei nisso, mas eu me sentia falso, porque eu não tinha fé. Eu respondi: "Sim." Algum tempo depois o médico disse para mim e para a Via que ele não esperava muito tempo para mim, não. Estava com a próstata toda tomada, ameaçando passar para outros órgãos. Ele não me dava muito tempo. Mas ele não me dizia isso. Fiz a radioterapia, e mais tarde ele disse: "A sua recuperação foi extraordinária!" Hoje eu administro o problema da próstata com remédios, já não me abala mais. Então, ao cair neste abismo que eu citei, eu não pensei na morte, eu tenho impressão de que eu nunca tive medo da morte, mas evidentemente que uma coisa dessas te dá uma visão de que o fim está perto. Noção de finitude, é chamado.”

Nelson Xavier

OS BAS-TIDORES DO FILME

cena 9

QUATRO MÃOS, UMA CÂMERA E AS IMAGENS INVISÍVEIS

ANA KARLA DUBIELA

NO *SET*, A LEVEZA E O BOM HUMOR TIPICAMENTE CEARENSE estão sempre presentes, seja o professor universitário que está no comando ou o professor de *taekwondo* e administrador que está à frente. Amigos, parceiros, torcedores do mesmo time de futebol, o Fortaleza, os diretores Glauber Filho e Halder Gomes têm uma sintonia pouco comum na história do cinema nacional. As diferenças entre eles enriquecem o trabalho e se entrelaçam harmoniosamente: "Engraçado, são dois diretores, mas é uma só direção. Única. Duas pessoas com características diferentes, mas que na realidade são complementares. Para mim foi uma surpresa ter ali dois amigos, porque era essa sensação de estar com eles no *set*. Tinha uma facilidade de diálogo e troca, um respeito pelo ator e pela criação que não se encontra facilmente", afirma o ator Joelson Medeiros, que faz o Guilherme no filme.

Glauber Filho, a primeira pessoa a ser convidada para fazer *As mães de Chico Xavier*, é professor universitário de estética de cinema e diretor do longa-metragem *Bezerra de Menezes*. Da dupla de direção, é o mais sério e foca mais no trabalho do ator, no que ele rende, para então adequar o roteiro e tirar o máximo de dramaticidade da cena. Halder Gomes, diretor de *Cine Holiúdy*, é administrador de empresas e professor de *taekwondo*, atividade que o aproximou do cinema em Los Angeles, Califórnia. Gosta de planejar a cena com antecedência, nos mínimos detalhes.

Duas visões absolutamente distintas de agir no *set*: o que prefere fazer uma prévia do que irá acontecer e o que age e transforma a partir do que revela o ator em cena.

Antes de chegar à direção, Halder foi ator, produtor, assistente de produção, assistente de câmera, câmera, assistente de direção. No *set* e fora dele, Halder é considerado um brincalhão, apesar de toda a seriedade e concentração no *set*. Manter o bom humor é especialmente difícil quando se filma de 12 a 14 horas por dia.

Seu "irmão de coração", Glauber Filho, entrou no projeto do filme antes mesmo que houvesse uma ideia do que seria o roteiro. Era diretor e, nas palavras do próprio Emmanuel Nogueira, um corroteirista atento, paciente, que sabe exatamente o que quer para que o texto case com a imagem, com as possibilidades de cada ator.

Glauber Filho fala do cinema nacional, do *boom* do cinema transcendental e de suas "imagens invisíveis". Entre um compromisso ou outro da pós-produção do filme, Halder Gomes fala do filme e de emoção.

ANA KARLA DUBIELA Como surgiu a ideia do filme e como vocês entraram no projeto?

GLAUBER FILHO A primeira proposta era a gente fazer algo que tivesse uma vinculação transcendental. Algumas obras, quando vistas pelo lado orçamentário, assustavam. Então eu sugeri o filme *Bezerra de Menezes*, que seria um documentário. A gente lançou pela Fox e foi um sucesso dentro da sua dimensão, do seu propósito, e isso estimulou a criação da Estação Luz Filmes. Logo depois veio o filme de Daniel Filho, abrindo o centenário do Chico Xavier, e depois *Nosso Lar*. Ambos eram projetos que estavam engavetados antes mesmo do *Bezerra de Menezes*, porque havia uma desconfiança dos produtores e distribuidores sobre a aceitação desse tipo de filme. Partimos da ideia de procurar obras espíritas e fazer as adaptações. O Eduardo [Girão] havia lido *Por trás do véu de Ísis*, de Marcel Souto Maior, e pediu que caminhássemos para algo parecido. Foi então que surgiu a ideia de fazer uma história sobre Chico Xavier, mas onde Chico não seria o protagonista. A gente criaria histórias a partir de cartas. A proposta era pegar algumas cartas psicografadas para mães, e as cartas servirem como dispositivos para criação de histórias.

HALDER GOMES Eu comecei a trabalhar com a Estação Luz desde a época do lançamento do filme *Bezerra de Menezes*, em que fui produtor associado. Ajudei a finalizar o filme e a organizar a distribuição. Depois produzi as pré-estreias, acompanhando o lançamento. Nesse período, o Glauber já tinha a ideia de escrever o roteiro de *As mães de Chico Xavier*, um drama com temática espírita. Juntos, fizemos o projeto e ele me convidou para dirigir em parceria. Na verdade, esse roteiro é uma criação original de Emmanuel e do Glauber. Foi realizada uma pesquisa muito extensa pelo Emmanuel, no período de preparação do filme. *As mães de Chico Xavier* funde a realidade com o contexto de uma estrutura ficcional. E aborda com muita realidade o drama das mães que perderam filhos e receberam cartas psicografadas por Chico Xavier.

JÚLIO SONSOL Quais os critérios para a seleção do elenco?
GF Na minha concepção sobre cinema, a produção parte de duas coisas fundamentais: um bom roteiro e um bom elenco. Se você tem essas duas coisas, o resto fica muito mais fácil. Famosos ou não famosos, a gente quer o ator certo no personagem certo, que tenha as características desse personagem, talento e competência. *As mães de Chico Xavier* contou muito com isso, os atores encaixam muito bem nos personagens.
HG Foram atores convidados, em sua grande maioria. O principal critério foi selecionar atores com os perfis do roteiro e com capacidade de se entregar, de atuações que passassem a verdade de histórias tão delicadas. O elenco de apoio foi escolhido através de testes.

JS Como foram feitas as cenas do Grupo Espírita da Prece, que fica em Uberaba?
GF A gente teve mesmo uma dificuldade em relação às cenas da Grupo Espírita da Prece, que é uma casa do Chico Xavier, onde ele fazia os seus atendimentos, em Uberaba. A gente tinha as fotos da casa e a opção foi alugar uma casa que estava abandonada em Pacatuba, CE. Com apoio da prefeitura local, reformamos a casa, construindo um outro Grupo Espírita da Prece.
HG Foi construída uma réplica perfeita do Grupo Espírita da Prece, do Chico. Foi um vasto trabalho de pesquisa do departamento de arte que envolveu viagens a Uberaba, dos

arquitetos e engenheiros que projetaram e construíram o Grupo Espírita da Prece.

AKD A história se passa em que época?
GF Fim dos anos 1980, começo dos anos 1990, num período onde o Chico estaria mais velho e já doente. Isso iria distanciar um pouco do filme que o Daniel fez, onde o Nelson Xavier interpreta um Chico mais novo. Como a gente fez a opção de que o Chico não estaria no centro da história, convidamos o Nelson Xavier e ele aceitou. Esse critério foi fundamental, porque o ator não queria ser rotulado como o ator do Chico Xavier, por isso ele queria menos destaque e o roteiro já proporcionava isso. Ele percebeu que o Chico estaria numa idade mais avançada e que a história seria das três mães.

AKD Como é a construção do filme a partir do roteiro?
GF Tem uma cena em que aparece a Fernanda Mota com a Tainá Müller, que é a cena da consulta médica. No roteiro está escrito que a Tainá chega ao médico, está deitada na cama, a médica faz a ultrassonografia e a gente vê a imagem do feto. Aí a gente fez um ensaio e eu vi que tudo aquilo poderia ser passado do simples rosto da Tainá que interpretava Lara. Ela estava dizendo tudo. Isso é completamente diferente do que estava no roteiro. O roteiro é um guia. O filme já vinha nessa preparação estética de como as coisas estão postas no filme: uma imagem muito mais invisível do que aparente. É o caso da morte do Theo, da queda de bicicleta, do suicídio do Raul, da dúvida inicial se houve ou não suicídio da Ruth, da espera da Ruth, que fica na angústia se o Raul vem ou não vem. O Guilherme que não aparece, só aparece um pouco próximo da metade do filme. Em

todas elas, há uma imagem invisível. Tem uma construção de presenças através da ausência, da falta. Isso foi percebido e trabalhado ao longo de diálogos com os autores. A gente observa que não precisa colocar a imagem porque a imagem acaba sendo redundante.

HG O filme tem uma sutileza muito grande e essa cena do Theo é um exemplo. É um filme muito delicado. A gente teve a preocupação de que as pessoas fossem para o cinema e se emocionassem e não sofressem. O objetivo é as pessoas se emocionarem e se identificarem com a história. O filme termina para cima, com uma abordagem espiritualista, mostrando que existe uma coisa a mais, que vale a pena acreditar, e que confortou aquelas mães. A ideia era mostrar os conflitos internos que essas pessoas estão passando.

AKD Qual foi a cena que o emocionou?

HG A cena que mais me emocionou é uma que está no *teaser* do filme. A Vanessa Gerbelli (Elisa) na porta da UTI. Foi uma cena bem difícil porque foi o último dia de filmagem, de madrugada, todo mundo cansado. A cena é fortíssima e bonita ao mesmo tempo. Quando a gente está dirigindo, está tão focado naquele trabalho que a maioria das vezes você não se emociona por causa do cansaço físico em que você está. O filme emociona muito quando você está montando, somando elementos, edição de som, luzes, tudo isso vai multiplicando a força da cena. Essa cena, em particular, me emocionou. Quando você está vendo o ator, você não está vendo o enquadramento, está vendo a luz, a equipe técnica, os equipamentos, toda aquela parafernália que é um *set*, que muitas vezes lhe tira da cena. É diferente de quando se vê no cinema, do jeito que tudo é mostrado. Mas sempre tem alguma coisa que lhe toca, que o emociona.

GF Eu me lembro que nesta cena eu sabia que era em câmera lenta, mas eu sabia que tinha toda uma movimentação cênica que definiu o posicionamento daquela câmera. Da mesma forma, tínhamos o médico feito pelo ator Marrocos. Tínhamos uma decupagem com o plano da Elisa intercalado com o plano do médico. Mas, no silêncio, a cena ganhou um peso tão enorme, simplesmente mostrando o rosto da Elisa, que a gente via o que o médico estava dizendo sem ver o médico e o que ele falava.

AKD Quais as cenas que emocionaram mais a equipe?

HG As cenas que tinham o Theo, as cenas do Chico psicografando, as leituras das cartas levaram os marmanjões às lágrimas. Tinha gente que ficava chorando escondido. Aí a gente brincava: "Tá chorando..." Para mim, o que mais convence em um filme não é o que você vê ou o que você ouve, mas o que você sente. Se você sentiu, independentemente da visão, da audição, é porque o filme o atravessa e você sentiu como emoção e não como uma coisa palpável.

GF Foram várias... a descoberta que Santiago está morto, o "suicídio" da Ruth, o Raul no Umbral, a cena da morte do Theo (a mais emocionante) e todas as cenas do Grupo Espírita da Prece.

AKD O filme é doutrinário ou transcende a isso?

GF Eu acho que transcende. A doutrina espírita e o Chico falam disso, não procuram estabelecer um território da verdade. Ela procura um respeito a todas as formas de religiosidade, colocando-se muito mais como filosofia de vida.

Se você estudar as obras, é literalmente isso. O Chico foi indagado sobre qual é a melhor religião e ele respondeu que é aquela que lhe faz bem. Partindo desse princípio, eu acho que todo filme tem de ser amplo nesse sentido.
HG Conseguir que o filme agrade a dois públicos era o maior desafio.

AKD Qual é o diferencial do *Mães de Chico*?
GF *Mães de Chico* é inspirado em Marcel Souto Maior, não é uma adaptação do livro de Marcel Souto Maior. É inspirado no sentido do seu dispositivo motivador, dessa busca da psicografia, de outro universo. A criação desta "pré-história" que antecede as cartas é completamente livre. Não se baseia em um documento.
HG Numa involuntária coincidência, *As mães de Chico Xavier* acabou fechando uma trilogia sobre o Chico no ano do seu centenário. Algo incrível para o cinema nacional: um personagem com três filmes em um ano! O *Mães* é o legado humanitário de Chico Xavier: acalentador do sofrimento de quem teve perdas de entes queridos, o lado solidário e caridoso com os mais necessitados.

AKD Quem é Chico Xavier?
HG Um gênio. Esquece o Chico Xavier espírita e vamos olhar o Chico Xavier homem, intelectual, artista. Um gênio como raríssimas pessoas no mundo.
GF É um homem exemplar, por sua simplicidade e sentido de estar neste mundo.

PHILIPS

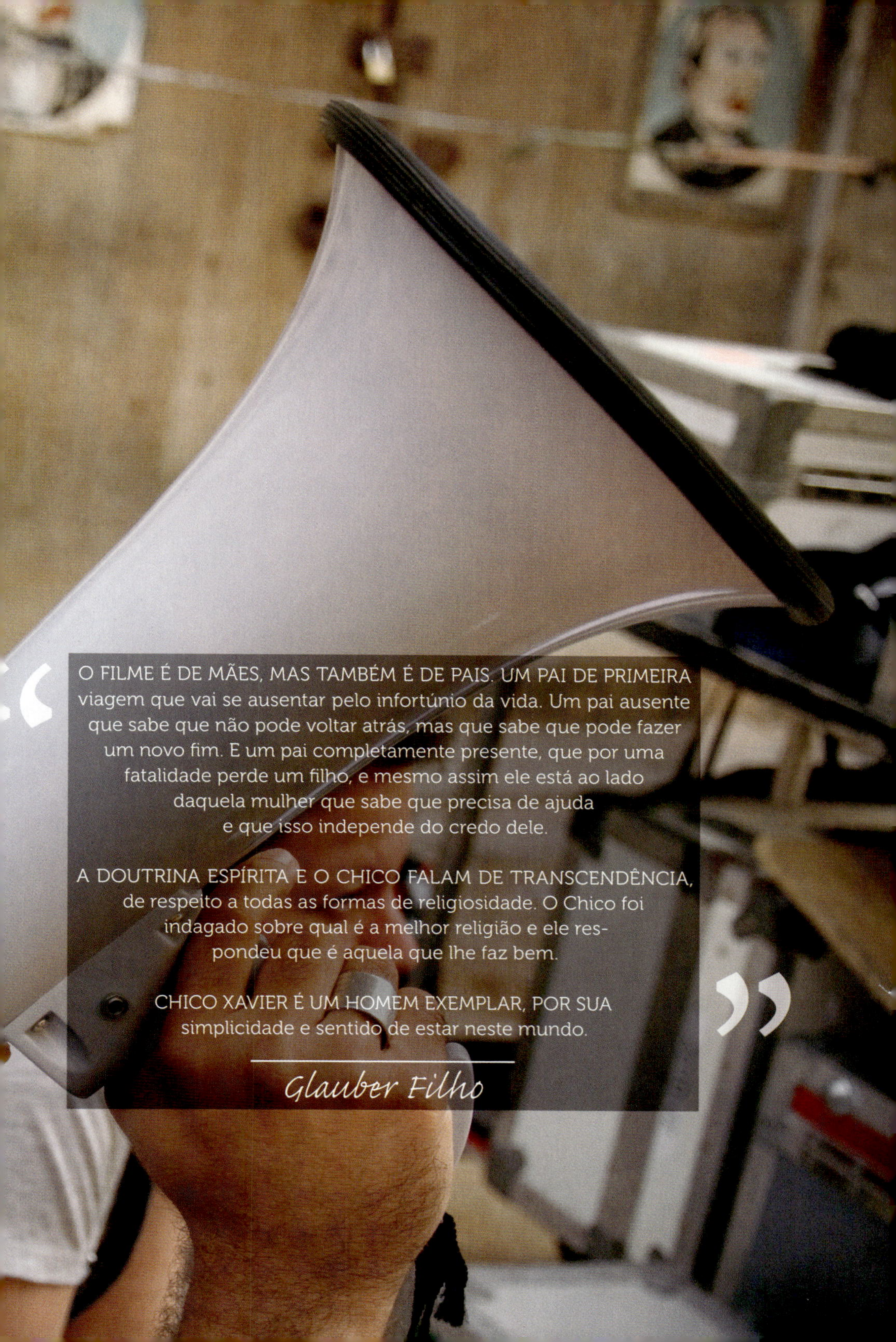

“O FILME É DE MÃES, MAS TAMBÉM É DE PAIS. UM PAI DE PRIMEIRA viagem que vai se ausentar pelo infortúnio da vida. Um pai ausente que sabe que não pode voltar atrás, mas que sabe que pode fazer um novo fim. E um pai completamente presente, que por uma fatalidade perde um filho, e mesmo assim ele está ao lado daquela mulher que sabe que precisa de ajuda e que isso independe do credo dele.

A DOUTRINA ESPÍRITA E O CHICO FALAM DE TRANSCENDÊNCIA, de respeito a todas as formas de religiosidade. O Chico foi indagado sobre qual é a melhor religião e ele respondeu que é aquela que lhe faz bem.

CHICO XAVIER É UM HOMEM EXEMPLAR, POR SUA simplicidade e sentido de estar neste mundo.”

Glauber Filho

“ É UM FILME MUITO DELICADO. A GENTE TEVE A PREOCUPAÇÃO DE que as pessoas fossem para o cinema e se emocionassem e não sofressem. O filme termina para cima, com uma abordagem espiritualista, mostrando que existe uma coisa a mais, que vale a pena acreditar.

AS MÃES DE CHICO XAVIER É O LEGADO HUMANITÁRIO DE CHICO Xavier: acalentador do sofrimento de quem teve perdas de entes queridos, o lado solidário e caridoso com os mais necessitados.

CHICO XAVIER É UM GÊNIO. VAMOS OLHAR O CHICO XAVIER homem, intelectual, artista. Um gênio como raríssimas pessoas no mundo. ”

Halder Gomes

OS OLHOS DA ALMA: A FOTOGRAFIA

ANA KARLA DUBIELA

ELISA RECEBE A NOTÍCIA DA MORTE DO FILHO E ANDA, EM câmera lenta, até atingir o auge da dor e do desespero, do lado de fora da porta da UTI. Na cena, a mais dramática do filme, uma câmera Panastar era usada, acentuando o sentimento, a poesia do momento e, sobretudo, o talento de Vanessa Gerbelli. Atrás do equipamento, estão os olhos de Carina Sanginitto, a diretora de fotografia, que mora em Los Angeles e veio ao Brasil para fazer o filme. Carina se formou em cinema na California State University, Long Beach, e assim iniciou a carreira profissional em Los Angeles.

Ao contrário do que sugere a trama, com sua dramaticidade inerente ao transcendental, optou-se por uma fotografia natural, na maior parte das cenas. "Apesar de *Mães* abordar a vida espiritual, a nossa escolha foi que a fotografia fosse naturalista, sem intervenção da câmera, já que o filme é baseado em fatos reais e retrata principalmente o sofrimento humano", argumenta Carina.

Em contraste com o tom naturalista utilizado em quase toda a trama, há um momento em que se usa a estilização, "maqueando" o cenário da locação. Mas o objetivo da mudança, drástica, tem razão de ser: "Existe um único momento, dentro do núcleo da Ruth, o Umbral, no qual nós decidimos estilizar a composição. A câmera no ombro causa perturbação e a imagem em *skip bleach* imediatamente causa estranheza, ao ser inserida na composição geral do filme, que é naturalista. Nesse momento, a nossa visão se tornou subjetiva já que o Umbral só pode ser criado a partir da nossa imaginação." Nesse instante, o que é real desaparece e a ficção, a imaginação, as brumas de um sonho (ou pesadelo) invadem a tela, traduzindo o vazio e o sofrimento de Raul, após sua morte.

A competência de Carina teve um aliado decisivo para a produção e resultado final do filme: "O Gerson Sanginitto, um dos produtores do filme, e eu temos um relacionamento com a Panavision desde a época de estudantes de cinema na California State University, Long Beach. Através do "New Filmmakers Program", gerenciado por Ric Halpern, nós tivemos o apoio deles, por meio do fornecimento de pacotes de câmera." Segundo a diretora, o equipamento da Panavision é o que há de melhor para a produção de cinema, principalmente as lentes e o fato de ser 35 mm. "Nada conseguiu ultrapassar a qualidade desse formato, ainda. A resolução da imagem e a sensação que o movimento da película causa, a meu ver, são também perfeitos para elevar o drama como um gênero. Para mim, causa uma suavidade que aperfeiçoa esse tipo de atuação."

“O ROTEIRO FOI MUITO BEM DECUPADO E CADA NÚCLEO TEM UMA composição sutilmente diferenciada. A partir dessa decupagem, nós adicionamos planos e/ou modificamos os planos de acordo com a atuação e movimentação dos atores. *As mães* é um filme muito forte, em que os atores tiveram que se concentrar muito para chegar naquele nível de emoção. Com isso, eles tinham completa liberdade para criar a marcação que eles achavam natural, para que nada quebrasse a força do momento e dos personagens.”

Carina Sanginitto

O ELENCO, ENTRE A SUTILEZA E A FORÇA DRAMÁTICA

ANA KARLA DUBIELA

O *WORKAHOLIC* GUILHERME APROXIMA-SE DA FAMÍLIA SOmente quando Theo já está hospitalizado.

Mário, pai sempre presente, engana o filho para conseguir interná-lo em uma clínica de recuperação de drogados.

Santiago ganha uma bolsa de estudos na Espanha, seu grande sonho. Ainda planejando sua viagem, é surpreendido pela gravidez da namorada. Inseguro sobre qual caminho seguir, sofre um acidente antes de tomar uma decisão.

As cenas fortes, passionais, envolvem conflitos familiares que exigem o máximo de entrega e carga emocional dos atores. Encaram o desafio veteranos como Herson Capri (Mário), em participação especial, e Joelson Medeiros (Guilherme), e revelações mais recentes como Gustavo Falcão (Santiago) e Daniel Dias (Raul). "O Mário é um personagem interessante, porque vive bastante conflito, é carregado de emoção. No caso do filho drogado, foi uma boa experiência. Na vida real tenho quatro filhos que felizmente nunca tiveram problemas nessa área, mas a gente sempre se preocupa e o filme foi uma forma de vivenciar isso", diz Herson Capri.

Daniel Dias teve que passar por uma transformação física para viver o Raul, 20 anos mais jovem. "Além da caracterização e da preparação física necessárias – cheguei a emagrecer quase 10 kg e deixei o cabelo crescer – tentei fugir dos estereótipos e trabalhar a simplicidade, o olhar, a respiração. Contar com uma direção que sabe o que quer, também ajudou muito", revela o ator, 41 anos, que faz cenas difíceis como a internação forçada em uma clínica, a injeção de drogas, a briga com a mãe, o suicídio. "Busquei trabalhar a relação dessa família que começa aparentemente tranquila, mas que já está num limite insustentável."

Joelson Medeiros, o Guilherme, usou a história real de Célia Diniz para interpretar um pai de família distante, viciado em trabalho. "Para compor o personagem, busquei elementos na situação real, na história real daquela família. Na perda de um filho, na finitude do ser humano... O que eu destaco quando entro em cena com a Vanessa é a troca. Uma atriz que está na situação o tempo todo, que está ali interessada na história, na troca, em contracenar. Uma atriz delicada e muito talentosa", elogia. Além do talento de Vanessa Gerbelli, Joelson avalia que fez um bom trabalho também por causa da equipe. "Eu avalio como um bom trabalho. Um trabalho em que tive toda liberdade na hora da cena, todo espaço para o diálogo, com todos da criação. Um cuidado, respeito e gentileza da produção como poucos que tive na carreira."

Para Gustavo Falcão, o personagem Santiago foi o mais importante e também o mais arriscado de sua carreira. Em vez de construir o personagem, ele resolveu seguir o caminho inverso, o da intuição e do sentimento. "A composição de Santiago foi um dos processos mais arriscados a que me propus. Senti que, de alguma forma, seria meu maior trabalho. Com ele, deveria me decompor, me desconstruir, estar com o espírito translúcido, permeável, pois intuía que a construção dele se daria mais através do contato com o sentimento e a trajetória do personagem do que através de elementos externos. Acho que foi isso: seria mais uma vivência, algo que se manifestaria de meu interior, do que propriamente uma construção de fora para dentro. Aguardava intuitivamente o que brotava de cada momento, para dar o passo seguinte."

"Caio é um grande parceiro, disponível, concentrado, dedicado ao trabalho. É um operário da arte, na melhor acepção da palavra, e possui muita experiência com cinema, o que dá enorme tranquilidade e segurança na contracena. Tainá é mais visceral, física. Possui uma intensidade que enriquece lindamente a delicadeza que ela manifesta inconscientemente. Foi um privilégio poder contracenar com duas forças tão diferentes, mas unidas na dedicação e no talento."

Como ator que veio da atuação no teatro, Falcão vive uma experiência nova no cinema. "É muito difícil me assistir, pois, como venho do teatro, a sensação do que foi vivido no palco é o que fica registrado, todo o resto se vai, é efêmero. No cinema, a gente guarda as mesmas sensações, mas há um registro real, que pode ser assistido posteriormente. Só consigo fazer uma avaliação do resultado após um tempo, para me distanciar do que vivi."

"Cada filme é uma experiência única, em que se percebe uma estética, dinâmica, pulsação do grupo. Essa energia parte essencialmente dos diretores, se espalha pelos atores, produção, e daí a todos os integrantes da equipe. No *Mães*, o que pude sentir foi uma conexão muito forte de todos com a história e os personagens, uma dedicação extrema, uma entrega plena de todos em prol da história que havíamos de contar e de suas mensagens."

Considerado pelos dois diretores como um "filme de ator", *As mães de Chico Xavier* é um drama contundente que, além do trabalho individual de quem está atuando, exigiu mais espírito de equipe, para que o resultado final fosse satisfatório. "Existe uma química na relação entre os personagens, que é fundamental para essas três histórias, todas elas. Mais do que o meu trabalho, acho que o trabalho conjunto do elenco é um dos destaques do filme. Houve uma sintonia muito grande entre elenco e equipe, o clima de companheirismo e de integração era excepcional. E isso se reflete no resultado final", confirma Daniel Dias.

Se a história criava um clima sombrio, difícil, conflituoso, no *set* a temperatura abrandava e o elenco podia contar com um ambiente mais leve e até divertido. "Ah, isso foi um capítulo à parte: ficamos amigos, conversamos muito e demos boas risadas. Foi ótimo. Adorei Glauber e Halder. Já temos projetos futuros, que ainda estão em segredo. Fazer este filme foi um prazer muito grande. Por vários motivos. O meu encontro com amigos como os nossos queridos diretores, sempre gentis, com meu amigo de longa data Daniel Dias, que faz o meu filho, com o sol e a energia do Ceará, estado velho conhecido meu, e com a minha Fortaleza, companheira de outros carnavais. E o filme por si só foi muito bom de fazer. As filmagens foram, para mim, uma temporada que correspondeu a um retiro espiritual. Gosto muito da cena da pescaria no começo do filme. Mas emoção houve em diversos momentos", conta Herson Capri.

Joelson Medeiros e Daniel Dias compartilham a mesma opinião. "Achei muito bom filmar no Ceará. As pessoas são muito gentis e por onde passei senti carinho e respeito. Para mim, uma das diferenças é que no Ceará parece que o tempo é outro. A sensação foi de que as pessoas não tinham tanto compromisso com a correria, com a máquina girando... Existia o tempo todo uma preocupação com o pessoal, com o humano da história", avalia Medeiros. Daniel sentiu-se à vontade, entre amigos de longa data. "Tenho uma amizade de muitos anos com Glauber Filho, já havíamos trabalhado juntos em *Oropa, França e Bahia*, peça de minha autoria que ele levou para o vídeo, mas agora tive o prazer de ser dirigido por ele como ator. Tenho amigos queridos com quem já havia cruzado em outros trabalhos: o Caio Blat, o Gustavo Falcão que é como um irmão para mim, a Vanessa Gerbelli, outra pessoa especial. Foi meu primeiro trabalho com o Halder Gomes, que foi uma grande surpresa. O Emmanuel Nogueira estudou dramaturgia comigo e trocávamos muitas ideias na época. Acho que o maior prazer estava aí: minha formação como profissional e como pessoa foi no Ceará, então a sensação era de estar em casa cercado de antigos companheiros", celebra o ator.

Diante de uma história em que a espiritualidade está presente o tempo inteiro, o encontro de religiosidades tão diversas acabou contribuindo para alargar os horizontes do filme. "O que fez diferença para mim, nesse filme, é que eu não sou espírita e fiz muita força para não me deixar influenciar pela minha opinião pessoal. Tentei mergulhar de cabeça e me entreguei totalmente. Acreditei no que o personagem acredita. Primeiro na busca da audiência para a matéria, depois na fé que o personagem adquire ao longo da história", revela Capri. Ao contrário de Joelson Medeiros, umbandista e com familiares espíritas, Daniel Dias não se diz adepto de nenhuma religião. "Sempre me interessei em descobrir novas formas de pensar e ver o mundo. Não me atraio por nenhuma religião em especial, embora tenha sido criado entre católicos. Mas me chama a atenção a forma como o espiritismo vê a evolução do ser humano, a construção do Espírito através dos seus atos e de como isso influencia o mundo à sua volta. Independentemente de crenças, o Chico Xavier era um ser iluminado e defendia o amor, o respeito ao ser humano, à vida. Por isso, sua mensagem chega a todas as pessoas", conclui.

O ator paulista Gabriel Pontes (Theo), cinco anos, é destaque em cenas mais sutis, onde as "imagens invisíveis" falam mais alto do que a que está na tela. Christiane Góis (a babá, Lica), Ana Cristina Viana (Kátia, ajudante de Chico Xavier), Neuza Borges (a governanta) e Paulo Goulart Filho (Cassiano) também estão no elenco.

DECLARE SEU AMOR
POR VOCÊ E PELO SEU BEBÊ:
FAÇA O TESTE DE AIDS E DE SÍFILIS.

divulgação

“UM FATO PITORESCO ACONTECEU DURANTE AS FILMAGENS NAS cenas gravadas na pequenina cidade de Pacatuba, interior do Ceará. A produção fez uma réplica da Casa de Prece de Uberaba, convocou os moradores, povo simples daquela localidade, para participarem como figurantes nas cenas que o Nelson interpretou o Chico psicografando e esclareceu que um ator estaria representando o Chico, fazendo apenas um papel, e que apesar de se parecer muito com ele, pois estava caracterizado, maquiado e vestido como o Chico, não era ele, mas um ator simplesmente.

A multidão estava à espera do Chico, que andava com certa dificuldade, amparado por mãos amigas, quando presenciei uma cena inesquecível ao ver as pessoas chorando e falando com o Nelson como se estivessem vendo o Chico. Elas se dirigiam a ele pedindo ajuda, falando de suas dores, colocando bilhetinhos nos bolsos de seu paletó. Impressionada, comentei com o Nelson na primeira oportunidade que tive, e ele me disse: “É, minha amiga, imagina que eu passei por isso no outro filme também. É por isso que digo que fui arrebatado pela vida deste homem...” e começamos a chorar.”

Ana Cristina Viana

A MAGIA DOS EFEITOS VISUAIS

JÚLIO SONSOL

TONS DE CINZA ACENTUAM O INCÔMODO. UM LUGAR ESTRAnho, sombrio, onde Raul e outros Espíritos dividem drogas injetáveis. A cena é uma das que foram trabalhadas com efeitos visuais. O *set*, localizado no centro de Fortaleza, "de repente" se transforma em Umbral – local onde, segundo o espiritismo, o indivíduo que desencarnou permanece enquanto está impregnado de pensamentos inferiores, mantendo-se aí até que se livre dessa "sintonia inferior", a partir de então tem condições de sair dessa região e seguir adiante em sua evolução espiritual. O tratamento de imagem ficou a cargo do diretor de efeitos visuais, o cearense Márcio Ramos, em seu Estúdio CG. Ele considerou que o trabalho foi realizado em tempo recorde, porque houve uma sincronia perfeita com a direção do filme. Em vez de um ano, tempo geralmente demandado por esse setor da produção, o trabalho foi finalizado em apenas quatro meses.

Os efeitos visuais de um filme são técnicas utilizadas no cinema para conseguir resultados que não são possíveis no *set*, ou teriam custos tão elevados que inviabilizariam a realização da produção. Desenvolvidos por meio de computação gráfica, manipulando a imagem registrada, são também utilizados para correção de cores, realce de cenas ou na composição de elementos que destacam determinados fatores, facilitando a compreensão da história pelo público.

N'*As mães de Chico Xavier*, os efeitos visuais foram introduzidos em diversas cenas, com objetivos diferentes. Além da criação do Umbral, foram utilizados para a remoção de uma parede localizada no Passeio Público, praça de Fortaleza, onde a mãe Elisa leva o seu filho Theo para a escola. Os sinais da conjuntivite de um ator, por exemplo, também foram removidos graças à computação gráfica.

Em outras cenas, foram introduzidas auras resplandecentes em seres evoluídos, facilitando a compreensão do público sobre a vida após a morte. "O efeito visual também é utilizado para ampliar a intensidade da cena", lembra Márcio Ramos, citando como exemplo o suicídio de Raul: a explosão da arma foi modificada, dando mais luminosidade à queima da pólvora.

Em outros pontos da filmagem, como a cena onde Guilherme conversa com a sua esposa Elisa no carro, o efeito visual entra para criar mais harmonia na cena, retirando pontos indesejáveis que possam distrair a atenção do espectador. Nessa tomada, foi removida uma placa publicitária por computação gráfica.

OS SONS DA EMOÇÃO

ANA KARLA DUBIELA

A MÃE RECEBE A NOTÍCIA DA MORTE DO FILHO DA BOCA DO médico, no corredor do hospital. Nenhuma palavra. O "aviso" seco, sem um texto sequer de apoio, sai dos olhos, do semblante de Elisa (Vanessa Gerbelli), ao receber a notícia. Somente um som dá o toque real da emoção: a trilha sonora de Flávio Venturini. Convidado pelo diretor Glauber Filho, por intermédio de um amigo comum, o diretor Joe Pimentel, o mineiro do "Clube da Esquina" criou grande parte da trilha, instrumental em sua maioria. "A trilha tem o tom dramático necessário a alguns momentos, mas em geral busca a beleza das melodias emocionantes, que procura retratar o amor das mães pelos filhos", diz Venturini.

Alguns personagens têm trilha própria: *Tema de Ruth*, *Tema de Elisa*, *Tema de Lara*, *Menino Theo*, *Casa da Prece* (Grupo Espírita da Prece), *Canção de Emmanuel* (tema de Chico Xavier e do seu mentor espiritual Emmanuel), *Starry* (tema de Chico psicografando), além do tema de abertura, também usado num momento dramático do filme. "Algumas músicas já existentes foram inseridas no contexto como: *Longa espera*, que compus quando minha mãe morreu, e já gravada em CD, mas em outra versão, na trilha; *Luz viva*, também de um CD meu e que já foi usada por grupos espirituais. E ainda tem: *O sal da terra*, do Beto Guedes, que encerra o filme, uma escolha do produtor do filme (Luís Eduardo Girão); *O trem azul*, do Lô Borges, em versão do meu CD de mesmo nome (cena da festa do Santiago); *Jura*, do compositor Sinhô (momento de intimidade de Ruth e Mário), além de alguns temas abstratos de tensão e pequenas inserções de ambiente", explica Venturini.

"Fiquei satisfeito com o resultado final, embora tenha ficado com a sensação de 'ah, se eu tivesse mais tempo...'", conclui rindo-se Venturini.

> A TRILHA TEM O TOM DRAMÁTICO NECESSÁRIO A ALGUNS momentos, mas em geral busca a beleza das melodias emocionantes, que procura retratar o amor das mães pelos filhos.
>
> *Flávio Venturini*

PANAVISION

88

FIRST
HWZ-8703

AS MÃES DE
Chico Xavier
1º de Abril nos cinemas

FotoKem

A-16
3
1
4
02
A
s MÃES DE CHICO XAVIER
AUBER-HALDER
RINA SANGINITTO

Nikon

ESTUDANDO O
EVANGELHO

"CHICO XAVIER É UM EXEMPLO DE OBSTINAÇÃO E GENEROSIDADE. Um homem de muita coragem, que viveu na contramão do materialismo e do individualismo, para se dedicar à sua missão: consolar famílias enlutadas e difundir o espiritismo através dos livros e da caridade. Ao longo de toda a vida, foi perseguido, atacado, processado, mas não desistiu. Aos que diziam que mais cedo ou mais tarde ele cairia, desmascarado como fraude, por exemplo, Chico dizia: 'Não vou cair porque nunca me levantei.' E agradecia: 'Graças a Deus aprendi a viver apenas com o necessário.' O homem que vendeu mais de 25 milhões de livros e renegou a autoria de todos eles ('Os Espíritos escreveram.'), morreu na cama estreita de seu quarto simples em Uberaba. Um enigma para os céticos, um ídolo para milhões de brasileiros."
Marcel Souto Maior

EXTRAS

cena 10

CARTAS

CARLOS BACCELLI

A PARTIR DA DÉCADA DE 1970, CONFORME O PRÓPRIO CHICO dizia-nos, teve início uma nova fase em sua laboriosa tarefa mediúnica – a chamada fase da "consolação". Essa foi, segundo ele, a quarta fase. Na primeira, vieram os poetas do *Parnaso de além-túmulo*; na segunda, os prosadores, com destaque para as obras de Humberto de Campos; na terceira, os doutrinadores, principalmente Emmanuel e André Luiz; e na quarta, finalmente, os habitantes comuns da vida espiritual. Dos mais de 400 livros da lavra mediúnica de Chico, mais de 100 constituem-se de coletâneas dessas cartas familiares, com provas irrefutáveis em torno da imortalidade da alma. A expressão "as mães de Chico Xavier" refere-se às mães, como também aos pais, que frequentavam Uberaba, com a esperança de notícias dos filhos desencarnados...

As vias do correio espiritual

Os filhos desencarnados comunicavam-se com maior frequência porque a saudade de seus genitores por eles excedia, como excede, os demais graus de parentesco familiar. Chico, no entanto, psicografava mensagens de cônjuges para cônjuges, de netos para avós, de irmãos para irmãos... enfim, de amigos para amigos, não importava a situação familiar entre remetente e destinatário. Mas, sem dúvida, os pais sempre compareciam em maior número nas reuniões, tendo a expectativa de um contato espiritual com os filhos amados... Chico dizia que os próprios Espíritos ainda não haviam *inventado* uma palavra para definir a dor de uma mãe quando perde o filho – perde supostamente, é claro!

O início das cartas

Na verdade, desde Pedro Leopoldo, quando começou sua abençoada tarefa, em 8 de julho de 1927, Chico recebia mensagens de cunho particular, endereçadas a familiares dos desencarnados. Não corresponde à realidade afirmar que ele somente se entregou a semelhante atividade na parte final de suas atividades mediúnicas. Fazia-o às vezes até com o intuito de minimizar a importância desse trabalho, que extrapola a análise superficial de quem não teve oportunidade de acompanhá-lo mais de perto.

A importância do trabalho de intercâmbio mediúnico

Façamos um levantamento do movimento espírita brasileiro, antes e depois da década de 1970. Veremos que, a partir desse intercâmbio mediúnico indiscriminado, ou seja, com os habitantes comuns do mundo espiritual, o número de instituições espíritas praticamente triplicou! A coisa funcionava assim: os familiares dos desencarnados, inicialmente consolados pelas cartas psicografadas, aderiam depois à doutrina, começavam a ler Kardec, Chico Xavier e, em suas cidades de origem, fundavam creches, lares para idosos, grupos espíritas na periferia, escolas, trabalho de assistência a gestantes, cursos profissionalizantes... De fato, ninguém consegue fazer ideia do profundo significado espiritual desse trabalho, que, por assim dizer, popularizou a mensagem da doutrina, fazendo com que ela penetrasse no seio de famílias que, antes, até lhe ofereciam resistência.

Dentre os vários exemplos, limitemos-nos a um dos mais conhecidos – o de D. Yolanda Cézar, mãe de Augusto Cézar Netto, desencarnado em 27 de fevereiro de 1968. Nossa irmã D. Yolanda, que havia chegado arrasada à Comunhão Espírita Cristã, após vários contatos com o filho desencarnado, começou a trabalhar pela causa e transformou-se, em todo o Brasil, num exemplo de dedicação para muita gente, tendo fundado, em São Paulo, o Lar-Oficina Augusto Cézar Netto, instituição que, tendo a caridade por bandeira, vem prestando relevante serviço à difusão da doutrina. Ainda, durante muitos anos, D. Yolanda coordenou a campanha de Natal realizada por Chico, em Uberaba, no atendimento a milhares de famílias carentes.

A impressionante rotina de atividades no centro espírita

Chico chegava ao centro por volta de 15, 15:30 h, atendia as pessoas que estavam na fila, provenientes de vários estados do Brasil – vinham de carro, de ônibus, de avião! Ali, inicialmente, era feita uma triagem pelos Espíritos: alguns nomes eram anotados para o serviço do receituário homeopático (cerca de 200 a 300 receitas de cada vez) e outros submetidos à apreciação para a possibilidade de uma carta psicografada. Após o receituário, que aproximadamente ia das 18 às 21:30 h, Chico tomava lugar à ponta da mesa e dava início à recepção das mensagens particulares. Psicografava, então, durante umas 3, às vezes 4 horas, sem pausa alguma. Nesse período, ele recebia, em média, 8 a 10 cartas, contendo um mundo de informações que consolavam e, ao mesmo tempo, esclareciam.

Os Espíritos, em seus depoimentos através de Chico, foram contando-nos sobre sua situação no mundo espiritual, efetuando revelações surpreendentes, como, por exemplo, no caso de Volquimar Carvalho dos Santos, desencarnada em 1.º de fevereiro de 1974, no incêndio do edifício Joelma, em São Paulo. Na segunda mensagem que escreveu, ela afirma:

> "Ninguém julgue que a maioria dos desencarnados aporta no mundo diferente sem as marcas das ocorrências que lhes motivaram a separação do corpo físico.
>
> É preciso haver atravessado a existência terrestre quase que em serviço absoluto de espiritualização para que o nosso envoltório sutil não seja assinalado pelas impressões da morte.
>
> *Aqui, surpreendemos companheiros muitos que passam ainda por minucioso tratamento de plástica regenerativa*, enquanto que muitos outros recolhem assistência para reparações últimas de pontos orgânicos lesados."[13] [grifos do autor]

Vejamos bem: *cirurgia plástica no perispirito*! Essas mensagens, portanto, não podem ser consideradas apenas e tão-somente na condição de comunicados que tinham a função de consolar os familiares saudosos! Elas necessitam ser estudadas, pois trata-se de extraordinário acervo que a maioria dos espíritas vem relegando ao esquecimento.

O consolo além das cartas

Nos últimos anos, em razão do seu precário estado de saúde, Chico não mais conseguia psicografar as cartas. No entanto, as mães continuavam procurando por ele, em Uberaba. Ele não mais conseguia psicografar, mas as mães e os pais

---

13. *Somos seis*. Francisco Cândido Xavier, Espíritos diversos, Caio Ramacciotti (org.). 21.ª ed. GEEM, São Bernardo do Campo, SP, 2010 [pp. 47-48].

mostravam-lhes as fotos dos filhos desencarnados... Ele pegava-as, olhava atento, beijava e, em seguida, devolvia-as aos genitores, dizendo que pediria a Deus para que aqueles Espíritos fossem abençoados na nova vida! O efeito de consolo era o mesmo, porque aqueles pais retiravam-se da fila apertando de encontro ao peito o retrato do filho ou da filha que Chico Xavier havia beijado. A própria espiritualidade de Chico, mesmo ele não mais psicografando como outrora, era uma luz para os corações sofredores! Transcendendo a mediunidade, ele não mais precisava escrever: bastava sua presença, com um aperto de mão, um aceno, um sorriso, para que as pessoas se sentissem confortadas! Era emocionante observar o fenômeno, que por vezes nos levava às lágrimas...

Os bastidores das cartas

Saibamos que o que acontecia nos bastidores de uma simples mensagem particular psicografada pelo Chico, no que tangia à mobilização espiritual de todo o grupo familiar e dos amigos do comunicante desencarnado, era algo extraordinário. Fica um convite para que também nos debrucemos sobre essas páginas, que, de certa maneira, jazem esquecidas por quem não saiba lhes apreciar o conteúdo.

CARLOS ANTÔNIO BACCELLI

Nasceu em Uberaba, MG, em 9 de novembro de 1952. odontólogo, escritor e jornalista, é autor de mais de 130 obras (livros e produtos audiovisuais), incluindo vários livros em parceria mediúnica com Chico Xavier, de quem é um dos principais biógrafos. Idealizador e fundador de instituições espíritas em Uberaba, MG. Foi diretor da Aliança Municipal Espírita de Uberaba e secretário da Comunhão Espírita Cristã, antiga casa de trabalho do médium Chico Xavier. Orador requisitado por todo o Brasil.

"APRENDI MUITO COM EMMANUEL, COM ANDRÉ LUIZ, COM O DR.
Bezerra, mas igualmente tenho aprendido com todos esses
outros nossos irmãos desencarnados que, por nosso
intermédio, escrevem aos seus familiares na Terra."
Chico Xavier

> DIGO-LHES QUE, COMO MÉDIUM, ESSA TAREFA DAS CARTAS DE consolação aos familiares em desespero na Terra foi o que sempre mais me gratificou...
>
> *Chico Xavier*

AQUI COM O NOME DE GRUPO
ESPÍRITA DA PRECE FUNCIONA
O CULTO DE EVANGELHO DO LAR
DO IRMÃO FRANCISCO
CANDIDO XAVIER
EM CASA DE SUA
PROPRIEDADE

MAIS LIÇÕES

SAULO GOMES

CELSO AFONSO

Chico Xavier

O Chico é um professor, um amigo, um orientador. Ele me ensinou que quando uma mãe abraça aquela carta, é como se estivesse abraçando o próprio filho. Chico dizia: "O mais importante nem é a carta, mas o que os filhos deixam ali impregnado."

Drogas

Viciados são enfermos. Digo às mães: "Deus tem caminhos que a gente desconhece. A senhora faça a sua prece e vamos confiar. O que a senhora não der conta, Deus dará. Ele vai mostrar um caminho para o seu filho um dia."

Onde encontrar o filho

Costumo dizer às mães aflitas: "Mãe, não olhe para a direita nem para a esquerda, nem para a frente nem para trás procurando seu filho, porque ele está dentro do seu coração."

Cartas

Nem todos recebem a carta. Tem caso de mães que se aproximam de mim, escutam as cartas para outras mães e dizem: "É como se o meu filho tivesse escrito!"

"

Não olhe para a direita nem para a esquerda, nem para a frente nem para trás procurando seu filho, porque ele está dentro do seu coração.

"

CELSO DE ALMEIDA AFONSO

Nasceu em Araxá, MG, em 5 de agosto de 1940. Médium, cantor, compositor, trabalha como ourives em Uberaba, MG. Conduzido por Chico Xavier ao exercício da mediunidade, tornou-se respeitável médium, recomendado pelo próprio Chico. Com mais de 40 anos de atividades mediúnicas, recebeu mais de 18 mil cartas de entes queridos desencarnados. Mantém a tarefa do "correio com o além" no Centro Espírita Aurélio Agostinho, em Uberaba. Publicou 37 livros e CDs.

EURÍPEDES HUMBERTO DOS REIS

Dor da perda

Chico Xavier dizia que a perda de um ente querido dói, e muito mais para uma mãe. Essa dor é completamente diferente, é como se 80 %, no mínimo, de sua vida tivesse ido embora quando o filho vai para o lado de lá.

Ele afirmava que, quando a dor chegava na porta de um ente querido, de uma mãe principalmente, não existia religião, não existia diferença de classes. A dor falava mais alto do que qualquer outro sentimento. Mesmo as pessoas que não acreditavam em Deus chamavam por uma força maior.

Chico recomendava que as pessoas não deixassem de chorar, mas que não chorassem com mágoa, com rancor, porque tudo aquilo ia diretamente ao ente querido. Quem ficava tinha saudade, mas quem partia tinha mais saudade ainda!

Chico Xavier

Depois do "Pinga-Fogo" em 1971, as pessoas procuravam o Chico como um fenômeno, como um ser humano ímpar, que só pensava em Deus...

O filme *As mães de Chico Xavier* vem consagrar o trabalho deste ser ímpar, que todos no Brasil e no mundo conhecemos cada dia mais. Ele estará mais presente na vida e nos lares brasileiros e mundiais.

“

Quando a dor chega na porta de um ente querido, de uma mãe principalmente, não existe religião, não existe diferença de classes. A dor fala mais alto do que qualquer outro sentimento.

”

A grande percepção mediúnica

Uma grande dama de São Paulo veio de avião junto com a família para poder receber uma mensagem pelo Chico. Mandaram o motorista por terra. Quando ele aqui chegou, ficou lá fora. No final das reuniões, o Chico lia as mensagens, e não veio nada para essa senhora. Mas ele insistia que o Espírito que estava assinando dizia que tinha gente da família. Eu chamei o Aparecido e pedi que procurasse, mas não acharam ninguém. O Chico disse: "Olha se não tem alguém dormindo no carro." O familiar era o motorista que nem no Grupo da Prece entrou, e que estava aguardando para levar até o hotel as pessoas que tinham vindo de avião. A captação mediúnica, a sensibilidade de Chico ia além do encontro pessoal com as pessoas.

“

Não deixe de chorar,
mas não chore com
mágoa, com rancor.
Quem fica tem saudade,
mas quem parte tem
mais saudade ainda!

”

EURÍPEDES HUMBERTO HIGINO DOS REIS

Nasceu em Ituiutaba, MG, em 17 de março de 1950. Filho de criação de Chico Xavier, conviveu intimamente com o médium por longos anos, por quem era carinhosamente chamado “filho do coração”. Empresário, odontólogo e escritor, é diretor e fundador da Casa de Memórias e Lembranças Chico Xavier e da livraria e editora FCX; presidente do Grupo Espírita da Prece e do Grupo Assistencial Chico Xavier, instituições de Uberaba, MG. Autor dos livros *Chico Xavier, o empresário de Deus* e *Uma vida com Chico Xavier*; co-autor do livro *Chico Xavier – apóstolo do Brasil.*

NENA GALVES

Deitar com os doentes

Quando o Chico teve um infarto, o médico e disse: "Chico, nós, como médicos, não podemos nos 'deitar' com os doentes. Você está se 'deitando' com estas mães e seu coração não está aguentando."

Os que mais precisam

Certa vez a Elza Fontoura perguntou ao Chico: "Você conheceu muito a mãe da Nena, o irmão, a minha mãe. Por que você não recebe mensagem nenhuma para nós?" O Chico disse: "Vocês não precisam." Ele recebia para quem precisava.

A ajuda dos mentores

Um dia perguntei: "Chico, este Espírito desencarnou outro dia. Como ele pode falar deste jeito?" Ele respondeu: "Nena, ele estava numa maca. Quem falou por ele foi Dr. Bezerra, mas se Dr. Bezerra assinasse, para muitas mães não teria o valor de uma mensagem do próprio filho. Por isso, o Dr. Bezerra colocou o nome do filho." Estes Espíritos muitas vezes querem passar a mensagem, mas não têm equilíbrio suficiente. Então os mentores fazem este trabalho de levar as impressões, os sentimentos deles.

Médium conselheira

Costumo brincar que eu sou como a Yvonne [Pereira, grande médium e escritora espírita] falou: "médium conselheira". Se vier algum recado, eu preciso ter certeza para transmitir esse recado. E peço provas para o Espírito. Se não me der provas – nome, algum detalhe –, eu não falo.

“

Uma mãe, se não
souber conduzir-se
com a desencarnação
de um filho, pode
perder não só um filho,
mas a família inteira,
começando pelo marido.

”

Paciência

Para a mãe que procura consolo, eu digo que espere, porque se ela exigir consolo, ela pode estar sacrificando o filho a vir numa maca. Se ela quer amparar este filho, frequente o centro espírita, receba passes, estude e espere, porque ele virá.

Perda ainda maior

Uma mãe, se não souber conduzir-se com a desencarnação de um filho, pode perder não só um filho, mas a família inteira, começando pelo marido. Porque ela se apega tanto a estas mensagens que ela passa a não ser mais companheira, esposa nem mãe dos outros. Isso aconteceu com a Nair Belo. Um dia falei para ela: "Você teve uma perda muito grande, só que você não sabe que está perdendo os seus outros filhos e seu marido também, porque não tem quem aguente uma pessoa chorando como você deste jeito dentro da casa: chora na cama, chora na mesa, chora de dia... só se apegando ao filho?" Ela voltou para o teatro. Foi aí que ela se curou. Passou a viver sentindo que o filho tinha partido, e tinha que deixá-lo caminhar. O amor de mãe é imensurável, a morte não o destrói nem faz com que se pare de amar.

Quando uma mãe me procura e me pergunta: "Por que comigo?" Eu respondo: "Porque você não é diferente. Se você não tivesse a coragem de suportar isso, o mundo espiritual não teria deixado ele reencarnar por você. Os filhos não são nossos, são de Deus."

A maior lição

A maior lição de vida que Chico nos deixou foi a humildade.

“

A maior lição de vida que Chico nos deixou foi a humildade.

”

NENA GALVES

Nasceu em São Paulo, em 28 de fevereiro de 1928. Amiga e confidente de Chico Xavier ao longo de 43 anos, junto com seu esposo Francisco Galves sempre hospedaram Chico nas estadas do médium em São Paulo. Fundadora do Centro Espírita União, em São Paulo. Médium, escritora e apresentadora de programas de divulgação espírita na rádio e na TV. Autora dos livros biográficos *Até sempre Chico Xavier!* e *Amor e renúncia (traços de Joaquim Alves)*.

"QUANDO AS LÁGRIMAS NASCEM DO NOSSO RECONHECIMENTO A Deus pelos benefícios que recebemos; quando as lágrimas refletem a nossa saudade tocada de esperança, os nossos amigos desencarnados nos dizem que as lágrimas fazem a eles muito bem, porque elas são luzes no caminho daqueles que são lembrados com imenso carinho. Mas quando as nossas lágrimas traduzem revolta de nossa parte diante dos desígnios divinos, que nós não podemos de imediato sondar; quando essas lágrimas retratam rebeldia, essas lágrimas prejudicam os desencarnados. Tanto quanto prejudicam os encarnados também."
Chico Xavier

EPÍLOGO

cena

ELES VIVEM

CHICO XAVIER e EMMANUEL

Ante os que partiram, precedendo-te na grande mudança, não permitas que o desespero te ensombre o coração.

Eles não morreram. Estão vivos.

Compartilham-te as aflições quando te lastimas sem consolo.

Inquietam-se com a tua rendição aos desafios da angústia quando te afastas da confiança em Deus.

Eles sabem igualmente quanto dói a separação.

Conhecem o pranto da despedida e te recordam as mãos trementes no adeus, conservando na acústica do espírito as palavras que pronunciaste, quando não mais conseguiam responder às interpelações que articulaste no auge da amargura.

Não admitas estejam eles indiferentes ao teu caminho ou à tua dor.

Eles percebem quanto te custa a readaptação ao mundo e à existência terrestre sem eles, e quase sempre se transformam em cireneus de ternura incessante, amparando-te o trabalho de renovação ou enxugando-te as lágrimas quando tateias a lousa ou lhes enfeitas a memória perguntando por quê...

Pensa neles com a saudade convertida em oração.

As tuas preces de amor representam acordes de esperança e devotamento, despertando-os para visões mais altas da vida.

Quanto puderes, realiza por eles as tarefas em que estimariam prosseguir e tê-los-ás contigo por infatigáveis zeladores de teus dias.

Se muitos deles são teu refúgio e inspiração nas atividades a que te prendes no mundo, para muitos outros deles és o apoio e o incentivo para a elevação que se lhes faz necessária.

Quando te disponhas a buscar os entes queridos domiciliados no mais além, não te detenhas na terra que lhes resguarda as últimas relíquias da experiência no plano material...

Contempla os céus em que mundos inumeráveis nos falam da união sem adeus e ouvirás a voz deles no próprio coração, a dizer-te que não caminharam na direção da noite, mas, sim, ao encontro de novo despertar.

> "Ante os que partiram, precedendo-te na grande mudança, não permitas que o desespero te ensombre o coração. Eles não morreram. Estão vivos."

Retornaram contando. Francisco Cândido Xavier, Espíritos diversos, Hércio M.C. Arantes (org.). 7.ª ed. IDE, Araras, SP, 2011 [pp. 11–12].

AQUI COM O NOME DE GRUPO
ESPÍRITA DA PRECE FUNCIONA
O CULTO DE EVANGELHO DO LAR
DO IRMÃO FRANCISCO
CANDIDO XAVIER
EM CASA DE SUA
PROPRIEDADE

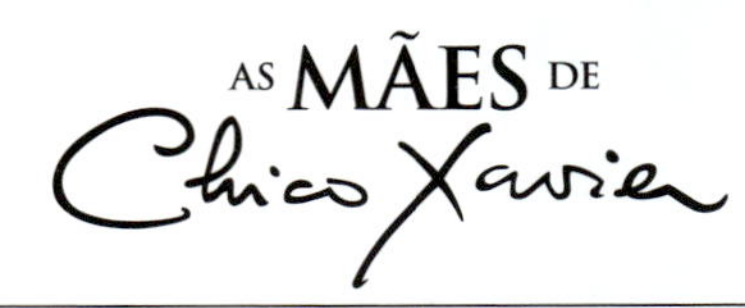

DADOS INTERNACIONAIS DE CATALOGAÇÃO NA PUBLICAÇÃO (CIP BRASIL)

Gomes, Saulo (*1928)

As mães de Chico Xavier
lições de vida sobre a morte, o aborto, as drogas e o suicídio
organização Saulo Gomes; textos Ana Karla Dubiela, Divaldo Franco, Therezinha Oliveira *et alii*; fotos Abrahão Otoch, Soraya Ramalho
InterVidas: Catanduva, SP, 2011
416 pp. 15,5 × 22,5 cm ilustrado

ISBN 978 85 60960 05 7

1. *As mães de Chico Xavier* (filme) 2. Morte 3. Aborto
4. Drogas 5. Suicídio 6. Espiritismo
I. Gomes, Saulo (*1928) II. Dubiela, Ana Karla (*1964) III. Franco, Divaldo (*1927)
IV. Oliveira, Therezinha (*1930) V. Soraya Ramalho VI. Título

CDD 791.4372 CDU 791.232

1.ª edição premium, 2.ª tiragem | novembro de 2011
50 mil exemplares (tiragem total edições premium e especial)

Parte da renda desta obra é revertida à Associação Estação da Luz, entidade civil sem fins lucrativos com sede em Eusébio, CE, que mantém vários projetos que visam a semear a cultura da vida, da paz e da solidariedade.

Editora InterVidas (Organizações Candeia Ltda.)
CNPJ 03 784 317/0001-54 IE 260 136 150 118
Rua Minas Gerais, 1520 Vila Rodrigues 15 801-280 Catanduva SP
17 3524 9801 www.intervidas.com

Impresso no Brasil *Printed in Brazil* *Presita en Brazilo*

Colofão

TÍTULO
As mães de Chico Xavier
lições de vida sobre a morte, o aborto, as drogas e o suicídio

ORGANIZAÇÃO
Saulo Gomes

BASTIDORES
Ana Karla Dubiela, Júlio Sonsol

COLABORADORES
Abel Sidney, Carlos Baccelli, Cleunice Orlandi de Lima, Divaldo Franco, Raul Teixeira, Therezinha Oliveira, Vilson Disposti

MENSAGENS
Chico Xavier & Emmanuel, Clayton Levy & Scheilla, Plínio Oliveira, Richard Simonetti

ENTREVISTADOS
Celso Afonso, Eurípedes Humberto dos Reis, Nena Galves

FOTOS
Abrahão Otoch, Soraya Ramalho

EDIÇÃO
1.ª premium, 2.ª tiragem

EDITORA
InterVidas (Catanduva SP)

ISBN
978 85 60960 05 7

PÁGINAS
416

TAMANHO MIOLO
15,3 × 22,5 cm

TAMANHO CAPA
15,5 × 22,5 cm com orelhas de 9 cm

CAPA
Andrei Polessi | moo (www.moo.st)
adaptação sobre imagem © Paris Filmes

REVISÃO
Ary Dourado, Luiz Roberto Benatti

PROJETO GRÁFICO & DIAGRAMAÇÃO
Ary Dourado

COMPOSIÇÃO
Adobe InDesign CS5 [Windows 7]

MANCHA
23p7 × 38p6, 31 linhas

MARGENS
5p:5p:7p9:9p8
(interna:superior:externa:inferior)

TIPOGRAFIA
texto principal Calluna 11,5/15
texto mensagens Museo 500 9,5/15
texto cartas Caflisch Script Pro [16, 20]/20
títulos Museo 100 [30, 60]/[30, 60]
e Museo 300 30/30
subtítulos Museo 500 [11,2; 12]/15
notas de rodapé Calluna 9,5/13

PAPEL
miolo Suzano Couché Matte 90 g/m²
capa Suzano Supremo Duo Design 300 g/m²

CORES
miolo e capa 4 × 4 cores escala CMYK

TINTA
Seller Ink

PRÉ-IMPRESSÃO
CTP Platesetter Kodak Trendsetter 800 III

PROVAS MONOCROMIA
HP DesignJet 1050C Plus

PROVAS QUADRICROMIA
HP DesignJet Z2100 Photo

PRÉ-IMPRESSOR
Lis Gráfica e Editora (Guarulhos SP)

IMPRESSÃO MIOLO
ofsete Heidelberg Speedmaster SM 102-8P

IMPRESSÃO CAPA
ofsete Komori Lithrone S29

IMPRESSOR
Lis Gráfica e Editora (Guarulhos SP)

ACABAMENTO
cadernos 32 pp. costurados e colados
brochura laminação BOPP fosca
e verniz UV com reserva

TIRAGEM
50 mil exemplares
(tiragem total edições premium e especial)

PRODUÇÃO
Novembro/2011

InterVidas
viva além!